L'ordre libertaire
La vie philosophique d'Albert Camus

Michel ONFRAY

L'ordre libertaire
La vie philosophique d'Albert Camus

DOCUMENT

« J'estime un philosophe dans la mesure où il peut donner un exemple. »

Nietzsche, *Considérations intempestives*, III. 3.

Introduction

UNE BIOGRAPHIE DES IDÉES

Qu'est-ce qu'une vie philosophique ?

> « Kierkegaard brandissait devant
> Hegel une terrible menace : lui envoyer
> un jeune homme qui lui demanderait
> des conseils. »

(CAMUS, *Carnets* IV. 1268).

Le Danemark et la Prusse

Jadis, la preuve du philosophe était donnée par la vie philosophique qu'il menait. Ce jadis a duré longtemps. Le long temps béni de la philosophie antique, soit une dizaine de siècles avant que le Christianisme et l'Université ne transforment les philosophes en théologiens, puis en professeurs, autrement dit l'illumination et la pédanterie. On s'en doute, plus d'un millénaire de ce régime laisse des traces dans le monde de la philosophie où le goût pour l'illumination et la pédanterie, l'un n'excluant pas l'autre, a produit d'infâmes brouets ayant détourné nombre de gens sensés de cette sublime discipline. On les comprend. Un lignage de philosophes résiste à cette contamination de la pensée par le Ciel et la Chaire. Camus en fait partie – il aimait la Terre et la Vie.

Que veut-il dire quand il écrit dans ses *Carnets*, goguenard : « Kierkegaard brandissait devant Hegel une terrible menace : lui envoyer un jeune homme qui lui demanderait des conseils » (IV. 1268[1]) ? Qu'il

---

1. Le chiffre romain renvoie au tome des *œuvres complètes* d'Albert Camus dans l'édition de la Pléiade, le chiffre arabe à la page.

existe deux façons d'être philosophe. La première, celle du penseur danois, qui permet la construction d'une identité, la fabrication d'une existence, la sculpture de soi pour quiconque souhaite donner un sens à sa vie. La philosophie est alors existentielle, autrement dit, elle concerne les techniques de production d'une existence digne de ce nom. Toute la philosophie antique fonctionne ainsi : après avoir découvert une pensée, on en fait la boussole de sa vie, elle donne une colonne vertébrale au chaos que l'impétrant ressentait de façon intime avant cette rencontre. Dès lors, le philosophe peut conseiller à un jeune homme ce qui lui permet d'échafauder sa subjectivité. La vie devient une œuvre, rien n'interdit qu'elle constitue une œuvre d'art, autrement dit, une production sans duplication possible.

La seconde façon de pratiquer la philosophie, celle du penseur prussien, envisage les conditions de possibilité de la pensée, elle se soucie des modalités de la connaissance, elle veut réduire la diversité et la multiplicité du monde, sa vitalité et ses efflorescences aussi, à une poignée de concepts agencés dans des architectures systématiques. Le désordre du réel doit obéir à la cravache du concept. Tout ce qui fuit, vit, bouge, se trouve fixé, comme un papillon sur le liège, par des néologismes piqués sur une surface théorique. Une fois cette pure opération de l'esprit effectuée, le philosophe recule d'un pas, contemple son édifice : certes, il a construit un immense château – mais il s'avère inhabitable. Un jeune homme n'a rien à faire de cette passion pour le verbe qui l'éloigne des choses.

Que Camus ait, comme Kierkegaard, ou le Rilke des *Lettres à un jeune poète*, le souci des lecteurs ayant l'âge de Rimbaud en route vers le Harar, l'installe aux antipodes des illuminés et des pédants. Cette passion pour transmettre la philosophie, la partager, y compris et surtout avec les êtres en quête d'eux-mêmes, des garçons et des filles dont l'âme se perd dans la jungle d'une vie menaçante, ou bien encore pour l'offrir aux non-professionnels de la philosophie, vaut déclaration de guerre aux suffisants et aux professeurs, ce qui, dans le monde de la philosophie d'hier et d'aujourd'hui, épuise presque toute la corporation.

Camus écrivait pour être lu et compris afin d'aider à exister, péché mortel dans ce petit monde philosophique où, bien souvent, on écrit pour être glosé et obscurci par les membres de sa tribu. Toujours dans les *Carnets*, on peut lire ceci : « Ceux qui écrivent obscurément ont bien de la chance : ils auront des commentateurs. Les autres n'auront que des lecteurs, ce qui, paraît-il, est méprisable » (VI. 1087). Dans les années où il consigne cette réflexion, il pense à Sartre, bien sûr, qui, on l'aura compris, songeons à *L'Être et le Néant*, est plutôt prussien que danois !

À l'évidence, écrire pour être lu et compris inscrit dans un lignage ayant mauvaise presse en philosophie depuis sept ou huit décennies : la tradition française. Montaigne, Descartes, Diderot et tous les philosophes du siècle des Lumières, mais aussi ceux du XIXe siècle, Maine de Biran et Comte par exemple, ou, plus tard, Bergson et Bachelard, écrivent une langue claire, une prose simple et se font comprendre sans difficulté. L'idéalisme allemand et l'Université prussienne, à partir de Kant, inaugurent un tout autre monde où, de par sa spécificité, la langue crée des emboîtages générant des néologismes une fois traduits en français. La ligne claire, a ses adeptes, Kierkegaard ; le trait obscur, ses thuriféraires, Hegel en figure emblématique. Ou bien encore : Camus, la ligne claire, contre Sartre, le trait obscur.

En vertu de cette domination de l'Allemagne sur le terrain de la philosophie européenne depuis les années 1830, quiconque rédige son propos dans une langue facile d'accès passe pour superficiel. L'obscurité semble signe et gage de profondeur ; la clarté, preuve de légèreté et d'inconséquence théorique. Voilà pourquoi, à plusieurs reprises dans son œuvre, Camus affirme n'être pas philosophe : selon les critères prussiens, en effet ; mais en vertu des critères que nous dirons danois, il illustre à merveille la tradition de la philosophie française. Jugé par un tenant de la secte prussienne, Camus ne pouvait être philosophe – ou bien alors, insulte (sartrienne) suprême, « philosophe pour classes terminales ». Ce mépris tombe de lui-même quand on constate qu'aujourd'hui Sartre a deux ou trois commentateurs, mais Camus quantité de lecteurs bien au-delà de la classe de philosophie.

Un philosophe existentiel

Camus s'inscrit donc dans le lignage français des philosophes existentiels, mais surtout pas existentialistes. On imagine mal ce que fut cette mode à prétexte philosophique dans le petit monde de Saint-Germain-des-Prés. *L'Être et le Néant* devient un best-seller, mais qui peut croire que les six cents pages de cet « Essai d'ontologie phénoménologique », c'est le sous-titre, aient été lues avec patience, assimilées, comprises par la faune qui faisait les riches heures des caves avec l'alcool, le jazz, le rock acrobatique, le tabac, la drague ?

Comme toujours quand elle atteint le grand public, la philosophie s'accompagne de malentendus : loin des réflexions sur le nihilisme, l'absurdité, le sens, la liberté, le choix, l'engagement, la facticité, la contingence, l'authenticité, l'existentialisme devient une mode associée au couple Sartre et Beauvoir, aux chansons de Juliette Gréco, à la trompinette de Boris Vian, aux tenues des zazous, aux overdoses de whisky. Camus ne fut pas le dernier à boire, danser, s'amuser, fumer, séduire, parler dans ces sous-sols germanopratins, mais, ses carnets en témoignent, cette vie absurde ajoutait du non-sens à une existence qu'il imaginait brève pour cause de tuberculose.

Camus fut très tôt associé à l'existentialisme ; aussi vite, il protesta de cette assimilation. Mauriac parlait d'« excrémentialisme », on faisait de Sartre un séducteur détraqué qui forçait ses conquêtes à renifler des camemberts pourris. Mais Camus souhaite moins se démarquer de cette lecture fautive de l'existentialisme que de cette philosophie qui, quand elle est chrétienne, suppose la critique de la raison en faveur de la divinité, et, quand elle est athée, divinise l'Histoire. Camus ne veut pas choisir entre Dieu comme histoire et l'Histoire comme dieu, il pense un art de vivre en temps nihiliste.

À un journaliste de *Servir* qui lui demande en 1945 ce qu'il pense d'une permanente association de son nom à l'existentialisme, voire d'être présenté comme un disciple de Sartre, il répond : « Je ne suis pas un philosophe. Je ne crois pas assez à la raison pour croire à un système. Ce qui m'intéresse, c'est de savoir comment il faut se conduire. Et plus précisément comment on peut se conduire quand on ne croit ni en Dieu ni en la raison » (II. 659). Où l'on retrouve l'opposition entre Hegel, le dévot de la raison, le faiseur de système, et Kierkegaard, le penseur de la possibilité de l'action, le philosophe de l'art de vivre.

La paresse des journalistes, la fainéantise de ces gens qui créent l'opinion, leur incompétence intellectuelle aussi, contribuent à la fabrication des malentendus. Plutôt que de lire, plume à la main, de tâcher de comprendre ce qui se trouve écrit, d'analyser les thèses d'un livre, les chroniqueurs déversent dans la presse une contre-information qui nourrit la réputation. Or la réputation, c'est la somme des malentendus accumulés sur un nom. On ne lit pas l'œuvre, on lit les commentaires de l'œuvre livrés dans la presse, puis on juge à partir de ce travail de désinformation.

Dans une nouvelle de *L'Été* intitulée « L'énigme », Camus analyse le mécanisme de construction des légendes par la presse dont le pouvoir s'avère considérable puisqu'il n'est réfuté par aucun contre-pouvoir digne de ce nom. Jadis, l'écrivain écrivait pour être lu ; aujourd'hui, pour n'être pas lu : « À partir du moment, en effet, où il peut fournir la matière d'un article pittoresque dans notre presse à grand tirage, il a toutes les chances d'être connu par un assez grand nombre de personnes qui ne le liront jamais parce qu'elles se suffiront de connaître son nom et de lire ce qu'on écrira sur lui. Il sera désormais connu (et oublié) non pour ce qu'il est, mais selon l'image qu'un journaliste pressé aura donnée de lui. Pour se faire un nom dans les lettres, il n'est donc plus indispensable d'écrire des livres. Il suffit de passer pour en avoir fait un dont la presse du soir aura parlé et sur lequel on dormira désormais » (III. 603). Une image de soi traîne donc dans les revues crasseuses accumulées sur les tables des dentistes ou des coiffeurs. On y lit parfois le portrait d'un philosophe se roulant dans une vie de débauche et qui, dans la réalité, mène une existence d'ascèse et de travail, ce dont témoigne l'œuvre alignée sur plusieurs rayonnages d'une bibliothèque.

Un Zarathoustra venu d'Algérie

La vérité d'un philosophe ne se trouve donc pas dans ce qu'on écrit ou dit de lui. Où, alors ? Tout simplement dans son œuvre. Dans cette nouvelle, Camus s'insurge aussi contre l'idée que l'on puisse faire de l'œuvre un produit de la vie. Impossible d'en appeler aux lois du genre fictif de la nouvelle, et d'affirmer qu'il pense ce qu'il écrit sur la fabrication des légendes par les journalistes puis, quelques lignes plus loin, de supposer qu'il ne croit pas à l'absence de liaison entre les idées et la biographie de l'auteur ! Soit il a raison partout, soit il a tort deux fois.

Héritage romantique, écrit-il, la preuve : on peut écrire sur l'inceste sans avoir violé sa sœur, ou sur Œdipe sans avoir couché avec sa mère – en effet. Mais pourquoi s'intéresser plus particulièrement à ces sujets ? Camus donne la réponse lui-même dans une démonstration qui fragilise sa précédente affirmation : « Les œuvres d'un homme retracent souvent l'histoire de ses nostalgies ou de ses tentations, presque jamais sa propre histoire, surtout lorsqu'elles prétendent à être autobiographiques » (III. 605). Or, comment pourrait-on dissocier la biographie d'un être et ses nostalgies ou ses tentations qui, *justement*, constituent sa biographie ?

Dans cette analyse de la production journalistique des légendes dommageables pour le philosophe, chacun voit bien qu'il parle d'expérience. S'il confesse la possibilité d'écrire sur l'absurde sans connaître soi-même les affres de l'absurde, qui le croit ? S'il écarte d'un revers de la main, comme une puérilité romantique, l'idée d'une œuvre comme confession autobiographique, ne peut-on y déceler un mécanisme de défense chez un être pudique qui voit sa vie intime et privée menacée par la presse, jamais avare des à-peu-près dont on ne se remet jamais ?

Dans ce même bref texte de 1950, Camus précise que l'absurde n'est pas une fin désespérante, mais un début pour une vie positive. Passer pour le philosophe de l'absurde qui mène une vie absurde, empêtré dans l'absurdité de son monde, génère une première légende – il y en aura d'autres ! Il n'est pas *le* philosophe existentialiste accablé par le non-sens du monde, mais le penseur d'un réel déserté par les dieux qui offre des raisons d'espérer, notamment dans, par et pour la révolte. Finalement, cet homme habité par un envers sombre et un endroit lumineux avoue des racines autobiographiques à sa pensée.

Camus écrit en effet : « Au plus noir de notre nihilisme, j'ai cherché seulement des raisons de dépasser ce nihilisme. Et non point d'ailleurs par vertu, ni par une rare élévation de l'âme, mais par fidélité instinctive à une lumière où je suis né et où, depuis des millénaires, les hommes ont appris à saluer la vie jusque dans la souffrance » (III. 606). La philosophie camusienne se trouve ramassée dans cette phrase : le diagnostic du nihilisme européen, la volonté de le dépasser par une philosophie affirmative, la réflexion par-delà bien et mal, le sens de la terre, la mémoire viscérale d'une lumière d'enfance, l'inscription dans un lignage ancestral, l'acquiescement à la vie jusque dans sa négativité. Qui n'entend ici le chant d'un Zarathoustra venu d'Algérie ?

Comment on philosophe à Paris

Camus n'aime pas Paris qu'il compare à la caverne de Platon : les hommes y prennent l'ombre pour la réalité. Le philosophe qui connut des extases mystiques païennes à Tipasa a vu la lumière, *lui*. Pour filer la métaphore platonicienne, après avoir contemplé cette source de toutes les clartés, il est redescendu parmi les hommes, bien décidé à leur expliquer où se trouve la lumière et où se profilent les ombres fallacieuses. L'homme refusant que l'on sollicite la biographie pour comprendre l'œuvre écrit ensuite : « Nous avons appris, loin de Paris, qu'une lumière est dans notre dos, qu'il nous faut nous retourner en rejetant nos liens pour la regarder en face, et que notre tâche avant de mourir est de chercher, à travers tous les mots, à la nommer » (III. 607). À nouveau, texte programmatique.

Une petite pièce de théâtre méconnue, c'est fort dommage, permet au philosophe de brosser le portrait de ces abusés qui prennent l'ombre pour la réalité. Cette œuvre intitulée *L'Impromptu des philosophes* prend place dans la galerie de la commedia dell'arte ou du Molière des *Fourberies de Scapin* – ici, les fourberies existentialistes mettent sur les planches un Scapin nommé « Monsieur Néant » ! La pièce de 1947 montre comment on philosophe à Paris. Cette petite satire voltairienne est une machine de guerre bien efficace contre les gros traités d'ontologie phénoménologique ! Le rire nietzschéen en acte.

Monsieur Néant demande audience à Monsieur Vigne, maire de sa commune et pharmacien stupide. Monsieur Néant arrive avec un très gros livre sous le bras, se présente, s'assied lourdement, précise que son nom est connu à Paris, qu'il n'a pas de métier et ne sait rien faire de ses dix doigts. Il dit : « Je me suis fait placier en doctrine nouvelle » (II. 772). Flagorneur, il avoue que Monsieur Vigne est connu à la capitale grâce à ses travaux. Ils ne sont pas encore publiés ? Peu importe, sa réputation l'a déjà précédé, la preuve : Monsieur Néant l'honore de sa présence ! Preuve irréfutable de l'être apportée par le Néant. Venu de Paris, le placier athée cherche à convertir le pharmacien catholique armé de son épais traité : la religion ne se porte plus à Paris, elle n'est plus à la mode, le pape des élégances l'a décrété. Si le pape a dit, le pharmacien croit. Première conversion.

Suit un cours sur l'absence de cause dans le réel, le hasard de toute chose, l'absurdité du monde et l'héroïsme conquis par le seul fait de consentir à cette leçon. Pas besoin d'avoir commis des actes de bravoure, il suffit de croire au nouveau caté-chisme. L'apothicaire triomphe en héros du simple fait d'avoir fait siennes les maximes du Néant ! Le voilà joyeux et guilleret de se trouver penseur à si peu de frais. Deuxième conversion. Le Philosophe de Paris continue sa leçon : il veut bien enseigner combien l'homme est libre, puisqu'il n'est rien, mais souhaite être payé d'un bon prix pour cette sagesse concentrée dans son in-folio.

Arrive Monsieur Mélusin. Il souhaite parler à Monsieur Vigne dont il veut épouser la fille Sophie. Fraîchement converti à l'existentialisme, le futur beau-père répond à sa progéniture que l'amour n'existe pas, qu'il n'y a que des caresses – *dixit* le livre ! Seules les actions comptent, les intentions ne sont rien : la preuve de l'amour, c'est la coucherie, si Mélusin n'a pas couché, il n'aime pas. Formé à ce langage adéquat, le père parle de situation, de choix, d'engagement, de responsabi-lité et, après un roulé-boulé philosophique, abou-tit à la nécessité de l'enfantement. La fille trouve que cette conception de l'amour venue tout droit de Paris lui agrée pleinement ! Elle s'en va vers les travaux pratiques.

Le jambon de Monsieur Néant

Madame Vigne entre sur scène avec un jambon-neau. Elle découvre un nouveau mari sous le charme des délices existentialistes : la vérité est que la vérité n'existe pas, que tout est hasard, qu'il y a parfois de la fumée sans feu et que rien ne sert à rien. Discours d'archevêque selon l'épouse qui tourne le dos à son philosophe de mari pour manger seule son gros jambon bien gras, cadeau de Dieu ! Monsieur a beau être fraîchement converti au sartrisme, il ne crache tout de même pas sur la pièce de charcuterie : certes, il veut bien que rien n'ait de sens, mais il voit bien tout de même celui de la cuisse du cochon ! Suit l'argu-mentation philosophante pour se mettre à table : « Je ne suis rien sans vous et je me dois d'accom-plir ce que je suis, en vous aidant à être ce que vous êtes, d'où il ressort qu'étant ce que je suis, je dois faire ce que vous faites et qu'étant ce que vous êtes, vous devez me laisser faire ce qu'il faut bien faire pour que vous et moi soyons ce que nous sommes. C'est la raison pour quoi je dois souper » (II. 779).

Devant son épouse qui crie au fou, le mari plonge dans le gros livre de Monsieur Néant et tâche de prouver ce qu'il dit par quelques extraits qui semblent sortis tout droit de *L'Être et le Néant* ! Mais, proférés dans le désordre, rien ne fait sens. Il sollicite le Philosophe de Paris qui donne la bonne formule : « Être en se faisant et faire que cela soit, c'est être à tout venant sans être quoi que ce soit » (II. 780). Stupéfaction de Madame, satis-faction de Monsieur : il demande un supplément d'âme au philosophe qui veut bien poursuivre ses leçons, mais, un regard vers le jambon, avoue que, l'estomac plein, il pense mieux.

Ingurgitant le gigot, le Philosophe de Paris continue sa péroraison. La bouche pleine, il fait de l'angoisse la meilleure chose du monde, elle est une vertu, un délice, une consolation, elle nous fait vivre, la preuve : les morts ne l'éprouvent pas ! Pas dupe, Madame Vigne récrimine ; Monsieur Néant invite le mari à répudier sa femme. Le mari argue d'un engagement ? Le gros livre lui apprend que changer d'engagement c'est encore s'engager. La lecture de cet opus moins digeste que le jambon permet ensuite aux habiles d'écrire eux aussi des livres nimbés d'un pareil fumet.

Arrivent les tourtereaux. Monsieur Mélusin a bien retenu la leçon : il a beaucoup caressé Sophie, jusqu'à préparer l'enfantement, donc il l'aime. Monsieur Vigne poursuit l'examen pour savoir s'il va donner son consentement au mariage : l'ardeur au lit ne suffit pas, il faut aussi que le prétendant soit un peu criminel, un peu voleur si possible, un peu incestueux aussi, ou bien pédéraste. Non ? « Quelle confiance puis-je avoir dans un homme qui n'a pas eu à choisir d'être ce qu'il est ? » (II. 786) poursuit le pharmacien – on songe ici au tropisme qui conduit Sartre à célébrer la vie et l'œuvre de Jean Genet dans un texte qui accompagne la parution de *Miracle de la rose* le 30 mars 1946 avant le développement de ces thèses dans *Saint-Genet comédien et martyr*.

Monsieur Vigne attend l'enfant qui ne saurait tarder, vu l'abondance des caresses prodiguées : car s'il n'y a pas de naissance, il n'y a pas eu de responsabilité, pas de responsabilité veut dire pas d'engagement, pas d'engagement signifie pas d'amour ! La pédérastie serait une bonne preuve aussi : elle dirait que Mélusin aime les hommes sans limites et qu'il s'y engagerait tout entier. Et Monsieur Vigne d'exprimer au gendre putatif : « N'oubliez pas l'amour de l'homme et apprenez à l'exercer à huis clos. C'est ainsi que vous deviendrez libre et c'est ainsi par conséquent que vous serez marié » (II. 787). Précisons que *Huis clos* a été monté au Vieux-Colombier le 27 mai 1944.

Monsieur Néant aborde la politique. Le pharmacien se dit républicain et attaché aux libertés traditionnelles. Le Philosophe de Paris l'entreprend sur ce sujet : son élève parle des libertés comme si elles existaient en soi, or la liberté n'existe pas tant qu'elle n'est pas conquise par l'action. Dès lors, nous ne sommes jamais libres, mais « toujours sur le chemin d'être libres » (II. 787). Rappelons là pour ceux qui douteraient encore de l'identité cachée de Monsieur Néant que *Les Chemins de la liberté* paraissent en 1945. La liberté n'est acquise qu'une fois mort, enseigne Néant – saillie philosophante qui rassure le pharmacien.

Dès lors, à quoi bon être républicain ? Il n'y aura vraiment de république qu'une fois le pharmacien sous terre ! Et avec lui, la totalité des Français. Que faire aux prochaines élections ? demande l'élève à son maître. Réponse du Grand Philosophe : « Puisque vous ne sauriez être libre sans avoir lutté votre vie durant pour la liberté, puisque vous ne pouvez lutter que si vous êtes opprimés, vous proclamerez votre amour de la liberté et vous voterez en même temps pour ceux qui veulent la supprimer » (II. 788) – chacun aura reconnu l'homme du compagnonnage avec les communistes.

Sur ces entrefaites, entre le directeur d'un asile de fous flanqué de deux infirmiers tout en muscles. Monsieur Néant s'est évadé de sa clinique, il est connu pour séduire les gens avec son discours habile. Et le livre ? rétorque Vigne. Personne ne l'a lu, répond le Directeur, pas même le fou qui s'est contenté des propos tenus par les critiques dans les journaux. Or chacun sait que les critiques ne lisent jamais les livres dont ils parlent – « coutumes parisiennes » (II. 789), surenchérit le pharmacien. Le Directeur acquiesce et ajoute, à propos de Paris : « C'est une ville singulière. On y aime tant les belles pensées qu'on ne peut se retenir d'en parler tout le jour, ce qui ne laisse point le temps d'en lire. » Puis : « On s'y déchire au nom de la paix et on s'y promet le bagne au nom de la liberté » (II. 790). Le Directeur conclut que les philosophes doivent se tenir à l'écart des gens, comme les lépreux, pour ne pas les contaminer avec leur maladie. Leçon apprise dans l'asile où il travaille depuis si longtemps !

La vie philosophique

La pièce ne fut pas montée, ni publiée. Dommage. Nul doute qu'elle aurait accéléré le processus de décomposition qui débouche sur la polémique de *L'Homme révolté* cinq ans plus tard. Sartre n'aurait pas manqué de fourbir ses armes ;

Camus aurait ainsi brûlé ses vaisseaux. Mais l'œuvre tonique, dynamique, nietzschéenne avec sa légèreté par profondeur, renseigne sur l'état d'esprit d'Albert Camus à Paris où il se sent et se sait exilé. Pendant l'Occupation, puis au sortir de la guerre, il a trop vu les rouages de ce petit monde lors de ces « fiestas » où les corps changent de lit tous les soirs, où l'alcool fait tomber l'un dans l'escalier, s'effondrer l'autre dans la rue, initier une bagarre à un troisième. Camus se prend un jour un coup de poing d'Arthur Koestler et porte quelque temps une paire de lunettes de soleil pour cacher le coquard.

Mais il y a pire que ces faits divers de beuveries : dans ce petit monde libertin et puissamment alcoolisé, les idées fonctionnent pour elles-mêmes, détachées du monde. Comme il se trouve une tribu d'esthètes qui pratique l'art pour l'art, il existe une peuplade d'intellectuels qui pratique la philosophie pour la philosophie, comme un jeu d'enfants n'engageant à rien – sauf qu'à terme, ce jeu justifie les camps de concentration soviétiques récemment découverts et que, dialectique oblige, Sartre défend, avec Merleau-Ponty, Simone de Beauvoir et *Les Temps modernes*. Ce même jeu justifie aussi l'assimilation de la philosophie à un pur exercice de rhétorique dans lequel les sophisteries s'enchaînent pour prouver n'importe quoi. Une idée chasse l'autre, peu importe pour cette élite immature que telle ou telle fasse des morts. Cent millions, par exemple, pour l'Idée communiste au XXe siècle

La technique apprise à l'École normale supérieure pour disserter brillamment sur tout, rien et n'importe quoi, en éblouissant l'auditeur toujours assimilé à un examinateur du jury d'agrégation, a fourvoyé la philosophie que Camus aborde dans une autre configuration : celle du salut individuel et personnel *via* Jean Grenier, son professeur au lycée. Le fils de pauvre ne la découvre pas en préparant l'agrégation – mais en vivant la vie mutilée d'un monde auquel il restera fidèle toute sa vie : celui des pauvres, des petits, des sans-grades, des humiliés, des victimes. Le monde de son père, ouvrier agricole mort à la guerre ; celui de sa mère, femme de ménage morte aux mots, mutique, silencieuse, mais modèle de vertu méditerranéenne – droiture, loyauté, courage, sens de l'honneur, dignité, fierté, modestie. La vie philosophique d'Albert Camus fut éthique et pratique de cette morale solaire.

Le professeur et le philosophe

Dans un essai des *Parerga et Paralipomena*, Schopenhauer expose ce qui oppose les professeurs de philosophie et les philosophes. Nietzsche s'en souvient en écrivant sa considération inactuelle sur ce philosophe néobouddhiste souffrant de voir à ses cours d'université trois ou quatre figurants, une femme du monde, un sans-abri attiré par la chaleur du poêle et un curieux, alors qu'à côté Hegel faisait salle comble avec un sabir qui lui aliénait un auditoire captif comme l'oiseau sur la branche en dessous duquel siffle le serpent.

Le professeur vit de la philosophie ; le philosophe la vit. On peut être l'un et l'autre, bien sûr, Schopenhauer témoigne. Mais ce sont deux activités radicalement séparées. En quoi consiste celle du *professeur de philosophie* ? Dépecer la pensée d'autrui, la découper en tranches, la configurer dans un plat de sa facture, la présenter et la resservir à un auditoire qui la régurgite à sa façon, le tout permettant de noter l'apprenti, puis de lui décerner un certificat lui permettant de travailler à son compte, voilà qui fait de la philosophie un prétexte, l'occasion d'un métier, sinon d'une sinécure.

Le philosophe quant à lui pense pour vivre et mieux vivre, il réfléchit pour conduire son action, il médite dans le but de tracer une route existentielle, il lit, écrit, afin de mettre en forme un chaos cartographié par le verbe. La bibliothèque n'est pas chez lui une fin en soi, ni l'écriture une activité pour elle-même, pas plus que les livres ne sont des formes pures destinées à augmenter le patrimoine littéraire de l'humanité. Pour lui, le verbe se fait chair, acte, action, sinon il ne sert à rien.

La vie du professeur est celle d'un fonctionnaire assujetti aux horaires de son métier. Personne ne lui demande, s'il a enseigné Spinoza dans la journée, de mener une vie spinoziste le soir. Si d'aventure il s'engage sur cette voie, il passe de l'autre côté du miroir et se prépare à une vie philosophique. Celle-ci définit toute existence dans laquelle est visible la sagesse de l'individu qui la professe. Elle nomme un quotidien dans lequel un être vit selon sa pensée et pense selon sa vie. La lecture, la pensée, la réflexion, la méditation, l'écriture, la parole, la publication travaillent à l'adéquation de la théorie et de la pratique.

Camus a découvert la philosophie avec Jean Grenier qui fut incontestablement un professeur.

Il disposait en effet de tous les titres universitaires lui permettant de se réclamer de l'institution. Ce fut aussi un philosophe écrivant sur la sagesse orientale. Mais la jonction entre l'idéal et la vie quotidienne se fit mal chez Grenier. Camus eut cent fois l'occasion de mesurer le hiatus repérable entre l'homme qui professe une doctrine, en l'occurrence celle du non-agir taoïste, et l'être qui ferait mieux de se dispenser d'agir tant l'action creuse chez lui le fossé entre ses dires et ses actes, sa théorie et sa pratique, sa pensée et ses gestes. Grenier n'a pas su qu'à son corps défendant il a donné à Camus une leçon précieuse.

L'auteur de *Noces* fut un homme rassemblé : la vie philosophique existe avec la totale adéquation entre l'œuvre et l'existence. La lecture croisée de tous les livres d'Albert Camus, le déchiffrage de ses correspondances publiées ou inédites, la connaissance du travail effectué par les biographes de référence – Herbert Lottman et Olivier Todd –, à l'exclusion de toute la littérature de glose qui enfume plus qu'elle n'éclaire, permettent de remplacer la légende par l'histoire. La légende de Camus est négative : *elle parle mal d'un homme bien* – comme celle de Freud, positive, parle bien d'un mauvais homme.

L'histoire contre la légende

Quelle est cette légende ? Camus serait romancier dans ses livres de philosophie et philosophe dans ses ouvrages de fiction, autrement dit ni philosophe ni romancier ; Camus serait un autodidacte en philosophie, il effectuerait des lectures de seconde main et n'irait pas directement aux textes, quand il y va on prend soin d'ajouter qu'il ne les comprend pas ; Camus serait un social-démocrate, un socialiste très rose, un mendésiste ; Camus aurait été le penseur des petits Blancs, des colons et des Français d'Algérie ; Camus aurait été journaliste chez les philosophes, philosophe chez les journalistes – une légende fabriquée de toutes pièces par Sartre et les siens dès *L'Homme révolté*. Elle fut savamment entretenue après la mort du philosophe.

Le propre de la légende c'est d'être propagée sans être interrogée. Même chez certains camusiens, une partie de cette fiction sartrienne se trouve parfois répandue. La lecture intégrale de l'œuvre met à mal cette déplorable fiction : Camus fut un philosophe digne de ce nom, et ce dans la plus grande tradition de la pensée française ; Camus fut un romancier qui parvint à l'équilibre entre la fiction et les idées ; Camus fut un maître en style et sut inventer une écriture adéquate pour chacun de ses propos ; Camus fut un lecteur avisé, libre, indemne des formatages universitaires ; Camus ne lisait pas pour gloser mais pour illustrer son propos ; Camus fut un nietzschéen de gauche, en critique de Nietzsche, comme le philosophe allemand souhaitait qu'on le fût avec lui ; Camus était un anarchiste positif, nullement disciple de tel ou tel, même si Proudhon semble le plus proche de sa sensibilité ; Camus fit penser ses lecteurs quand il écrivait dans les journaux ; Camus écrivit dans la presse des pages intempestives plus durables que certains traités philosophiques publiés par des diplômés ; Camus fut un penseur anticolonialiste dès ses jeunes années, et ce jusqu'à la fin de sa vie ; Camus fut un philosophe hédoniste, païen, pragmatique, nietzschéen – de plus, il était fils de pauvre et fidèle aux siens. Il avait tout pour déplaire aux Parisiens faiseurs de réputation, tout pour me plaire aussi – et pour plaire à tant de lecteurs aujourd'hui. Ce livre invite à déconstruire la légende pour entrer dans l'histoire d'un philosophe majeur du XXe siècle.

Première partie

LE ROYAUME MÉDITERRANÉEN

Qu'est-ce qu'une vie hédoniste ?

« Il y a ainsi une volonté de vivre
sans rien refuser de la vie qui est la vertu
que j'honore le plus en ce monde. »

CAMUS, *L'Été* (III. 613).

1

Généalogie d'un philosophe

Comment devient-on ce que l'on est ?

> « L'homme que je serais si je n'avais
> pas été l'enfant que je fus ! »
>
> CAMUS, *Cahier IV* (II. 1025)

L'idiosyncrasie libertaire

Camus parle de son « intolérance quasi organique » (III. 454) à l'injustice. Il ne s'explique pas
pourquoi il se trouve *de facto* aux côtés des
humbles, des humiliés, des gens de peu mal traités
et avoue être incapable de dormir du sommeil du
juste en présence de la misère des plus démunis,
mais il le constate. Sous sa plume, la référence à
l'« organique » fleure bon le nietzschéisme et plus
particulièrement la théorie de l'idiosyncrasie qui met
en perspective la pensée et le corps qui la produit,
la philosophie et l'autobiographie du philosophe, sa
vision du monde et sa situation dans le monde.

Toute sa vie, Camus fait de l'auteur du *Gai
Savoir* une référence positive, un genre de modèle

dont on peut être le disciple sans qu'il soit pour autant un maître. On sait que le philosophe allemand théorise l'idée d'une physique de la métaphysique, d'une généalogie empirique de ce que les philosophes officiels et institutionnels présentent comme du transcendantal. Mais, sans renvoyer explicitement à cette pensée qu'il connaît, bien sûr, il récuse dans *L'Été* cette fausse bonne idée qu'un auteur ne parlerait que de lui ou que ses idées procéderaient de son histoire. Idée fausse et puérile, dit-il.

Pourtant, on ne peut imaginer que l'intolérance à toute forme d'injustice, *la signature existentielle de Camus*, descende du ciel des idées auquel il ne croit pas – lui qui affirme si souvent ne pas être philosophe (II. 659) (II. 971) (III. 402) (III. 411), la philosophie étant la plupart du temps un genre de théologie sans Dieu, un jeu conceptuel gratuit, une sophistique sans intérêt, une rhétorique spécieuse, compliquée par des professionnels de la profession. Camus brille dans l'histoire de la philosophie comme un penseur de l'immanence radicale. Au XXᵉ siècle, nul philosophe n'épuise à ce point la matière concrète du monde, la prose tangible du réel, en économisant les tics de la corporation philosophante et en empruntant la plume du poète. Comme Nietzsche.

Dès lors, *organiquement* constitué en homme rétif à l'injustice, à la misère, à la pauvreté, à l'humiliation, nous pouvons imaginer la constitution historique de cette subjectivité. Le même écrit : « Une certaine somme d'années vécues misérablement suffisent à construire une sensibilité » (II. 795). Cet aveu cautionne l'idée d'une généalogie de sa sensibilité dans l'enfance – une évidence à laquelle il semble difficile de se soustraire. On ne naît pas ce que l'on est, on le devient. Comment Camus devient-il ce philosophe radicalement rebelle à l'injustice ? Autrement dit : quels chemins emprunte la psyché de cet enfant devenu homme pour se cristalliser dans une sensibilité libertaire ?

Une psychobiographie sans Freud

Précautions méthodologiques : la quête d'une identité et le questionnement de l'enfance ne relèvent pas de la psychanalyse mais de la psychologie. Plus personne n'ignore que cette dernière a dû rendre les armes devant les bataillons freudiens qui contaminent toute psychobiographie depuis plus de cent ans. Rappelons que la méthode psychobiographique est nietzschéenne, qu'on en trouve les formules dans *Le Gai Savoir* et *Par-delà bien et mal*, un demi-siècle avant les fictions freudiennes. Interroger le père, la mère, le milieu familial, l'enfance pour comprendre comment se construit une psyché ne signifie nullement souscrire aux légendes œdipiennes, à l'inconscient hérité phylogénétiquement, au meurtre du père, au banquet cannibale, et autres légendes viennoises ayant commis beaucoup de dégâts.

J'en veux pour preuve qu'une psychanalyse de Camus a déjà été proposée par un homme de l'art, puis publiée chez un éditeur prétendument sérieux, dans une collection dite « Bibliothèque scientifique » et que cet exercice nous renseigne plus sur son auteur que sur son sujet. Concernant Camus, on y apprend par exemple : que, orphelin de père très tôt, l'image paternelle est à chercher dans la mère (22), ce qui trouble le jeu œdipien, bien sûr ; qu'il ne put s'identifier à son oncle unijambiste puisque la perte d'une jambe est identifiée par l'inconscient à une castration (23) ; que, devenu adaptateur de textes d'autrui pour le théâtre, puis acteur lui-même de ces réécritures, il convie ainsi le spectateur à la résurrection de son père (27) ; que son engagement dans la Résistance s'explique de façon limpide puisqu'il rejoint un réseau après avoir lu un article dans le journal annonçant l'exécution de Gabriel Péri et que « Péri », bien sûr, c'est « Père », puis « Périr » (29) ; que ses démarches concrètes pour s'engager dans la guerre dès le début des hostilités n'ont rien à voir avec la cohérence de son engagement dans le mouvement antifasciste Amsterdam-Pleyel dès 1933, mais avec le désir de « venger » son père tué par les Allemands (29) ; que le personnage de Meursault est un « substitut paternel », puisque son père fut ouvrier agricole dans une ferme viticole (30) où pourtant l'on ne vinifiait pas de bourgogne ; que la grand-mère, avec son usage immodéré de la cravache, engage Camus dans une impasse phallique (38) ; que la tuberculose lui interdisant de préparer l'agrégation de philosophie, « c'est la Mère-Phallique-Maladie qui barre le chemin des identifications paternelles » (40), Jean Grenier en l'occurrence ; que, « dans l'identité Mère = Mer = Mort se résume [une] fusion imagoïque » (43) repérable dans toute l'œuvre ;

que « ses désirs incestueux qui le portent vers sa mère muette le portent aussi vers un abîme de silence » (129), voilà pourquoi, bien que disparaissant à quarante-six ans, ce silencieux qui faisait l'acteur au théâtre a publié près de cinq mille pages en Pléiade ; que *La Peste* « a valeur d'un phallus anal » (146), même punition pour Sisyphe ; et que, bien sûr, toute la raison d'être de *L'Homme révolté*, c'est le meurtre œdipien du père pourtant déjà mort (175).

La messe freudienne ayant été dite une bonne fois pour toutes, on me permettra de proposer une lecture nietzschéenne de la généalogie du tempérament libertaire d'Albert Camus. On y verra moins de phallus et de castration, de meurtre du père et de désirs d'inceste, d'analité et de jeux de mots explicatifs, que d'histoires personnelles et subjectives entrecroisées avec des histoires générales, celles d'une classe sociale, d'un milieu, d'une époque, d'une terre, d'un pays, d'une ville, d'un quartier, mais aussi des histoires particulières constituées de blessures d'enfance, d'humiliations des jeunes années, de rencontres vécues comme des rédemptions païennes pour un enfant que tout prédestinait socialement à ne pas devenir ce qu'il est devenu.

Devenir un fils fidèle

En 1945, Camus donne une clé pour ouvrir les portes de sa psyché : « L'homme que je serais si je n'avais pas été l'enfant que je fus ! » (II. 1025). De fait, cette enfance sans père, mais avec des souvenirs majeurs hérités du père ; cette enfance sans mère d'une certaine manière, puisqu'elle fut sourde et quasi mutique, mais tellement présente dans sa forteresse de silence ; cette enfance avec une grand-mère injuste et violente, brutale et méchante ; mais aussi, cette enfance bénie de façon païenne par la mer et le soleil, les plages et la natation, le sable et l'eau, la Méditerranée et l'amitié, le rire et les filles, la nature et la lumière, le sport et le théâtre ; cette enfance sauvée par le savoir et la culture, la lecture et les livres, puis l'écriture et la publication, avec Louis Germain l'instituteur, puis Jean Grenier le professeur de philosophie – cette enfance livre le secret de la constitution *organique* de cette sensibilité, de ce tempérament *anarchiste*, le mot caractérisant quiconque refuse de suivre autant que de guider.

Une psyché se constitue avec des expériences. Elle ne naît pas ce qu'elle est mais le devient par une étrange alchimie dont on peut raconter l'histoire après coup, sans pouvoir expliquer pourquoi cet enfant qui a choisi de lutter contre l'injustice, après l'avoir vécue dans sa chair, n'a pas opté plutôt pour la répétition du traumatisme qui aurait pu le détruire. Camus se trouve indemne de ressentiment, de passions tristes, de haine, de désir de vengeance, de rancune, d'animosité. Pourquoi, alors qu'il aurait pu, lui plus qu'un autre, passer sa vie, comme Sartre, à vouloir pendre haut et court les riches, les bourgeois, les nantis, Camus opte-t-il pour les viscéralités morales et les indignations éthiques de son père et pour l'immense douceur de sa mère ? Il choisit la fidélité au père mort et à la mère mutique, autrement dit il inscrit sa réflexion et sa vie dans la lutte contre l'injustice et l'exercice de la pensée au côté des humbles.

Dans *Noces*, Camus écrit : « Ce n'est pas si facile de devenir ce qu'on est » (II. 106). En effet. Il connaît cette expression de Pindare à laquelle Nietzsche a donné sa publicité. On sait que, dans la Grèce, la croyance en un destin inscrit dans les logiques cosmiques facilite la compréhension de pareille idée. Dès lors, « devenir ce que l'on est », c'est consentir au vouloir qui nous veut, accepter d'être ce que les dieux ont choisi pour nous, se plier à l'injonction du Grand Tout.

Mais si l'on ne croit pas en Dieu, ou dans les dieux du panthéon antique ? Si l'on ne fait pas de la nature une divinité ? Si le ciel est vide de sacré et plein d'étoiles ou de planètes ? Reste alors une volonté sans objet, une liberté sans finalité, autrement dit une angoisse sans nom pour l'individu ayant le sens de l'immensité de l'univers et de la petitesse de son être précaire. La vie philosophique de Camus est tout entière tournée vers cet impératif existentiel : devenir ce qu'il est, autrement dit un fils fidèle.

La mort infligée[1]

Quel est le thème de l'œuvre complète du philosophe Albert Camus ? *La mort infligée* : le meurtre, l'assassinat, la mise à mort d'un autre ou de soi. Ainsi : la révolution et l'écrasement de la rébellion dans *Révolte dans les Asturies* ; les

---

1. Sur la dénonciation des massacres de tous ordres, en particulier dans *La Peste*, voir cahier photos, p. 4-5.

bombes des nihilistes russes dans *Les Justes* ; le crime de *L'Étranger* qui finit sur l'échafaud ; la question du meurtre légal dans l'histoire, de la Révolution française aux camps soviétiques ou nazis, en passant par le chigalevisme ou le léninisme dans *L'Homme révolté* ; les *Réflexions sur la guillotine*, bien sûr ; la folie sanguinaire du tyran *Caligula* emblématique de l'homme politique ; la méprise du crime d'un fils dans *Le Malentendu* ; le suicide, seul problème philosophique sérieux dans *Le Mythe de Sisyphe* ; les crimes de masse de tous les totalitarismes passés, présents et à venir dans *La Peste* ou *L'État de siège* ; la séquestration et le supplice du missionnaire ou le crime de l'Arabe livré par un gendarme à l'instituteur censé le convoyer vers la prison dans *L'Exil et le royaume* ; les deux terrorismes, l'état français et la libération du FLN en Afrique du Nord dans *Actuelles III. Chroniques algériennes* ; la question de l'épuration à la Libération dans les articles de *Combat* ; la palinodie des juges pénitents dans *La Chute* ; et, enfin, l'exécution capitale dans *Le Premier Homme*. Camus n'a cessé de réfléchir sur le crime légal, l'assassinat idéologique, le meurtre de soi ou de son prochain, la mise à mort programmée, légitimée – il s'est constamment révolté devant cet injustifiable majeur.

La raison de cet engagement sans tremblement se trouve dans la première page des *Réflexions sur la guillotine* qui rapporte une scène généalogique de la psyché du philosophe, donc de son être le plus intime. Cette viscéralité libertaire, ce sentiment *organique*, ce tempérament rétif au mal, s'enracinent dans l'un des très rares souvenirs du père chez son fils. Ce souvenir donne une leçon cardinale à partir de laquelle se structure la droiture impeccable de l'homme et du penseur.

Peu de temps avant la Première Guerre mondiale, un ouvrier agricole a massacré son propriétaire et ses trois enfants. Les cadavres ont été mutilés, défigurés au marteau. La pièce du crime, dit-on, a été aspergée de sang jusqu'au plafond. L'un des enfants, agonisant, caché sous le lit, a eu le temps d'écrire le nom du meurtrier sur le mur avec son sang avant de mourir. L'assassin a été retrouvé quelque temps plus tard, hébété, hagard, dans la campagne avoisinante. Arrêté, emprisonné, jugé, l'homme a été condamné à mort. Lucien Camus, le père du philosophe, a trouvé cette peine légitime.

L'ouvrier agricole qu'il était s'est donc levé en pleine nuit pour assister à la décapitation publique d'un autre ouvrier agricole. À trois heures du matin, il traverse Alger pour assister au spectacle de la mise à mort d'un homme. Il a donc vu : un homme encadré par des gendarmes, traversant une haie de voyeurs haineux, grimpant les marches de l'échafaud. On l'a attaché sur une planche avec des sangles, on l'a basculée horizontalement, on a enfermé sa tête dans un joug, sa tête emprisonnée, tranchée par une lame, est tombée sur le sol. Six litres d'hémoglobine ont giclé de la carotide sectionnée. Le sang répondait donc au sang. Les hommes nomment cette vengeance la justice.

Lucien Camus assiste donc à cette exécution capitale en 1914. Il traverse Alger dans le sens inverse, rentre chez lui, s'allonge sur le lit, le visage blafard, pour entrer dans un profond silence – *il vomit plusieurs fois* (IV. 789). Si l'on en croit sa réponse au *Questionnaire de Carl A. Viaggiani* (IV. 638), Camus tient ce récit de sa mère, mais dans *Le Premier Homme* (IV. 788) c'est la grand-mère qui le transmet. Il avait une dizaine d'années quand, orphelin depuis l'âge de huit mois, on lui lègue cet héritage : un père partisan de la peine de mort qui, rentrant chez lui, après avoir vu ce qu'il a vu, n'a pu supporter ce spectacle de façon *organique*. Plus jamais le père ne devait parler de cette journée fatale. Mais le fils restera hanté par cette histoire qui nourrira des cauchemars récurrents, des pensées généalogiques et des pages architectoniques de l'œuvre.

Le contraire
d'une guillotine transcendantale

Camus ne pense pas avec des idées, des concepts, des mots, mais avec des vérités concrètes. Il est un philosophe de la radicalité immanente ou, si l'on veut, un penseur radical de l'immanence. D'aucuns, formatés à la logorrhée, disserteraient de façon transcendantale sur la peine de mort. Camus récuse la mise à distance de la chose avec des mots utiles pour tenir la vérité du monde à l'écart. C'est tout son génie de philosophe qui ne joue pas au penseur, ne s'écoute pas penser et ne se regarde jamais écrire. Voilà pourquoi, familiers de l'inverse, les professionnels ne le tiennent pas pour l'un des leurs.

Sur cette question, il refuse de tergiverser et appelle un chat un chat. Camus récuse la métaphore, l'artifice rhétorique, la périphrase et autres procédés stylistiques avec lesquels les intellectuels, les philosophes, les journalistes abordent habituellement cette question. La guillotine n'est pas une idée lointaine, une allégorie fumeuse, mais une machine barbare de bois et de fer qui sectionne un homme en deux, sépare le corps et la tête dans le bouillonnement de sang chaud d'une carotide qui éclabousse et noie ce qui se trouve à sa portée.

De la même manière, avec la peine capitale, on ne tue pas une idée d'homme, mais le corps réel d'un homme réel. Camus décrit le prisonnier dans sa cellule sachant qu'on va l'assassiner parce qu'il a assassiné, attendant sa dernière heure, ignorant quand elle arrivera, dans l'angoisse voulue par des individus inhumains qui reprochent au condamné son manque d'humanité. Un être est torturé mentalement, psychiquement, spirituellement, parce qu'il a torturé ; voilà une personne à qui on enlève la vie sous prétexte qu'on ne doit pas enlever la vie – autant de raisons déraisonnables. Ce supplicié à qui l'on reproche d'avoir supplicié va être réveillé dans sans sommeil, levé, entravé, déplacé jusqu'au lieu du crime légal.

Le guillotiné sera mis à mort par des fonctionnaires payés pour faire ce qu'on lui reproche d'avoir fait. On coupe le col de sa chemise, les cheveux dans sa nuque, on le conduit, et, si besoin, le porte vers l'instrument de torture. S'il s'effondre physiquement, on le traîne, des gardes l'empoignent par le fond du pantalon pour le jeter sur la planche où on l'immobilise avec des lanières. Le bourreau fait tomber d'une hauteur de deux mètres une lame de soixante kilos d'acier sur la nuque d'un homme tué parce qu'on ne doit pas tuer. Justice ? Non. Vengeance.

Camus décrit, précise, montre, rapporte. Il se fait journaliste, au meilleur sens du terme, pour présentifier ce qui, sinon, reste lointain, vague, imprécis, tellement facile à justifier dès qu'il s'agit de concevoir sans voir. Il enquête et apporte des arguments pour étayer sa philosophie abolitionniste. Les thuriféraires de la Veuve prétendent, à la suite de l'homme ayant donné son nom à cet instrument de torture, que la guillotine laisse un léger sentiment de fraîcheur sur la nuque pour une mort immédiate, sans souffrances et sans douleurs. Cyniques, les défenseurs du bourreau considèrent même que le châtiment suprême s'en trouve humanisé puisqu'il évite les ratages barbares de la décapitation artisanale d'antan.

Rapports médicaux à l'appui, Camus montre qu'il n'en est rien : décapité, le présumé mort met du temps à mourir vraiment. Le flot de sang tari ne signifie pas la fin du supplice, mais son commencement. Pendant que l'hémoglobine coagule sur le plancher de l'échafaud, le corps se contracte, les muscles se tétanisent, l'intestin ondule, se noue, le cœur s'affole et bat de façon arythmique, la bouche se crispe dans une grimace épouvantable, la pupille dilatée des yeux fixes semble regarder le vivant et lui demander les raisons d'une telle barbarie. L'œil manifeste l'opalescence du cadavre. Chaque partie du corps continue de vivre son temps. Cette macabre lutte de la vie des organes dans un corps désorganisé par la décapitation peut durer une heure ou deux. La mort prend son temps. Le corps peut tressaillir, sauter dans le panier. Vingt minutes plus tard, au cimetière, un corps de guillotiné bougeait encore au bord de sa tombe.

Toujours selon les rapports réalisés par des témoins, médecins ou prêtres, avocats ou magistrats, la tête séparée du corps réagit encore aux sollicitations du monde. Après la décapitation, le cerveau fonctionne toujours et réagit à la situation. Il comprend les outrages infligés par l'entourage et peut se manifester émotionnellement : par exemple, le visage rosissant de Charlotte Corday après qu'un fanatique l'eut souffleté une fois décapitée, ou bien encore l'expression de sidération d'un condamné exécuté.

Mort à toute peine de mort[1]

Cette phénoménologie réaliste de la guillotine évite la froide dissertation qui tient l'objet de pensée à distance. Camus ne fait pas le détour par le vocabulaire de la corporation philosophique qui émousse le réel, aplanit les angles du monde, fatigue la brutalité concrète et, finalement, transfigure la chair des choses en liturgies verbales. La guillotine n'est pas une idée de la raison, un concept opératoire de justice, mais un instrument de torture barbare qui coupe en deux le corps d'un homme. Rien de plus, rien de moins, rien d'autre. Cette machine est la honte de l'humanité.

Camus envisage ensuite tous les arguments donnés par les défenseurs de l'échafaud, puis les

---

1. Sur le combat de Camus contre la peine de mort, voir cahier photos, p. 2.

réduit à néant. La peine de mort comme exercice d'une justice sereine ? Pas du tout : la justice est le contraire de la vengeance, elle exprime la réponse civilisée à la barbarie du talion justificatif du dispositif. La peine de mort comme dissuasion ? Nullement : des coupeurs de bourse profitent de la foule venue assister au supplice pour effectuer leur larcin puni par la guillotine. Quand le malfaiteur commet son forfait, il ne songe à rien d'autre qu'à le réussir, sûrement pas à la prison prévue par le code pénal en cas d'échec. La peine de mort comme instrument de la morale ? Au contraire : elle s'appuie sur des sentiments immoraux, elle flatte la bestialité des humains, elle les ravale à la loi de la jungle qui incarne le contraire de la loi, elle joue du sadisme, du voyeurisme, du ressentiment, elle repose sur la vengeance, l'antipode du juste. La peine de mort comme arrêt du pire ? En aucun cas elle ajoute du pire au pire, du sang au sang, de la violence à la violence. Au lieu d'arrêter la négativité, elle ajoute du mal au mal, elle entretient le vice d'une spirale sans fin. La peine de mort comme châtiment définitif d'un criminel irrécupérable ? Non : qui peut assurer qu'un mauvais acte commis une fois sera suivi d'un autre mauvais acte, puis d'un autre encore et qu'un homme peut être dit un jour définitivement perdu pour tous et pour toujours ? La peine de mort comme solution fiable ? Aucunement : la justice peut être injuste et condamner un innocent. Or, d'un point de vue éthique, mieux vaut un coupable en liberté qu'un innocent décapité. On ne redonne pas la liberté à un mort faussement condamné, on peut la restituer au prisonnier justiciable blanchi et réhabilité. La peine de mort comme mécanique destinée à une catégorie de gens que l'on imagine aux antipodes de nous ? Détrompez-vous : au XXe siècle, elle est devenue un instrument de gouvernement dans nombre de régimes où la culpabilité du condamné se réduit tout simplement au libre exercice de sa pensée ou à la revendication d'une opinion contraire gênant le pouvoir en place.

Le libertaire Camus affirme que l'Église, l'État et la société défendent la peine de mort. Mais qui croit purs, propres et nets l'Église, l'État et la société ? Qui pense naïvement que ces institutions ne commettent pas d'injustices, d'erreurs de jugement ? En 1957, en Europe de l'Est et en URSS, on tue au nom d'une classe sociale, d'un futur politique idyllique, d'un avenir radieux, au nom d'un prophétisme révolutionnaire ; on tue dans l'Espagne franquiste ; on tue dans l'Amérique capitaliste ; on tue aussi en France, hier des collaborateurs comme Brasillach ou Rebatet, à l'époque des *Réflexions*, les poseurs de bombes du FLN – Camus n'aura de cesse de faire de son combat contre *toutes les peines de mort* le combat politique unique de sa vie. S'en souvenir au moment de la guerre d'Algérie.

Le principe d'Énée

Cette première leçon de philosophie (politique) donnée par l'intolérance *organique* du père à la peine de mort semble essentielle dans l'économie de la pensée du philosophe. Ce que Lucien Camus

vomissait physiquement, son fils le vomit philosophiquement. Façon d'aimer son père au-delà de
la mort, d'assurer une affection à son géniteur
inconnu, modalité de l'amour dans la fidélité à
l'être qui nous a donné la vie, déclaration de filiation, acceptation de la transmission, plaisir à
l'héritage immatériel, joie de se savoir d'une même
matière psychique, d'une même texture éthique,
d'un même acier moral. Albert, fils de Lucien,
porte l'âme du père mort comme le fils Énée porte
Anchise son père sur ses épaules. Je nomme le
consentement à ce processus de filiation philosophique le Principe d'Énée.

Camus questionne sa mère ; elle sait peu de
chose, avoue que tout cela est loin, qu'elle a finalement vécu peu de temps avec son mari – cinq
ans au total. Le fils ressemble à son père. Naissance à Ouled-Fayet (1885) où sa famille paternelle vit depuis 1830. Lucien Camus perd ses
parents très tôt, on le place dans un orphelinat
dans lequel il n'apprend ni à lire ni à écrire. Vite
sorti de cette institution, il devient ouvrier agricole
dans une ferme viticole. À vingt ans, il apprend
à lire. Deux ans de service militaire en 1906
et 1907. Mariage en 1909, il s'installe avec sa
femme à Belcourt, quartier populaire dans l'est
d'Alger. Deux enfants, Lucien Jean Étienne (1911)
et Albert (7 novembre 1913). Mobilisé à la guerre
le 3 août 1914, blessé à la bataille de la Marne le
11 octobre, Lucien Camus meurt le 17 à l'hôpital
militaire de Saint-Brieuc où il avait été transféré.
L'administration l'enterre dans le cimetière briochin. Une poignée de dates pour une vie brève :
travail, famille, patrie.

Comme tous ses camarades de régiment, Lucien Camus, envoyé au feu habillé en zouave avec son pantalon bouffant couleur garance, constituait une cible de choix pour les tireurs allemands. Mort au combat à l'âge de vingt-neuf ans, la France lui décerne la Croix de guerre et la Médaille militaire à titre posthume. Veuve, Catherine Camus se retrouve seule avec deux enfants en bas âge, Albert à huit mois. L'administration envoie quelques bricoles constituant les petits souvenirs du défunt, dont des cartes postales. Et puis : les éclats d'obus retirés de la tête du soldat ! Catherine Camus les enferme dans une boîte à biscuit qu'elle place dans l'armoire à linge.

La veuve n'obtient rien de l'État français avant la presque fin des hostilités. Elle fut un temps employée dans une cartoucherie avant de trouver un travail de femme de ménage. Plus tard, les enfants furent déclarés pupilles de la nation, ce qui permettait à la mère de récupérer un petit pécule vite épuisé par l'achat des vêtements et des fournitures scolaires. Les visites médicales étaient gratuites. Quand la tuberculose s'empare de Camus, cette couverture sociale fut bien utile.

Le livre qui sauve

Une deuxième expérience existentielle transmise de père en fils passe par Louis Germain qui enseigne dans l'école fréquentée par Camus depuis l'âge de quatre ans. Bien que n'ayant pas connu le père du philosophe, l'instituteur est un rescapé de cette guerre. Exceptionnelle dérogation à l'obligation de réserve de ce républicain laïc anticlérical, le maître avoue sa préférence pour les enfants orphelins de père. Il tâche autant que faire se peut, de remplacer, au moins dans la classe, ses camarades morts. Dans cette enceinte sacrée de l'école laïque, Camus fait l'expérience du livre qui sauve et donne un sens à l'absurde.

Chaque fin de trimestre, Monsieur Germain lit des extraits des *Croix de bois* de Roland Dorgelès. Camus y découvre la vie au front, la Première Guerre mondiale, les tranchées, le monde dans lequel son père a perdu la vie. Cette lecture présentifie un passé dans lequel s'engloutit un géniteur jamais connu. Le roman de l'histoire du monde coïncide avec le roman de l'histoire de l'enfant. Le livre renferme la clé du mystère du trépas paternel. La préhistoire de la psyché du philosophe gît dans ces pages qui racontent pourquoi et comment, un jour, des éclats d'obus extraits de la tête d'un père se retrouvent dans une boîte en fer-blanc.

Un recueillement sans nom accueille la lecture de Monsieur Germain. L'émotion sature la pièce. Lorsqu'il lève la tête après avoir lu la dernière phrase, les élèves sont frappés de stupeur. Les enfants découvrent le monde passé de leur instituteur, certes, peut-être celui d'un père ou d'un oncle, bien sûr, mais Albert Camus, lui, découvre la résolution d'énigmes existentielles par le roman – ses propres énigmes. Au premier rang, l'enfant regarde fixement le compagnon d'infortune de son père, il pleure, puis sanglote et n'en finit plus d'être secoué par les pleurs. Monsieur Germain murmure quelques mots tendres et doux, l'invite à sécher ses larmes, puis va vers l'armoire au fond de la classe pour ranger le livre dans la bibliothèque. De dos, on ne voit pas le visage de l'ancien combattant devenu maître d'école, mais peut-être pleure-t-il, lui aussi...

Des années plus tard, Camus devenu Camus rend visite à « Monsieur Germain ». À quarante-cinq ans, il est célèbre, il a publié de grands livres, écrit pour le théâtre, joué et monté ses pièces, il a été résistant, journaliste engagé, il connaît le Tout-Paris des lettres et des beaux-arts, bientôt, il aura le prix Nobel. Comme chaque année depuis quinze ans, dès qu'il rentre au pays, le philosophe, nous dit le roman, rend visite à son instituteur. Le vieil homme se lève de son fauteuil, se dirige vers un meuble, ouvre le tiroir, sort un livre couvert d'un papier d'épicerie. Camus reconnaît les *Croix de bois*, il bafouille quelques mots pour refuser ce cadeau sublime. En lui remettant le trésor, Monsieur Germain dit : « Tu as pleuré le dernier jour, tu te souviens ? Depuis ce jour ce livre t'appartient » (IV. 832). Le regard du vieil homme se remplit de larmes.

Une encre phénoménologique blanche

Que raconte ce livre ? Le quotidien infernal de la guerre et le salut par les mots, en l'occurrence les lettres remises par le vaguemestre aux morts en sursis. La mort et les mots, les mots qui sauvent (un temps) de la mort qui, de toute façon, aura (toujours) le dernier mot. Le quotidien du soldat, ce fut le quotidien du père du philosophe. Le voici :

la mort, donc, les poux, les rats, la vermine, la peur, la promiscuité, la saleté, le combat, l'absurdité, la précarité de la vie, les blessures, le froid, la boue, les copains qui meurent, les cercueils, la relève qui ne vient pas, les attaques, les tranchées, l'adultère des épouses, la faim, la mauvaise nourriture, les balles, les obus, les éclats d'obus, les brancardiers, le désespoir, les tombes creusées avant de partir au combat, les gaz, les barbelés, les cadavres entassés pour se protéger des balles ennemies, les tas de morts, le cynisme des gradés embusqués à l'arrière, la vie qui continue à Paris, les mutilations volon-taires, la pluie, les mourants, les tirs trop courts de l'artillerie. Dans ce livre, on peut aussi lire des scènes comme celle-ci : « Devant moi, un homme blessé laissa tomber son fusil. Je le vis vaciller un instant sur place, puis, lourdement, il repartit les bras ballants, et courut comme nous, sans com-prendre qu'il était déjà mort. Il fit quelques mètres en titubant et roula » (224).

Dans cet enfer au quotidien, l'arrivée du facteur des armées illumine l'ordinaire des soldats. Les lettres, le papier, les mots, l'écriture, les pages gar-dées sur sa poitrine à l'intérieur du vêtement tâché, les feuillets salis, froissés, fatigués parce que lus et relus, les nouvelles des enfants, du père et de la mère, des grands-parents, les informations sur la vie du village, les travaux des champs, les petits mots tendres de l'épouse portant seule sur ses épaules la famille, la ferme, la parentèle, mais qui ne se plaint pas. Parfois aussi ces lettres annoncent la mort d'un ancien, d'un vieux parent, la rupture d'une épouse épuisée par l'attente. Des nouvelles mortelles elles aussi.

Dorgelès propose une phénoménologie non philosophique de la guerre, une phénoménologie immanente, radicalement immanente. Il ne théorise pas, il raconte ; il ne disserte pas, il montre ; il ne verbigère pas, il décrit. Camus se fera phénoménologue dans cette tradition-là : raconter, montrer, décrire sans effets conceptuels, sans ronflements rhétoriques. Avec Dorgelès, la guerre n'est pas sublimée par le beau style d'une belle littérature, façon Jünger, elle est strictement dite. Le crime de *L'Étranger* sera raconté avec la même encre phénoménologique blanche.

« Va, mon fils »

Certes, « Monsieur Germain » fut un genre de père de substitution, comme il est dit couramment. Pourquoi pas ? Mais il fut aussi et surtout l'être par lequel la littérature entre dans la vie de Camus tel un cordial magnifique. Bien avant Jean Grenier, le professeur de philosophie ayant lui aussi joué un rôle important, bien sûr, l'instituteur permet à l'enfant de retrouver la trace de son père mort dans une guerre qui lui semble lointaine, presque virtuelle. Qu'est-ce qu'une guerre pour un petit garçon n'ayant pas encore dix ans ? Que signifie la perte d'un père au combat dès qu'on arrive au monde ? Qu'est-ce qu'un pupille de la nation, comme le sont des millions d'orphelins de cette guerre, autrement dit qu'est-ce qu'être « fils » de la nation ? L'instituteur donne au futur philosophe les moyens de répondre à ces questions. Et cette clé passe par les mots – le roman, la littérature, cette phénoménologie blanche des choses qui définit le génie philosophique de Camus.

Monsieur Germain apprend donc à lire, à écrire, à compter, à penser à ses élèves. Mais il transmet aussi le goût des livres comme autant d'objets porteurs de la vérité du monde et des choses, des gens et des âmes. Avec ce roman de Dorgelès, l'enfant Camus découvre la peur, l'angoisse, la mort, l'absurde, le désespoir, en économisant la lecture de Kierkegaard, Jaspers ou Heidegger. Camus expérimente la douleur existentielle par l'absence du père nommée par la littérature.

Faut-il dès lors s'étonner que, lors de la réception du prix Nobel, Camus rédige un *Discours de Suède* avec cette dédicace : « À M. Louis Germain » – et non pas à Jean Grenier ? Car Camus signale (IV. 823) que son instituteur lui fit cadeau dans son enfance d'un geste assimilable à celui d'un père : intervenir auprès de sa grand-mère pour qu'il fasse des études, continue l'école et prépare le concours des bourses des lycées et collèges. Albert n'était pas sociologiquement programmé pour devenir Camus. Monsieur Germain fit le nécessaire pour troubler la puissance de ce déterminisme de classe sociale. Dans cette pluie d'atomes de la nécessité, il fut le clinamen épicurien sans lequel aucun monde n'advient.

La grand-mère régissait la maison d'une main de fer. Catherine Camus, la mère du philosophe, subissait sans broncher la férule de cette femme méchante. Docile, soumise, obéissante, résignée, silencieuse, douce, la mère, sourde et quasi mutique, n'a pas son mot à dire. C'est donc la marâtre qu'il faut convaincre que, le temps des études, pendant six ans, l'adolescent ne rapportera pas d'argent à la maison. Ce qu'obtient l'instituteur. Se ravisant que la chose pourrait coûter, la grand-mère court après le maître d'école pour préciser qu'elle ne pourra pas payer les cours supplémentaires. Réponse de Monsieur Germain : « Ne vous en faites pas, il m'a déjà payé » (IV. 841). Sidérée par la venue de l'instituteur à la maison et par sa proposition, pour la première fois de sa vie la grand-mère manifeste de la tendresse et de l'affection en serrant très fort la main du petit-fils habituellement cravaché.

Pendant un mois, avec trois de ses camarades pauvres et talentueux comme lui, Camus reçut deux heures de cours après chaque journée de classe. Vint le jour du concours. L'instituteur accompagne ses élèves, il a acheté des croissants pour l'occasion. Il prodigue quelques conseils, tâche d'apaiser l'angoisse de la petite bande traqueuse. La porte s'ouvre, un appariteur égrène les noms, celui de Camus est prononcé. Le petit garçon tient la main de l'instituteur qui lui dit : « Va, mon fils » (IV. 848).

À la sortie, commentaire des brouillons. La copie de Camus est bonne. L'enfant sera reçu. L'instituteur, sentant bon l'eau de Cologne, vint annoncer la bonne nouvelle aux femmes de la maison, il caressait la tête de Camus pendant qu'il parlait. Puis Monsieur Germain s'en va, Camus le regarde partir, l'instituteur le salue une dernière fois. Une immense peine l'envahit : Camus prend alors conscience que ce succès l'arrache au monde des pauvres – le reste de sa vie sera fidélité à cette heure généalogique.

Une avant-guerre d'Algérie

Le *dégoût de la peine de mort*, le *mépris de la guerre*, voilà donc deux enseignements solides transmis *post mortem* par un père qui, bien que mort, lègue peut-être plus que d'autres, vivants. Une troisième leçon se trouve donnée outre-tombe par le père : le *refus de la barbarie*. Retour au père : Lucien Camus effectue son service militaire en 1906 en compagnie d'un instituteur qui rapporte le détail de cette troisième leçon du père au fils.

La France mène une politique coloniale au Maroc. Elle envoie un corps expéditionnaire en 1907 pour conquérir le pays. L'armée prend prétexte d'Européens tués à Casablanca pour organiser le débarquement de six mille hommes en août de cette année-là. Le père du philosophe fait partie du contingent. Les opérations dites de pacification sont brutales : les mitrailleuses, l'artillerie, l'aviation sont utilisées contre des peuplades armées comme au Moyen Âge. Sous le commandement du colonel Charles Mangin, surnommé « le Boucher », l'armée française se rend coupable de brimades, d'humiliations, de prises d'otages, d'exécutions sommaires, on rapporte que des pains au sucre piégés furent distribués. Cinq ans plus tard, la France met en place sa politique de protectorat, une tutelle abolie par l'indépendance en 1956. Lucien Camus quitte l'armée avec le grade de deuxième classe. Avec un certificat de bonne conduite, certes, mais avec le grade qu'on a en entrant.

De la même manière que le spectacle de l'exécution capitale affecte physiquement le père du philosophe, un autre spectacle le touche avec la même violence au point de le mettre « hors de lui » (IV. 778). Pour un personnage ayant laissé le souvenir d'un homme doux, bon, calme, travailleur, taciturne, facile à vivre, dur à la tâche et ne se plaignant jamais, la précision d'une sortie de ses gonds pèse lourd ! Le vomissement du père, la colère du père, la mort du père, voilà trois moments existentiels forts dans la vie d'un enfant ignorant tout de lui sauf ces bribes de vie, ces morceaux d'âme et ces fragments existentiels.

Le détachement de Lucien Camus campe au sommet d'une petite colline dans l'Atlas. Un défilé rocheux la protège. Au fond de celui-ci se trouvent deux sentinelles à relever. Le père de Camus et son ami instituteur appellent leurs compatriotes qui ne répondent pas. Soudain, ils découvrent la raison de ce silence : au pied d'un figuier, la tête de l'un des leurs gît, séparée du corps qui repose un peu plus loin, les jambes écartées. Sous la lune, la tête paraît bizarre, ils s'approchent et découvrent que les Marocains ont sectionné le sexe du soldat avant de le lui mettre dans la bouche – avant ou après la décapitation, on ne sait. Même sort pour l'autre sentinelle.

« Savoir s'empêcher »

Colère de Lucien Camus. Émasculer un homme, égorger un homme, décapiter un homme, tuer un homme, voilà, pour le père du philosophe, ce qui, à coup sûr, prouve que, définitivement, ces guerriers ne sont *plus* des hommes. L'instituteur tempère et avance que la troupe d'occupation ne s'est guère mieux comportée : cette barbarie répond à la barbarie de la troupe coloniale. Le maître d'école légitime et justifie le geste en pensant que, comme dans la peine de mort, le talion ou la vengeance peuvent tenir lieu de loi et de justice.

Cet ouvrier agricole n'ayant pas fait d'études et qui savait écrire depuis peu ne se contente pas du sophisme de cet instituteur : le sang n'est pas une bonne réponse au sang, la barbarie ne saurait être une modalité de la justice, on ne répond pas à la violence par la violence qui n'en devient pas légitime pour autant, infliger la mort ne se justifie jamais ni ne s'excuse. D'une part, la rhétorique de l'homme cultivé justifiant l'injustifiable ; d'autre part, la pensée droite d'un pauvre homme sans bagages intellectuels, sans culture livresque, mais conduit par le tropisme de la justice. Un tropisme viscéral – *organique*.

Au discours de l'instituteur qui renvoie dos à dos les parties prenantes, qui justifie les exactions d'hommes auxquels on inflige, chez eux, une guerre sans morale, sans vertu, et qui pourraient, de ce fait, user de tous les moyens, y compris ceux de la barbarie, pour faire avancer leur cause, Lucien Camus répond : « Non, un homme ça s'empêche – voilà ce qu'est un homme, ou sinon... » (IV. 779). Puis il se calme. Le dialogue se poursuit : « Moi, avait-il dit d'une voix sourde, je suis pauvre, je sors de l'orphelinat, on me met cet habit, on me traîne à la guerre, mais je m'empêche. — Il y a des Français qui ne s'empêchent pas, avait (dit) Levesque. — Alors eux non plus ce ne sont pas des hommes » (*ibid.*). Durant sa courte vie, Albert Camus a été de ceux qui s'empêchèrent : il fut donc un homme selon son père.

Troisième leçon héritée du père, troisième impératif existentiel du fils qui honore son père et devient un homme sous le regard posthume d'un être ayant laissé sans le savoir des instructions éthiques à son orphelin de fils. Haine de l'échafaud, de tous les échafauds, quels qu'en soient les pourvoyeurs ; haine des champs de bataille, indépendamment des belligérants qui s'opposent et de leurs raisons ; haine de la barbarie, de la torture, de la mise à mort d'un homme par un autre homme, sans considération aucune pour ce qu'il est, pense, ce qu'il a fait, pourrait faire ou fera. Pour être un homme, ce fils sans père devait obéir au père sans fils – du moins au père qui n'eut pas le temps d'éduquer son fils. Voilà le projet existentiel de l'enfant lancé dans la vie pour devenir un homme : être fidèle aux paroles silencieuses du père.[1]

Sous le signe de la mère

Sous le signe du père, Camus se fait le philosophe pour lequel il n'existera jamais aucune bonne raison de justifier la mort d'un homme. Sous le signe de la mère ? Il devient le penseur d'une autre fidélité : le compagnonnage avec le petit peuple qui, ne disposant pas des mots pour dire sa misère, place l'honneur et la dignité au-dessus de tout. Dans ses *Carnets*, citant l'anarchiste

---

1. Sur l'héritage du père de Camus, voir cahier photos, p. 1.

Alexandre Jacob, le modèle d'Arsène Lupin, Camus écrit : « Une mère, vois-tu, c'est l'humanité. » (IV. 1102). S'en souvenir quand, à Stockholm, il choisira sa mère.

Selon son propre aveu, Camus a aimé sa mère plus que tout. Qui était Catherine Sintès ? La fille d'une femme de Minorque et d'un homme né à Alger, et dont les propres parents étaient originaires de Majorque, île de l'archipel espagnol des Baléares. Une femme née en 1882 qui fut épouse à vingt-sept ans, puis mère deux fois, la première deux mois après son mariage, la seconde à trente et un ans, puis veuve à l'âge de trente-deux ans. Elle survit huit mois à la mort accidentelle de son fils et meurt la même année à l'âge de soixante-dix-huit ans à son domicile algérois. Elle fut donc épouse, mère, veuve, une vie sans place pour la femme.

Une maladie de jeunesse dont on ignore tout en fait une handicapée du langage : demi-sourde, incapable de parler au-delà des échanges élémentaires, elle vit dans le silence, taciturne, dans l'ombre menaçante de sa propre mère, une virago violente, brutale, qui frappe Albert Camus à coups de nerf de bœuf. Cette grand-mère, illettrée elle aussi, était ignorante et obstinée, mais nullement résignée. Elle vit son propre père, poète à ses heures, troussant des vers sur le dos d'une bourrique, exécuté par erreur d'un coup de fusil dans le dos par un mari jaloux. Elle eut neuf enfants, dont deux moururent en bas âge, un qui fut sourd et quasi muet, puis cette fille infirme, la mère du philosophe. Son mari mourut, la laissant seule élever ses enfants qu'elle envoya gagner leur vie très tôt. Catherine Camus fit des ménages.

Camus rapporte qu'enfant, alors qu'il avait prétendu retrouver un camarade pour ses leçons de mathématiques, ils s'étaient rejoints à la plage pour nager, rire, jouer, profiter de la mer et du soleil, de la vie et de la lumière. Dans la joie païenne, il ne voit pas le temps passer. S'apercevant de son retard, il court à perdre haleine pour rejoindre la petite maison du quartier populaire où il habite. Le repas est commencé. Sa mère bafouille quelques mots probablement pour signaler le retard. Elle est interrompue par la grand-mère qui vient toucher les cheveux mouillés et les chevilles encore poudrées de sable de son petit-fils : elle comprend qu'il s'est baigné, se saisit d'une cravache pour le frapper jusqu'au sang. La mère ne dit rien, elle laisse faire. Puis, une fois le châtiment terminé, après avoir regardé sa propre mère, puis tourné le regard vers son fils, elle ajoute quelques mots de compassion en forme d'apaisement.

L'exercice de la pauvreté

La même grand-mère contraint un jour son petit-fils au mensonge – une expérience douloureuse et humiliante. Camus ne se fait pas moraliste ou moralisateur, il connaît l'usage banal du mensonge, avoue y recourir parfois pour arranger les choses, éviter un désagrément, se préserver des coups ou pour le plaisir méditerranéen de parler, d'enjoliver. En revanche, il réprouve le mensonge avec ceux qu'on aime car, une fois la confiance cassée, plus rien n'est possible, or, comment vouloir brûler ses vaisseaux avec les siens ?

Dans les familles pauvres, les enfants représentent autant de bouches à nourrir qui ne rapportent rien et coûtent. Dès lors, les adultes les envoient au travail pendant les vacances pour ramener une paie supplémentaire au foyer. Chétif et malingre, à treize ans, entre le collège et le lycée, Albert Camus est envoyé par la grand-mère chez un employeur à qui il doit mentir : pas question de solliciter un emploi saisonnier refusé par les patrons qui veulent embaucher pour la vie. Il faut leur laisser croire qu'à cause de la pauvreté l'enfant, bien que doué pour les études, doit quitter l'école et envisager un travail définitif. Les vacances à peine commencées, elles se terminent donc, car il faut se lever tôt pour aller à la quincaillerie qui l'a embauché sur la foi du mensonge de la grand-mère. L'année suivante, il obtient par le même subterfuge une place chez un courtier maritime. Pauvre, privé de vacances, il devait donc travailler quand ses copains se baignaient et s'amusaient à la plage.

Le jour de la paie, la grand-mère conseille à son petit-fils de prendre l'argent sans rien dire et de ne surtout pas avouer qu'il ne reviendra pas. Pour Camus, l'idéal aurait été que la grand-mère assume son propre mensonge : c'est en effet elle qui a menti, mais elle demande à l'enfant d'assumer les conséquences de son forfait. Elle propose qu'il se sorte de ce mensonge par un autre mensonge – dire qu'il travaillera désormais chez son oncle.

Le jour dit, colère du patron. Il menace de ne pas payer, fait une leçon de morale, fustige le mensonge et les menteurs, peste contre la vieille femme, s'en veut d'avoir cru à l'argument de la pauvreté et de l'arrêt des études. Honteux, piteux, humilié, l'enfant refuse l'enveloppe tendue par son patron – qui la lui met dans la poche. Il part en courant, les dents serrées, en pleurant, sans toucher à cet argent malhonnêtement gagné. De retour à la maison, il pose le salaire sur la table : un gros billet, plus une pièce. La grand-mère empoche la coupure et lui laisse la monnaie. Fierté de la grand-mère, douceur et compassion de la mère qui le regarde comme on caresse.

Camus confesse alors avoir fait une expérience ontologique et physique, métaphysique et viscérale, *organique* donc : « cette injustice lui serrait le cœur à mourir » (IV. 908) : mentir pour travailler, mentir pour se priver de vacances, mentir pour s'empêcher le soleil et la mer, mentir pour reprendre le lycée, en fait, mentir parce que, pauvre, il faut ruser pour obtenir un genre de mendicité afin d'acheter avec cette paie d'enfant non pas des jouets ou du superflu, mais le chiche nécessaire qui manque aux démunis, aux gens de peu qui achètent avec ce maigre argent des habits, des chaussures, des fournitures pour l'école – voilà une injustice majeure.

Un jour, lassé d'être frappé par cette grand-mère, Camus lui arrache le nerf de bœuf des mains, « fou de violence et de rage » (IV. 909), bien décidé à frapper ce visage, cette tête blanche au regard froid. La marâtre recule, part s'enfermer dans sa chambre, se plaint d'avoir élevé pareille engeance. Mais elle cessera désormais de cravacher son petit-fils. De même elle ne répétera plus sa fameuse rengaine : « Tu finiras sur l'échafaud » (IV. 790).

Dominations et servitudes

Femme de ménage, veuve de bonne heure, vivant avec sa mère acariâtre, son frère handicapé et ses deux enfants, la vie de Catherine Camus ne fut pas une fête. Une fois, cette femme qui semble sans cœur parce que, pudique, discrète, réservée, secrète – elle ne montre jamais ses sentiments, ses émotions, ses affections –, une fois, donc, cette femme vit son cœur battre un peu plus vite pour un marchand de poissons. Elle quitta le noir habituel pour un peu de couleur, elle fit un peu plus attention à sa coiffure, elle manifesta un peu sa joie, pas trop, mais quand même, lors de repas en sa compagnie.

Puis elle rentra un jour les cheveux coupés, à la mode du moment. La grand-mère la traita de putain devant son fils. Sidérée par la violence de l'attaque, elle ne dit rien, regarde son fils, esquisse un sourire maladroit. Les lèvres tremblantes, retenant ses larmes, elle se précipite dans sa chambre, se jette sur le lit, s'enfouit le visage dans l'oreiller et pleure à chaudes larmes. L'enfant voit la nuque découverte de sa mère et le dos maigre secoué par les sanglots, il l'appelle, la touche timidement, lui dit qu'il la trouve belle. Elle fait un signe de la main l'invitant à quitter la chambre, il sort et, dans le chambranle, il pleure lui aussi d'amour et d'impuissance. L'amoureux reviendra, mais il se fera rosser dans les escaliers par le frère de Catherine. Couvert de sang, il part pour ne plus jamais revenir. La mère de Camus s'habillera à nouveau dans la couleur du veuvage. Elle s'installera dans la solitude et la pauvreté pour le reste de ses jours.

La grand-mère incarne la négativité : la brutalité, la violence, la méchanceté, les passions tristes, le contraire de la joie de vivre, la mutilation de la vie, l'injustice, le mensonge, l'anti-modèle de l'hédoniste du futur auteur de *L'Envers et l'Endroit* et de *Noces* ; la mère, c'est la victime de cette injustice, de ces vexations sans fin, de ces affronts répétés, de ces humiliations enchaînées. L'une est le bourreau ; l'autre la victime. Toute sa vie de libertaire, Camus revendiquera cette même éthique : ni bourreau, ni victime. Pas besoin pour le philosophe de lire les pages consacrées à la dialectique du maître et de l'esclave dans la *Phénoménologie de l'esprit* de Hegel pour comprendre les mécanismes de la domination et de la servitude : l'enfant n'a pas appris la vérité du réel dans les livres, mais dans la pratique du monde.

La voix des gens sans parole

Lorsqu'une personne parle peu, pas ou mal, quand elle semble enfermée dans un mutisme presque pathologique, chaque déclaration claire brille comme une pépite dans la nuit existentielle. Silencieuse, taciturne, soumise, douce, Catherine Camus n'a jamais dit de mal de personne, elle ne s'est jamais plaint. Elle n'a jamais ri non plus, juste souri un peu parfois. Résignée et soumise, elle n'a jamais récriminé ou pesté contre l'ordre des choses et le mouvement du monde. Elle a vécu toute sa vie dans un petit appartement meublé avec le strict nécessaire : des meubles pratiques pour vivre une vie simple et modeste, pas d'objets inutiles, pas de bibelots, pas de superflu.

D'où l'importance d'une phrase dite un dimanche alors que le frère de Camus joue du violon pendant qu'il chante, le tout pour faire plaisir à la famille réunie, en présence, évidemment, de la grand-mère. Catherine Camus écoute dans un coin, sans dire un mot, discrète. Une tante la complimente sur son fils. Elle répond alors, le regardant avec douceur, fragilité : « Oui, il est bien. Il est intelligent » (IV. 796) – une déclaration d'amour simple, brève, qui mit l'enfant en joie. Lui qui aime éperdument sa mère découvre ainsi son amour après en avoir si longtemps douté.

Dans les notes préparatoires au *Premier Homme*, Albert Camus écrit son souhait d'alterner les chapitres de façon à donner une voix à sa mère. Il envisageait des commentaires de faits racontés, mais dans son pauvre langage – « avec son vocabulaire de quatre cents mots » (IV. 940). Le fils dédie ce livre à sa mère qui ne sait pas lire. La mort fera de ce *Premier Homme* un dernier livre. Voici les premiers mots de ce livre inachevé : « Intercesseur : Vve Camus. À toi qui ne pourras jamais lire ce livre » (IV. 741).

La pauvreté des pauvres se manifeste donc aussi dans la pauvreté de leur vocabulaire. L'enfant constate que, chez les riches, les objets disposent d'un nom – pas chez lui. Dans une maison bourgeoise, on parle du grès flambé des Vosges, du service de Quimper ; dans une maison de pauvre, il n'existe que des assiettes creuses, le vase posé sur la cheminée ou le pot à eau. Chez les uns, on trouve des objets inutiles, des bibelots, des œuvres d'art ou leurs représentations ; chez les autres, rien de superflu. Camus reproduit cette ascèse dans sa langue, son écriture, son style : efficace, simple, clair, direct, ignorant l'inutile, allant au nécessaire. Une prose utile pour dire les choses justes et vraies.

La mère fut donc l'interlocuteur silencieux du philosophe : la pauvreté, la misère, le silence, la soumission, voilà le monde des oubliés du bonheur – ceux aux côtés desquels le philosophe ne cesse jamais de se trouver, sans jamais faillir une seule fois. Choisir sa mère, ici ou ailleurs, comme à Stockholm, signifie prendre le parti des gens modestes et sans voix – le parti du peuple contre les puissants, fussent-ils d'opposition. Dans l'ombre permanente de sa mère, Camus fut la voix des gens sans parole, le verbe des êtres sans mots.

Généalogie d'une sensibilité

Camus ne découvre pas la pauvreté, la misère, les souffrances de la classe ouvrière, le peuple, dans les livres, en compulsant des ouvrages de philosophie dans le calme et le silence d'une bibliothèque. Le mécanisme du capitalisme, la brutalité du libéralisme, la barbarie du marché faisant la loi, les effets pervers de l'aliénation, la lutte des consciences de soi opposées pour le dire dans le vocabulaire philosophique de la corporation, ou bien encore la dialectique du maître et de l'esclave, il en expérimente physiquement la réalité, elle passe par sa chair. Cette connaissance empirique fait sourire les intellectuels qui en ont un abord transcendantal, traditionnellement plus noble dans le métier.

Pour Camus, la classe ouvrière n'est pas un objet de la raison pure utile à prendre en otage pour sa carrière, mais le monde de son enfance.

Voilà pourquoi l'intolérance de Camus à l'injustice est organique, donc impossible à simuler comme le font habilement les produits élitistes des grandes écoles qui, pour les rares qui en parlent, se servent des pauvres plus qu'ils ne les servent. Dans la polémique qui l'oppose longuement aux communistes et à leurs compagnons de route, l'argument lui sera souvent servi : Camus ne serait pas légitime pour parler des pauvres, un monde dont il vient, parce qu'il s'est contenté d'en venir et n'en serait plus.

Mais l'argument, s'il devait tenir, se retourne contre ceux qui n'ont même pas à faire valoir qu'ils en viennent et qui, s'ils n'en sont pas aujourd'hui, ne peuvent pas même dire qu'ils en ont été. Camus ne cessera de l'affirmer : il n'a pas appris la misère dans les livres, mais dans la vie ; il n'a pas épousé la cause de gauche par ouï-dire opportuniste, mais par viscéralité d'enfant resté fidèle aux humiliations et aux injustices subies dans ses jeunes années ; il n'a pas demandé aux philosophes de lui expliquer la vie avant de l'avoir vécue, il a vécu la vie et pensé ensuite ses expériences.

Dans ses *Carnets* (II. 795), Camus note des considérations sur sa mère, sur la misère comme généalogie d'une sensibilité, sur la culpabilité d'avoir changé de milieu, sur le sentiment d'un genre de grâce à l'origine de cette transfiguration, sur la mélancolie de ces temps de vérités existentielles perdus, sur les vertus des humbles, sur le fonctionnement autonome du petit monde des démunis dans le grand reste du monde, sur la nostalgie de la pauvreté perdue. Et Camus d'ajouter, probablement dans la perspective du livre que deviendra un quart de siècle plus tard *Le Premier Homme* : « il faudrait que tout cela s'exprime par le truchement de la mère et du fils » (II. 796).

Dans les fragments épars du dossier de ce dernier livre du philosophe, Camus avait noté, comme un genre de projet existentiel constitutif de l'ouvrage bien sûr, mais aussi de toute son existence : « Arracher cette famille pauvre au destin des pauvres qui est de disparaître de l'histoire sans laisser de traces. Les Muets. Ils étaient et ils sont plus grands que moi » (IV. 930). Puis ceci : « Devant ma mère, je sens que je suis d'une race noble : celle qui n'envie rien » (IV. 959). Leçon de philosophie existentielle radicale.

La rédemption païenne

Camus fut donc fidèle au père, fidèle à la mère et fidèle à la pauvreté de son enfance. Fidèle à des combats donc : au côté de son père, Lucien Camus : abolir la peine de mort, résister à la guerre, dénoncer toute barbarie, travailler à l'humanité de l'homme ; avec sa mère, Catherine Sintès : lutter contre l'injustice, donner la parole au peuple taiseux, aimer la vertu des simples, préférer l'être austère des pauvres à l'avoir insolent des riches. À ces viscéralités, Camus ajoute également celles-ci : fidélité à l'instituteur, Monsieur Germain, mais aussi au professeur de philosophie, Jean Grenier, autrement dit passion du livre, de la lecture et de l'écriture, célébration de la bibliothèque, confiance dans les mots et le pouvoir du verbe.

Parce qu'il n'est pas né coiffé, héritier dans une famille où la langue, la littérature et la culture relèvent de la transmission de classe, Camus considère la langue française et le savoir comme des conquêtes et non comme un dû. Il a dû apprendre sa langue maternelle comme une langue étrangère, acquérir les références culturelles comme on conquiert des citadelles. Le récit généalogique du *Premier Homme* constitue l'exact antipode des *Mots* de Jean-Paul Sartre, héritier bourgeois d'une culture bourgeoise transmise par une famille bourgeoise. Voilà pourquoi Camus prend la littérature au sérieux, les mots également, ne parlons pas de la philosophie – nul risque pour lui de considérer l'écriture et la pensée comme des jeux d'adresse conceptuelle : Camus écrit avec son sang.

La chance philosophique

« Monsieur Germain » fut donc le premier initiateur au *Livre* : souvenons-nous des *Croix de bois* de Roland Dorgelès. Un second initiateur se manifeste au moment de la classe de philosophie, Jean Grenier. Leur première rencontre fut rude. Dans des souvenirs concernant son élève, Grenier rapporte que, s'inquiétant de la longue absence de Camus à son cours, et découvrant qu'il manquait pour raisons de santé, il prit l'initiative d'une visite à son domicile familial de Belcourt. Le jeune garçon fut mutique, silencieux, réservé, farouche. Ombrageux, il répondit par monosyllabes au professeur venu sans prévenir dans cet appartement si modeste. Détail aggravant : Grenier était accompagné par un condisciple de Camus.

Le professeur ne comprit pas la réaction de son élève qu'il prit d'abord pour de l'hostilité. Plus tard, Camus donne sa version rapportée par Grenier dans *Albert Camus* : stupéfait qu'on puisse s'intéresser à lui au point de lui rendre visite, il avait reçu cette initiative avec le plus vif plaisir et le plus grand étonnement : « Vous étiez venu et de ce jour-là j'ai senti que je n'étais pas aussi pauvre que je le pensais » (15-16) dit-il à Grenier. Ce fils d'un mort et d'une mutique n'avait pas encore été sauvé par les mots. Mais cette visite contribua à la rédemption païenne.

Le geste de Jean Grenier est de ceux, en effet, qui ouvrent un monde inconnu à l'adolescent. L'adoubement d'un adulte familier des mots, des textes, de la lecture, de l'écriture, du livre lu et du livre signé de son nom, agit en initiation. Loin de la grâce divine descendue du ciel, Grenier offre une chance, autrement dit la possibilité existentielle d'un choix de vie philosophique, d'une existence indexée sur la littérature. Le professeur dit à son élève qu'il existe, de ce fait, il le fait exister. Dès lors, de façon performative, il se trouve à l'origine d'une naissance existentielle.

La boucherie et la bibliothèque

Jeune garçon pauvre, Camus fut très tôt malade : la tuberculose se déclare en effet en décembre 1930 – il a dix-sept ans, il arrête le lycée et quitte le logement familial pour vivre un temps chez son oncle Gustave Acault, une figure étonnante, puisque ce boucher semble avoir été un lecteur de Joyce. Placé dans une maison saine, éclairée, lumineuse, il peut aussi manger de la viande en quantité et le corps médical compte sur la vertu du régime carné pour lui redonner un peu de force et de santé. Ce tueur de bœufs est franc-maçon, éclairé, cultivé, intelligent. Entre deux équarrissages, il lit les classiques rangés dans sa bibliothèque – mais aussi Valéry ou Maurras, ou bien le socialiste libertaire Charles Fourier. Voltairien, l'homme achète les journaux et se tient au courant. Camus dira à Jean Grenier que le boucher avait été militant anarchiste ! Les conversations réunissent le neveu et son oncle. Tous les sujets y passent. Gustave voit Camus en professeur de lycée, ce qui ne l'empêche pas de vouloir lui transmettre la boucherie : on peut, dit-il, vendre du bifteck le jour et s'adonner librement à la littérature une fois le rideau baissé !

Enfant, Camus lit comme il vit : avec avidité. La lecture permet d'échapper au monde au profit d'une réalité où l'héroïsme et le panache des romans de cape et d'épée prennent toute la place et font disparaître la crasse et la misère du quartier pauvre d'Alger. Le feuilletoniste Michel Zévaco, anarchiste revendiqué, emballe le jeune garçon avec Pardaillan, sa créature littéraire qui affirme : « Je ne désire être que d'une maison : la mienne ». Quatre ans avant que Sartre écrive dans *Les Mots* combien il devait à ce romancier et à ses héros qui, seuls contre tous, incarnent la rébellion de l'individu faisant triompher la morale contre la corruption des puissants, Camus souscrit à cette figure libertaire refusant toute sujétion à quelque pouvoir que ce soit au nom des principes chevaleresques – de gauche.

La bibliothèque municipale, un monument de la République laïque, fonctionne avec une jeune institutrice bénévole au physique ingrat. Camus prélève les livres au hasard des rayonnages, feuillette, lit la quatrième de couverture, apprécie le titre, regarde la table des matières, soupèse le volume, et embarque deux livres chaque fois, au petit bonheur la chance. Il lit beaucoup, tout et n'importe quoi, de bons et de mauvais ouvrages – mais y a-t-il vraiment de mauvais livres à cette époque ?

Ces lectures laissent de fortes traces sur cette jeune âme désireuse de savoir, d'aventure, de culture. Camus parle d'ivresse, d'avidité, de joie, de puissantes émotions, de transports. Il raconte que l'objet-livre le séduit aussi : l'odeur de la colle, le parfum du papier, les effluves échappés à l'ouverture d'un volume de la collection Nelson ou Fasquelle, le toucher des reliures et des couvertures, leurs granulations râpeuses, la typographie aussi – Camus n'aime pas la licence esthétisante, sinon mallarméenne, des grandes marges et des mots en petites quantités, il veut la page saturée de caractères, le plus petit intervalle possible entre le placard imprimé et le bord de la page, un interligne minimum, pour une nourriture spirituelle compacte, dense, forte, puissante. Une promesse de richesses inépuisables dès le coup d'œil sur une page ouverte au hasard.

La lecture est une ascèse : la concentration sur le texte efface le monde alentour. Plus d'institutrice ingrate, plus de rayonnages, plus d'autres livres, plus de bibliothèque, plus de voisins lecteurs, plus de copain à ses côtés, plus d'extérieur à la salle de lecture non plus, plus de rue, plus de passants. Pour l'enfant c'est également : plus de père mort, plus de mère silencieuse, plus de grand-mère frappeuse, plus de misère, plus de pauvreté, mais le monde à portée d'intelligence. Un univers s'efface au profit de mille autres. Belcourt s'estompe, le reste de la planète s'offre alors en orgie de réels possibles.

Sorti de la bibliothèque, il serre sous son bras les trésors empruntés. La lumière des réverbères permet de commencer la lecture dans la rue. La psyché du futur philosophe se nourrit de ce monde inédit, méconnu, inconnu. Camus découvre le formidable pouvoir des mots, la magie de la lecture, l'immense puissance des livres. Rentré chez lui, il pose le volume sur la toile cirée de la table de la cuisine, le place sous le rond de lumière de la lampe à pétrole, l'ouvre et le lit. Le monde autour de lui disparaît ; il entre de plain-pied dans un univers qui le sauve. Le livre ramasse le monde des antimondes.

Lorsqu'il lit, l'enfant plonge dans les eaux lustrales de la culture. Quand il relève la tête, il montre à sa mère un regard étrange, hagard, tel un intoxiqué revenant à la lumière, à l'air du monde, à la vie, à la surface. Sa mère regarde le livre comme un objet qui lui échappe. Elle ne voit que la juxtaposition de deux rectangles verticaux, deux pavés noirs que, parfois, elle parcourt du bout des doigts, à la manière d'une aveugle cherchant le sens en sollicitant les improbables aspérités du braille. Avec sa main déformée par le travail, elle caresse la tête de son fils qui ne répond pas. Elle soupire. Camus rapporte que, sortant de la lecture, regardant sa mère, il la percevait comme une étrangère.

Les livres ne se réduisent pas aux lectures de Monsieur Germain, aux conseils de l'oncle boucher ou aux emprunts effectués à la bibliothèque municipale. Ce sont aussi les volumes offerts le jour de la distribution des prix. Habituellement, ni la mère ni la grand-mère ne franchissent les portes du collège ou du lycée. Sauf le jour de cette cérémonie républicaine de fin d'année. Au lycée, Camus ne parle pas de sa famille ; à sa famille, il ne parle pas du lycée. Habillées avec des vêtements de pauvres, parfumées, apprêtées, les deux femmes portent les habits du dimanche, un peu vétustes, inappropriés, pas à la mode, mais propres et fraîchement repassés.

Dans l'école pavoisée, décorée avec force plantes vertes, un orchestre militaire accueille les familles. Il joue *La Marseillaise* et accompagne les différents moments de la cérémonie : discours des officiels, du proviseur, du plus jeune professeur, annonce des classements, distribution officielle des diplômes et remise des paquets de livres enrubannés. La mère écoute sans entendre, la grand-mère entend sans comprendre. Pour les meilleurs, les lauréats grimpent sur l'estrade, reçoivent les félicitations, repartent les bras chargés et, avant d'emprunter les escaliers qui les reconduisent au parterre, ils regardent dans la salle les parents émus. Tout se passe vite. La famille ne comprend pas tout.

Rentrée chez elle, la grand-mère demande à son petit-fils de corner les pages du palmarès où apparaît son nom afin, le lendemain, de montrer aux voisins les succès du garçon. Camus regarde alors enfin ses livres avec gourmandise. Sa mère revient après avoir remisé les habits de cérémonie dans le placard. La lumière baisse. Les premiers éclairages de la rue vacillent. Des promeneurs anonymes passent. La mère d'Albert sourit et dit : « Tu as bien travaillé » (IV. 897). Elle n'en dira pas plus. Mais, tout étant dit, à quoi bon en rajouter ? Le futur philosophe apprend avec cette parcimonie verbale de la mère que les mots sont à prendre au sérieux – il passera sa vie à en user au trébuchet.

Plaisir à *La Douleur*

Au lycée, Camus découvre les cours de philosophie. Si l'on en croit les rapports rédigés par les directeurs d'établissement et les inspecteurs l'ayant noté, Jean Grenier s'avère mauvais professeur : pas pédagogue, trop jeune, voix faible, trop théorique, pas clair, incapable d'illustrer son propos pour le rendre compréhensible, assez peu doué pour la discipline, lunaire, ne disposant pas de l'autorité naturelle au vu de laquelle les représentants de l'administration de l'Éducation nationale distribuent les bonnes notes, ce professeur de philosophie qui est aussi philosophe séduit tout de même une poignée d'élèves – dont Camus.

Le dimanche, le futur auteur d'*Inspirations méditerranéennes* et des *Îles* reçoit en petit comité certains de ses étudiants dans sa maison d'Hydra, sur les hauteurs d'Alger, avec vue sur la mer. Sur le mode socratique, il entretient ces jeunes âmes fougueuses de littérature, de philosophie, de politique. Il leur conseille la philosophie existentielle de Chestov ou la *Recherche du temps perdu*, mais aussi *La Douleur* d'André de Richaud, un petit livre appelé à produire un électrochoc sur Camus.

Ce texte simple, léger, facile, sans grande prétention, vite lu, marque Camus qui y trouve un profit existentiel. D'abord, André de Richaud est un fils de soldat tué à la Première Guerre mondiale. Pupille de la nation, il est élevé par son grand-père instituteur qui recueille la jeune veuve – qui meurt en 1923. Après des études de philosophie et de droit, il devient professeur de philosophie avant d'écrire ce livre en 1930, puis d'être vivement soutenu par le grand Joseph Delteil auquel il avait consacré une étude trois ans en amont. La biographie de l'auteur entrait donc en résonance avec celle de Camus.

De même avec la thématique de *La Douleur*, un roman simple qui rapporte sans effets comment une jeune veuve ayant perdu son époux officier au front tombe amoureuse d'un prisonnier allemand qui part le jour où, grimpée dans la chambre avec une lampe à pétrole pour le voir partir, elle chute dans l'escalier en mettant le feu à la maison – le tout sous l'œil de son jeune fils qui a assisté à la naissance de cette idylle, à ses manifestations, à sa déchéance et à sa fin.

« Ce livre est un livre de nuit » (92), écrit de Richaud. Pour la thématique, certes. Mais pour Camus c'est un livre de lumière : le jeune homme découvre en effet qu'on peut écrire ce genre d'histoire, donc *son histoire*, du moins une histoire proche de la sienne, et en faire de la littérature, un livre, un roman, un récit. Il apprend qu'on peut mettre des mots sur les silences de sa mère car, entre les lignes de ce roman, on peut également lire l'histoire de Catherine Sintès et de son amoureux marchand de poissons. Dès lors, cette mise en abîme permet à Albert Camus enfant de s'identifier au petit héros triste de *La Douleur*. Plus tard, Camus s'excusera d'avoir accordé une place importante à ce livre qui, relu à l'âge adulte, lui apparut comme un ouvrage pour adolescents. Justement. Lu à cet âge, avec l'âme de l'adolescent qu'il fut, Camus découvre à cette époque que, disposant d'un matériau existentiel assez semblable, il pourrait écrire lui aussi.

Premières lectures, premières écritures

Non loin de la boucherie de l'oncle Acault se trouve une librairie tenue par deux femmes. Camus fréquente l'endroit. Ses amis lui prêtent des livres qu'ils s'échangent. Il lit goulûment, beaucoup de littérature, les grands noms, certes, les romanciers américains contemporains, les textes des mystiques rhénans ou *La Bhagavad-gîtâ*, Schopenhauer et Nietzsche. L'un de ses amis, Claude de Fréminville lit Proudhon – tous deux parlent de ce théoricien français d'un anarchisme

pragmatique, loin de tout millénarisme révolutionnaire, qui propose la révolution ici et maintenant par la coopération, la fédération, la
mutualisation. Quand Camus pense un projet
concret pour l'Algérie déchirée, ou pour une
Europe post-nationale, sinon pour un gouvernement mondial, il développe un fédéralisme dans
une perspective proudhonienne. J'y reviendrai.

Le logement chez l'oncle anarchiste et voltairien
ne dure pas : l'amateur de Joyce et du drapeau
noir trouve en effet que son neveu invite trop de
jeunes filles dans sa chambre. Dès lors, Camus
déménage et occupe différents logements dans
Alger, rencontre une jeune fille qui se drogue,
tombe amoureux d'elle, l'épouse. Sa santé ne
s'améliore pas, il subit des séances d'insufflation
à l'hôpital tous les quinze jours. À l'époque, dandy
en tout, il sait que sa vie sera courte, qu'il faut
donc en profiter, la brûler avec l'ardeur d'une jeunesse placée sous le signe de l'incandescence.

1933, Jean Grenier publie *Les Îles*. En classe de
terminale, l'année suivante, âgé de dix-neuf ans,
Camus a déjà publié quelques textes en revue sur
Paul Verlaine, Jehan Rictus, Frédéric Nietzsche et
Henri Bergson. Dans ces pages, le jeune homme
au sang chaud fait la leçon à ceux qui pensent
que Verlaine a péché sans le savoir et prié en ignorant ; il peste sur les spéculateurs de la misère qui
la méconnaissent, au contraire de Rictus qui, lui,
la connaît ; il disserte sur la musique chez
Schopenhauer et râle contre Nietzsche, coupable
de n'avoir pas vu que son esthétique était réalisée
par Wagner, il tance le philosophe allemand
pour son usage polémique de Bizet ; il opte pour

Stravinsky contre Debussy ; il avoue être déçu par la lecture des *Deux sources de la morale et de la religion* et prétend que l'œuvre de Bergson est à venir ! Dans la foulée, le jeune homme fougueux qui note la copie de Bergson passe la deuxième partie de son baccalauréat et décroche une mention assez bien.

La conversion existentielle

À vingt ans, Camus lit *Les Îles* de Jean Grenier. C'est l'illumination. Dans la préface que l'ancien adolescent devenu Prix Nobel écrit pour une réédition, le quadragénaire rend hommage à son vieux maître, par-delà plus d'un quart de siècles de relations pas aussi lumineuses que la légende le prétend – je préciserai. Camus parle d'un ébranlement, d'un choc, d'une révélation et d'une influence. Ce livre fut l'occasion d'une conversion philosophique. Le jeune homme pratiquait avec insolence l'hédonisme léger de la plage, des jeunes filles, des copains, de la natation, de la mer, du soleil, du sable chaud et de la lumière, c'était un païen vouant un culte simple et direct, quasi barbare, à Dionysos ou au Grand Pan.

Jean Grenier arrive en maître de sagesse. Certes, il consent à cet amour furieux pour le monde, mais il précise que ce réel fugace passera, car il est l'apparence, mais qu'il faut tout de même l'aimer désespérément. Ce Socrate en désenchantement initie Camus et quelques-uns de ses amis *à la culture*. La réalité sensible à laquelle le jeune homme sacrifiait en toute innocence se double d'une invitation à saisir la nature précaire de ces divertissements au sens pascalien. Derrière les beaux corps, le plaisir de la vague et la joie du soleil sur la peau, se trouve la matière noire du monde. Où se reposer de ce qui repose du monde quand on en a fait une religion païenne ? Nulle part, nous dit Grenier – ou bien ailleurs, dans l'imaginaire et l'invisible, le mystère et le sacré. Découvrir la finitude de l'homme empêche de croire que le plaisir simple suffit à remplir une vie.

Camus ajoute : « À l'époque où je découvris *Les Îles*, je voulais écrire, je crois. Mais je n'ai vraiment décidé de le faire qu'après cette lecture » (IV. 623). La relation de *ce* maître à *ce* disciple donne tort aux spéculations fautives d'un Hegel pour qui la lutte des consciences de soi opposées exige toujours la mise à mort de l'un des deux. Selon Camus, sa relation avec Jean Grenier fut un dialogue, un échange, une confrontation sans servitude ni obéissance, une imitation au sens spirituel du terme. Lorsque le maître réussit son initiation, le disciple prend seul son envol, et le maître s'en réjouit. Celui qui apprend n'oublie pas et se souvient avec nostalgie du moment où il recevait tout et croyait ne jamais pouvoir rendre.

À l'heure où il met un point final à cette préface, en 1958, Camus redit sa dette, explique sa chance, raconte la transfiguration, exprime sa gratitude. Il souhaite que le livre trouve à nouveau des lecteurs qui ressembleraient au jeune homme des années 1930 : des adolescents s'emparant du livre comme d'un trésor, d'un butin, le serrant sous le bras, partant, fiévreux, vers leurs chambres, dévorant ces pages pour en sortir métamorphosés, désireux de créer « les instants du *oui* » (IV. 622) du jeune homme hédoniste qui ajoute au grand péan corporel en acte une pensée tragique transfigurant cette passion méditerranéenne en vision du monde, en philosophie, en esthétique, en politique. Alors l'œuvre vint.

2

La volonté de jouissance

Qu'est-ce qu'être nietzschéen ?

> « Le monde est beau et, hors de lui, point de salut ».
>
> CAMUS, *Noces* (I. 134)

Un philosophe nietzschéen

Que faut-il entendre par cette phrase écrite par Camus en 1954 : « Je dois à Nietzsche une partie de ce que je suis » (III. 937) ? On sait désormais qu'une grande partie de l'œuvre et de la pensée du philosophe s'enracine dans la fidélité à son enfance. Quelle est cette autre partie livresque revendiquée comme fondatrice ? Camus *philosophe nietzschéen* constitue une aventure bien peu racontée ! Mais on comprend que Nietzsche puisse fonctionner en antidote à Hegel chez ce penseur de la radicalité immanente. Plutôt *Le Gai Savoir* nietzschéen que la dialectique hégélienne de la *Phénoménologie de l'esprit*.

Évitons tout malentendu en expliquant d'abord ce que signifie *être un philosophe nietzschéen*. Le lieu commun d'une historiographie douteuse assimile platement *être nietzschéen* et *être Nietzsche*. Cette sotte appréciation suppose qu'un nietzschéen devrait reprendre à son compte la totalité des pensées de Nietzsche et se faire le répétiteur docile de ce qu'aura écrit le philosophe allemand du premier au dernier livre. Dès lors, pour être nietzschéen, il faudrait recycler les propos de Nietzsche sur Socrate et l'idéal démocratique, adorer Wagner puis le détester avant de lui préférer Bizet, être fasciné par Schopenhauer mais aussi cesser de l'être un jour pour entreprendre de dépasser son nihilisme, croire à la théorie de l'éternel retour, souscrire au mécanisme ontologique du surhomme, effectuer une même critique de l'idéal ascétique judéo-chrétien, assimiler le socialisme au christianisme comme idéologies du ressentiment, etc. Ce qui est ridicule.

Car où se trouve *le* corpus à vénérer ? Nietzsche a évolué, il a brûlé ce qu'il a détesté, il a déchiré des livres jadis adorés, il a cru au salut de l'Europe par l'opéra wagnérien avant d'incendier symboliquement Bayreuth, il a remplacé le compositeur de la *Tétralogie* par un Épicure réchauffé au soleil de Portofino et Rapallo, avant de donner naissance à son prophète accompagné d'un aigle et d'un serpent. Faudrait-il emprunter le même chemin que l'auteur d'*Ainsi parlait Zarathoustra* et marcher dans tous les sentiers tracés par lui ?

Nietzsche écrit dans « De la vertu qui donne », un chapitre du *Zarathoustra* : « On n'a que peu de reconnaissance pour un maître, quand on reste toujours élève ». Le bon maître apprend à ce qu'on se déprenne de lui, il cartographie le réel, mais n'écrit pas le chemin et laisse à son disciple le soin d'écrire sa route dans un univers dont il a dressé la carte avec lui. Le temps de la relation avec le maître coïncide avec celui de l'établissement des atlas et des portulans – même si le temps d'après continue la relation puisqu'on se trouve sur une route cherchée près de l'ancien. En ce sens, Nietzsche a été un bon maître pour Camus.

Penser à partir de Nietzsche

Être nietzschéen ne consiste donc pas à penser *comme lui*, mais à *partir de lui*. Autrement dit, fort de ses analyses et de ses constats, raisonner en regard de ses découvertes fondamentales : son diagnostic étayé et rigoureux du nihilisme européen ; son invitation à dépasser l'idéal ascétique du judéo-christianisme ; sa proposition de nouvelles valeurs et de nouvelles possibilités d'existence ; son ontologie radicalement immanente ; sa passion pour la philosophie grecque avant Socrate ; sa destruction de toute métaphysique occidentale au profit d'une physique de la volonté de puissance ; sa crainte devant la montée d'un socialisme abreuvé aux sources du nihilisme et nourri aux passions tristes ; sa passion pour la lumière méditerranéenne contre les brumes du nord ; sa pensée ni optimiste ni pessimiste, mais tragique ; son invitation à la vie philosophique ; son art de penser en dehors de l'institution universitaire ; sa figure du philosophe artiste ; sa pensée de la douleur comme occasion de force – le fameux « ce qui ne me tue pas me fortifie » du *Gai Savoir* –

et tant d'autres idées architectoniques d'une pensée hors institution.

Camus aime le style de Nietzsche : style de pensée, style existentiel, style d'écriture, style de vie. Les citations du philosophe abondent dans ses huit carnets : sur les Grecs, la douleur, le style du XVIIᵉ siècle, la morale au sens des moralistes, la tendresse, la vie philosophique, l'*amor fati*, la folie, Lou Salomé, les artistes comme hommes religieux, Gênes, la maladie, la solitude, la douleur, le retour éternel, l'amour de la vie, la maison et les rues de Turin, le théâtre, le bordel de Leipzig, Wagner et Burckhardt, l'incendie du Louvre, le projet de dix ans de silence et de méditation, l'éloge de Napoléon, le souhait de son enterrement païen à Röcken. Toutes ces citations, tous ces renvois, toutes ces notes constituent un autoportrait en nietzschéen. Un autoportrait aux fragments.

Si l'on prend soin de définir le nietzschéen non pas comme celui qui fait de Nietzsche une fin à dupliquer mais un commencement à dépasser, alors Albert Camus fut l'un des grands philosophes nietzschéens du XXᵉ siècle – peut-être même le plus grand. Car, loin de la somme obscure des cours de Fribourg dispensés par Heidegger, aux antipodes d'un Deleuze lisant *La Volonté de puissance* à la lumière gauchiste de Mai 68 ou de Derrida déconstruisant systématiquement le texte et l'archive sans souci de la vie philosophique, sans parler des gloses d'universitaires qui embrument une pensée claire avant eux, Camus a pris Nietzsche au sérieux comme un sage invitant à vivre en nietzschéen. D'où cette citation du philosophe allemand consignée en exergue au septième cahier qui ramasse les pensées notées entre mars 1951 et juillet 1954 : « Celui qui a conçu ce qui est grand doit aussi le vivre » (IV. 1105). Une hérésie pour les universitaires.

Une longue histoire d'amour

L'histoire d'amour entre le philosophe de Röcken et celui d'Alger commence de bonne heure. Elle se termine avec la mort de l'auteur de *L'Homme révolté*. Dans ses dissertations de lycéen, Camus use et abuse de Nietzsche. Il en décalque la pensée, notamment sur les Grecs, et démarque le style flamboyant, lyrique. En juin 1932, âgé de dix-neuf ans, l'élève publie une étude sur *Nietzsche et la musique* dans *Sud*, une revue fondée par des lycéens de la classe de philosophie de Jean Grenier. Avant publication, il a soumis ses vingt-six pages à son professeur qui a corrigé, amendé, commenté.

Camus développe une pensée bien tenue et montre une connaissance exacte des textes utiles à l'établissement de sa thèse et à la rédaction de son article : les pages de Schopenhauer sur la musique dans *Le Monde comme volonté et comme représentation*, celles de *La Naissance de la tragédie* de Nietzsche, mais aussi *Le Cas Wagner* et *Nietzsche contre Wagner*. Dans sa bibliothèque, des annotations dans le texte et une date sur la page de garde de son volume d'*Ecce homo* permettent de savoir qu'il lisait et annotait ce livre dès 1932 – l'époque de la rédaction de ce premier texte donc.

Le jeune Camus défend la thèse du premier Nietzsche, encore très schopenhauérien, pour qui l'art ne saurait être réaliste, puisque sa fonction est consolatrice. Face au caractère inéluctable et tragique de la volonté de puissance, qui n'est encore à peu près chez Nietzsche que « vouloir » au sens donné par Schopenhauer, l'art nous sauve du monde, il nous permet d'échapper à la tyrannie de la nécessité et nous conduit dans un univers de *rêve* – l'idée et le mot ne se trouvent ni chez Schopenhauer ni chez Nietzsche qui assignent à l'art une autre fonction que d'y conduire.

Selon Camus, parce qu'elle permet de réaliser cet idéal, la musique incarne l'art le plus parfait. Pour Schopenhauer elle l'est véritablement, certes, non pour sa capacité à nous exfiltrer du vouloir afin de nous mener au rêve, mais par son pouvoir de nous donner à entendre (aux deux sens du terme) le « vouloir- vivre » dans sa forme la plus quintessenciée. Elle fournit donc moins l'occasion du rêve à même de nous sortir du monde que la possibilité de contempler un monde dont on ne sort pas. Camus aborde la métaphysique de l'art en romantique séduit par le dionysisme.

Dans la bibliographie de ce texte d'extrême jeunesse apparaissent des ouvrages de professeurs, mais aussi, et surtout, un étrange renvoi à l'une des *Ennéades* de Plotin ayant pour titre « Du Beau » (I. 6). Dans ce texte, le philosophe alexandrin développe l'esthétique néo-platonicienne : l'existence d'Idées en soi ; le réel comme participation aux Idées ; la nécessité de la purification, autrement dit de la séparation de l'âme d'avec le corps, pour parvenir à la contemplation des essences ; la remontée en direction de l'Un-Bien vers lequel tendent toutes les âmes ; l'invitation à tout quitter de ce monde pour parvenir à l'essentiel ; la proposition d'une vie philosophique permettant de construire l'âme belle susceptible d'accéder d'abord aux belles choses, ensuite à la Beauté en soi. Plotin sera, avec Augustin, le philosophe du diplôme universitaire de Camus. Pour l'heure, avec Nietzsche et Schopenhauer, il se retrouve dans un étrange attelage philosophique conduit par l'auteur d'*Aurore*.

Sur la question de la musique et de sa fonction, Camus n'est donc ni schopenhauérien, ni nietzschéen, ni plotinien, bien qu'il pense à partir de ces trois philosophes. Déjà lui-même, il donne à l'art une place cardinale. L'orphelin, le fils de pauvre, l'enfant solitaire, le petit garçon vivant avec une mère mutique exprime moins la pensée de ces philosophes majeurs que la sienne : il sait que le livre et la lecture le sortent de son monde et lui font accéder au rêve. Il expérimente régulièrement le pouvoir consolateur de l'œuvre d'art. Le petit chanteur accompagné par son frère au violon a grandi ; à dix-neuf ans, il parle désormais contre Debussy et pour Stravinsky, probablement découverts chez son professeur de philosophie, bien que l'oncle Acault possède lui aussi un phono. Il sait que l'art permet de s'évader pour l'avoir expérimenté concrètement. Dès lors, il peut souscrire à cette phrase que Nietzsche écrit dans *Le Livre du philosophe* : « Nous avons l'art pour ne pas mourir de la vérité » – il la sait vraie.

En dehors du sujet « Nietzsche et la musique », Camus regrette dans ce texte que circulent de fausses interprétations du philosophe allemand. Il déplore qu'on transfigure en une proposition égoïste son invitation à souscrire avec jubilation au monde tel qu'il se manifeste. La vérité de l'ontologie nietzschéenne ne se lit pas en regard de considérations de morale moralisatrice : la lecture tragique du réel comme il est, à savoir pure volonté de puissance, se double d'une exhortation à vouloir avec passion ce vouloir qui nous veut, seule façon d'instiller un peu de liberté dans un monde de pure nécessité. Rien à voir avec la passion triste qui consiste à tout ramener à soi – à cette aune, le christianisme lui aussi serait un égoïsme.

Camus aime en Nietzsche le pessimiste qui refuse de s'avouer tel. Il voit son optimisme volontariste comme une tentative désespérée de ne pas sombrer dans le pessimisme. Il aurait pu récuser le caractère opératoire de l'opposition entre pessimiste et optimiste au profit d'une autre grille de lecture : le pessimiste voit le pire partout, l'optimiste le meilleur dans chaque chose, alors que le tragique ne voit ni le meilleur ni le pire, ni le bien ni le mal, ni le bon ni le mauvais, mais le réel tel qu'il est – ce qui définit le tragique. Puis il invite à aimer ce qui est.

Le nietzschéisme, effets secondaires

Être nietzschéen à vingt ans c'est souvent en afficher une caricature. Le jeune Albert Camus vit en dandy. Il porte des vêtements choisis, un costume gris perle, des chaussures brun-jaune, mais le vêtement existe en un seul exemplaire et la semelle des souliers part en lambeaux. Il écrit à son ami Fréminville des lettres incandescentes l'invitant à devenir méchant et orgueilleux, à afficher une joie insultante, à être ce qu'il est. Il tient les autres à distance, refuse qu'on le tutoie, récrimine si l'on s'attable près de lui en terrasse. Mais cette vanité surfaite trahit l'enfant blessé, écorché, qui blesse et écorche parce qu'il ne sait pas encore passer, outre aux passions tristes.

En juin 1934, Camus épouse Simone Hié enlevée à son ami Max-Pol Fouchet. Belle brune aux yeux verts, cynique, grande, sensuelle, séductrice, peu farouche, elle cite les surréalistes, chante des chansons obscènes, paie avec de grosses coupures, porte des talons aiguilles et s'enveloppe dans une étole en renard. Elle est aussi morphinomane. Camus a vingt ans, elle dix-neuf, ils se vouvoient, passent leur nuit de noces chacun chez ses parents. La mère du philosophe questionne son fils sur son cadeau de mariage : il demande une douzaine de paires de chaussettes blanches. En juillet 1936, à Prague, Camus découvre que sa femme le trompe avec le médecin qui lui fournit ses doses. Séparation. Le dandy souffre et nourrit de ses douleurs « La mort dans l'âme » dans *L'Envers et l'Endroit*. Divorce en février 1940.

La philosophie de Nietzsche agit comme un alcool fort. *Ecce homo* ou *Par-delà bien et mal* ne laissent pas indemne l'adolescent tout juste sorti d'une enfance sombre. La première rencontre du philosophe allemand, quand elle est une lecture de jeunesse, produit des effets secondaires – dont le dandysme. Une lecture rapide fait commettre des contresens, tels ceux des lettres à Fréminville : l'orgueil, la force, l'immoralisme, la méchanceté constituent moins des invitations à être que des symptômes du mode chrétien d'expression de ce que nous sommes quand nous consentons au monde. Nietzsche n'invite pas positivement à l'immoralisme, il veut que nous aimions le destin contre lequel nous ne pouvons rien : dans cet amour et dans ce destin se trouvent ce que les chrétiens nomment orgueil, immoralisme, méchanceté.

Mais Camus ne peut à vingt ans saisir ce que seules des années de méditation de l'œuvre complète permettent de comprendre. On ne peut demander au jeune homme sortant de classe terminale d'avoir compris le plus complexe de l'ontologie nietzschéenne. On ne saurait encore moins lui en vouloir de s'essayer au nietzschéisme et à la vie philosophique sans y parvenir dès le premier essai. Nietzsche qui philosophe au marteau se sert d'un instrument qui nécessite un apprentissage. Le dandysme constitue un moment touchant dans la vie de l'apprenti nietzschéen.

Le compagnonnage avec Nietzsche

L'histoire d'amour avec Nietzsche est donc ancienne. Mais cette passion de jeunesse s'affine avec le temps pour devenir un compagnonnage de tous les âges, et ce jusqu'à la dernière heure. En effet, le philosophe mondialement connu qu'était devenu le fils de pauvre du quartier de Belcourt est mort, on le sait, d'un accident de voiture le 4 janvier

1960 à Villeblin près de Montereau dans l'Yonne, lors d'un voyage de retour de Lourmarin vers Paris. Les images sont connues : voiture pulvérisée, déchiquetée, des morceaux du véhicule répandus à des distances incroyables. Les conditions de sortie de route de la Facel-Vega semble-t-il habituée à ce genre de catastrophe ne sont pas ignorées non plus. Le cartable noir d'Albert Camus a été projeté dans le champ boueux. Dans cette serviette se trouvaient des papiers d'identité, des photos personnelles, une pièce de théâtre, l'*Othello* de Shakespeare, son journal, le manuscrit du roman en cours, *Le Premier Homme* – et *Le Gai Savoir* de Nietzsche.

Du jeune dandy de dix-neuf ans (1932) qui fait de l'art la consolation des douleurs d'être au monde au philosophe mondialement respecté de quarante-six ans (1960) qui meurt un exemplaire du *Gai Savoir* dans sa sacoche, la présence de Nietzsche s'avère constante dans cette brève existence philosophique. Il ne cessera de le lire, le relire, le méditer, l'annoter, d'y revenir, de le citer. Sa bibliothèque comportait nombre de livres du philosophe allemand, mais également des ouvrages sur lui, dont les trois gros volumes du *Nietzsche, sa vie et sa pensée* de Charles Andler.

En 1950 paraît *Actuelles*. Le livre réunit ses chroniques publiées entre 1944 et 1948. Outre le titre qui fait songer aux *Considérations inactuelles* de Nietzsche, l'œuvre s'ouvre sur un exergue extrait du *Voyageur et son ombre* (§ 284) : « Il vaut mieux périr que haïr et craindre ; il vaut mieux périr deux fois que se faire haïr et redouter ; telle devra être un jour la suprême maxime de toute société organisée politiquement » (II. 374). Camus dédicace ce livre à son ami René Char – nietzschéen lui aussi. Il restera fidèle à ce titre puisqu'il rassemblera à trois reprises ses articles, chroniques, entretiens et textes divers. En 1954, dans son appartement parisien du 4, rue de Chanaleilles où il se replie un temps pour pouvoir écrire tranquillement, Camus avait affiché dans son bureau un portrait de Tolstoï, un autre de sa mère posé sur un lutrin et une photo de Nietzsche. Lors de la réception de son prix Nobel, à Stockholm, en 1957, il rend hommage à ses maîtres – Nietzsche en fait partie. En 1960, dans ce cartable du dernier jour...

Nietzsche, un homme révolté

La référence affective et sentimentale au philosophe allemand se double d'un hommage intellectuel et philosophique. En 1952, Camus consacre un chapitre de *L'Homme révolté* à l'auteur du *Zarathoustra*. Entre Stirner et Dostoïevski, après Sade et le dandysme, avant Lautréamont et le surréalisme, Camus examine les modalités de la révolte métaphysique chez ce philosophe qui annonce la mort de Dieu, s'en réjouit, se rebelle contre le christianisme, met en question la métaphysique occidentale, détruit les valeurs morales de la religion dominante et semble un révolté emblématique.

De la même manière que le jeune homme de dix-neuf ans se propose d'en finir avec le malentendu de l'interprétation qui associe l'immoralisme ontologique nietzschéen et l'amoralité pratique, vingt ans plus tard, et une guerre après, le philosophe de trente-neuf ans en appelle à rendre justice à nouveau au penseur de *Par-delà bien et mal*. Certes, les nazis s'en sont réclamés ; bien sûr, rien ne permet dans le texte une pareille récupération ; mais rien dans l'œuvre n'empêche non plus cette lecture fautive. Le national-socialisme a voulu faire du surhomme une figure politique brutale, dominatrice, impérieuse, conquérante, immorale, cynique, raciste, antisémite, or rien n'est plus éloigné de la pensée la plus intime de Nietzsche !

Le surhomme, tel qu'il apparaît dans *Ainsi parlait Zarathoustra*, incarne la figure métaphysique tragique du consentement à *la volonté de puissance*, une expression qui définit *le vivant dans la vie qui nous veut*. Dans l'œuvre nietzschéenne, le surhomme incarne une position radicalement antipolitique. Cette figure de sagesse philosophique disant « oui » à la vie n'entretient aucune relation avec le nazi dont la puissance suppose le renoncement à son être et la soumission aveugle à un guide dans une perspective aux antipodes du nietzschéisme, puisque le nazi dit « non » à la vie et « oui » à la mort. Quel texte de Nietzsche justifierait une pareille figure de la barbarie ?

Quelques années après la libération des camps de concentration nationaux-socialistes, Camus remet Nietzsche à sa juste place : il ne fut pas le maître-penseur du IIIe Reich, la chose se trouve clairement dite une bonne fois pour toutes ; mais il fut responsable de ne rien avoir écrit contre une récupération possible de son œuvre par l'engeance nazie – ou toute autre idéologie susceptible d'opérer un détournement politique de son travail onto-logique et métaphysique. Avec un bel oxymore, Camus parle d'une « responsabilité involontaire » (III. 127) de Nietzsche, puis il clôt le débat.

Camus présente son analyse de la révolte nietzs-chéenne comme un commentaire de *La Volonté de puissance* – un livre malheureusement construit par la sœur du philosophe avec des textes caviar-dés, des plans contradictoires, des brouillons de recherches et non de trouvailles, des notes de lec-ture, des citations d'auteurs non référencés (une quantité d'entre elles sont de Tolstoï par exemple), le tout dans la perspective idéologique propre à cette femme antisémite, raciste, nazie, amie de Mussolini et d'Hitler.

Une impasse ontologique

La vérité de Nietzsche n'est donc pas dans la généalogie du national-socialisme, mais dans la qualité de son diagnostic de nihilisme à l'endroit de la civilisation européenne. Dès lors, ne sépa-rons pas son appel à détruire et son invitation à reconstruire. Car il ne veut pas l'apocalypse et tra-vaille à la renaissance. Il affirme qu'on peut vivre sans croire, sans dieux et sans maîtres. Privé de Dieu, le monde l'est également de sens, de direc-tion, de finalité : il n'y a pas d'Idées de la Raison, pas de ciel intelligible, pas de morale définitive et universelle, pas de valeurs certaines. Contre le christianisme qui préfère l'idéal ascétique à la vérité charnelle et vivante des hommes, Nietzsche attaque les calomniateurs de la vie.

La mort de Dieu n'est pas le fait de Nietzsche : certes, on lui doit la promulgation de la nouvelle, mais pas le forfait. Dès lors, il ne formule pas une philosophie de la révolte, mais il construit une philosophie sur la révolte. Jésus et le Christ n'ont pas grand-chose à voir avec le christianisme. En tant que sagesse invitant à accepter le monde tel qu'il est, en renonçant à ajouter de la négativité à la négativité, la leçon du fils putatif de Joseph et Marie s'avère radicalement immanente, elle se pratique ici et maintenant et ses fruits se cueillent immédiatement. Le christianisme, avec son Église, ses Conciles, son Nouveau Testament et surtout Saint-Paul, trahit la sagesse pratique du Nazaréen. De même en jugeant sans cesse et en moralisant tout le temps, cette religion calomnie le monde *qui est*, un point c'est tout. Ce jugement fonctionne avec ses corrélats : châtiment et récompense, donc classement de l'humanité en bons et en méchants. Le christianisme est un nihilisme, il faut donc le dépasser. Voilà pourquoi, selon Camus, la mort de Dieu n'est pas à mettre au compte de Nietzsche – mais, paradoxalement, à celui du christianisme.

Camus examine ensuite le cas du socialisme qui constitue, pour Nietzsche, une variation sur le thème du christianisme : croyance dans les fins de l'histoire, eschatologie millénariste, messianisme collectiviste, égalitarisme des sujets, trahison de la vie et de la nature, substitution de l'idéal au réel, énervement des volontés et des imaginations, le socialisme relève lui aussi du nihilisme qui est non pas croyance en rien, mais incapacité à croire ce qui est. Si l'on veut dépasser le nihilisme, alors finissons-en avec le christianisme paulinien et le socialisme marxiste.

Sur les décombres du christianisme devenu caduc et dans les ruines du socialisme fumant, l'homme se retrouve seul et libre, contraint à donner du sens à ce qui jadis en avait par Dieu et la Révolution, mais n'en a plus désormais. La liberté réside dans le consentement à de nouveaux devoirs. En attendant, la négation des valeurs n'est pas l'affirmation que, si rien n'est vrai, alors *tout* est permis, mais, à l'inverse, si rien n'est vrai, alors *rien* n'est permis. Nietzsche propose de consentir à l'innocence du devenir, il invite au grand « oui » à tout ce qui est, il enseigne l'approbation – y compris au négatif, à la négativité, au mal, à la méchanceté, à la faute, au meurtre, à la souffrance. Adhérer à tout, sans aucune restriction, voilà la seule et unique condition de possibilité de la joie.

La connaissance de la fatalité est reconnaissance de la fatalité, cette connaissance devient chez Nietzsche religion de la fatalité. La pitié et l'amour du prochain constituent des rébellions inutiles, de vaines révoltes, car on ne saurait vouloir contre le vouloir. Ce qui a lieu a déjà eu lieu et aura éternellement lieu dans les mêmes formes : consentir à l'éternel retour du même, c'est participer à la divinité du monde. Selon Nietzsche, le révolté nie Dieu, mais il ne devient lui-même Dieu qu'en renonçant à la révolte.

Cette ontologie noire interdit donc la rébellion contre ce qui ne peut pas ne pas être. Si la nécessité fait effectivement la loi en tout, tout le temps, y compris quand on se rebelle, puisque la rébellion était elle aussi prévue, écrite, inscrite dans le schéma qui se déplie, se déploie, parce qu'elle découle de la fatalité, de la même manière rien n'est possible en faveur du bien et contre le mal. Il faut aussi chérir le mal, aimer la souffrance. On comprend que pareille métaphysique puisse malheureusement justifier et légitimer les nazis – si tant est que les nazis aient d'abord vraiment lu Nietzsche, puis compris.

Camus le constate : « Jusqu'à Nietzsche et le national-socialisme, il était sans exemple qu'une pensée tout entière éclairée par la noblesse et les déchirements d'une âme exceptionnelle ait été illustrée aux yeux du monde par une parade de mensonges, et par l'affreux entassement de cadavres concentrationnaires. La prédication de la surhumanité aboutissant à la fabrication méthodique de sous-hommes, voilà le fait qui doit sans doute être dénoncé, mais qui demande aussi à être interprété » (III. 125). Car si cette magnifique dernière révolte dans l'histoire doit déboucher sur des meurtres de masse, ne doit-on pas alors renoncer à toute révolte ?

La volonté émancipatrice du socialisme marxiste prend en charge le projet nietzschéen de surhumanité. L'histoire est devenue la nouvelle idole. Le « dire oui à ce qui est » nietzschéen justifiant tout ce qui est laisse place au « dire oui à ce qui sera » marxiste-léniniste, en l'occurrence la révolution, la société sans classe, l'humanité réconciliée. Au nom de ces deux fatalismes, fatalisme ontologique de la volonté de puissance et fatalisme politique de l'histoire, les individus comptent maintenant pour quantité négligeable.

Nietzsche prétendait vaincre le nihilisme – il l'a accompagné, certes malgré lui, mais, de fait, il l'a accompagné.

L'idée de *L'Homme révolté* naît dès septembre 1939. Pendant la guerre, Camus suit son intuition : en janvier 1942, il envisage un essai sur le sujet. En juin 1947, il note clairement les états d'avancement du livre qui dispose alors de son titre définitif. Après mai 1950, il rédige des plans, organise son propos. Le 12 juillet 1951, il offre son manuscrit à René Char. La lecture de Nietzsche s'effectue donc à la lumière noire de la déclaration de la guerre, de l'occupation de la France par les nazis, de la fin du national-socialisme et de la libération des camps, autant d'événements majeurs auxquels le nom de Nietzsche a été clairement associé – encore aujourd'hui parfois.

Camus rend justice au philosophe allemand. Pour le défendre, il signale que son analyse de la révolte nietzschéenne se présente comme une lecture de *La Volonté de puissance*. Or, d'une part, ce livre n'est pas de Nietzsche ; d'autre part, la folie a contraint le philosophe allemand à l'inachèvement de son œuvre sur cette question du grand « oui » à la vie. Peut-être que, si la vie lui avait été moins comptée, il aurait traité cette question plus en profondeur, plus dans le détail. Rappelons également que, vivant jusqu'à quatre-vingts ans, Nietzsche aurait connu Mussolini, Hitler et Staline. Il aurait alors pu écrire ce qu'il pensait de l'usage que firent leurs dévots de sa philosophie.

En bon nietzschéen, donc, Camus part de cette impasse ontologique, du moins des conséquences dramatiques de cette métaphysique, pour en conserver une partie et en récuser une autre : il souscrit à l'*amor fati*, au grand « oui » à la vie, tant que cette affirmation a pour objet ce qui l'augmente ; en revanche, il dit « non » à ce qui veut la mort ou le contraire de la vie. Nietzsche disait oui à tout ; Camus dira oui seulement à ce qui augmente la vie. Pour le reste – il se révolte. Voilà le sens de son nietzschéisme de gauche – l'objet de la partie suivante. C'est également celui de son hédonisme libertaire.

Les grands feux de Gênes

Récapitulons : à dix-neuf ans le dandy Camus aime la théorie nietzschéenne de la musique, il célèbre les mondes imaginaires ouverts par cet art capable de quintessencier la volonté de puissance ; à trente-neuf ans, le philosophe reconnu se revendique du nietzschéisme, mais récuse les conséquences dramatiques de l'innocence du devenir, de l'*amor fati* et de l'éternel retour, il élabore une réponse nietzschéenne de gauche ; à quarante et un ans, le personnage privé place une photo du père du surhomme près d'une autre de sa mère ; à quarante-quatre ans, l'homme de lettre reconnu planétairement, couronné par le Nobel, revendique Nietzsche comme l'un de ses maîtres à penser ; à quarante-six ans, il meurt avec dans son cartable un exemplaire du *Gai Savoir*.

Dans ses *Carnets*, Albert Camus note quelques lignes à propos d'un voyage en Italie. En 1954, l'Association Culturelle Italienne l'invite à prononcer une série de conférences à Turin, Gênes et Rome – trois villes nietzschéennes. Il visite aussi Naples et Paestum. Lorsqu'il se trouve à Turin, il erre dans les rues en songeant à Nietzsche et se rend à l'endroit où habitait le philosophe 6, Via Carlo Alberto. Camus avoue n'avoir jamais pu lire sans pleurer le récit de l'effondrement de Nietzsche effectué par Franz Overbeck venu pour ramener son ami à Bâle. Puis il écrit : « Devant cette maison j'essaie de penser à lui que j'ai toujours aimé d'affection autant que d'admiration, mais en vain. Je le rencontre mieux dans la ville dont je comprends, malgré le ciel bas, qu'il l'ait aimée et pourquoi il l'a aimée » (IV. 1200).

La lecture des *Carnets* sur plusieurs années montre un Camus psychologiquement fragile, de temps en temps dépressif, angoissé, triste, abattu, découragé, mélancolique, opprimé, parfois suicidaire, insomniaque. On peut imaginer combien Nietzsche a pu être proche de Camus par ce corps souffrant, ces envies de quitter le monde, cette blessure existentielle qui porte sans cesse le fer à l'âme. La folie du philosophe allemand a pu lui paraître un destin possible, lui qui a dû faire face à la haine de tant de gens pour avoir eu raison trop tôt et avant tout le monde.

Dans un autre passage des *Carnets*, Camus rapporte la fin de Nietzsche le 3 janvier 1889, Place Carlo-Alberto, quand, sortant de chez lui, il voit à la station de fiacre un cocher maltraiter son cheval. Le philosophe qui propose l'anatomie la plus cruelle de la pitié pour en faire une vertu qui rapetisse et une passion inutile, puisqu'il ne sert à rien de s'émouvoir aux mouvements du monde sur le mode compassionnel, tombe foudroyé par elle : il se jette au cou de l'animal martyrisé, éclate en sanglots, tombe à genoux aux pieds du cheval. Le propriétaire de l'appartement loué par Nietzsche passe par là, le reconnaît, le reconduit chez lui. Étendu sur le sofa, immobile, muet, prostré, il sombre dans la folie dont il ne sortira pas. Il lui reste onze années à vivre dans cet état de silence et de mutisme.

Une autre fois, Camus rapporte une histoire qui pourrait sembler une belle image romantique mais qui révèle une méthode nietzschéenne créée par Camus pour penser le monde, sinon, démarche fort peu nietzschéenne au demeurant, le juger : après sa séparation avec Lou Salomé, jolie jeune fille intelligente et cultivée avec laquelle il a longtemps caressé l'espoir d'une vie commune en compagnie de Paul Rée, le philosophe sombre dans une immense solitude, un puits sans fond de souffrance et de mélancolie. Amoureux, désireux d'un contrat de vie avec elle, sollicitant son ami Rée, lui aussi entiché de cette Russe magnétique, pour faire ses déclarations d'amour, Nietzsche expérimente la souffrance de l'amoureux éconduit. Cette expérience malheureuse le conduit à brûler ce qu'il a adoré. Quelques pitoyables lettres du philosophe sur le futur auteur de *Frédéric Nietzsche à travers ses œuvres* auraient mérité de ne jamais avoir été écrites tant elles montrent un homme au-dessous de son idéal.

C'est dans cet état de grande souffrance que Nietzsche gravit les collines autour du golfe de Gênes pour ramasser du bois et faire de grands bûchers qu'il regardait brûler. Camus écrit : « J'ai souvent pensé à ces feux et leur lueur a dansé derrière toute ma vie intellectuelle. Si même il m'est arrivé d'être injuste envers certaines pensées et envers certains hommes, que j'ai rencontrés dans le siècle, c'est que je les ai mis sans le vouloir en face de ces incendies et qu'ils s'en sont aussitôt trouvés réduits en cendres » (IV. 1180).

Ce texte date de 1953. À l'occasion de la parution de *L'Homme révolté*, grand livre antitotalitaire et antifasciste dans un temps où la plupart des intellectuels communient dans le totalitarisme marxiste-léniniste[1], Camus a été éreinté par une grande partie de l'intelligentsia parisienne, mondaine, faiseuse de réputations, une coterie violente qui n'hésite pas à recourir aux mensonges, à la calomnie, à la haine, aux contrevérités, qui intrigue, lance des bruits, commande aux journalistes affidés des articles dans la presse pour salir l'homme afin d'éviter le débat avec le philosophe. Camus pense certainement à ces gens-là que le feu des brasiers nietzschéens de Gênes a réduits en cendres.

Souffrir, c'est mûrir

Camus et Nietzsche se retrouvent dans une autre fraternité philosophique : celle de la maladie. Certes, la syphilis de l'un n'est pas la tuberculose de l'autre, mais, pour un philosophe, vivre corporellement la souffrance mène à des contrées ontologiques inaccessibles aux bien-portants. Savoir sa condition de mortel, expérimenter sa finitude, faire

---

1. Sur le combat de Camus contre le totalitarisme marxiste-léniniste qui a créé le goulag, voir cahier photos, p. 7.

l'expérience du cadavre en nous, voilà qui n'a pas grand-chose à voir avec une connaissance livresque de la maladie, un abord transcendantal du mal à l'œuvre dans la chair – donc dans l'âme.

Nietzsche a contracté la syphilis dans ses jeunes années, probablement dans un bordel de Leipzig. Ajoutons à cela l'héritage d'une fragilité psychique familiale, les souvenirs d'un enfant de cinq ans assistant à l'agonie et à la mort de son père. Le philosophe allemand passe sa vie à souffrir : ophtalmies, migraines qui paralysent son cerveau près d'une semaine, nausées suivies d'un long alitement, trois jours et trois nuits de vomissements, des attaques avec une demi-paralysie qui le privent de parole, des dépressions profondes avec envies de suicide, un eczéma génital géant et chronique découvert par les médecins de Iéna après son effondrement.

La lecture nietzschéenne de la maladie ne saurait être judéo-chrétienne, on s'en doute. Pas question de volonté divine, de punition d'une faute, de paiement d'une dette contractée lors du péché originel, de dessein de Dieu éprouvant chacun comme Job : la souffrance selon Nietzsche constitue une chance philosophique, elle trempe le caractère, force le tempérament, conduit sur un terrain ignoré par la plupart. Elle élève et construit, mène à un savoir essentiel, épuré, véritable. Dans *Ainsi parlait Zarathoustra*, « Le chant d'ivresse », Nietzsche écrit : « Tout ce qui souffre veut vivre, pour mûrir, pour devenir joyeux et plein de désirs – plein de désirs de ce qui est plus lointain, plus haut, plus clair » (IV. 9). La corrélation entre souffrance et joie, douleur et jubilation, comme l'envers et l'endroit d'un même monde, explique le mécanisme de toute pensée existentielle : puisqu'il faut mourir, comment vivre ? Quoi vivre ? Que vivre ?

Nietzsche répond : il faut vivre en aimant tout de la vie, bénir ce qui advient et qui est *vie*. Contre l'hédonisme primaire fustigé en même temps que le nihilisme, le pessimisme, le féminisme et l'utilitarisme, le père de Zarathoustra propose un hédonisme ontologique que définit la jubilation consécutive au grand vouloir de la volonté qui nous veut, même quand cette volonté prend la forme de la douleur. Voilà pourquoi la souffrance crée – et comment on peut en faire l'éloge – une pensée radicale et puissante, donc extrêmement dangereuse pour qui méconnaît sa fondation ontologique.

L'absurde endroit et l'envers hédoniste

Camus découvre sa tuberculose en décembre 1930, il a dix-sept ans. Avant le diagnostic, il y eut des signes avant-coureurs : fatigue, toux fréquentes, goût de sang dans la bouche, premiers crachats sanguinolents, perte de connaissance. Pupille de la nation, il dispose d'une prise en charge hospitalière et d'une médecine gratuites. Hospitalisations, radiographies, consultations, insufflations, pneumothorax, un cycle existentiel commence, et avec lui un certain type de vision du monde, tragique, doublée d'une philosophie, tragique elle aussi, qui compose avec l'absurdité d'une vie si brève dans un cosmos éternel.

On peut comprendre pourquoi le *Mythe de Sisyphe* s'ouvre sur ce sublime exergue de Pindare : « ô mon âme, n'aspire pas à la vie immortelle, mais épuise le champ du possible » (I. 217) ; pourquoi ce livre fait du suicide le seul problème philosophique sérieux ; pourquoi il construit une théorie de l'absurde ; pourquoi il raille « les rationalistes de profession » (I. 232) et leur préfère les tenants de « la philosophie existentielle » (I. 239) ; pourquoi il chemine en compagnie de figures qui consument leur vie : le libertin, le voyageur, l'artiste, le comédien, le conquérant, le créateur, le romancier, et non de penseurs professionnels dûment estampillés par l'institution ; pourquoi il analyse le sentiment d'étrangeté et définit l'*étranger* comme l'individu dépourvu d'illusions condamné à composer avec un réel qu'il ne sert à rien de nier ; pourquoi aussi il conclut à l'impossibilité de connaître un monde qu'on ne peut qu'éprouver ; pourquoi enfin il lie découverte de l'absurde et désir d'élaborer une philosophie du bonheur.

Pointons en passant cette affirmation de Camus : « Le système, lorsqu'il est valable, ne se sépare pas de son auteur » (I. 288), une thèse dans la droite ligne du Nietzsche de la préface au *Gai Savoir*, une idée à laquelle, pourtant, il prétend ne pas souscrire, on l'a vu, dans *L'Été*, sous prétexte qu'elle procéderait d'un vieux fond romantique dont il faudrait se débarrasser. Mais Camus a des préventions contre le romantisme qui sont celles d'un romantique – Nietzsche manifestait les mêmes.

Cette phrase met en évidence une autre idée juste : Camus parle non pas du système dans

109

l'absolu, mais du système *lorsqu'il est valable.*
Autrement dit : non pas de la création du philosophe professionnel qui construit un système pour
des raisons ludiques, avec les règles apprises dans
les grandes écoles, mais de l'œuvre du philosophe
existentiel, nourrie par sa propre viscéralité contre
laquelle il ne peut rien. Jeux d'enfants insincères
contre idiosyncrasie imparable. Faut-il songer ici
à Sartre contre Camus ?

Camus parle à deux reprises de Nietzsche de
façon notable : une fois pour trouver ridicule de
conclure que l'ontologie immoraliste du philosophe allemand justifierait qu'on puisse brutaliser
sa mère ; une autre pour souscrire à l'excellence
de son projet philosophique : « Plus la vie est exaltante et plus absurde est l'idée de la perdre. C'est
peut-être ici le secret de cette aridité superbe
qu'on respire dans l'œuvre de Nietzsche. Dans cet
ordre d'idées, Nietzsche paraît être le seul artiste
à avoir tiré les conséquences extrêmes d'une esthétique de l'Absurde, puisque son ultime message
réside dans une lucidité stérile et conquérante et
une négation obstinée de toute consolation surna-
turelle » (I. 314). Il faudra donc bien que cette
consolation soit naturelle.

Le renoncement et l'affirmation

On connaît les conséquences de la maladie dans
le trajet existentiel de Camus : arrêter ses études
au lycée, s'interdire de nager ou de jouer au football, entrer à l'hôpital, découvrir la mort à l'œuvre
chez des voisins de lit affligés du même mal, y

voir l'annonce de son destin, subir une batterie d'examens, attendre les résultats, supporter un traitement lourd, douter de son efficacité, se savoir condamné à une mort proche, donc à une vie brève, quitter sa mère et l'appartement familial, habiter chez l'oncle boucher, se voir interdire une carrière de professeur de philosophie, puis, plus tard, se faire refuser par le bureau militaire auprès duquel il vient pour s'engager dans l'armée française en 1939, passer sa courte vie à guetter les signes d'une rechute, vivre dans sa chair la maladie au quotidien, craindre la syncope entre les bras d'une femme, savoir qu'Éros et Thanatos sont l'envers et l'endroit.

Autrement dit : renoncer à la vie vivante au profit d'une vie morte. Le terrain de foot est, on l'a beaucoup dit, l'endroit où Camus déclarait avoir découvert l'essentiel de ce qu'il savait en morale (IV. 607). Pour quelles raisons ? « J'appris tout de suite qu'une balle ne vous arrivait jamais du côté où l'on croyait. Ça m'a servi dans l'existence et surtout dans la métropole où l'on n'est pas franc du collier » (III. 906). Or le gardien de but Albert Camus a également expérimenté d'autres choses sur un terrain : le plaisir de l'équipe, la joie de l'effort et du travail bien fait, la réjouissance d'avoir gagné ensemble, la peine collective d'avoir perdu, le sentiment d'être pleinement au monde.

De la même manière que, pour le bonheur de ses lecteurs, la carrière de Nietzsche ne fut pas universitaire en partie à cause de sa maladie, celle de Camus devait se dérouler également en dehors de l'institution : il ne fut pas formaté par l'ENS dont Nizan disait quelle était « l'École dite normale et prétendue supérieure ». Sa maladie du poumon le tint donc à l'écart de la maladie de l'intelligence affligeant si souvent les élites issues de cette école qui reproduit le système et tient toujours pour suspecte une pensée réellement subversive. Dans ce cloître où l'on élève le sang bleu de notre république, on voue un culte à l'Idée pure et l'on manifeste une réelle dévotion à la religion du Concept. Camus a échappé au dressage idéologique de la reproduction sociale – il pouvait sans difficulté puiser dans une source moins corrompue : le monde riche de son enfance pauvre.

Technique de soi stoïcienne

Les médecins prescrivent un repos total avec interdiction de lire. Il lit Épictète. Le jeune homme de dix-sept ans ne découvre donc pas la philosophie avec un monument de la littérature spéculative mais avec un penseur emblématique des techniques de soi antiques. La philosophie fut en effet pendant des siècles un art de vivre, de bien vivre, de mieux vivre. Le christianisme au pouvoir a supprimé la philosophie existentielle en engageant la discipline dans la voie spéculative. Plus besoin d'inviter à une « bonne vie » philosophique, il suffisait d'imiter Jésus dans son ascèse et le Christ dans sa passion. Dès lors, le philosophe devient le fournisseur de concepts destinés à forger et soutenir l'idéologie catholique au pouvoir. De ce fait, cette mort de la philosophie existentielle coïncide avec la naissance de la philosophie institutionnelle relayée plus tard par celle des professeurs.

Le stoïcisme a produit des expressions passées dans le langage commun : « être stoïque » par exemple, pour signifier la dignité dans l'adversité, ou bien encore « être philosophe » au sens : accepter les coups du sort sans rechigner, surtout les mauvais. L'histoire du passage de ces mots dans le vocabulaire courant reste à faire – même chose avec cynique, idéaliste, matérialiste, épicurien, sceptique. Pour le stoïcisme, il suffit de savoir qu'il fut à l'époque impériale une sagesse de l'impassibilité face à la souffrance, avec Épictète en figure allégorique.

Le *Manuel* d'Épictète n'est pas de lui, mais de son élève Arrien : le philosophe stoïcien n'a rien écrit et s'est contenté d'enseigner. Esclave devenu philosophe, Épictète souffrait de claudication. La légende dorée de la philosophie antique ramasse sa pensée dans cette anecdote rapportée par le Celse du *Contre les chrétiens* : Épaphrodite, son maître, entreprend, allez savoir pourquoi, de torturer le philosophe en lui tordant la jambe. Épictète, souriant, prédit qu'il va la casser. Prédiction juste, la jambe craque, puis se brise. Commentaire du philosophe : « Je te l'avais bien dit ». Vraie ou fausse, cette histoire vraisemblable synthétise bien l'enseignement qui fit le bonheur de Camus – et de Nietzsche.

Le *Manuel* enseigne en effet ceci : distinguons ce qui dépend de nous et n'en dépend pas afin de consentir à ce qui ne dépend pas de nous, puis d'agir sur ce qui en dépend ; agissons donc sur ce qui dépend de nous, à savoir : la *représentation*, le *jugement* – par exemple, la douleur n'existe pas en soi, dans l'absolu, mais relativement à notre jugement, à ce que l'on en fait, à ce qui n'existe que parce qu'on le fait advenir à l'être, souffrance et douleur inclus ; habituons-nous au pire qui, de toute façon, finira par arriver, ainsi on ne sera pas surpris et l'on accueillera ce qui surviendra comme une nécessité prévue ; évitons de juger, il n'y a ni bien ni mal, mais des perspectives sur ce qui se manifeste nécessairement ; philosophons, non pas en commentant des textes philosophiques, ou en analysant la pensée d'autrui, mais en menant une vie philosophique ; jouons bien le rôle qui nous a été donné, car nous ne pouvons rien contre la nécessité.

Nietzsche puise abondamment dans cette pensée sévère mais roborative, lucide et tragique. Son surhomme qui sait la nature du réel, connaît l'empire absolu de la volonté de puissance, ne se rebelle pas contre elle, ne juge pas, consent à ce qui advient car il ne peut rien contre, aime son destin, et finit par connaître une joie sans nom grâce à cette acceptation de ce qui est – ce surhomme, donc, propose une figure de stoïcien en plein siècle de la révolution industrielle. À l'hôpital d'Alger, cette effigie philosophique permet à Camus de « tenir » selon son expression.

Fort de cette invitation stoïcienne à travailler sur la représentation de la maladie, sur le jugement concernant la tuberculose, plus fort que le mal lui-même, l'apprenti philosophe de dix-sept ans, enivré par l'alcool fort du *Manuel* affirme, crâne : « On peut guérir : il suffit de le vouloir » (Lottman, 58). Quelque temps plus tôt, le jeune garçon avait dit, apprenant le mal qui le touchait :

« Je ne veux pas mourir » (*ibid.*). De la maladie à la guérison par le vouloir, le chemin était tracé – un chemin déjà emprunté par Nietzsche.

Mourir heureux

Ce vouloir-vivre nourrit le premier roman achevé d'Albert Camus : *La Mort heureuse*, un livre publié de manière posthume en 1971. Conservé dans les cartons et jamais envoyé à l'éditeur sans qu'on sache vraiment pourquoi, ce texte annonce d'autres ouvrages. On y retrouve en effet un certain nombre de choses écrites ou vécues par l'auteur : un héros nommé Mersault (et pas encore Meursault) qui commet un crime ; un meurtre présenté comme une protestation métaphysique face à l'absurdité du monde ; l'enterrement d'une mère ; une origine sociale dans le quartier pauvre d'Alger ; la tuberculose du héros ; un voyage à Prague avec un accordéoniste aveugle ; un trajet en chemin de fer vers l'Italie ; un séjour à Gênes ; une promenade sur les hauteurs de la ville, là où Nietzsche allumait ses grands feux ; les premiers cyprès comme signe du Sud qui lave de la souffrance européenne ; le domicile sur les hauteurs d'Alger et la vie à plusieurs ; une maison avec vue sur Tipasa ; un bain présenté comme une expérience existentielle – Camus peut bien persister à nier l'origine autobiographique de toute écriture.

Entre l'âge de vingt-trois et vingt-cinq ans, Albert Camus raconte la mort d'un tuberculeux – est-ce ce sujet par trop impudique qui lui fait ranger ce manuscrit dans un tiroir ? Certes, cet homme en tue un autre, ce qui dispense d'en faire un double trop ressemblant à son auteur, mais le passage à l'acte littéraire peut procéder d'une scène obsessionnelle, d'une tentation métaphysique de s'essayer à un acte absurde, comme, dans *Les Caves du Vatican*, le héros de Gide avec un acte gratuit – Camus a lu et aimé Gide. Le futur penseur du *Mythe de Sisyphe* évolue toujours entre l'endroit tragique et l'envers hédoniste, l'absurde et la joie de vivre. Ce criminel va mourir, la tuberculose le tue : comment va-t-il entrer dans le néant ?

La tuberculose, dit-on, modifie les sensations et les perceptions, donc la lecture du monde. Abîmé par la maladie et devenu instrument de connaissance, le corps qui pense fournit au philosophe des informations inédites, subjectives, singulières. Les couleurs deviennent des agressions sensitives douloureuses. Le patient souffre d'hyperesthésies et toute sensation le ravage. Diaphane, fatigué, épuisé, anémié, le regard brillant, le tuberculeux appréhende le monde autrement que l'homme du commun. Le philosophe Jean-Marie Guyau, lui aussi affecté par cette maladie, lecteur du *Manuel* d'Épictète dont il a fourni une traduction commentée, auteur d'une *Esquisse d'une morale sans obligation ni sanction* et de *L'Irréligion de l'avenir*, deux livres soigneusement lus et commentés par Nietzsche, a rapporté dans ses *Vers d'un poète* l'état dans lequel on se trouve, une fois atteint par ce mal.

Mersault permet à Camus une phénoménologie non philosophique de la tuberculose – comment ne pas lire ces pages comme une autobiographie à peine travestie ? Après un bain, il fait un malaise : frissons, sang craché, claquements de dents, alternance de sensations de chaud et de froid, fièvre, tremblements, angoisse, crainte de mourir dans l'instant. Il demande au médecin des médicaments pour rester lucide : il ne veut pas partir d'une syncope, sans être le témoin et l'acteur ontologique de son trépas. Avoir peur de mourir, ce serait avoir peur de la vie. Pas question.

Le héros de *L'Étranger* prononce une phrase qui pourrait sortir d'un livre de Nietzsche : « On ne naît pas fort, faible ou volontaire. On devient fort, on devient lucide » (I. 1191). Dans la préface à *L'Envers et l'Endroit*, Camus précise que la maladie donne un sens à la vie, elle permet d'avoir le sens des valeurs, de ne pas prendre l'accessoire pour l'essentiel. Elle lui a donné la bonne distance concernant les autres et le monde. Malade, la comédie humaine fait sourire ou rire, elle préserve de l'envie ou du ressentiment, elle détourne du dérisoire et polarise sur le fondamental. Camus avoue lui devoir la capacité à aimer et à admirer, à créer aussi.

Dans ce premier texte inédit et posthume, et comme dans le reste de l'œuvre du philosophe, la maladie et l'hédonisme constituent l'avers et le revers de la même médaille – l'un est impossible sans l'autre. Pour le lecteur des stoïciens et de Nietzsche, la tuberculose induit un art de vivre avec le mal ; cet art prouve que la maladie est ce que l'on en fait. Si l'on a compris la dialectique du corps (donc de l'âme) malade et de l'âme (donc du corps) guérie *via* la volonté de jouissance, on peut comprendre le sens de cet oxymore terrible : une *mort heureuse*.

Le philosophe artiste

Au-delà de la maladie, il existe un autre fil conducteur nietzschéen qui conduit du jeune homme dandy au philosophe mondialement reconnu par le prix Nobel : le philosophe artiste. Ce concept apparaît très tôt dans l'œuvre du philosophe allemand, (dès *Le Livre du philosophe,* un texte rédigé dans la foulée de *La Naissance de la tragédie*) et jusqu'aux derniers écrits dont certains constituent *La Volonté de puissance*. Dès lors, les distinctions de différentes périodes chez le philosophe allemand tiennent moins si l'on constate que le philosophe artiste constitue un fil rouge dans le labyrinthe de l'œuvre complète.

Qu'est-ce que le philosophe artiste pour Nietzsche ? Le contraire du philosophe universitaire. Exemple ? Schopenhauer contre Hegel. Certes, le premier fut aussi professeur de philosophie à l'université, mais malgré lui et malgré elle. Le second fut le prototype du penseur institutionnel incapable de mettre en relation son œuvre et sa vie. Car ce pourrait être une autre définition : le philosophe artiste engage sa vie dans son œuvre et son œuvre dans sa vie – du moins il essaie. Il tourne le dos à la prétendue objectivité de la philosophie présentée comme science pour revendiquer la réelle subjectivité de la vie philosophique. Il n'a aucun souci de la théorie pure et du théorétique car il veut inventer de nouvelles possibilités d'existence – et les vivre.

Le modèle de cette figure correspond donc moins au mathématicien des concepts purs qu'à l'artiste qui invente en créant et crée en inventant. Il n'aspire pas à une morale selon l'ordre des raisons géométriques, car il se met à l'écoute de la force le conduisant vers la production d'œuvres, il veut la vie qui le veut. Dans la forgerie de ce concept, Nietzsche s'inscrit dans la lignée des Grecs d'avant Socrate, puis de Schopenhauer : des philosophes qui n'inscrivent pas leur discipline dans l'ordre logique apollinien mais dans celui, dionysiaque, de l'affirmation de la vie. Le philosophe artiste veut faire de sa vie une œuvre d'art, autrement dit : une création originale, sans double, inédite, nouvelle, surprenante, allégoriquement débordante de musique et de poésie, de danse et chants, d'ivresse et de bacchanales. La vie de Nietzsche fut celle d'un philosophe artiste. Celle de Camus aussi.

Dès sa première dissertation sur Nietzsche et la musique, et jusque dans ses discours à Stockholm lors du Nobel, Albert Camus renvoie au philosophe artiste nietzschéen : il tient à tout prix à n'être pas philosophe si l'exercice de cette discipline suppose le jeu verbal, l'écriture jargonnante, l'obscurantisme savantasse. Pour avoir une idée précise de ce qui oppose le philosophe universitaire au philosophe artiste, comparons une page de la *Science de la logique* et une autre d'*Ainsi parlait Zarathoustra* – ou bien *L'Homme révolté* et la *Critique de la raison dialectique*.

Le philosophe artiste ne pratique pas la philosophie pour la philosophie comme d'autres l'art pour l'art, mais la *philosophie existentielle* – le contraire de la *philosophie existentialiste*. La première s'active dans l'esprit des philosophes antiques soucieux de bonne vie et de vie philosophique, donc de pratique de la sagesse ; la seconde procède de la scolastique médiévale revue et corrigée par l'université, les grandes écoles et les lieux institutionnels de la pensée – voire les lieux de la pensée institutionnelle. Camus n'a cessé de revendiquer son goût pour les philosophes existentiels, des philosophes artistes : Plotin, Pascal, Kierkegaard, Nietzsche bien sûr, sinon de vieux contemporains Chestov ou Unamuno ; il a doublé cet aveu d'une critique des philosophes professeurs de philosophie, Hegel en tête, les existentialistes en queue.

« L'art de vivre en temps de catastrophe »

Le philosophe artiste pense et compose en artiste, non en professeur ; il se veut existentiel et non dogmatique ; il vise la vie philosophique et non la sophistique et la rhétorique verbale ; il se met au service non pas de ceux qui font l'histoire, mais de ceux qui la subissent. La ligne de partage entre philosophes amis du pouvoir et philosophes libertaires sépare une fois encore Sartre et Camus. Depuis Platon, il existe une tradition de *penseurs amis du prince*, des rois, des puissants, conseillers des gens de pouvoir. En fait, dans le même temps, on trouve un lignage de *penseurs critiques*, subversifs, rétifs à la fréquentation des cours, initié par Diogène. Camus revendique une pensée au service de ceux qui subissent les gouvernants et non en faveur des États. On ne trouvera donc pas le philosophe artiste auprès de l'équivalent contemporain de Denys, le tyran de Syracuse – et l'on a le choix parmi les Denys du XXᵉ siècle.

Le combat contre l'art pour l'art se double d'un combat contre l'art engagé au service d'une cause militante, par exemple le réalisme socialiste. Camus récuse l'usage du mot « réalisme » dans les beaux-arts soviétiques car cet art ne montre pas ce qui est, mais ce qui devrait être, à savoir la révolution heureuse, le bonheur du peuple, la transformation du travailleur en héros, le paysan comme vérité du prolétariat, l'histoire radieuse et autres billevesées. Le réel soviétique campe aux antipodes du réalisme soviétique : en effet, la révolution se construit sur des cadavres, avec des prisons et des potences ; le peuple est affamé par les bolcheviques qui utilisent la famine comme une arme politique ; le travailleur est plus encore asservi à sa machine dans la logique productiviste léniniste que dans la logique capitaliste ; le paysan est un sous-homme politique devant l'ouvrier des villes constitué en avant-garde éclairée du prolétariat ; l'histoire ruisselle de sang, etc. L'art soviétique montre des héros inhumains porteurs de l'idéal qui les déshumanise. On ne saurait trouver de philosophe artiste dans cette logique militante.

L'artiste tel que l'entend Camus, infusé par le nietzschéisme, veut émouvoir et toucher le plus grand nombre dans la perspective d'une édification personnelle. Le philosophe artiste propose « un art de vivre par temps de catastrophe » (IV. 241), ce qui fait de lui un médecin de la civilisation, un être capable de diagnostiquer le nihilisme et de le soigner. L'œuvre complète témoigne : Camus varie les supports esthétiques pour défendre une même vision du monde doublée d'une même proposition de mondes. Le roman, la pièce de théâtre, l'adaptation théâtrale, la nouvelle, le récit, l'essai, le livre de philosophie, la prose poétique, l'article de journal, l'autobiographie, il effectue des variations esthétiques sur une unique pensée – proposer un style d'être au monde et aux idées dans une époque ravagée par le nihilisme.

Contre l'art pour l'art et le réalisme socialiste qui, tous deux, travaillent à la négation de l'art, Camus souhaite un art politique, au sens étymologique : un art pour la cité. Dans la conférence du *Discours de Suède* donnée le 14 décembre 1957, il invite l'artiste à trouver la bonne distance à l'endroit du monde : ni trop ni trop peu, ni lui tourner le dos ni s'y noyer, mais le comprendre, l'expliquer, le raconter, puis lutter contre la négativité en lui – et non en rajouter. La tâche assignée à l'artiste par le philosophe resté fidèle à son enfance pauvre ? Sa justification ? « Parler, dans la mesure de nos moyens, pour ceux qui ne peuvent le faire » (IV. 261) parce qu'un État, un gouvernement politique, un pouvoir les opprime et les empêche de s'exprimer. Puis il reprend l'anecdote consignée dans ses carnets des feux gênois de Nietzsche. Gageons qu'à cette épreuve du feu nietzschéen, l'ordalie a calciné plus d'un prétendu artiste.

Dans un texte datant de 1949 intitulé *Le Temps des meurtriers*, Camus assigne une tâche particulière au philosophe artiste. Il faut, dit-il, qu'il soit farouchement « du côté de la vie, non de la mort » (III. 364). Autrement dit, le nietzschéisme de Camus suppose l'affirmation et le consentement à ce qui est, mais dans la mesure où ce qui est « *dit la vie* ». Le grand « oui » doit être un oui à la vie. Si ce qui est « *dit la mort* », veut la mort, flatte la mort, cajole la mort, alors il faut dire « non ». Célébrer la nécessité de ce qui dit la vie et l'aimer ; refuser ce qui dit la mort et le détester. Le philosophe artiste consent à la vie positive ; il récuse la vie négative. Sa tâche consiste à mettre sa détermination, son vouloir et son talent au service d'autrui. L'artiste n'est pas un être d'exception, mais un individu comme tous les autres. Dès lors, paradoxe, il ne se différencie des autres que parce qu'il se met au service des autres. Et de la vie. Donc de la vie des autres.

Comment être fidèle à son enfance ?

Philosophe artiste, Camus l'est par cette conception et cette pratique de l'art aux côtés des sans-voix. Il l'est également par l'exercice concret de la jubilation affirmative et la transformation de ces expériences existentielles en œuvres d'art susceptibles de témoigner. Je songe à trois textes éminemment nietzschéens dans les expériences qui les fondent, l'écriture qui les fige et la lecture qu'on peut en faire : *L'Envers et l'Endroit* (1937), *Noces à Tipasa* (1939) et *L'Été* (1954).

L'Envers et l'Endroit paraît dans une collection intitulée « Méditerranéenne » chez Charlot, à Alger. Ce recueil de cinq essais constitue le premier livre publié d'Albert Camus, il a vingt-quatre ans. Selon l'aveu même de l'auteur qui préface en 1958 une réédition à ce livre devenu introuvable, l'ouvrage contient toute la thématique à venir et nombre des sujets récurrents de l'œuvre complète. À rebours des usages du monde policé de la philosophie institutionnelle, Camus parle à la première personne – comme Marc-Aurèle, Montaigne, Pascal, Rousseau, Kierkegaard ou Nietzsche.

Cet ouvrage pose cette question : comment quitter le milieu pauvre de son enfance tout en lui restant fidèle ? Il donne cette réponse : en racontant cette histoire généalogique, en offrant une phénoménologie littéraire de cet univers, en détaillant le quotidien des gens pauvres, puis en portant plus haut, plus loin, plus fort, les valeurs de ce peuple que le philosophe fait siennes – l'honneur, la dignité, la simplicité, le dépouillement, la fraternité, l'austérité et le talent pour savoir vivre la vie qui constitue leur seule propriété. On peut également rester fidèle au milieu pauvre dont on provient en montrant le rôle tenu par cette enfance dans la construction d'une sensibilité philosophique et politique. Dans cet ordre d'idée, Camus défendra un hédonisme libertaire porté par *Noces* pour l'hédonisme et par *L'Homme révolté* pour la pensée libertaire.

Cette première œuvre s'ouvre sur une dédicace à Jean Grenier, le professeur de philosophie initiateur à la pensée et à l'écriture. On retrouve dans *L'Envers et l'Endroit* l'encre de *La Douleur* d'André de Richaud, ce texte sur l'amour d'une mère veuve pour un soldat prisonnier, le tout sous les yeux de son jeune fils, ayant tant fait pour montrer au jeune homme qu'il pouvait produire une œuvre d'art avec le matériau existentiel de sa vie minuscule. On retrouve l'encre, donc, mais aussi l'atmosphère du livre, faussement légère par le style, mais métaphysiquement lourde par la thématique. L'un des textes de ce recueil s'intitule *Entre oui et non*, un portrait de la mère d'Albert Camus.

Le philosophe raconte la nostalgie de l'enfance algérienne, ses émotions, ses sensations, ses perceptions : les bruits de la ville qui montent dans les maisons par le balcon, l'odeur des boulettes de viande grillée dans la rue, la lumière sur la baie d'Alger, la fraîcheur du soir qui transfigure les parfums, les cliquetis du tramway de minuit, les palmiers aux grandes feuilles, les sirènes de remorqueurs dans le port, les grands ficus, le café grillé, la mélodie d'une derbouka accompagnée par une voix de femme, les barques qui rentrent de la pêche, les cris des enfants s'amusant dehors, la solitude et la pauvreté, certes, mais aussi la nuit étoilée et le bonheur du crépitement des étoiles.

Camus décrit également : la mère infirme et silencieuse, la grand-mère dominatrice et méchante, le père mort au combat de la Première Guerre mondiale, la médaille militaire à titre posthume, les éclats d'obus retirés de la tête, les coups de cravache de la grand-mère, la besogne de femme de ménage, la surdité, la toile cirée, la lampe à pétrole, l'amour pour la mère, l'arthrite dans ses doigts gourds, la ressemblance du fils avec son père. Et puis, à la fin de ces quelques pages, sans autre apparente raison que le désir de l'auteur, quelques mots sur un condamné à mort à qui l'on dit hypocritement qu'il va payer sa dette, alors qu'on va cyniquement lui couper la tête.

La philosophie comme autobiographie

Ce petit texte de sept pages rédigé par un jeune homme de vingt-quatre ans contient toute la matière de la vie et du restant de l'œuvre du philosophe à venir. Il formule le discours de la méthode de cette phénoménologie non philosophique qui constitue une autre façon de pratiquer la philosophie – une façon française, autrement dit, personnelle et subjective, littéraire et esthétique, sensualiste et empirique, autobiographique et psychologique, humaniste et claire. Le jeune homme donne la clé de l'œuvre à venir, sans savoir que cette poignée de mots constitue la réserve des incandescences à venir.

Pensons Camus contre lui-même et donnons ainsi raison au Nietzsche qui, le premier (même s'il est un lecteur attentif de Sainte-Beuve et de Taine, deux inducteurs majeurs dans cette théorie formulée dans la préface au *Gai Savoir*), fait de toute philosophie la confession de son auteur. Certes, on l'a vu, Camus s'oppose à cette façon d'aborder une œuvre. On lit en effet dans *L'Été* : « L'idée que tout écrivain écrit forcément sur lui-même et se peint dans ses livres est une des puérilités que le romantisme nous a léguées » (III. 605). Mais voyons bien plutôt dans cette dénégation farouche une envie de protéger sa pensée des attaques susceptibles de transformer sa philosophie en produit dévalué à cause de sa nature trop franchement autobiographique. En regard de la manie philosophante dominante, cet aveu qu'une pensée s'enracine dans la vie d'un penseur vaut condamnation définitive – or Camus pouvait redouter le jugement des professionnels qui confisquent la discipline. Il eut assez à faire avec leur haine pour ne pas ajouter de nouvelles occasions de se faire battre.

Après avoir démonté le mécanisme autobiographique de toute pensée philosophique, Nietzsche conclut, à rebours des penseurs institutionnels, que le système se réfute, soit, mais pas son auteur. Dans une lettre à Lou Salomé, qu'elle utilise en préface à son livre sur Nietzsche, son ancien ami écrit en effet : « Votre idée de ramener les systèmes philosophiques aux actes personnels de leurs auteurs est vraiment l'idée d'une "âme sœur" ; moi-même, à Bâle, j'ai enseigné dans *ce* sens l'histoire de la philosophie antique, et je disais volontiers à mes auditeurs : "Ce système est réfuté, et mort – mais la personnalité qui se trouve derrière lui est irréfutable ; il est impossible de la tuer". » Camus, impossible à réfuter parce que parlant à partir de son enfance pauvre ? Voilà une idée nietzschéenne adéquate pour aborder ce philosophe nietzschéen.

Prague ou Vicence

Outre ces pages sur la généalogie algéroise du penseur, Camus offre dans *L'Envers et l'Endroit* un exemple de ce qu'il fait de ce déterminisme méditerranéen de son enfance en y souscrivant, toujours en nietzschéen. Le troisième essai intitulé *La Mort dans l'âme* témoigne de son grand « oui » à la lumière méditerranéenne, à ses pays et paysages, à ses vertus et ses sensations induites. Il oppose Prague et Vicence, l'Europe centrale et l'Europe méditerranéenne, une antinomie radicale destinée jouer un grand rôle dans sa pensée – Paris et Alger, Saint-Germain-des-Prés et Belcourt, la France et l'Algérie, Hegel et les Grecs, la philosophie de l'histoire et l'exercice de la vie, le philosophe institutionnel et le philosophe artiste, le christianisme et le dionysisme, Rome et Tipasa – autrement dit, l'envers à l'endroit.

Prague est associée à une grande douleur chez Camus puisque c'est dans cette ville qu'il séjourne après avoir découvert, en ouvrant une lettre adressée à sa femme poste restante à Salzbourg, qu'elle le trompe avec son médecin. Abattement total. En août 1936, il passe quatre jours dans la capitale de la Tchécoslovaquie après avoir visité l'Allemagne, puis l'Autriche : pluie, concombres au vinaigre, budget exsangue, cuisine infâme, méconnaissance de la langue, angoisse, désespoir, il expérimente physiquement le dégoût de vivre. Le personnage du texte de *L'Envers et l'Endroit* aussi : moyens modestes, donc mauvais repas et chambre minable ; ambiance glauque avec personnages douteux ; envie de vomir à cause de la nourriture saturée de cumin ; matinées passées au lit ; écœurement des visites avec collection d'églises baroques ; dîner tôt, coucher de bonne heure ; mélopée lancinante d'un mendiant aveugle qui joue de l'accordéon ; puis, un jour, rentrant à l'hôtel, le personnage aperçoit un cadavre allongé sur un lit par la porte entrebâillée d'une chambre.

Comme *Entre oui et non* porte en germes *Le Premier Homme*, cet autoportrait à peine travesti de *La Mort dans l'âme* contient lui aussi un autre ouvrage de Camus – *L'Étranger* bien sûr. Mais ce genre de double de Meursault ne va pas commettre de crime ni finir sur l'échafaud car le salut lui vient de la lumière : il quitte Prague pour Vicence où il va passer six jours, sur une colline près de cette ville de Vénétie. Où l'on retrouve la rédemption dionysiaque chère au cœur païen d'Albert Camus : éloge des cyprès, des oliviers, des figuiers, des places d'ombre et de lumière des petites villes, de l'heure de midi, du bleu du ciel, des herbes brûlées, des tuiles de terre, des figuiers, des cigales, des pastèques et des raisins, du parfum des chemins, de la lumière du soleil. Au fronton d'une villa, il déchiffre cette phrase en latin : « *In magnificentia naturae, resurgit spiritus* » (I. 61) – tout est dit.

À mi-distance
de la pauvreté et du soleil

En 1958, Camus préface une réédition de *L'Envers et l'Endroit*. À cette occasion, il livre sur son œuvre le regard d'un homme qui, bien qu'en sachant peu, savait déjà tout. Le texte publié à Alger chez le modeste éditeur Charlot reparaît sous la prestigieuse couverture Gallimard. Après avoir noté quelques maladresses inhérentes aux premiers essais d'écriture et de pensée, Camus confesse que ce livre a pour lui une valeur de témoignage considérable. Source unique à laquelle s'abreuvent ses autres livres, la thématique majeure reste selon lui la pauvreté et la lumière et plus particulièrement un certain type de relation entre ces deux instances.

La lumière agit de telle sorte que la pauvreté n'est pas un malheur. L'orphelin de père, le pupille de la nation, le boursier de l'école républicaine, l'enfant cravaché par sa grand-mère, le fils d'une mère handicapée, le jeune homme tuberculeux connaît, pour l'avoir vécue dans sa chair, la vie des pauvres, des humiliés, des sans-grades et des sans-voix : cette leçon permet au philosophe de savoir que tout n'est pas pour le mieux dans le meilleur des mondes ; le petit garçon qui nage dans l'eau chaude de la Méditerranée, bronze son corps chétif et malingre au soleil africain, tape dans un ballon avec ses copains sur le sable de la plage d'Alger, s'enivre des odeurs violentes de Tipasa, lutine les belles jeunes filles cuivrées dans les ruines romaines, celui-là a appris autre chose : l'Histoire n'est pas tout. Les premières expériences forgèrent l'homme de la gauche libertaire ; les secondes, le nietzschéen hédoniste.

L'enfance pauvre, intellectuellement saisie à la lumière du savoir de l'hédoniste, lui a appris à ne rien avoir et surtout à ne jamais envier, mais elle lui a aussi enseigné le silence, la sobriété, la fierté naturelle, voire l'orgueil, une certaine castillanerie moquée par Jean Grenier, l'indifférence à l'avoir, aux richesses, à la possession. L'enfance hédoniste, pensée à la même clarté, lui apparaît comme une bacchanale de soleil et de mer, une orgie sensuelle et charnelle, une expérience corporelle et épicurienne. Cette jouissance de soi fut vécue dans un monde divinisé. Camus se souvient de forces infinies et d'une volonté sans objet pour cette formidable puissance. Naissance libertaire à Belcourt ; généalogie hédoniste à Tipasa ; vérité algérienne et méditerranéenne du philosophe.

130

L'injustice majeure ? La pauvreté sans le soleil. Camus, qui écrira plus tard des textes tellement émouvants sur la condition du travailleur immigré dans les banlieues parisiennes, sait que le pire dans la misère, c'est quand elle doit se vivre sous un ciel bas, sombre, avec la pluie, le mauvais temps, l'absence de la lumière franche d'un soleil pur. La misère, la pauvreté, les banlieues, les faubourgs industriels, la laideur – voilà ce qui, définitivement, oblige à se rebeller contre l'injustice des climats qui s'ajoute et aggrave l'injustice sociale.

Camus a vécu une semaine sur la plage, sans toit, à même le sable, couchant à la belle étoile, passant ses journées seul dans l'eau, se nourrissant frugalement. Il sait que la liberté et la vérité se trouvent dans une telle expérience : dans le dépouillement, tout à son être, insoucieux de l'avoir, dans l'ascèse de l'âme débarrassée des biens de ce monde, dans la tension hédoniste consubstantielle au dénuement qui définit le plus grand des luxes, l'homme découvre sa philosophie, le penseur sa pensée. Ne rien désirer, ne rien envier, vieille leçon des sagesses stoïciennes et épicuriennes. En ne possédant rien et en aspirant à ne rien posséder, le sage se possède, autrement dit il possède tout.

Cette pauvreté métaphysique découle de l'expérience de la pauvreté sociologique un jour vécue. Camus avoue également que cette enfance lui a appris d'autres choses : l'absence d'envie et de ressentiment donc, l'incapacité à l'amertume, mais aussi l'incertitude d'avoir réussi – à écrire, à penser, à produire des livres de qualité. La naissance dans un monde où les idées n'existent pas fit du philosophe reconnu internationalement un illégitime, un personnage jamais sûr de lui, nulle part certain de son talent. L'orgueil du pauvre n'a rien à voir avec la vanité de l'héritier : le premier n'a que sa fierté pour ne pas sombrer, le second sombre de n'avoir pas de fierté, pantin juste animé par le sentiment d'avoir été naturellement élu.

Selon son propre aveu, l'ambition de Rubempré ou de Julien Sorel ne l'ont jamais tenté. En revanche, il se dit bouleversé par celle de Nietzsche – à cause de son échec et de la grande aventure de son esprit qui laisse loin derrière elle tant de médiocres. Vanité des reconnaissances littéraires, des premières théâtrales, de la vie mondaine parisienne, des salamalecs journalistiques, des succès de librairie, des petits pouvoirs de la critique. Ayant connu cela, Camus sait que ces hochets sont vanités et poursuites du vent. Relisant ce livre de jeunesse, il confesse savoir désormais où se trouve l'essentiel : une mère silencieuse, la pauvreté, la lumière sur les oliviers d'Italie. Puis il conclut : « Je sais cela de science certaine, qu'une œuvre d'homme n'est rien d'autre que ce long cheminement pour retrouver par les détours de l'art les deux ou trois images simples et grandes sur lesquelles le cœur, une première fois, s'est ouvert » (I. 38).

Noces à Tipasa

Le volume intitulé *Noces* s'ouvre avec *Noces à Tipasa* – un chef-d'œuvre. Qu'est-ce qu'un chef-d'œuvre en littérature philosophique ? Une œuvre inédite dans le fond et dans la forme, une œuvre sans double après laquelle les choses ne peuvent plus être comme avant dans le domaine en question. Une œuvre jamais épuisée, quelles que soient le nombre des lectures, autrement dit, un texte que n'épuisent pas les relectures qui, au contraire, augmentent chaque fois la compréhension nouvelle de pages déjà connues. Une œuvre qui concentre d'autres œuvres, qui porte en germe les autres dans le cas d'une production de jeunesse, comme ici, ou qui ramasse des années de lectures, de méditation, de réflexion, d'écriture. Une œuvre impossible à reproduire comme telle, sous peine de plagiat, bien qu'elle génère d'autres œuvres théoriques ou pratiques chez ses lecteurs. Une œuvre qui change la vie du lecteur : soit sa vision des choses, sa conception du monde, sa théorie (l'étymologie fait descendre ce mot de contemplation), soit sa façon d'être au monde, son existence concrète, sa pratique existentielle. Une œuvre qu'on ne reprend jamais sans tremblement de bonheur.

Une œuvre inédite dans le fond et dans la forme, sans double : en moins de six pages rédigées avec une plume de poète, cette prose poétique et philosophique fait songer à ce que devait être le grand poème sur la nature d'Empédocle ou aux œuvres de quelques auteurs dits présocratiques. Pas de théories, de concepts, de rhétorique, d'argumentations logiques, de déductions laborieuses et finalement inefficaces, rien de ce qui constitue l'habituel arsenal du genre philosophique apollinien dominant dans la discipline et régnant avec les pleins pouvoirs dans l'institution, mais une façon dionysienne de procéder par collisions d'images, juxtapositions de sensations, synesthésies lyriques, propositions affirmatives, le tout avec une maîtrise totale des rythmes et des cadences qui musiquent le réel et contraignent le souffle du lecteur à emprunter le chemin voulu par l'auteur.

Une œuvre après laquelle on ne peut plus écrire ou penser comme avant : la philosophie dominante a écarté d'un brutal revers de la main Camus et son œuvre, ce texte donc, mais aussi ses autres productions. On a calomnié le penseur auquel la corporation a même dénié le droit de se revendiquer de la discipline prise en otage par la tribu bien décidée à défendre ses prérogatives. Sartre et les siens agissent en fer de lance dans cette façon bourgeoise de pratiquer la philosophie issue de l'université française du XIXe siècle toute confite en admiration envers l'université allemande, son modèle.

L'attaque *ad hominem* faisant de Camus un amateur incapable de lire vraiment les textes philosophiques, de les comprendre et se satisfaisant de lectures de seconde main, dispense le professeur d'aller y voir de plus près. Le débat n'a pas eu lieu : on ne débat pas, en effet, avec une personne qu'on estime inférieure à soi, incompétente, philosophiquement inculte, etc. Dès lors, la philosophie apollinienne peut continuer à mettre sur le marché ses produits estampillés dans le plus total mépris des possibilités de la philosophie dionysienne inaugurée par Nietzsche.

Cette œuvre nietzschéenne parle en effet de la vie réelle et non de la vie théorétique, de la vie concrète et non de la vie des concepts, de la vie immanente et non de la vie transcendantale : elle parle d'un *corps* qui nage, bronze, vit, expérimente ses forces, elle rapporte les effets du soleil, de la lumière et de la chaleur sur ce *corps*, elle raconte le *corps* sensuel, empirique, qui sent, goûte, touche, expérimente la matière du monde par tous ses sens, elle fait du *corps* un instrument de saisie directe de la prose du monde, une intelligence immédiate de la matière, elle restitue le mécanisme d'un *corps* qui ne pense pas qu'avec son cerveau, mais avec la totalité de sa chair, elle constitue l'exact opposé méthodologique de la *Phénoménologie de la perception* de Merleau-Ponty : elle dit mieux le monde, en moins de pages et en économisant la sueur intellectuelle du déchiffreur d'énigmes phénoménologiques apolliniennes.

Une œuvre jamais épuisée par les relectures : la qualité littéraire, le registre théorique et poétique, aux sens étymologiques (contemplateur et créateur de monde), le caractère lyrique de cette poignée de pages fait songer aux architectures baroques dont la profusion de détails interdit une saisie définitive et globale de l'œuvre parce que les lignes y sont moins verticales et horizontales que courbes, en arabesques, en plis et replis, en déplis nouveaux avec une infinité de combinaisons dans l'agencement intellectuel qu'est toujours une lecture. Tout cela installe plus l'œuvre philosophique dans le registre de la musique symphonique que dans celui de mathématiques pures auxquelles font si souvent songer les œuvres philosophiques apolliniennes.

Une œuvre qui porte les autres œuvres : Camus écrit : « ce n'est pas si facile de devenir ce que l'on est » (I. 106), une phrase qui, bien sûr, fait écho au « Deviens ce que tu es » du poète Pindare, option camusienne là encore. La mer, le soleil, la lumière, la joie de vivre, le plaisir, la volonté de jouissance chez ce jeune homme condamné par la tuberculose à une vie brève montre en lui l'ombre et la lumière, *l'envers et l'endroit*, le sublime de la vie et le tragique de la mort.

Cette œuvre porte les autres, car Camus écrit que Tipasa définit ce que l'on pourrait nommer, avec le vocabulaire du Deleuze de *Qu'est-ce que la philosophie ?* un « personnage conceptuel ». Il écrit en effet : « Tipasa m'apparaît comme ces personnages qu'on décrit pour signifier indirectement un point de vue sur le monde » (I. 109). Les pédants qui, si souvent depuis Deleuze, considèrent qu'un philosophe c'est avant tout un inventeur de concept et un créateur de personnages conceptuels pourraient se retrouver pris à leur propre piège car « Tipasa », à la fois concept et personnage conceptuel, ferait de Camus auquel ils refusent l'entrée dans leur église un impétrant très convenable.

Une œuvre qu'on ne peut pas reproduire, mais qui permet d'en produire d'autres : un talentueux auteur de plagiat pourrait sans difficulté écrire un texte dans l'esprit de Camus. L'exercice semble d'autant plus facile qu'on dispose avec lui d'un modèle dont le style est franc, net, clair et affirmé. L'ami d'Albert Camus, Pascal Pia écrivit ainsi un faux Rimbaud capable de subjuguer les spécialistes de l'auteur du *Bateau ivre*. Personne ne saurait donc, sans sombrer dans le ridicule, écrire ce qui peut si facilement se reproduire tant la force du style et du monde propre sont manifestes. Copier Camus sans son idiosyncrasie n'aurait aucun sens.

En revanche, la possibilité de produire des œuvres à partir de ce sublime exercice de philosophie dionysienne comme une arme de guerre lancée contre la philosophie apollinienne n'a pas encore produit ses effets. La cause en est simple : dans l'esprit donné par cette expression dans son pamphlet par Paul Nizan, il existe des « chiens de garde » institutionnels qui, depuis un demi-siècle et jusqu'à ce jour, veillent à ce que la philosophie apollinienne soit la seule à mériter l'estampille « philosophie ».

Le silence organisé sur l'œuvre et la pensée de Camus, l'omerta sur sa philosophie, le fait que, bien souvent, les spécialistes universitaires de ce penseur viennent de la littérature plus que de la philosophie, la maigreur de la bibliographie vraiment philosophique sur *Le Mythe de Sisyphe* ou *L'Homme révolté* pourtant remplie d'une abondance de travaux sur les romans, confinent Camus dans l'enfer des bibliothèques philosophiques, derrière les étagères qui mettent en avant les produits apolliniens. On chercherait en vain le nom d'Albert Camus dans la production philosophique de la deuxième moitié du XXe siècle : Althusser, Lacan, Deleuze, Foucault, Guattari, Lyotard, Derrida, Baudrillard, Levinas, pour ne citer que des disparus français, font totalement l'impasse sur l'œuvre et le nom – tel Platon avec Démocrite.

Une œuvre qui change la vie : Camus fait partie des philosophes existentiels, même si, échaudé par la mode existentialiste, énervé d'avoir été associé à la meute germanopratine un temps fréquentée, il récusait de la même manière les qualités de philosophe existentialiste et de penseur existentiel. Donnons-lui raison sur « existentialiste », encore que, si ce mot n'avait été confisqué par Sartre et, comme le signifie l'étymologie, devait désigner une pensée qui se soucie de l'existence, il conviendrait parfaitement à Camus. Mais soyons fidèles à sa mémoire et à son désir en dissociant son œuvre de ce mot qui en dit plus sur la mode parisienne d'un temps que sur la profondeur d'une pensée

En revanche, penseur « existentiel » lui convient tout à fait, comme pour Montaigne et Pascal, Kierkegaard et Nietzsche, Chestov et Berdiaev, Unamuno et Ortega y Gasset, autrement dit pour des œuvres qui pensent le monde dans la perspective de produire des effets philosophiques dans l'existence. *Le Premier Homme* contient un programme existentiel : « Essayer de vivre enfin ce que l'on pense en même temps que l'on tâche à penser correctement sa vie et son temps » (IV. 568). Les *Essais* de Montaigne, les *Pensées* de Pascal, le *Gai Savoir* de Nietzsche peuvent changer la vie de leur lecteur – comme *Noces*. Voilà pourquoi on ne relit jamais cette œuvre, sachant ce qui s'y trouve, sans tremblement de bonheur.

Vivre selon *Noces*

Quelles leçons philosophiques existentielles trouve-t-on dans *Noces* ? Des leçons nietzschéennes, bien sûr, qui permettent de se mettre au centre de soi, c'est-à-dire de la nature, du monde, du cosmos, de sorte que, à sa place dans l'univers, n'ignorant rien de notre situation ontologique, nous puissions vivre en lui et jubiler d'être au monde. Cette sagesse venue de Nietzsche pousse en amont ses racines jusque chez Épicure qui proposait une philosophie capable de faire de chacun de nous des dieux sur terre capables de jouir avec sérénité du pur plaisir d'exister.

Camus propose une phénoménologie dionysienne, donc anti-apollinienne, du corps et de la présence de ce corps au monde. Sa méthode consiste moins à *réduire intellectuellement le réel* pour le faire rentrer dans des concepts qu'à *restituer une expérience sensuelle* pour élargir l'être au monde et la faire partager au lecteur en lui conférant un peu de la jouissance vécue corporellement, donc intellectuellement. Moins de quintessences verbales que d'essences charnelles, moins de mots qui emprisonnent et plus de vocabulaire pour libérer les sensations.

Dans ce « discours de la méthode » dionysien, les vérités ne s'obtiennent pas par déductions rationnelles et évincement du corps, mais par profusions sensuelles et sollicitations de la chair : pas de table rase pour obtenir une première certitude métaphysique sur laquelle bâtir un château de cartes ontologique, mais une poétique des éléments et du corps, du vécu existentiel et des expériences concrètes, afin de construire sur la seule certitude dont dispose l'athée : la vie et rien que la vie, le corps et rien que ça, le bon usage du corps dans la vie, car il n'existe aucune autre issue pour les mortels que nous sommes.

Noces ne s'adresse pas d'abord au cerveau, mais à la totalité du corps avec des synesthésies qui produisent le trouble et le vertige sensuel : la brûlure du soleil, le parfum des absinthes, la cuirasse d'argent de la mer, les gros bouillons de la lumière, l'odeur des plantes aromatiques, la suffocation du corps saisi par cette orgie sensuelle, et tout cela dans les huit premières lignes du texte.

La suite est à l'avenant : le soupir odorant et âcre de la terre d'été, les bougainvillées rosat, les hibiscus rouge pâle, les roses thé épaisses comme de la crème, les bordures d'iris bleu, les lentisques et les genêts débordant des ruines, les plantes grasses aux fleurs violettes, jaunes ou rouges, la laine grise des absinthes, la fermentation de leurs essences entêtantes, l'alcool de ces fleurs faisant vaciller le ciel, l'héliotrope blanc, le géranium rouge sang, le crépitement des pierres des bâtiments antiques, la mémoire des âmes mortes de ces Romains retournés au néant, le bruissement concertant des insectes, les sarcophages vides de morts mais pleins de sauges et de ravenelles : « Voir, et voir sur cette terre, comment oublier cette leçon » (I. 107).

Voir, sentir et *entendre*. Mais aussi *toucher*. Camus plonge dans l'eau de la Méditerranée qui est plus qu'une mer – c'est aussi une eau grecque et romaine, littéraire et philosophique, géographique et historique, l'eau d'Homère et de Pindare, de Socrate et d'Augustin, du voyage d'Ulysse et des marchands d'huile et de vin, de la guerre du Péloponnèse et de la colonisation de l'Algérie, une eau d'Europe et d'Afrique, une eau d'enfance et de promesses d'adulte. Camus ne touche pas avec le bout des doigts, mais avec la totalité de son corps nu – à la manière d'un nageur contemporain d'Empédocle qui se jetterait dans l'onde comme l'homme d'Agrigente dans l'Etna, pour y découvrir sensuellement la vérité cachée au cœur du monde.

Le plongeon ouvre l'eau pénétrée par le corps. Puis elle envahit le corps à son tour : les oreilles, le nez, la bouche. Le liquide opaque enveloppe les jambes. L'eau coule sur les bras, glisse sur les épaules, huile le dos chauffé par le brasier solaire. L'onde lisse les muscles et possède la chair. Le corps nu, encore trempé, sorti de l'eau, s'affale dans la poudre du sable. Le sel enveloppe et tanne. Après la plage, de retour dans les ruines, le corps se fait caresser par les essences, les parfums, les odeurs qui embaument la peau.

Sorti de la mer, redevenu bipède, l'animal marin a capturé les forces de l'eau. Il expérimente la saine fatigue, la satiété du corps et la formidable puissance ressentie. Habillé avec un tissu léger qui flotte à la moindre brise, il croque dans une pêche. Le jus descend sur son menton. Devant lui, sur la table d'un petit café, il saisit un verre de menthe verte et glacée puis le boit. Joie de vivre, beauté du monde, splendeur du spectacle de la mer, du ciel et du soleil. L'hédonisme n'est pas une doctrine philosophique, mais une ascèse corporelle concrète : une volonté exacerbée de présence au monde élargie, totale, absolue : « Il me suffit d'apprendre patiemment la difficile science de vivre qui vaut bien tout leur savoir-vivre » (I. 108).

Voir le monde, entendre le monde, écouter le monde, le toucher, l'expérimenter, augmenter sa présence au réel, apprendre la science de vivre, voilà une philosophie concrète qui oblige à guerroyer contre les tenants de l'idéal ascétique. Combat nietzschéen là encore. « Il n'y a pas de honte à être heureux. Mais aujourd'hui l'imbécile est roi, et j'appelle imbécile celui qui a peur de jouir » (I. 108). Critique de la culpabilité judéo-chrétienne, critique du sentiment de péché, critique du poids de la faute, critique du mésusage du corps, critique de l'invitation à refuser tous les plaisirs du corps, y compris celui, simple, de la nage dans une eau lustrale païenne, critique de ceux qui voient dans cet exercice de vie philosophique élargie une variation sur le thème du bonheur brutal et de l'orgueil.

Au monothéisme qui oppose Dieu et la nature, donc Dieu et les hommes, et les hommes et la nature, Camus revendique un certain paganisme qui détermine une façon d'être nietzschéen. La formule de ce paganisme assimilable à un panthéisme débarrassé des dieux du panthéon antique ? « À Tipasa, je vois équivaut à je crois » (I. 109). On comprend que les défenseurs de l'idéal ascétique chrétien voient dans cette déclaration d'amour à la vie sans dieux et sans autre culte que celui de la nature, sans officiants, sans textes, sans lois, sans clergé, sans prêtres, une dangereuse machine de guerre contre le monothéisme avec ses livres, ses lois, son clergé, ses prêtres – autrement dit le pouvoir des clercs qui se réclament de Dieu pour châtier les hommes. Camus veut que chacun soit ici-bas un dieu pour lui-même – leçon de philosophie, leçon hédoniste, leçon épicurienne, leçon nietzschéenne, leçon libertaire.

Comme si ces épousailles de l'homme avec la mer, le soleil, l'eau, l'air et le feu de Tipasa avaient été un genre d'acte sexuel avec la nature, Camus raconte la fin de cette expérience hédoniste incandescente : arriver dans les ruines, plonger dans la Méditerranée, jouir de l'onde, sortir de l'eau, se reposer de cette fête païenne, boire de l'eau glacée, et ressentir, après une telle satiété, le besoin de s'en aller pour éviter la saturation du sublime. Après le tumulte des parfums, les orgies d'odeurs, les bacchanales de lumière, l'esprit se calme dans l'air rafraîchi du soir. Le corps se détend. Le silence intérieur conquiert la totalité du corps satisfait. « J'étais repu » (I. 109). Au-dessus de lui, les fleurs d'un grenadier, derrière, le parfum du romarin, au loin, la mer et le ciel. Calme, il connaît alors la satisfaction du devoir accompli : avoir fait « son métier d'homme » (I. 110), autrement dit avoir été heureux.

La création contre la civilisation

Voilà donc *Noces*, six courtes pages dont il faut longuement se reposer. Trop d'incandescence dangereuse, trop de brutalité païenne, trop de violence dionysiaque, trop d'excès sensuels, trop de lumière consumante, trop de ciel bleu et trop de mer noire, trop de parfums envoûtants, trop d'odeurs entêtantes, trop d'essences enivrantes, trop de densité, trop de joie simple, trop d'ivresse bachique, trop de nature, trop de sacré immanent, pas assez de transcendance, trop d'obscénité à jouir du monde dans un monde qui nous invite à mourir de notre vivant et à culpabiliser d'aimer notre vie, notre unique certitude ontologique. Camus veut ce monde-ci, rien que lui, car il n'y a que lui. Il faut l'aimer désespérément écrit-il. Dans *Le Vent à Djémila*, le philosophe exprime les choses clairement : il n'y a rien après la mort. En revanche, avant elle *il y a la vie.*

Dans « L'Été à Alger », un autre texte de *Noces*, Camus raconte qu'en Algérie le christianisme n'a pas détruit la simplicité et la naïveté grecques. Sur cette terre africaine, on connaît vraiment l'horreur de mourir car on sait ce que la mort nous enlève. Personne n'ignore la joie de vivre sans interdits, la présence innocente et joyeuse à tous les éléments du monde. Camus aime l'Italie, bien sûr, Florence, évidemment, mais il leur préfère l'Algérie et Alger, un pays et une ville qui ne se protègent pas de la brutalité païenne du monde en intercalant la culture entre les hommes et la nature. Il écrit cette phrase si tonique et tellement immorale qu'elle pourrait sortir de *Par-delà bien et mal* : « Le contraire d'un peuple civilisé, c'est un peuple créateur » (I. 124) – et, bien sûr, il défend l'idée d'une Algérie comme un peuple créateur – ce sera le sens de toute sa politique méditerranéenne, sa « pensée de midi », j'y reviendrai.

En Algérie, on vit sans mythes et sans consolations, dans le présent. On inscrit sa vie dans le pur instant sans le gâcher par la nostalgie du passé ou l'angoisse de l'avenir – leçon épicurienne. On manifeste un grand dégoût pour la stabilité. On affiche une passion insouciante de l'avenir. Camus avoue n'avoir pas l'intelligence requise pour les vérités transcendantales – un aveu qui l'exclut définitivement de toute corporation philosophante ! La philosophie dominante prend ses leçons dans les textes, elle questionne les grands auteurs qu'elle commente à foison, elle demande à Hegel son avis sur la nature, mais elle se trouve incapable d'y aller pour apprendre directement d'elle. Camus ne médiatise pas son rapport au monde par le verbe, comme les autres philosophes : il préfère l'expérience immédiate.

Voilà pourquoi, en Algérien revendiqué, en Africain fier de son âme immanente, inapte à un abord purement cérébral du monde, mais doué plus que tous les autres pour un abord sensuel, Camus avoue ne pas comprendre grand-chose à la notion de péché chrétien. Il veut bien consentir au mot, pourvu que la chose soit définie autrement : le péché consiste pour lui à ne pas se contenter de cette vie, à en espérer une autre et, au nom de cette espérance, à passer à côté de la seule vie qui soit. Manquer ici-bas sa vie sûre et certaine, au nom d'une fictive et chimérique vie au-delà, voilà *la* faute impardonnable – et tout de suite sanctionnée : ne pas savoir vivre c'est mourir tout de suite.

Revenir à Tipasa

Noces à Tipasa fut une œuvre écrite par un jeune homme de vingt-trois ans. En 1953, Albert Camus revient dans les ruines à l'âge de quarante ans. Le philosophe a pensé, écrit beaucoup, publié des livres importants, parlé et donné des conférences dans de nombreux pays pendant dix-sept années. Il a publié *L'Homme révolté* et, pour ce livre, a été attaqué par des gens qui voulaient le tuer. Il n'est pas mort. Mais il sort fourbu de cet éreintement, épuisé, fatigué. C'est dans cet état d'esprit qu'il retourne à Tipasa. Il lui reste sept années à vivre. Son nietzschéisme est intact.

Camus publie les huit textes qui constituent *L'Été* en 1954. Les quatre premiers essais, « Le Minotaure ou la halte d'Oran », « La rue », « Le désert à Oran », « Les jeux », sont consacrés à Oran, une ville qu'il n'aime pas : un lieu sans âme, un désert, une quintessence du mauvais goût oriental et européen où l'on trouve des cafés crasseux, des échoppes de photographes pitoyables, des magasins de pompes funèbres en quantité, des cinémas avec de mauvais films, des cireurs de chaussures en nombre, des combats de boxe minables, de l'ennui, du caillou et de la poussière. Si l'on veut comprendre pourquoi Camus sacrifie à l'opposition rituelle entre Algérois et Oranais avec autant de mauvaise foi, il faut dire pourquoi il n'aime pas Oran : la ville tourne le dos à la mer ! Oran sera la cité de *La Peste* ; Alger celle du *Premier Homme*.

Dans « Les amandiers », un autre texte de *L'Été*, le philosophe défend l'esprit contre le sabre. Camus libertaire invite à ne jamais courber l'échine sous l'arme, puis à toujours revendiquer le pouvoir et la puissance de l'intelligence. Mais l'intelligence à laquelle renvoie le philosophe algérois est moins celle de Paris, de Saint-Germain-des-Prés ou de l'Europe ignorante du soleil, de la mer et de la lumière, que celle d'Alger, de Belcourt ou de l'Algérie – l'intelligence dionysienne de l'Afrique du Nord contre l'intelligence apollinienne des capitales européennes.

L'intelligence nourrie par la grande santé barbare des Méditerranéens qui aiment la vie tourne le dos à l'intelligence abreuvée au nihilisme épuisé des Européens. Tipasa contre Iéna, la plage contre l'université allemande, l'hédonisme des corps contre l'hégélianisme des âmes toutes à la dévotion de la philosophie de l'histoire, du sens de l'histoire, de la religion de l'histoire, du prophétisme millénariste de l'histoire. C'est avec l'aide de la philosophie allemande relayée par les penseurs parisiens que se légitiment les révolutions nationales socialistes et les camps de concentration soviétiques, pas avec le dionysisme méditerranéen puisqu'il en propose l'exact antidote. Ceux qui, de Brochier à BHL, trouvent dans *Noces* une philosophie pétainiste de la terre oublient que Pétain ne se réclamait ni de Nietzsche ni de Camus, encore moins du nietzschéisme, mais d'un retour à l'ordre moral qui faisait de l'hédonisme la cause de la défaite.

Tipasa aurait probablement été pensé par le défenseur du Travail, de la Famille et de la Patrie comme un lieu de satrapes et de sybarites à rééduquer dans un chantier de jeunesse indexé sur l'idéal austère et ascétique de Sparte. La fameuse phrase « la terre, elle, ne ment pas » n'est pas une souscription intellectuelle et philosophique du Maréchal au paganisme antique, mais la déclaration politique d'un idéologue qui joue le paysan conservateur contre l'ouvrier syndiqué, la campagne traditionaliste contre la ville révolutionnaire. C'est dans ce même tristement célèbre *Appel du mardi 25 juin 1940* que se trouve cette condamnation définitive de l'hédonisme : « Notre défaite est venue de nos relâchements. L'esprit de jouissance détruit ce que l'esprit de sacrifice a édifié ». L'hédonisme est un antifascisme – et parmi les plus radicaux. Celui de Camus, on le verra, incarne peut-être le plus emblématique des hédonismes politiques, donc des antifascismes radicaux.

Revenons à l'Algérie : le retour à Tipasa agit en remède à Paris, à la France, à l'Europe. Revenu au pays, Camus surprend sa vieillesse dans le visage de ceux qu'il croit reconnaître sans en être certain. Vingt ans plus tard, il raconte le Tipasa d'alors qui, éternel retour oblige, reste le Tipasa de toujours : les ruines antiques, les pierres chaudes, les roses parfumées, l'odeur des absinthes, le chant des cigales, le bruit des vagues, les sarcophages vides, les tamaris en fleur, les colonnes du temple détruit. Mais, désormais, entouré de barbelés, le site est interdit d'accès la nuit, on y craint les amoureux et leurs étreintes. Il pleut, l'âme de Camus n'est pas aux retrouvailles.

Il y retourne après la pluie qui a lavé le ciel rendu à sa clarté la plus fine. Dans la lumière de décembre, Camus retrouve ses émotions intactes. D'abord, le silence. Puis, les bruits remplissent à nouveau l'espace : « Je reconnaissais un à un les bruits imperceptibles dont était fait le silence : la basse continue des oiseaux, les soupirs légers et brefs de la mer au pied des rochers, la vibration des arbres, le chant aveugle des colonnes, les froissements des absinthes, les lézards furtifs » (III. 612). Sensation que cet instant ne finirait jamais. Puis, avec un peu plus de soleil, la nature se déchaîne. Camus croyait perdu le pouvoir thérapeutique de Tipasa : il le découvre tel qu'en lui-même, l'éternité ne l'a pas changé.

Dans les ruines romaines de Tipasa, le monde recommence chaque jour et montre que l'Europe ne constitue pas la vérité, le centre du monde ou de l'univers, sinon l'horizon indépassable de toute métaphysique. Au cœur du mois de décembre, le philosophe retrouve l'éternel été qui le porte et l'empêche de désespérer ou, pire, de sombrer. Fort de l'énergie captée dans les ruines algériennes, Camus se lave des insanités parisiennes, de la haine des journalistes et des philosophes à son endroit ; il se purifie aussi de cette Europe décadente, des miasmes de ce Vieux Monde civilisé mais épuisé, fini, malade, incapable de prendre des leçons là où la vie et la santé permettent de ressourcer un être tout autant qu'une civilisation – l'Algérie.

Conclusion : le nihilisme européen trouve sa solution dans le dionysisme algérien. Ce pays apprend à ne pas se plaindre, à ne pas geindre ou gémir, à ne pas se réjouir de son malheur, mais à se ressaisir et à exalter sa force. Il ne faut pas succomber à l'esprit de lourdeur, mais lui résister avec « les valeurs conquérantes de l'esprit » (III. 588) formulées par Nietzsche : « La force de caractère, le goût, le *monde*, le bonheur classique, la dure fierté, la froide frugalité du sage. Ces vertus, plus que jamais, sont nécessaires et chacun peut choisir celle qui lui convient » (III. 588). Camus a choisi les siennes, elles définissent une gauche dionysiaque, une politique méditerranéenne – l'autre nom du nietzschéisme de gauche.

3

L'expérience intérieure du communisme

Comment conserver et dépasser son maître ?

« Rencontrer cet homme aura été un grand bonheur.

Le suivre aurait été mauvais, ne jamais l'abandonner sera bien. »

Camus, *Carnets* (IV. 1057).

L'histoire contre la légende

L'adhésion d'Albert Camus au Parti communiste français entre août-septembre 1935 et la même période en 1937 mérite un examen. Douze mois de militantisme au sein du PC, voilà qui étonne en regard du combat antimarxiste et anticommuniste auquel on associe généralement le nom du philosophe – souvent d'ailleurs pour oublier de préciser qu'il s'agissait d'un combat antimarxiste, certes, mais de gauche tout de même, tant une *gauche non marxiste* semble en France une expression aussi extravagante qu'une psychanalyse non freudienne.

Jean Grenier joue un rôle important dans cette expérience effectuée par ce jeune homme entre vingt-deux et vingt-trois ans. L'année de son adhésion, Camus travaille à *L'Envers et l'Endroit*, il commence à tenir ses carnets, vient d'obtenir sa licence de philosophie, lit Plotin et Augustin pour son diplôme d'études supérieures, il passe fin août quelques jours à Tipasa et se nourrit métaphysiquement du lieu pour le transfigurer philosophiquement comme on sait et, peut-être juste après (la décision fut-elle mûrie dans les ruines romaines ?), il s'inscrit au parti. Il faut donc imaginer le nageur de Tipasa désireux de marier la mer, le soleil, la lumière et l'avenir radieux du prolétariat.

Son professeur de philosophie a trente-sept ans. Quelque temps auparavant, on s'en souvient, il a enthousiasmé son jeune élève avec *Les Îles*. Mais il est surtout celui auquel Camus, devant la poste d'Alger, pose un jour la question de son destin d'écrivain – question d'un fils de pauvre pour lequel la culture n'est pas un héritage mais une conquête et qui se trouvera toujours illégitime dans le milieu intellectuel. Grenier, c'est le maître plus que le professeur, le conseiller et le confident plus que l'enseignant ou l'universitaire, l'ami si l'on peut utiliser ce mot d'un jeune homme alors farouche, rebelle et ténébreux. Grenier incarne le sage qui sait face au disciple ignorant, celui qui donne à un être imaginant ne jamais pouvoir rendre, l'homme qui déroule le fil d'Ariane dans le labyrinthe de la culture et conseille la lecture de *La Douleur* de De Richaud au bon moment, mais aussi les philosophes existentiels utiles à la construction de cette jeune psyché sauvage.

La légende dorée présente la relation Camus/Grenier sous le signe d'une belle histoire écrite en lettres dorées dans un ciel méditerranéen, bleu, pur et immaculé : un orphelin taciturne sauvé par son jeune professeur de philosophie brillant ; un enfant de mort et de muette devenu grand vivant au verbe qui compte grâce à un penseur libre à la plume élégante ; un fils de pauvre sauvé par la littérature et la philosophie à la faveur d'une rencontre avec un genre de père de substitution ouvrant grand le rideau du monde des idées ; un gamin du quartier populaire de Belcourt célébré mondialement, en compagnie du roi de Suède, à Stockholm, à l'âge où d'aucuns commencent une carrière d'écriture, mais resté fidèle à son prof de philo.

Or la légende n'est pas l'histoire, elle en est même exactement l'inverse. Non pas que celle-ci soit fausse en tout, mais il nous faut tempérer ce soleil radieux en portant quelques ombres au tableau – le prix de la vérité. L'histoire exige la lecture de l'œuvre complète des uns et des autres, des correspondances, des biographies qui révèlent des trous dans les échanges, de longs silences, des fâcheries, des phrases ambiguës, des absences de références ou de citations qui font sens. Alors on peut écrire les choses sans les enjoliver et montrer que, si Grenier fut beaucoup, il ne fut pas tout, ni rien non plus. Derrière l'hommage appuyé publiquement de l'élève à son vieux maître se trouve parfois un arbre planté pour cacher la forêt.

La clairvoyance d'un aveugle

Il existe un étrange paradoxe dans cette relation entre ces deux êtres : comment un maître anticommuniste peut-il conseiller à son disciple de s'inscrire au parti communiste ? Quelle étrange logique conduit Jean Grenier à ne pas mettre en garde son élève quand il souhaite donner la forme d'une adhésion au parti communiste à son désir de fidélité au milieu de son enfance, à son souhait d'un socialisme dionysien, à son désir d'une gauche nietzschéenne ? Pourquoi celui qui sait laisse-t-il celui qui ne sait pas faire cette expérience appelée fatalement à déboucher sur une déception ?

Car ou bien : Jean Grenier a raison en affirmant que le communisme est une secte dans laquelle il faut abdiquer sa raison, renoncer à soi, obéir, se soumettre à l'orthodoxie, se transformer en soldat d'une idéologie ; alors pourquoi inviter Camus à ce suicide de l'intelligence ? Ou bien, s'il invite son élève à prendre sa carte, alors toute sa théorie anticommuniste s'effondre et la doctrine honnie sur le papier devient défendable dans les faits. Autrement dit : si les textes de son *Essai sur l'esprit d'orthodoxie* disent vrai, Grenier a engagé Camus en direction du précipice ontologique ; ou alors : s'il croit ses conseils au jeune homme, alors son livre est une bluette philosophique, une plaisanterie théorétique. Ou alors.

Ou alors, Jean Grenier n'est pas Socrate, mais un professeur de philosophie, un fonctionnaire de la discipline, un enseignant salarié par l'État pour enseigner l'histoire des idées des autres, doublé d'un écrivain habile qui s'essaie aux livres sans vraiment croire à ce qu'il écrit. Un pyrrhonien qui douterait même du doute, un sceptique incertain de son scepticisme, un aveugle qui enseignerait la clairvoyance, un docteur perplexe se persuadant de ne jamais hésiter en affirmant péremptoirement les choses sans trop y croire. Grenier ne serait pas le professeur solaire colporté par la légende, l'auteur sublime des *Inspirations méditerranéennes*, l'homme des trajets rectilignes, mais celui de *L'Existence malheureuse*, le traducteur de Sextus Empiricus, le maître du doute antique, un être inquiet, incertain, mais ne s'interdisant pas de savoir pour autrui ce qu'il ne sait pas pour lui.

La théorie critique de Grenier

Car la lecture de l'*Essai sur l'esprit d'orthodoxie* ne laisse aucun doute : Jean Grenier a compris, *dès 1935*, la nature dangereuse du communisme. Que dit ce livre ? Précisons d'abord qu'il paraît chez Gallimard en 1938, mais qu'il se compose de plusieurs essais dont le plus ancien date de 1935. Trois autres datent de 1936, deux de 1937, et la *Lettre à Malraux* de 1938. Les écrits paraissent donc en librairie *après* l'adhésion de Camus au parti communiste en 1935.

Mais Camus fait partie des intimes de Grenier : faut-il imaginer que, lors de leurs échanges intellectuels tous azimuts, ils aient évité la politique ou la question de l'engagement concret ? Doit-on croire que l'ancien cachait ses pensées véritables au jeune homme ? Qu'il lui dissimulait le fond de

sa réflexion ? Pire : qu'il écrivait le soir en solitaire le contraire de ce qu'il professait en compagnie ? Qu'il était un genre de Docteur Jekyll
militant par la parole pour le communisme et un
Mister Hyde libertaire dans les écrits qui mettent
en garde contre cette dangereuse idéologie ?

Grenier condamne tous les totalitarismes, droite
et gauche confondues – avec cependant une dénonciation nettement plus appuyée pour sa formule
de gauche. Dans ce livre, on peut lire cette phrase
claire et nette : « Une fois qu'on est entré dans un
parti on est obligé pour ne pas être "embêté" de
penser ce que pensent les plus bêtes » (97). Dès
lors, que souhaite le maître en conseillant à son
disciple d'entrer dans un parti ? Qu'il mutile son
intelligence ? se condamne à la bêtise ? sacrifie son
talent ? Qu'il se suicide intellectuellement ?

La critique de l'engagement dans un parti se
double d'une authentique profession de foi antimarxiste – anticommuniste : Jean Grenier récuse
le matérialisme sommaire et célèbre le pouvoir de
l'esprit ; il pointe leur philosophie de l'histoire
simpliste avec recyclage des vieux thèmes éculés
du millénarisme ; il condamne le dogmatisme ; il
récuse la religion de l'économie qui réduit tout
aux rapports de production et au mode de propriété ; il peste contre la dialectique hégélienne
qui légitime théoriquement toute négativité sous
prétexte qu'elle est nécessaire à l'avènement de la
positivité – autrement dit : la dialectique donne un
sens aux régimes militaires, aux exactions poli-
cières, aux camps de barbelés, à l'abolition de la
liberté, puisque ces logiques infernales préparent
l'avènement du paradis sur terre ; il déplore la

téléologie iréniste d'une fin de l'histoire confondue avec celle des contradictions dans la vérité d'un Éden concret ; il démonte les ravages de la croyance au progrès comme à une vérité révélée ; il montre que le marxisme détruit la raison au profit d'une foi et d'un catéchisme soutenu par une scolastique ; il s'oppose à l'idée que la fin justifie les moyens ; il critique la logique des tribunaux, des inquisitions, des persécutions, des bûchers ; il s'étonne de l'adhésion béate et du renoncement à la raison, à l'intelligence et à l'esprit critique de tout militant ; il déplore le ralliement massif de l'intelligentsia ; il ne comprend pas ce paralogisme qui justifie la guerre ici et maintenant sous prétexte d'abolir toute guerre ou qui légitime le règne de l'injustice pour en finir avec l'injustice ; il fait du communisme une idéologie qui exige la croyance, la foi, et du marxisme une théologie ; il raille les prétentions à la scientificité de cette idéologie transcendantale ; il analyse la psychologie du nouveau militant qui surjoue la rigueur et l'austérité ; il met en perspective la conjuration existentielle de la solitude et l'engagement du militant qui trouve la paix dans le grégarisme ; il corrige Marx, fautif de croire que le mouvement historique conduit de façon immuable vers la révolution alors qu'il mène à l'embourgeoisement du prolétariat ; il lui reproche de n'avoir pas imaginé la possibilité d'un devenir national du socialisme – et c'est cet homme si critique et si lucide sur Marx, le marxisme, le matérialisme dialectique et historique, le communisme, les pays de l'Est et le soviétisme, qui conseille à son élève d'adhérer au PC !

Un « an-archiste » désespéré

Dans une lettre à Albert Camus datée du 11 mars 1958, Jean Grenier caractérise ainsi sa politique : « Mon rêve est, comme celui de beaucoup, une an-archie. » L'usage du trait d'union vise à se démarquer des anarchistes au sens classique du terme au profit d'une étymologie renvoyant plutôt à une position spirituelle, voire ontologique. Cette an-archie rappelle l'auto-nomie, l'art d'être à soi-même sa propre norme. Comment, à gauche, fonder une société sur l'idée de liberté ? Le vieux professeur félicite son élève d'avoir été le seul à se poser la question du passage de la destruction à la construction, de la négativité révolutionnaire à sa positivité – Proudhon parlait quant à lui d'« anarchie positive ».

Cette an-archie de Grenier s'accompagne d'une méfiance viscérale à l'endroit de l'État : « Ou bien on suit l'État et on est contre le peuple, ou bien on reste avec le peuple et on est contre l'État » (133). Son souci du peuple ne suppose pas un aveuglement pour les masses, une passion pour les foules : Grenier croit à l'individu, aux individus et propose de construire le socialisme avec eux, par eux, pour eux, en utilisant non pas la violence, le force, la brutalité, mais la persuasion, ce qui suppose l'échange, le dialogue, la discussion, la confrontation d'opinions. Grenier compte plus sur les syndicalistes que sur les ministres, sur les individus plus que sur les militants, sur les coopératives plus que sur l'État. Si, à cette époque, l'étatisation des richesses ne le choque pas, il ne souhaite pas l'étatisation des consciences.

À l'époque où Grenier conseille à Camus de s'inscrire au parti communiste, voilà sa pensée politique : la date de publication en revue des textes de l'*Essai sur l'esprit d'orthodoxie* montre qu'ils ont été écrits et pensés dans les moments où Camus s'interroge et fait le pas en direction du PC. En 1935, l'ancien professeur a trente-sept ans, son élève vingt-deux. Grenier a rédigé sa thèse sur *La Philosophie de Jules Lequier*, il a publié quelques articles dans des revues, contribué à en fonder une ou deux, dont « Sud », publié quelques livres dont *Le Charme de l'Orient* (1925), *Les Terrasses de Lourmarin* (1930) et, bien sûr, *Les Îles* (1933). Il a beaucoup voyagé. Il a également été un temps le secrétaire de Gaston Gallimard. Autant d'occasions de prestige pour le jeune homme.

Mais cet homme est un an-archiste désespéré. On le découvre fragile psychologiquement. Réformé au service militaire, inhibé sur l'estrade, parfois incompréhensible lors de son cours, lunaire, déconnecté du monde et des réalités concrètes, il est mobilisé à la déclaration de la guerre, mais confirmé dans sa réforme, puis en congé de l'Éducation nationale pour « troubles mentaux » (Garfitt, 338). Pathologiquement indécis, il exécrait tout contact physique. Jean Grenier ne fut pas par hasard l'auteur de *L'Existence malheureuse*.

Étiemble rapporte deux anecdotes qui résument bien le tempérament du personnage. La première : Grenier l'appelle pour convenir d'un rendez-vous de déjeuner. Quelques jours avant, il change la date. Son ami conclut qu'il viendra *donc* bien comme convenu au jour pourtant décommandé.

La seconde : « Je me souviens, écrit Étiemble, de ces déjeuners au restaurant, où longuement, douloureusement, il finissait par choisir sur la carte un plat que Mme Grenier sait déjà qu'il refusera au garçon, ce qui lui conseille, à elle, de feindre de choisir le plat qu'elle devine qu'il eût aimé pouvoir se commander » (Garfitt, 547). Voilà donc la psychologie du personnage qui conseille à Camus de s'inscrire au parti communiste tout en écrivant contre ceux qui adhèrent au PC.

Les choix d'un indécis

Rappelons, pour avaliser la thèse de Nietzsche en vertu de laquelle toute philosophie constitue une autobiographie masquée, que Grenier a consacré sa thèse à Jules Lequier, un philosophe breton qui n'a cessé de se poser la question du choix et de ses conséquences. Lequier est célèbre dans l'histoire des idées pour son analyse de « La feuille de charmille » : enfant, il fit un geste en direction d'un taillis et expérimenta l'ivresse du pouvoir de choisir, de faire ou ne pas faire, d'agir ou ne pas agir. Il avance la main vers la charmille, il entend alors un léger bruit dans le fouillis des feuilles, puis voit sortir un petit oiseau qui grimpe dans le ciel – et se fait cueillir par un épervier qui le dévore. Liberté, choix, conséquence, responsabilité, Lequier dispose alors du matériau thématique de sa vie de penseur.

Déséquilibré, fragile psychologiquement, s'infligeant, à jeun, de très longues marches à pied pour assister à la messe (une quarantaine de kilomètres), atteint par des crises mystiques, se croyant persécuté par l'humanité entière, vivant misérablement, compassionnel à l'extrême pour les vagabonds, les enfants et les animaux, Lequier termine sa vie philosophiquement, bien que de façon absurde, puisqu'il nage en direction du large, en mer de Bretagne, afin de trouver une preuve de l'existence de Dieu : s'il existe vraiment, pense-t-il, il le sauvera. Lequier meurt noyé.

Jean Grenier publie aux PUF en 1940 un livre intitulé *Le Choix* dans une collection dirigée par Émile Bréhier. Il y confronte l'Occident aux pensées orientales et conclut à l'impossibilité de conclure sur la question de l'action. Il développe cette pensée dans ses *Entretiens sur le bon usage de la liberté* (1948) où il fait du « non-agir » taoïste le sommet ontologique et métaphysique de la philosophie pratique, une thèse reprise dans *L'Esprit du taoïsme* (1957). Après la guerre (1948), il publie une traduction de Sextus Empiricus, le grand philosophe sceptique de l'Antiquité. En 1961, il signe un autre ouvrage intitulé *Absolu et choix*.

En 1971, la météorologie nationale a annoncé une tempête sur la région de Simiane en Haute Provence où vit son fils. Inquiet, angoissé, il cherche sans succès à le joindre par téléphone : puis il apprend que les lignes sont coupées. Cette anxiété portée à son paroxysme déclenche une crise cardiaque. Admis à l'hôpital, soigné, envoyé en convalescence à Vernouillet, il écrit un peu, prend des notes dans son carnet, travaille à un texte intitulé *L'Escalier*, reçoit des amis, mais ne s'en remet pas. Il décède le 5 mars à l'âge de soixante-treize ans.

Jean Grenier sans légende

Quand Grenier parle de choix, de liberté, d'angoisse, de responsabilité, il parle de lui, bien sûr. Mais ce pyrrhonien converti au non-agir sur le papier n'allait pas jusqu'à pratiquer ce néo-taoïsme dans son existence. Loin de là. Camus a probablement su tout cela et n'a pas été sans penser que cette philosophie affichée dans les livres n'a pas été suivie de beaucoup d'effets. Lui qui souscrit à cette phrase des *Considérations intempestives* de Nietzsche : « J'estime un philosophe dans la mesure où il peut donner un exemple » (III. 3), il a dû souffrir de ce déchirement du professeur aimé entre le théoricien du non-agir et le praticien de l'agir opportuniste – car Grenier aurait grandement gagné à suivre son propre enseignement.

La légende d'un sage oriental pratiquant une philosophie du détachement ne tient pas : Grenier a été très engagé, et mal engagé. Du moins, du côté de la barricade qui transforme cet *an-archiste* en *anarchiste de droite* – autrement dit, en homme qui récuse et refuse tous les pouvoirs, certes, mais pour lui seul, et qui, en revanche, ne les remet pas en cause pour autrui. Grenier fut en effet constamment maurrassien, secrètement catholique pratiquant, munichois avéré, opposé à la Résistance, pétainiste naïf, chroniqueur dans la presse collaborationniste, pas indemne d'antisémitisme, partisan de l'Algérie française – autrement dit, aux antipodes du non-agir taoïste. Camus en sut peut-être assez pour avoir du mal à soutenir plus que de raison cet homme auquel il n'a pourtant jamais manqué publiquement.

On ne peut connaître ce que Camus savait vraiment, car Grenier taisait l'essentiel. La parution chez un éditeur très confidentiel, en 1997, de *Sous l'Occupation*, le journal tenu par Grenier entre novembre 1940 et le 22 juillet 1944, permet d'en savoir plus. Son auteur a noté cursivement chaque jour ce que l'on consigne habituellement dans un journal : faits et gestes, choses dites, personnes rencontrées, dîners, sorties au Café de Flore, anecdotes diverses. Le document renseigne de façon austère, sans fioritures. Claire Paulhan, à qui l'on doit l'édition de ce texte, signale que la publication ne correspond pas aux feuillets dactylographiés de l'original. Y avait-il besoin de caviarder, corriger, amender ? Impossible de répondre à cette question. Mais Jean Grenier a réorganisé ce journal qui comportait beaucoup de choses compromettantes pour beaucoup – dont lui ?

Un portrait sans fard

Examinons les choses les unes après les autres. *Grenier constamment maurrassien* : étudiant, il est abonné à *L'Action française* ; dans ses discussions avec Georges Palante sur leurs auteurs préférés, alors qu'ils parlent des « purs », Maurras fait partie des références de Grenier ; en 1927, Jean Guéhenno lui fait découvrir un recueil des lettres de Sacco et Vanzetti, Grenier écrit : « J'y ai trouvé une raison nouvelle de continuer à me ranger d'un côté dont par dilettantisme j'ai paru m'éloigner autrefois mais qui au fond a toujours été le mien – celui où l'on donne raison à l'homme contre

162

l'État, la tradition, la force, etc. » (Garfitt, 206), ce qui ne l'empêche pas en même temps de sauver Maurras pour son tempérament, son style, sa singularité ; en avril 1933, il consacre dans la NRF un long article à des parutions de Maurras, *Corse et Provence*, *Promenade italienne* et *Le Voyage d'Athènes* dans la NRF ; pendant l'Occupation, Grenier qui fut munichois en 1938 écrit dans son journal qu'il a « toujours pensé qu'il aurait fallu s'opposer à la guerre dans les dernières années pour les raisons que développait fort bien Maurras » (163) ; en janvier 1956, dans une conversation avec Camus rapportée dans ses *Carnets*, il dit : « Je n'ai jamais été d'Action Française parce que la conduite des gens d'Action Française était odieuse et que c'étaient des imbéciles en grande partie ; mais Maurras n'avait pas tort dans les grandes lignes. » Les maurrassiens, non ; Maurras, oui.

Grenier secrètement catholique : en 1928, le dimanche de Pâques, lui qui a fait ses études au collège marianiste Saint-Charles à Saint-Brieuc entre dans une église à Athènes et assiste à la messe. Pour cet homme torturé, inquiet, angoissé, le retour à la foi catholique l'apaise un temps, même si cette conversion lui pose bien vite de nouveaux problèmes – les rapports entre le dogme et la foi, les mythes chrétiens et la vérité, les modalités de la pratique religieuse et leur articulation avec la vie quotidienne. Pour l'heure, il ne confie cette transfiguration existentielle qu'à son vieil ami de lycée André Festugières, dominicain, historien de la philosophie antique. Plus tard, éclectique en diable, Grenier écrira des prières à la Nature, à Dieu, à Jésus, à Bouddha, à la Perfection, une autre même pour passer du Dieu des philosophes à celui des chrétiens.

Grenier munichois opposé à la Résistance : Drieu la Rochelle propose à Grenier d'écrire dans la nouvelle *Nouvelle Revue française*. Il refuse, certes, mais moins par crainte de collaborer que par envie de ne pas apparaître dans une revue qui, par son philo-germanisme, pourrait blesser l'amour-propre français. Dans *Sous l'Occupation*, on peut lire ceci : « Je lui dis (...) que ne refusais pas en principe de collaborer [*sic*]), que d'ailleurs en 1938 je m'étais montré favorable à Munich et que je l'avais dit dans des articles » (162). Dans la préface rédigée pour la publication de ce livre, il affirme : « Je ne croyais pas à l'efficacité d'une résistance active. Les moyens dont pouvaient disposer les Français me paraissaient dérisoires par rapport à ceux dont disposaient les Allemands. J'admirais l'esprit de sacrifice de ceux qui, au péril de leur vie, faisaient sauter des wagons ou plus simplement distribuaient des tracts, mais il me semble que, même si j'avais eu plus de courage, je n'aurais pas été tenté de les imiter » (16). Grenier montre ici un cynisme extrêmement pragmatique, loin de tout idéal de grandeur, de bravoure et de dignité : parce que l'Occupant dispose de la force, le philosophe amateur de non-agir n'agit pas.

Grenier pétainiste naïf : entre le 19 et le 22 septembre 1941, il assiste à Lourmarin à une réunion préparant un grand rassemblement de *Jeune France*, une organisation ayant pour « but de promouvoir l'art, la musique et la culture dans le cadre de la "Révolution nationale" pétainiste »

(Garfitt, 371). Ami des Grenier, Noël Vesper est là. Ce pasteur du village ne cache pas son admiration pour Vichy. À la Libération, la Résistance condamne sa femme à être exécutée pour faits de collaboration : il l'accompagne volontairement dans la mort.

Dans *Sous l'Occupation*, Grenier rapporte un dîner avec Rancillac, Parain, Gandillac le 9 janvier 1943. Il écrit sans commenter : « Dans son discours de Noël : Pétain a parlé des étoiles qui sont au ciel et permettent toujours d'espérer. Il a fait allusion aux étoiles américaines. La preuve en est que, quelques jours après, les Allemands ayant compris lui ont imposé un désaveu écrit de Giraud qui a été publié dans les journaux – le bruit ayant couru que Pétain n'avait pas parlé de lui-même à la TSF » (356). Albert Camus assistait à ce repas.

Le journal de Grenier fourmille d'annotations concernant le Maréchal, on ne sait s'il y souscrit, car il rapporte les choses sans jugements : Pétain résiste aux Allemands ; il faut distinguer entre le Maréchal défendable et son entourage indéfendable ; il plane au-dessus des combinaisons politiques et se trouve un peu perdu ; il résiste à l'Occupant et, s'il n'agissait pas ainsi, ce serait pire ; il se retrouve prisonnier des Allemands ; puis, plus tard, il est découragé et au bord de la démission ; il œuvre pour les prisonniers. Le lecteur apprend même cette étrange information : à Montoire, après les discussions, Pétain aurait demandé à Hitler une autorisation de reparution pour *La Revue des Deux Mondes*. Que pense Grenier de tout cela ? Ni pour ni contre, bien au contraire.

Grenier chroniqueur dans la presse collaborationniste : selon son biographe, dès 1936-1937, il tient la rubrique littéraire d'« un nouvel hebdomadaire de droite assez douteux » (Garfitt, 291) dirigé par Alfred Fabre-Luce, un ennemi du Front populaire proche du PPF de Doriot. Ce journaliste deviendra pétainiste, puis collaborationniste. Rappelons que la participation à ce journal peu recommandable est contemporaine de textes constitutifs de l'*Essai sur l'esprit d'orthodoxie* – par exemple *L'Âge des orthodoxies* en avril 1936, *L'Orthodoxie contre l'intelligence* en août, *Remarques sur l'idée de progrès* en août et septembre de la même année.

En 1942, dans Paris occupé, donc, Grenier accepte la proposition d'Arland d'écrire dans *Comœdia* dont Beauvoir jugea qu'il était un support tellement compromettant qu'elle fit savoir dans ses *Mémoires* que Sartre n'y succomba qu'une fois en 1941 tout en prenant soin de cacher sa récidive de 1944 et l'amitié de Sartre pour son directeur. Grenier contribue à une quarantaine de numéros entre juin 1942 et août 1944. Le 11 janvier 1943, il rédige quelques phrases accolées au nom de Jean Guéhenno, dont celle-ci : « Écrire dans *Comœdia* pour lui équivaut à trahir » (327) – aucun commentaire. Grenier, continuera de livrer ses chroniques.

Grenier pas indemne d'antisémitisme : il ne paraît pas gêné de devoir par deux fois son poste dans l'éducation nationale aux lois antijuives de Vichy qui, en décembre 1940, interdisent à Claude Lévi-Strauss d'enseigner au lycée de garçons de Montpellier. L'année suivante, en 1941, ces mêmes lois antisémites lui permettent de prendre la place de Vladimir Jankélévitch mis à la porte de l'université de Lille, lui aussi pour cause de judéité. Grenier écrit en mars-juillet 1942, sous la rubrique Georges Gaillard : « Cavaillès lui a déclaré que s'il fallait prêter serment, il démissionnerait » (275) – lire : prêter serment pour certifier n'être ni juif ni franc-maçon afin de conserver son poste dans l'éducation nationale. Sartre et Beauvoir avaient certifié n'être ni l'un ni l'autre.

En novembre 1940, suite à une visite à Paul Léautaud, Grenier écrit dans son journal, puis le barre : « Les excès des Israélites attirent toujours le malheur sur eux et sur le pays qui les abrite. Ils l'envahissent, lorsque l'un est entré tous les autres le suivent. Il y avait douze professeurs juifs au Collège de France et trente-sept juifs dans le second ministère de Blum » (126) – qui parle ? Qui barre ? Et quand ? S'il s'agit de protéger Léautaud, pourquoi et de qui ?

Dans une note concernant « Les Israélites », il rapporte des propos tenus par des antisémites sans les commenter – les juifs aiment l'argent, sont malhonnêtes, vendraient leurs femmes s'ils le pouvaient, ont inventé le racisme, sont obstinés et orgueilleux, etc. Il conclut son texte sans qu'on sache à qui ou à quoi il renvoie en écrivant : « Les juifs de toute façon ne s'assimilent pas : ils traînent toujours après eux en France des résidus du kantisme et du marxisme » (74). Quoi qu'il en soit, Grenier n'a pas un mot de compassion pour les juifs même s'il connaît les vexations, les humiliations, les persécutions et les destructions que Vichy leur inflige.

Au fil de son journal, Grenier fait le compte des juifs, des demi-juifs, des non-juifs avec lesquels il dîne. Pendant ces années, il rencontre le Tout-Paris philosophique et institutionnel : Maurice de Gandillac, Jean Wahl, Yvon Belaval, Ferdinand Alquié, Henri Gouhier, Gabriel Marcel, Louis Lavelle, René Le Senne. On y apprend : que Gouhier est pétainiste ; que Gandillac, ancien de l'Action française, a été rappelé de Berlin pour y avoir tenu des propos trop pro-allemands ; que Gabriel Marcel se montre favorable à Munich, puis à Pétain ; que Jean Guitton travaille à la propagande allemande dans un camp de prisonniers ; que Gustave Thibon est resté maréchaliste jusqu'à la fin. Grenier rencontre également Arland et Drieu la Rochelle, Cocteau et Léautaud, Giono et Fraigneau, Fabre-Luce et Cocteau et autres sommités rarement associées à la Résistance ! À la date de la rafle du Vel'd'Hiv, Grenier n'écrit rien sur le sujet – en revanche, ailleurs, il parle du rationnement, du prix des denrées, du marché noir, de la pénurie, de la rareté.

Grenier partisan de l'Algérie française : pendant la guerre d'Algérie, en décembre 1956, alors que les élections viennent d'être reportées *sine die*, Jean Daniel publie dans *L'Express* la photo d'un gendarme qui tire sur un Arabe. Jean Grenier écrit : « N'est-il pas inexcusable d'attaquer ainsi la France même si le gendarme auxiliaire qui a tiré sur l'Arabe était effectivement dans son tort ? » (Garfitt, 593). Grenier explique la décision du directeur du journal par le « ressentiment contre l'antisémitisme des colons dont il a dû souffrir à Blida dans son enfance et qu'il n'a pas pardonné » (Garfitt, 593).

Chaque fois qu'il s'exprime sur la nouvelle loi qui, en 1947, octroie le droit de vote aux indigènes dans un collège électoral distinct de celui des Blancs, Grenier s'offusque. Le 16 septembre 1947, il déplore que la terre soit achetée par les Arabes qui en privent les propriétaires européens pour n'en rien faire, ne plus la cultiver, laisser rouiller les tracteurs, faire reculer la forêt de cinquante mètres tous les ans par le déboisement. À ses yeux, les Arabes font régresser l'Algérie dans l'état misérable d'avant la colonisation.

Cessons-là ce portrait accablant d'un philosophe qui aurait mieux fait de pratiquer la philosophie de ses livres. Ce croyant non pratiquant du « wou-wei » taoïste, ce sceptique mystique du « non-agir », ce religieux de l'ataraxie pyrrhonienne aurait ainsi évité de traverser les années d'occupation avec ce rôle assez peu reluisant – du moins : fort peu philosophique. On eût aimé sur l'occupation, la collaboration, le racisme, l'antisémitisme, la xénophobie, le fascisme, le national-socialisme, la même ardeur critique qu'avec le marxisme, le communisme, le bolchevisme qu'on trouve dans l'*Essai sur l'esprit d'orthodoxie*.

Camus offre une rédemption à Grenier

Jean Grenier envoie sa dernière collaboration à la revue *Comœdia* le 27 mai 1944, il s'agit d'un texte sur Paul Léautaud. Moins de dix jours plus tard, les Alliés débarquent en Normandie. Le 22 août, Jean Grenier achète un drapeau français d'occasion près de cinquante fois son prix. Trois jours plus tard, passage des troupes du général Leclerc dans la liesse populaire, Jean Grenier se trouve dans la foule. L'après-midi, on commence à tondre des femmes. Le 9 septembre, l'auteur de la quarantaine de chroniques parues dans *Comœdia* se rend à Paris et va voir Camus à *Combat*. La publication des *Carnets* de Jean Grenier commence avec une note du 30 octobre 1944. Paris est libéré depuis un mois.

Camus, résistant à *Combat* depuis 1943, propose à son ancien professeur de tenir la rubrique théâtrale du journal. Réponse de Grenier consignée par ses soins dans *Sous l'Occupation* : « Je refuse, n'ayant pas milité dans la Résistance ; surtout pas le théâtre, ne pouvant sortir le soir ; alors on m'offre la chronique peinture – j'accepte » (377-378) – le premier refus semble donc moins motivé par d'honorables scrupules moraux que par de minables convenances personnelles puisque le *non* au théâtre se transforme aussitôt en *oui* pour la peinture, Grenier n'étant pas devenu ancien résistant pour autant. Camus offre donc un genre de rédemption à Grenier – il ne parlera jamais de l'agir pitoyable de ce théoricien du non-agir.

L'ombre et la lumière

Camus a tenu deux discours sur Jean Grenier : publiquement, il joue toujours la carte de l'hommage respectueux en paiement à la dette contractée dans son adolescence – en 1959, quelques semaines avant de mourir, la préface à la réédition des *Îles* brille en modèle de *piété filiale*. Mais, de façon plus discrète, codée, cachée, intelligible pour qui lit autant les silences que les mots, Camus révèle son sentiment véritable. Quelques confidences consignées dans ses carnets, des échanges de lettres, les notes en marge d'un manuscrit inachevé esquissent un portrait moins légendaire. Si Camus a mis Grenier en lumière, il paraissait toutefois lucide sur ses ombres.

Tempérons ainsi cette fameuse préface aux *Îles* par la lecture du *Premier Homme*, deux textes contemporains dans leur écriture. Dans un chapitre intitulé « Recherche du père » Camus intitule une partie « Saint-Brieuc et Malan (J.G.) » et signale en note : « Chapitre à écrire et à supprimer » ! (IV. 756). Informations cardinales : ces pages trouvent leur place dans la logique de la quête du père ; la ville bretonne et les initiales identifient Jean Grenier sans erreur possible ; le nom sous lequel le professeur de philosophie apparaît, « Malan », fait aussi songer par homophonie au « Sallan » des *Grèves* de Grenier dans lequel il parle de Georges Palante, un philosophe professeur de philosophie à Saint-Brieuc.

Puis cette étrange indication paradoxale, contradictoire, antinomique, oxymorique : *écrire et supprimer* – une indication pour qui ? Pour lui ? Mais alors : est-il nécessaire de consigner sur le papier, et pour mémoire, une note tellement ambiguë ? Pour d'autres ? Mais pour qui ? Camus ne pouvait imaginer que ce fatal accident de la route transformerait ce manuscrit en texte inachevé et qu'il faudrait donner des indications à des lecteurs sollicités pour l'établissement du texte définitif.

Quoi qu'il en soit, écrire pour effacer témoigne d'un singulier projet : *écrire* pour clarifier, mettre au point, livrer ce que Camus pense au plus profond de lui-même, dire la vérité sur le personnage, raconter cet homme au plus près de son histoire, loin de la légende créée et entretenue par ses soins ; *effacer* pour conserver son charme à la belle histoire, rester fidèle à la personne qui a joué un rôle majeur dans la construction de son identité. Mettre en lumière puis replacer dans l'ombre ? Et pouvoir remettre dans l'obscurité ce qui aura été crûment éclairé ? Possible.

L'affection contre le cynisme

Malan est un retraité des douanes. Il termine sa vie dans une ville qu'il n'a pas choisie mais qu'il justifie tout de même après coup. Le vieil homme est aimé par le jeune pour sa liberté d'esprit, de ton et de jugement manifestée des années en amont, en un temps et dans un monde où la chose n'était pas si facile. Dans la conversation, dès que l'ancien approuve, il fait suivre son consentement d'une remarque qui en restreint la portée. S'il parle d'un tiers dans une histoire, on peut être sûr qu'il s'agit de lui. Par exemple, cette anecdote : une femme passe sa vie à clamer sa détestation des gâteaux alors qu'elle en achète chaque jour à la pâtisserie du village ? Il s'agit de lui.

Malan pratique l'ironie grinçante. Lors d'un repas partagé avec Camus qui refuse de prendre du fromage, il lance, perfide : « Toujours aussi sobre ! Dur métier que de plaire ! » (IV. 758). Camus a beau faire savoir sans violence ni acrimonie qu'il veut juste éviter de s'alourdir, Malan persiste dans la méchanceté, l'amertume, la bile, le fiel et le ressentiment : « Oui, vous ne planez plus au-dessus des autres » (*ibid.*). Jacques Cormery (ce prête-nom littéraire de Camus est le nom de jeune fille de sa mère), dit à « J.G. » qu'il n'est pas dupe de ses défauts : l'absence de générosité dans la relation par exemple, le soupçon d'arrière-pensées en présence de toute affection, la suspicion d'intérêt dans les motifs.

L'ancien croit le jeune homme orgueilleux ; pour le convaincre du contraire, Camus propose, sur un seul acquiescement de sa part, de lui donner tout ce qui lui appartient. Malan demande la raison d'un tel comportement. Réponse : « Parce que lorsque j'étais très jeune, très sot et très seul (vous vous souvenez, à Alger ?), vous vous êtes tourné vers moi et vous m'avez ouvert, sans y paraître, les portes de tout ce que j'aime en ce monde » (*ibid.*). Malan minimise et renvoie au talent de Camus ; Camus rétorque que cela ne suffit pas et qu'il faut un initiateur : « Celui que la vie met un jour sur votre chemin, celui-là doit être pour toujours aimé et respecté, même s'il n'est pas responsable. C'est là ma foi ! » (*ibid.*).

Puis, plus loin dans la conversation : « Ceux que j'aime, rien ni moi-même ni surtout pas eux-mêmes ne fera jamais que je cesse de les aimer. Ce sont des choses que j'ai mis longtemps à apprendre. Maintenant je le sais » (IV. 759-760). Camus signale ensuite que, *tout à l'heure,* il a été troublé de découvrir devant la tombe de son père qu'il était mort si jeune et que lui, son fils, avait vécu plus longtemps. Camus construit donc cette scène littéraire avec Malan dans le souvenir d'août 1947, quand, âgé de trente-quatre ans, il se retrouve avec Grenier et Guilloux dans le cimetière briochin.

Le temps passe à vive allure et la perspective de la mort terrorise Malan qui, au moment de la séparation, invite J.C. à venir le revoir. Avant que chacun parte dans sa direction, le vieil homme demande pardon. Pardon pourquoi ? demande Camus. « Pardonnez-moi seulement de ne pas savoir répondre parfois à votre affection » (IV. 761) confesse l'ancien avant de sombrer dans une profonde mélancolie, puis d'avouer en lui un vide affreux, une indifférence qui lui fait mal.

Écrire et effacer

Ce chapitre écrit qu'il fallait effacer, voici donc ce qu'il recelait. *Voici ce qu'il fallait écrire* : l'amour et le respect d'un jeune homme devant à l'ancien d'être devenu ce qu'il est et qui ne l'oublie pas ; l'affection filiale d'un enfant ayant eu en l'adulte un genre de père de substitution qui le fit naître aux mots ; l'indestructible gratitude du gamin de Belcourt invité au domicile de son enseignant, dans la maison d'Hydra, sur les hauteurs d'Alger, pour y découvrir les promesses de l'art et du savoir ; l'éternelle reconnaissance d'un fils de pauvre devenu riche d'intelligence, lucide à l'endroit d'un professeur et d'un philosophe révélateur au sens photographique du terme ; le remerciement pour la chance offerte et saisie ; la beauté de la dette qui crée des devoirs – et toutes choses répétées avec flamme dans la préface aux *Îles*.

Voilà, peut-être, ce qu'il fallait effacer : le portrait d'un personnage incapable d'aimer, inapte au bonheur et à la joie de l'affection simple, sincère et vraie ; l'acariâtre cynique, le vieil homme fielleux, le personnage confit dans son ressentiment ; les aveux de petitesse d'un être incapable d'admirer et jaloux de celui qui l'a dépassé ; l'inaptitude à la générosité, au don, à la dépense affective ; la fausseté du personnage aux masques ; la mauvaise âme imbibée de mélancolie, de peur de la mort, d'angoisse existentielle, tout entière retournée sur elle-même et comptant pour rien les hommes et le monde ; l'indifférence à tout ce qui n'est pas lui et son salut.

La légende a besoin de la préface des *Îles* ; l'histoire, du *Premier homme*. Dans cet ultime ouvrage inachevé, Camus a écrit l'histoire sans la légende. Cette autobiographie présentée comme un roman, tellement pleine d'une histoire visible et reconnaissable malgré les quelques travestissements littéraires, laisse significativement une place importante à l'instituteur Louis Germain, facile à reconnaître sous le nom de « Monsieur Bernard » (IV. 823), mais aucune au professeur de philosophie.

Le nom de « Jean Grenier » n'y apparaît jamais – y compris, et surtout, dans les passages concernant le lycée. Quand ce personnage invisible se profile tout de même sous le nom de « Sallan », flanqué dans le titre de ses initiales « J.G. », c'est avec une autre profession (les douanes !), un autre âge (presque vingt ans de plus !), un autre physique (une moustache !) qui en dissimulent un peu l'identité véritable tout en en révélant son portrait psychologique et humain.

Publiquement, jamais Camus ne se désolidarise de Grenier ; Grenier n'en prend pas non plus l'initiative. Les *Carnets* de l'auteur de *L'Existence malheureuse* ne manifestent jamais de tendresse, d'affection, de sympathie pour son ancien élève. Ni admiration, bien sûr. Le lendemain de l'annonce du prix Nobel, on peut lire : « 17 octobre 1957. Albert Camus, chez Gallimard, cocktail pour le prix Nobel. Guilloux gêné et malheureux. Albert Camus se prête à *toutes* les exigences des photographes. Jules Roy à moi : "Alors, je voudrais bien savoir ce que vous pensez de ce prix Nobel ? — Moi ? Beaucoup de bien". Francine Camus est là : "Catherine (la fille) a dit : 'Je veux bien aller à Stockholm parce qu'on m'a dit que les patins à glace suédois étaient bons.' Jean (le fils) : 'Alors, est-ce que Papa est sûr maintenant de rester dans la littérature ?'." » Comme d'habitude, tout Grenier se révèle dans ses silences et ses non-dits. Mais ils trahissent haut et clair, dans le meilleur des cas, une absence d'empathie très appuyée ; dans le pire, un ressentiment mal contenu.

Si l'on se reporte aux *Carnets* de Camus cette fois-ci, les choses étincellent moins que dans les manifestations publiques. Ainsi, en 1951 : « Grenier ou le simulateur : Ne croyant qu'à ce qui n'est pas de ce monde, il fait semblant d'être dans le réel. Il joue le jeu mais ostensiblement. Si bien qu'on ne croit pas qu'il le joue. Il simule deux fois. Et une fois encore : une part de lui est réellement attachée à la chair, aux plaisirs, à la puissance » (IV. 1107) – *simulateur*, condamnation définitive chez un philosophe qui fit de la vérité sa grande passion.

Tipasa, 21 août 1935

Ce développement sur Jean Grenier était nécessaire pour comprendre comment un maître viscéralement anticommuniste peut conseiller à son jeune disciple de s'engager dans les rangs d'un parti dont il exècre l'idéologie. Il permet également de saisir pourquoi et comment cet an-archiste a pu, à cause d'une psychologie ambiguë, d'une totale inadaptation au monde réel, d'une sécheresse affective et d'une pathologie relationnelle, envoyer Camus dans les bras des communistes qu'il détestait tant. On saisit également la peine de Camus quand il se découvre la victime des errances mentales d'un homme en qui il croyait.

Un échange de lettres permet de savoir ce qui s'est dit lorsque Camus demande un conseil sur l'opportunité de rejoindre les rangs du parti communiste. La correspondance entre les deux hommes comporte deux cent trente-cinq lettres. Grenier garde tout, il archive et classe celles de son ancien élève, alors qu'il ne le fait pas avec tous ses autres correspondants ; en octobre 1939, Camus détruit deux malles de lettres, dont celles de Grenier – c'est dire dans quelle estime il tient alors son ancien professeur. Dans une lettre à Francine Faure datée du 30 octobre de cette même année, il signale avoir tout jeté au feu : les lettres des personnes qui lui sont les plus chères, celles qui le flattaient, d'autres qui l'attendrissaient – Grenier appartient à cette dernière catégorie.

L'ami Fréminville avec lequel Camus a partagé nombre de lectures, dont Proudhon, des conversations enflammées, et d'autres aventures de jeunesse, est entré au parti communiste. Les deux garçons se connaissaient depuis le lycée. En 1933, Camus a rendu compte, dans *Alger étudiant*, de son livre *Adolescence, cinq sonates pour saluer la vie*. Leurs échanges de lettres, quand Fréminville fait son droit à Paris, incitent Camus à s'inscrire au même parti que lui, d'autant que le PC a chargé le Parisien de recruter. C'est dans cette configuration d'une sollicitation de son ami que Camus interroge Grenier sur l'opportunité d'un pareil engagement dans une lettre postée fin juillet, début août 1935 – une lettre, hélas, disparue. Le récipiendaire répond, mais ce courrier fait partie de l'autodafé.

Toutefois, une autre missive du 21 août permet de reconstruire un peu la nature de cet échange. Elle est écrite de Tipasa ! On y apprend que, dans son dernier envoi, Grenier a conseillé à Camus de prendre sa carte au parti communiste. Argument classique : l'impétrant n'est pas dupe de ce qui se passe dans le parti, mais il croit qu'en y entrant, vues de l'intérieur, les choses se présenteront autrement. Combien de militants ont cru naïvement changer le PC en y adhérant et s'y sont trouvés changés sans que l'organisation ait remis en cause un seul iota de son idéologie ?

Le jeune homme emballé et fougueux est attiré par les communistes – plus que par le communisme. Parlant du parti communiste, il écrit en effet : « tout m'attire vers eux » – et non, comme la langue y oblige : « tout m'attire vers *lui* ». Les outrances du parti lui semblent facilement guérissables : il suffit de répudier quelques malentendus, mais on ne saura pas lesquels. En idéaliste qu'il n'est pourtant pas par ailleurs, Camus distingue le communisme et les communistes : mais qu'est-ce que le communisme sans les communistes ? Une idée pure, sinon une pure idée. Et les communistes sans le communisme ? Une vue de l'esprit, ou bien un rassemblement de patronage laïc.

Étonnamment, Camus le païen, l'antichrétien, le nietzschéen, l'hédoniste reproche au communisme de manquer de « sens religieux » ! Le marxisme (qu'il ne distingue pas du communisme ou des communistes) prétend en effet construire une morale purement immanente, sans le secours d'aucune transcendance. Vue de l'esprit selon Camus d'imaginer que l'homme seul puisse servir de fondement à une éthique, une thèse trop laïque au sens de la IIIᵉ République radicale-socialiste d'un Édouard Herriot. Camus écrit dans cette lettre : « Peut-être aussi peut-on comprendre le communisme comme une préparation, comme une ascèse qui préparera le terrain à des activités plus spirituelles. » « Préparation » et « ascèse » relèvent du vocabulaire de la philosophie existentielle, certes, mais aussi de la religion catholique. Ou bien de Plotin.

Plotinien, donc communiste

C'est l'époque au cours de laquelle, pour son diplôme d'études supérieures intitulé *Métaphysique chrétienne et néoplatonisme*, Camus lit les *Ennéades* de Plotin et les *Confessions* de saint

Augustin, deux philosophes de l'Antiquité, l'un et l'autre africains et méditerranéens. Ils incarnent, pour le premier, le néo-platonisme, autrement dit la fin de la philosophie antique, pour le second, le christianisme, en d'autres termes l'enterrement de la philosophie antique. Jean Grenier siège dans son jury.

Camus fait de Plotin un artiste – or Camus se veut artiste. De là à considérer qu'il se veut et se fait plotinien en prenant des libertés avec le texte du philosophe alexandrin, il n'y a qu'un pas. Si l'on sort des explications universitaires habituellement données de ce travail scolaire par les gens du métier, qu'est-ce que Camus peut trouver d'intéressant pour sa vie philosophique qui lui permette d'aimer Plotin puis, en même temps, de se vouloir communiste, mais communiste et spiritualiste – et non platement matérialiste ?

Plotin ne philosophe pas pour la théorie et le plaisir de jongler avec les concepts, il n'est pas un doctrinaire qui professe en chaire pour montrer son habileté dialectique ou sophistique : c'est un philosophe existentiel. Il tâche de vivre sa philosophie et de philosopher pour transfigurer sa vie. Ce philosophe qui se réclamait de Platon, donc de la Grèce, a écrit contre les chrétiens, donc contre Rome. Il croit à un monde intelligible qui échappe au sensible avec lequel on peut entretenir une relation d'union mystique et païenne. Porphyre raconte dans sa *Vie de Plotin* que son héros a connu quatre fois cette extase jubilatoire d'une union de son principe intelligible avec la grande intelligence du monde. Faut-il préciser que pareille philosophie existentielle permet de lire *Noces* comme un exercice de style plotinien ?

Mais le communisme ? diront les esprits chagrins. Comment pourrait-on se réclamer de cette mystique païenne qui invite à quitter le monde pour en jouir dans une union avec son principe invisible et aspirer en même temps à une politique communautaire ? Rien de plus facile : lisons encore Porphyre. Le biographe du philosophe alexandrin rapporte que Plotin eut le désir d'une cité platonicienne construite sur le principe communiste de la *République* de Platon ! Plotin, qui connut vingt et un empereurs en exercice, a demandé en effet à l'un d'entre eux, Galien, de restaurer une ville de Campanie jadis détruite. Cette cité se serait appelée Platonopolis, la ville de Platon, elle aurait hébergé des philosophes. L'entourage de l'Empereur empêcha le projet.

Comment Camus aurait-il pu ne pas aimer Plotin qui défend tant de thèses séduisantes pour ce jeune homme ? Voici les thèses plotiniennes : la philosophie, l'art ou l'amour constituent autant d'occasions d'accéder au Bien ; être heureux, c'est posséder la vie des sens et la faculté de raisonner correctement ; la douleur et la mort ne doivent pas angoisser le philosophe dont l'âme est inébranlable ; le plaisir réside dans l'ataraxie totale ; le présent seul est vrai ; le Beau et le Bien nomment une même chose qu'on peut aussi appeler Dieu ; l'invitation à ne pas mépriser le monde sensible car Dieu s'y trouve aussi ; la nécessité existe, mais nous sommes libres et responsables ; l'éternité se trouve dans la nature et le temps dans le sensible ; la contemplation est une action ; l'âme universelle

se répartit dans les singularités ; l'usage de la raison trahit le symptôme de l'épuisement de la capacité de l'intelligence à se suffire à elle-même ; un
même être se répartit dans le grand tout ; la procession vers la vérité s'effectue du plus intime de
soi jusqu'au plus parfait du monde ; l'Un-Bien ne
se pense ni ne se dit ; il ne s'aborde qu'au moyen
d'une théologie négative ; l'art est une voie d'accès
à l'hypostase sublime ; les beautés sensibles
conduisent à la beauté intelligible ; le but consiste
non pas à voir le Beau, mais à devenir le Beau,
à être le Beau ; le bien de l'âme c'est la vertu ; la
liberté définit l'état de qui n'est pas l'esclave de
lui-même ; et puis cette idée radicalement politique : quand on a effectué tout ce travail philosophique de procession ascendante vers l'Un-Bien,
de connaissance et d'union avec ce principe, il
faut redescendre et annoncer aux autres la voie à
suivre. Tipasa comme exercice plotinien de l'union
avec l'Un-Bien ; l'adhésion au parti communiste
comme contre-procession, dialectique descen-
dante en direction du peuple qu'il faut affranchir
par la philosophie : les choses ne se contredisent
pas, elles se complètent.

Ce détour par Plotin, sa vie, son œuvre et ses
Ennéades, montre comment on peut faire du communisme une expérience spirituelle, et ce aux
antipodes du matérialisme marxiste, de son humanisme sans transcendance, de sa laïcité réductrice,
de son optimisme naïf, de sa religion du progrès.
Si l'on se réfère à cette lettre écrite de Tipasa, avec
le communisme Camus souhaite « établir un état
de choses où l'homme puisse retrouver le sens de
son éternité. Je ne dis pas que ceci est orthodoxe.

Mais précisément dans l'expérience (loyale) que je tenterai, je me refuserai toujours à mettre entre la vie et l'homme un volume du *Capital* » – *a contrario* d'un volume des *Ennéades*.

Voilà pourquoi la Méditerranée, la mer, le soleil, Tipasa, Nietzsche, le communisme, Plotin contre Augustin, les parfums de l'Algérie, constituent une constellation dans laquelle Camus ne voit aucune contradiction, mais au contraire une immense complémentarité panthéiste. D'autant que la matière stellaire liant ce ciel sublime est toujours la pauvreté, la misère et son origine sociale. D'où cette idée juste : « Il me semble davantage que les idées c'est la vie qui mène souvent au communisme » – et de demander à Jean Grenier ce qu'il en pense.

Après avoir professé que le communisme doit évoluer (dans l'improbable sens d'un plotinisme à même de séduire le Comité central), Camus ajoute : « Cela est suffisant pour que je souscrive sincèrement à des idées qui me ramènent à mes origines, à mes camarades d'enfance, à tout ce qui fait ma sensibilité ». On comprend Camus adhérant à ce communisme-là ; on imagine mal que le PC puisse se convertir un jour à la philosophie néoplatonicienne, même avec Camus comme avocat.

Camus termine ainsi cette lettre de Tipasa : « Vous comprenez quels peuvent être mes doutes et mes espoirs. J'ai un si fort désir de voir diminuer la somme de malheur et d'amertume qui empoisonne les hommes. Dans tous les cas je vous promets de rester clairvoyant et de ne jamais céder aveuglément. C'est un peu votre pensée et votre exemple qui m'aideront ». Doutes et espoirs, compassion et empathie, générosité et clair-voyance, le jeune homme fait de Grenier, sa pen-sée et son exemple, un modèle.

De fait, à cette époque, Jean Grenier travaille à *Sagesse de Lourmarin*, un bref texte qui permet de légitimer pareils engagements. La conclusion de ces pages parues en mai 1936 dit en effet : « Le contact avec la sagesse populaire de la Méditer-ranée peut renouveler l'homme. Quelles que soient les révolutions politiques, sociales ou religieuses, la Méditerranée est plus jeune qu'elles. Le chrétien a dû se mettre à son école, le communiste s'y met-tra » (50). On peut imaginer que cette idée a été envisagée et débattue avec Camus dans la maison d'Hydra. Le communisme amendé et peaufiné à l'école de la Méditerranée, voilà un programme ontologique sinon métaphysique, à défaut d'être véritablement politique au sens classique du terme. Mais Camus prend au sérieux son profes-seur de philosophie. Plotin lu par le jeune homme agit en fer de lance méditerranéen d'un Platono-polis solaire et dionysien.

La lettre de Salzbourg

Le 26 juillet 1936, Camus envoie une lettre à Grenier. Il lui donne des nouvelles de sa santé, pas bonne, de son voyage en Autriche, de sa recherche d'un travail. La réponse manque, mais elle signa-lait probablement le penchant de son auteur pour le déterminisme, le fatalisme, l'impossibilité d'agir sur le réel, peut-être aussi une certaine fatigue d'être au monde. Impossible de se trouver uniquement dans la position purement contemplative : pendant que l'on suspend son jugement ou sa pensée, la vie continue, et les problèmes avec elle, pense Camus. Il croit que l'on peut, d'une part, être communiste, d'autre part, totalement pessimiste à l'endroit du communisme et de la question sociale. Autrement dit : un communiste non dupe du communisme, plotinisme oblige !

Camus ne parvient pas à ces certitudes par la raison, l'analyse, le fonctionnement dialectique d'une intelligence bien huilée, mais par le contact avec des militants qui partagent son écartèlement existentiel. Puis il ajoute que *Sagesse de Lourmarin* lui permet également de penser ainsi. Pourquoi ? Traversant la Provence, et songeant à ce petit livre, Camus écrit : « Je comprenais mieux ce que peut apporter un pays dans des conflits qui semblent d'intelligence pure. » Aux paroles des compagnons politiques Camus ajoute donc le spectacle des géographies solaires – Marx et Nietzsche réconciliés.

Ce texte d'une quinzaine de pages permet au Breton Jean Grenier de célébrer les paysages méditerranéens, d'opposer l'Océan à la Méditerranée, de jouir de la lumière provençale, des vignes, des oliviers et de la montagne du Lubéron. Il fournit également l'occasion de prendre de la hauteur métaphysique et de tenir pour négligeable le souci du quotidien des hommes. Grenier écrit : « Il faut dire *oui* à tout ce qui existe et qui vit » (41), bien que tout passe, fane, flétrisse et pourrisse.

Grenier célèbre le pays natal, les racines, le lieu de naissance. Dans *Cum apparuerit*, il écrit : « Oui, il existe je ne sais quel composé de ciel, de terre et d'eau, variable avec chacun, qui fait notre climat. En approchant de lui, le pas devient moins lourd, le cœur s'épanouit » (14). L'école désapprend le pays, souvent même elle invite à le mépriser. Elle vide l'âme et remplit le cerveau de formules, de principes, de mots, d'abstractions. Puis ceci, qui ne peut que toucher Camus : « Il est beau de voir un fils d'ouvrier ou de paysan, loin de vouloir s'embourgeoiser comme il lui serait si facile de le faire par l'instruction et le métier de fonctionnaire, demeurer, même s'il a changé de situation, toujours proche des siens et ne jamais oublier dans son œuvre la terre ni l'outil » (47). Si Lourmarin devait se choisir un héros, ce ne serait pas Prométhée, mais Orphée qui cherche et trouve dans le ciel l'ordre de la terre.

Pour Grenier, le problème est moins l'idéal que l'exaltation de ce qui est – moins le marxisme que le nietzschéisme pour le dire en d'autres termes. Mais Camus ne souscrit pas à ce grand « oui » à la vie qui exigerait de souscrire aux misères du monde, impossibles pour lui à bénir ontologiquement. Pour Grenier, dire oui au monde est une façon de prier, on sent bien, en effet, que l'adoration de la Créature (la Méditerranée, la Provence, le Lubéron, Lourmarin) ne va pas chez lui sans la célébration de leur Créateur. Le beau modelé du paysage renvoie au talent d'un dieu artisan. Dire non au monde, se rebeller, ce serait dire non à Dieu, du moins à l'intelligence qui préside au monde. Camus veut le grand « oui » nietzschéen à la vie *et* le grand « non » communiste à ce qui est – avec Plotin en intercesseur à Tipasa.

Treize ans après

Troisième lettre majeure de Camus à Grenier sur cette aventure communiste : un courrier daté du samedi 18 juin 1938. Camus a quitté le PC quelques mois plus tôt, en 1937. Une fois de plus, on ignore ce que Grenier avait écrit à son correspondant, mais il avoue avoir été d'abord révolté, puis, après réflexion, il a compris, enfin il a souscrit. Probablement s'agit-il de critiques sévères à l'endroit de *La Mort heureuse*, premier manuscrit de Camus, puisqu'il confesse avoir beaucoup souffert à l'écriture de ce texte, y avoir mis beaucoup et travaillé tous les jours en sortant de son travail d'assistant météorologique à Alger. On ignore les détails de la correction de copie, mais Camus parle d'échec sur ce texte. Le coup est tellement rude qu'il demande à son ancien professeur s'il doit même continuer à écrire.

Camus parle du bonheur, confesse que la maladie le retranche du monde, des autres, de la vie, de lui. Pas dupe, il sait que la joie n'élève pas si haut car, après elle, on découvre la vanité des consolations. Puis il met en relation le bonheur et la réduction du temps de travail, la joie et l'organisation de la cité. À l'époque, il s'agit de tendre vers la semaine de quarante-huit heures ! Pas question pour lui d'un hédonisme sans politique ou d'une politique sans hédonisme.

Albert Camus a lu l'*Essai sur l'esprit d'orthodoxie*. Voici son commentaire : « J'ai lu votre livre il y a quelques jours. Il m'a fait un peu honte. Le courage n'était pas de notre côté. Il était du vôtre. Ma seule excuse, si j'en ai une, est que je ne peux me détacher de ceux parmi lesquels je suis né et que je ne pouvais abandonner. Ceux-là, le communisme en a injustement annexé la cause. Je comprends mieux maintenant que si j'ai un devoir, c'est de donner aux miens ce que j'ai de meilleur, je veux dire essayer de les défendre contre le mensonge. » Camus termine sa lettre en réitérant son affection, son attachement fidèle, sa gratitude, mais un froid s'installe pendant un an. À la fin de cette année 1938, Camus envoie une lettre d'Alger, il donne de ses nouvelles, sollicite un avis sur un manuscrit, déplore le long silence et demande comment renouer.

La véritable explication arrive beaucoup plus tard, dans une lettre envoyée de Paris le 18 septembre 1951 – soit treize années après. Ce courrier répond à l'envoi d'un texte rédigé par Jean Grenier sur un beau cahier offert par son ancien élève. Dans cette lettre, Camus commence par réinterpréter la visite de son professeur à son domicile quand il était son élève en classe de philo : timidité et stupéfaction de constater que Jean Grenier ait pu faire l'effort de se déplacer dans le quartier pauvre d'Alger afin de rencontrer l'un de ses étudiants malades. De cet événement, dit-il, date son indéfectible fidélité.

Puis il aborde le problème douloureux du rôle de Grenier dans l'épisode de l'adhésion au parti communiste : « Je ne comprenais pas que vous ayez pu me conseiller de devenir communiste et que vous preniez ensuite position contre le communisme. » À cette date, 1951, Camus dit avoir compris la position de son maître, mais il signale sa souffrance d'alors. On peut imaginer qu'à vingt-

deux ans Camus n'ait pas saisi la complexité laby-
rinthique de cet homme emmêlé dans lui-même,
empêtré dans ses doutes, aspirant à l'impassibilité
du sage taoïste pour tenter d'échapper aux violents
tourments de son âme en peine, n'y parvenant pas
pour lui, mais croyant tout de même pouvoir y
exceller pour un tiers. Qu'un pyrrhonien ait pu
faire preuve de détermination pour un autre que
lui, tout en lui indiquant une mauvaise direction,
pouvait blesser une jeune âme fiévreuse, altière,
susceptible de croire qu'on s'était joué de lui.

Camus en profite pour donner les raisons de
son départ du parti : le militantisme au quotidien
n'est pas en cause. Coller des affiches, distribuer
des tracts, vendre *L'Humanité*, voilà qui, du reste,
plaisait au jeune homme sportif. Par ailleurs,
l'action militante se confondait pour lui avec l'animation au quotidien du Théâtre du travail fondé
par ses soins et de la Maison de la culture. Cette
partie-là de son engagement communiste ne
posait aucun problème. Il y développait un genre
de gramscisme méditerranéen en phase avec son
aspiration libertaire à une gauche solaire et positive.

La cause du départ se trouve ailleurs. Le PC
avait demandé à Camus de recruter des militants
arabes pour les diriger vers « L'étoile nord-
africaine », l'embryon du futur Parti du peuple
algérien fondé par Messali Hadj – ce qu'il fait avec
conviction. Il apprend à connaître et à apprécier
ces militants. Le Front populaire qui lui reproche
son programme autonomiste dissout « L'Étoile
nord-africaine » début 1937. Le PCF souscrit aux
poursuites, aux arrestations et aux emprisonne-

ments de ces militants arabes nationalistes ayant conquis l'amitié de Camus – ceux qui insultent le philosophe transformé en partisan de l'Algérie française peuvent ici commencer à réfléchir.

Camus entre au parti communiste algérien en 1935 pour son anticolonialisme, son antifascisme et son antimilitarisme. Mais, pour des raisons stratégiques de politique politicienne et de tactique électorale, le PCF renonce à ces trois axes au profit d'une autre politique : au nom de la lutte contre les fascismes européens, l'anticolonialisme n'est plus à l'ordre du jour, l'antimilitarisme non plus. Le gouvernement Léon Blum réprime les militants du PPA qui se présentent contre le PC en Algérie. Pendant ce temps, le parti les dénonce à la police. Camus choisit la fidélité à son idéal et à ses amis, pas au Parti et à ses revirements tactiques et électoralistes. Le Parti demande à Camus de démissionner, il refuse pour s'en faire exclure.

La version du maître

Jean Grenier donne sa version dans ses souvenirs sur *Albert Camus* en 1968. Il inscrit l'adhésion de son ancien élève dans le contexte : la victoire de 36, la création d'une Union franco-musulmane, le dispositif de la Maison de la culture, la dynamique d'un ciné-club militant, la nécessité de lutter contre les fascismes européens[1], l'existence du Théâtre du travail, puis celui de l'équipe. À cette

---

1. Sur la montée des fascismes européens, voir cahier photos, p. 3.

époque « le parti communiste était "l'aile marchante" du Front populaire, le plus attirant de tous par son énergie conquérante et disciplinée. Il pouvait assurer une carrière digne de ce nom à un nouveau Julien Sorel » (41).

L'énergie, la conquête et la discipline communistes, l'opportunité cynique et carriériste, la ligne droite pour un ambitieux : Grenier fournit là de bien tristes explications ! Heureusement qu'il légitime aussi cet engagement avec des arguments plus nobles, même s'il les inscrit plus dans une logique de ressentiment que de fidélité : il rappelle son milieu d'origine, son statut de boursier, ses petits boulots de l'époque. Il ajoute : sa solidarité avec les petits, sa fraternité avec les pauvres, son intolérance viscérale envers les différences de traitement entre Européens et indigènes, voilà des raisons pour lesquelles le maître a cru pouvoir aller dans ce qu'il croyait être le sens de son disciple.

Jean Grenier, fidèle à lui-même, confesse qu'il a été « satisfait » (44) de voir Camus adhérer au parti communiste comme il le lui avait conseillé, puis « heureux » de le voir quitter ce même parti ! Il précise dans une note en bas de page : « Je partais de cette maxime générale que les hommes avaient droit au bonheur, et pas forcément à la vérité. La recherche de la vérité, les scrupules qu'elle entraîne, les tourments qu'elle procure doivent être réservés, pensais-je alors [*sic*], à quelques-uns dont le sort n'est pas enviable et qui n'attendent rien du monde » (44).

C'était mal connaître Camus, même âgé de vingt-deux ans, d'imaginer qu'il puisse vouloir le bonheur sans la vérité ou la vérité sans le bonheur, pire encore, qu'il puisse consentir à payer le bonheur du sacrifice de la vérité ou la vérité d'un renoncement au bonheur ! Camus voulait le bonheur *et* la vérité, car il savait que l'évincement de l'un causerait la mort de l'autre. Quant au parti communiste, on sait que, dans toute son histoire, il n'eut pas plus souci de l'un que de l'autre – et qu'il manifesta même dans le XXᵉ siècle un goût récurrent pour le contraire du bonheur et les antipodes de la vérité. L'auteur de l'*Essai sur l'esprit d'orthodoxie*, lui, aurait dû le savoir.

L'année 1936, dans ses *Carnets*, Camus écrit à propos d'une conversation qu'il eut avec son ancien professeur de philosophie : « Grenier à propos du communisme : "Toute la question est celle-ci : pour un idéal de justice, faut-il souscrire à des sottises ?" On peut répondre oui : c'est beau. Non : c'est honnête » (II. 802). De 1935 à 1937, l'auteur de *Noces* a choisi la beauté ; ensuite, et jusqu'à la fin de sa brève existence en janvier 1960, le philosophe de *L'Homme révolté* a opté pour l'honnêteté – ce qui, somme toute, ne manquait pas de beauté.

4

Un gramscisme méditerranéen

Qu'est-ce qu'une gauche dionysienne ?

> « La Liberté est un don de la mer.
> Proudhon. »
>
> CAMUS, *Carnets* VI (IV. 1103).

Gauche de ressentiment et gauche dionysienne

La gauche dionysienne dit « oui » et tourne radicalement le dos à la gauche de ressentiment qui dit « non ». La première se nourrit de la pulsion de vie ; la seconde, de la pulsion de mort. Nietzsche analyse bien le mécanisme négatif qui motive si souvent les défenseurs du socialisme, du communisme et de l'anarchisme, tout à leur envie de détruire, briser, casser, incendier, massacrer, tuer. Combien de prétendus amis du genre humain ouvrent des prisons, érigent des guillotines sur la place publique, activent des tribunaux révolutionnaires, et font tomber les têtes dans des paniers de sciure sous prétexte d'accélérer le progrès, de réaliser l'humanité ou de célébrer la fraternité ?

Nietzsche s'oppose au socialisme de ressentiment : animé par l'envie de revanche, conduit par le désir de vengeance, ce socialisme-là s'installe du côté des passions tristes et de la pulsion de mort. Nietzsche prophétise dès *Humain, trop humain* (§ 451) qu'il produira le despotisme le plus inédit, l'anéantissement pur et simple des individus au profit de la communauté, la religion de l'État total, l'avènement du césarisme et du terrorisme étatique, l'abrutissement idéologique des masses. Il pointe sa nature réactionnaire : la révolution socialiste à venir réactivera pour son compte la tyrannie qu'elle prétend abolir. Cette prédiction date de 1878 ! Lénine a huit ans.

Ce socialisme repose sur la pathologie du révolutionnaire qui aspire moins à la puissance jubilatoire positive qu'à la satisfaction négative de détruire tout ce qui empêche son accès à la puissance. Il se réclame de la justice, de la liberté, de la souveraineté populaire, de l'égalité, de la fraternité, de la citoyenneté, mais son motif véritable se trouve ailleurs : dans la haine recuite, dans l'animosité entretenue depuis de longs siècles, dans la méchanceté ravageant ses entrailles. Sinon, pourquoi tant de sang chez les prophètes des rivières de lait et de miel, du nectar politique et de l'ambroisie communautaire ?

La critique nietzschéenne de ce socialisme-là ne concerne pas tous les socialismes. Pas question de faire de Nietzsche un homme de gauche, bien sûr, mais il peut être un philosophe utile pour la gauche. Lisons *Aurore* où il s'insurge du statut dans lequel on entretient les ouvriers, rouages dans des machines qui les broient. Leur esclavage, dit-il, ne saurait être compensé par des augmentations de salaire. Une autre société, prétendument révolutionnaire, mais qui maintiendrait leur servitude au pied des machines, n'abolirait pas leur humiliation. Le vice de la sujétion en régime capitaliste ne devient pas vertu en régime socialiste. La productivité et l'enrichissement des nations se paient d'un sacrifice dommageable de valeur intérieure doublé d'un dégoût de soi. Les socialistes invitent à être prêts pour le grand soir, mais ils entretiennent en attendant la honte de cet état sans certifier qu'avec leur triomphe cette indignité disparaîtrait. Nietzsche invite non pas à détruire ici, mais à créer ailleurs.

Lisons : « Les ouvriers, en Europe, devraient déclarer désormais qu'ils sont une impossibilité humaine *en tant que classe*, au lieu de se déclarer seulement, comme il arrive d'habitude, les victimes d'un système dur et mal organisé ; ils devraient susciter dans la ruche européenne un âge de grand essaimage, tel que l'on n'en a encore jamais vu, et protester par cet acte de nomadisme de grand style contre la machine, le capital et l'alternative qui les menace aujourd'hui : *devoir* choisir entre être esclave de l'État ou esclave d'un parti révolutionnaire » (§ 206). Célébration de la volonté positive.

Où l'on voit à quoi pourrait ressembler un socialisme dionysien : un socialisme de l'affirmation et non de la négation. Affirmation libertaire en écho à La Boétie qui écrivait dans son *Discours de la servitude volontaire* : « Soyez résolus de ne plus servir, et vous voilà libres. » Pas besoin de dresser des gibets, d'accrocher des capitalistes aux potences, de faire un spectacle de guillotines, de spolier les propriétaires, d'incendier les manufactures, de brutaliser les contremaîtres et les patrons. Juste affirmer sa puissance, sa force, son renoncement à l'esclavage au profit d'une liberté acquise et conquise sans recourir à la violence ou aux armes.

Un nietzschéisme de gauche

Camus propose l'antidote à cette gauche de ressentiment. On ne trouve nulle part dans son œuvre complète et dans sa correspondance de propos tenus sous le signe des passions tristes. Camus n'est pas homme de ressentiment car il est homme de fidélité. Un lecteur patient chercherait en vain dans *Le Premier Homme* des passages dans lesquels il vouerait aux gémonies les gens de pouvoir tenus pour responsables de la pauvreté de sa famille. Il n'a pas de haine pour l'État français qui envoie son père mourir au front, aucun mot méchant pour les employeurs de sa mère femme de ménage, il ne récrimine pas contre les parents de ses camarades d'école mieux lotis que lui, plus aisés, plus riches, il ne manifeste aucune violence contre le prêtre qui le gifle si violemment au catéchisme qu'il lui abîme l'intérieur de la bouche, il n'entretient pas de mauvaises pensées à l'endroit de ses employeurs lors de ses stages chez un quincaillier, puis chez un courtier maritime : nulle part il ne veut incendier le monde parce qu'il connaît la misère.

Le socialisme de ressentiment est nocturne, thanatophilique ; le socialisme dionysien est un socialisme de fidélité : jamais Camus n'oublie d'où il vient. Son origine ne constitue pas une gloire factice, mais il vit d'une promesse faite à son milieu de ne jamais l'oublier. À Paris, à Saint-Germain-des-Prés, il côtoie le petit monde philosophique. Une photo célèbre de Brassaï le montre dans l'atelier de Picasso en compagnie du gratin du moment : Sartre assis, un œil vers le photographe, Lacan flou, (chez lui c'est un destin !), Picasso les bras croisés fixant l'objectif, Beauvoir avec un sourire malicieux, tenant un livre comme un missel avant la messe, Leiris assis en tailleur, plus quelques autres.

Camus est accroupi, entre Sartre et Leiris. Il ne regarde pas le photographe, mais caresse un chien assis sur un tapis devant lui. Plutôt l'animal sans nom que la compagnie des acteurs du *Désir attrapé par la queue*, cette pièce de théâtre écrite par le peintre et jouée chez lui devant Michaux, Braque, Salacrou, Jean-Louis Barrault, Mouloudji – et Maria Casarès. La photo date du 19 mars 1944. Dans ses *Carnets*, à la date de 1942, Camus écrit : « Ouvriers français – les seuls auprès desquels je me sente bien, que j'aie envie de connaître et de "vivre". Ils sont comme moi » (II. 954).

Chez Nietzsche comme chez Camus, la critique du socialisme de ressentiment n'est pas critique du socialisme, mais critique du ressentiment. On ne peut souscrire, au nom du socialisme, aux passions tristes – aux forces nihilistes, dirait le philosophe allemand. L'un et l'autre communient dans le soleil, la lumière, la clarté méditerranéenne contre la lourdeur germanique, européenne. Le refus du socialisme despotique est refus du despotisme, pas du socialisme. Car un socialisme peut s'abreuver à d'autres sources qu'aux eaux noires du ressentiment : la fidélité affirmative, le souci dionysiaque et la vie solaire par exemple. Camus aime la vie, veut la vie et souhaite en augmenter les potentialités, pour lui et pour les autres. Son communisme s'inscrit ontologiquement dans ce désir.

Socialisme apollinien, socialisme dionysien

L'opposition socialisme de ressentiment et socialisme d'affirmation recouvre d'autres couples possibles : socialisme apollinien et socialisme dionysien, socialisme européen et socialisme méditerranéen, socialisme de Paris et socialisme de Tipasa, socialisme de l'idéal ascétique et socialisme hédoniste, socialisme césarien et socialisme libertaire, socialisme nocturne et socialisme solaire, socialisme transcendantal et socialisme empirique, autrement dit : socialisme de Marx et socialisme de Proudhon, ou bien encore : socialisme de Sartre et socialisme de Camus.

Il en va de la première modalité du socialisme de détruire la seconde, de l'interdire, de la salir. Sa logique cynique suppose un machiavélisme total : la fin justifiant les moyens, tout est bon pour disqualifier un socialisme qui s'accomplirait par et pour le peuple, et non contre lui. Marx donne l'exemple avec Proudhon et les proudhoniens lors des combats idéologiques de la Première Internationale. Pour obtenir le leadership européen, l'auteur du *Capital* procède de façon radicale : d'abord idéologiquement, puis en activant les attaques *ad hominem*.

Idéologiquement, il oppose le socialisme scientifique, le sien, au socialisme utopique, celui de tous les autres. Le premier, paré de toutes les plumes de la scientificité, dirait la vérité de l'histoire : le rôle architectonique de la dialectique, la violence accoucheuse de vérité, le caractère inéluctable de la révolution, l'analyse de la logique du capital, le mécanisme autodestructeur du capitalisme, la nécessité d'une avant-garde éclairée du prolétariat, etc. Dans un même temps, tous les autres socialismes sont vilipendés et taxés d'utopisme : du plus sérieux proudhonisme au plus fantasque fouriérisme en passant par toutes les autres possibilités sociales, Marx ne détaille pas. Tous ne valent rien et le sien vaut tout.

Humainement, Marx ne recule devant rien pour discréditer l'anarchisme en fomentant des bruits de couloir sur ses adversaires les plus dangereux : ainsi Bakounine devient-il un agent à la solde du tsar, un indicateur de la police, un dangereux intrigant, un animateur de secte ; quant à Proudhon, ouvrier autodidacte, Marx s'en moque sous prétexte qu'il ne comprendrait rien à Hegel, à sa philosophie de l'histoire et à sa conception de la dialectique. Marx, grand bourgeois marié à une baronne et vivant aux crochets de son ami Engels qui le subventionne avec les bénéfices de ses usines, traite l'artisan Proudhon de petit bourgeois ! L'auteur du *Capital* obtient la mainmise sur le socialisme européen avec l'aide de ses affidés qui bourrent les urnes lors des Congrès – celui de La Haye notamment.

Le XIXe et le XXe siècle ont vécu sous la férule du socialisme marxiste : toute critique socialiste de ce socialisme-là a été étiquetée non pas critique socialiste, ou critique de gauche, mais critique bourgeoise et petite-bourgeoise, critique réactionnaire et conservatrice, critique fasciste voire nazie, parfois même hitléro-trostkyste (!), critique de droite toujours. Albert Camus fit les frais de cette rhétorique bolchevique pour laquelle quiconque n'est pas socialiste marxiste ne saurait être socialiste. *L'Homme révolté*, grand livre socialiste libertaire, immense texte anarcho-syndicaliste, a été pulvérisé en son temps avec ce genre de sophistique.

La mission civilisatrice de l'Algérie

D'où l'intérêt d'examiner la nature de ce socialisme antimarxiste sans sombrer dans le piège qui consiste à confondre ce *socialisme libertaire* dont on n'a pas l'habitude avec un *socialisme social-démocrate* – l'habituelle étiquette accolée au nom de Camus par les rares auteurs qui abordent sa politique. Le communisme plotinien inaugure la première forme prise chez lui par ce socialisme libertaire. Dans ces années 1935-1937, cette sensibilité libertaire nourrit son socialisme méditerranéen, lui-même compagnon de la joie grecque, de l'allégresse italienne, de l'esprit espagnol et du génie algérien. Nous sommes loin du Iéna de

Hegel, du Berlin de Marx ou du Moscou de Lénine, aux antipodes de la chaire universitaire, du cabinet de lecture et du Kremlin.

L'effet « guerre d'Algérie » masque encore aujourd'hui les perpétuelles déclarations d'amour d'Albert Camus à l'Algérie. Il aime la terre et le peuple, les paysages et les parfums de ce pays – le sien : terre de son père et de sa mère, terre de ses grands-parents depuis l'installation de ses ancêtres en compagnie de quarante-huitards exilés près de Solferino. Il a plus d'un siècle de présence familiale sous ce ciel partagé par des juifs, des Turcs, des Grecs, des Italiens, des Berbères, des Maltais, des Alsaciens, des Parisiens et des Algériens. Camus ne pense pas en terme topique de nation mais en terme dynamique de géographie affective, de poétique des éléments. Son communisme n'est pas national, mais poïétique au sens étymologique – *créateur*.

Le philosophe amoureux de l'Algérie destine une mission civilisatrice à son pays : sa chaleur ontologique doit réchauffer le corps frigorifié de la vieille Europe. Épuisé, fatigué, le continent européen croupit dans la négativité et le nihilisme. Camus revendique ce pays comme sa vraie patrie, une terre qui pratique une générosité sans limites et une hospitalité naturelle, des valeurs positives, affirmatives, solaires, nietzschéennes – plotiniennes même si l'on veut. Elles pourraient servir de fondations à la gauche dionysienne.

Ajoutons l'amitié à ces deux valeurs. À Paris, on montre plus d'esprit que de cœur ; l'inverse à Alger. Dans cette ville, mais aussi dans ce pays, l'amitié signifie véritablement quelque chose : la vieille Europe ignore cette vertu sublime bien connue des Anciens – Platon, Aristote, Épicure, Lucrèce, Cicéron, Sénèque, Marc-Aurèle. Le christianisme l'a diluée dans un vague amour du prochain faussement démocratique où l'obligation d'aimer indistinctement tous ses semblables débouche sur l'amour de personne en particulier. Car aimer tout le monde, c'est n'aimer personne. Sous le soleil d'Alger, on vit toujours l'amitié de la même façon que les philosophes épicuriens et stoïciens sous le ciel d'Athènes ou face à la baie de Naples, dans les paysages campaniens. Cette amitié-là ne va pas avec la confidence, elle est moins avachie qu'à Paris où on lâche facilement la bonde affective.

Pas dupe de lui-même, Camus sait qu'un amoureux n'est pas objectif – il confesse sa subjectivité avec l'Algérie. Il aime en elle le métissage des peuples, le cosmopolitisme réussi (nous sommes dans les années 1930), le brassage des communautés, le kaléidoscope des peuples mélangés : Alger est arabe, Oran nègre et espagnole, Constantine juive. Ces villes sans passé affichent un présent sublime. Camus affectionne les beaux corps musclés, bronzés, comme sortis de vases grecs ; il adore les formes sculpturales des femmes qui passent devant les terrasses, félines et dansantes ; il jubile du caractère éclatant des sauvageries charnelles exhibées sans culpabilité. En Algérie, la vie grouille, pleine, forte et dense.

Le présent d'Alger ? Son ouverture sur le ciel et la mer. Le port donc. La ville, comme le pays, donnent à profusion, sans compter. La jeunesse déborde sur les trottoirs ; les vieux se protègent de la chaleur et de la lumière ; au fond des cafés, avec la fraîcheur, ils refont le monde, regardent passer les beautés, s'amusent du récit des jeunes vantards. Dehors éclate le luxe de la vie au soleil. Camus tempérera toujours la misère de son enfance par le faste de la lumière claire et pure de la Méditerranée. Dionysos vit dans la rue : il se moque du corps chrétien, peccamineux, il rit des sots qui croient aux péchés de gourmandise, d'envie et de luxure ! Le corps, ici, jouit simplement d'être au monde. Alger triomphe en ville nietzschéenne. Camus aurait aimé cette phrase rédigée par Nietzsche fin 1887, début 1888 et publiée beaucoup plus tard dans ses fragments posthumes : « La félicité dans la lumière d'Alger, une espèce de lumière flatteuse : comme on respire de la sincérité » (XIII. 302).

De part et d'autre de la Méditerranée, Athènes et Alger se partagent un même monde : les courses d'éphèbes peintes sur les poteries antiques à Délos disposent de leur pendant algérien avec les jeux de plage des jeunes gens. Le blanc du crépi des maisons, les corps cuivrés, le bleu du ciel, l'azur de la mer sont grecs et algériens. Camus n'aime pas que s'intercale quoi que ce soit de conceptuel, de cérébral ou d'intellectuel entre l'être et le monde, le corps et le réel.

Dans *L'Été à Alger*, il se sépare de Gide le protestant qui célèbre la rétention du désir comme une excellente occasion de l'affiner. Cette façon très chrétienne de trouver du plaisir dans la négation du désir témoigne du degré de blessure ontologique de l'être qui pense ainsi. Dans les bordels, précise Camus, ce genre de personnage est classé parmi les compliqués ou les cérébraux ! Saine taxinomie. Tout Gide qu'il est, Camus lui préfère un bon camarade de natation qui dit « oui » à ses désirs, simplement, clairement, sainement, et s'ébroue dans la vie comme un animal sauvage. La soif, la faim ou le désir sexuel, autant de désirs naturels et nécessaires pour utiliser le vocabulaire épicurien, qui supposent une résolution simple : boire, manger, faire l'amour.

Camus parle de la tendresse d'Alger dont il aime les soirs et les promesses, les parfums et les beautés : de noires gerbes d'oiseaux dessinées sur un horizon vert, des nuages rouges lentement fondus dans l'air, les éclairages du dancing sur la plage et sa population modeste, les jeux de lumière jaune pâle dans la nuit, la première étoile qui perce la voûte et la nuit qui semble se répandre autour d'elle, une formidable furie de vivre touchant au gaspillage, l'existence brûlée comme une passion, l'ignorance de la vertu malgré une morale sévère – le respect de l'épouse, la considération de la femme enceinte, la loyauté, même dans la bagarre, l'éthique de l'honneur, la compassion pour la canaille entre deux gendarmes, l'amitié pour les pirates, le sentiment de l'orgueil, l'ignorance des religions, le mépris des idoles, et, surtout, la haine de la mort.

Ce peuple sans passé, sans tradition, sans culture ne manque pas de poésie et vit sans mythes, sans consolations. Loin de toute métaphysique professionnelle, il sait de source sûre que le réel est, qu'il n'y a que cette certitude, et qu'il faut donc en profiter pleinement. L'éternité, ici, sous le ciel d'Alger, n'a rien d'un concept, c'est une sensation vécue, une émotion éprouvée, une perception subjective : elle nomme tout bonnement ce qui dure après soi. On ne fait pas ontologie plus immanente. Paradoxalement, plus le bonheur augmente, plus la souffrance croît, car la connaissance du sublime se paie du savoir de ce que l'on perd avec la mort.

Une certaine castillanerie

Alger et l'Algérie, c'est l'enfance, la terre du père, de la mère et des grands-parents. Mais avant cette terre de mer, il y eut l'Espagne, une seconde patrie revendiquée comme telle. Les grands parents maternels de Camus viennent en effet de Minorque. Lorsqu'il effectue son premier voyage à l'étranger, juste avant de prendre sa carte au PC, en 1935, il se rend aux Baléares. Si l'Algérie c'est la lumière, l'Espagne c'est l'ombre, avers et revers d'une même médaille existentielle.

Mais cette ombre désigne aussi la tradition libertaire, le drapeau noir pour lequel, j'y reviendrai, Camus témoigne tant d'affection. Le philosophe refusera toujours de se rendre dans ce pays tant que Franco fut à sa tête – il n'assistera évidemment pas à sa longue agonie et à sa mort en 1976. Camus sera solidaire de toutes les causes républicaines, libertaires, anarchistes, antifranquistes. Lorsque le prix Nobel lui rapporte beaucoup d'argent, il manifeste une grande et discrète générosité envers les réfugiés espagnols sur le territoire français.

Il aime dans l'Espagne la capacité à se fédérer, à mutualiser, à coopérer, à produire des agencements libertaires concrets. Les anarchistes pensent et vivent souvent le pouvoir comme une damnation en soi. Ils s'en méfient par principe, ignorant que le pouvoir, quand il est immanent, contractuel, démocratique, républicain, révocable, n'a rien à voir avec le pouvoir transcendant, unilatéral, autocrate, tyrannique, despotique, irrévocable. Le problème n'est pas le pouvoir en soi, mais sa forme : les anarchistes espagnols ont revendiqué le gouvernement, ils ont même gouverné. Il y eut, et c'est heureux, des *ministres anarchistes* dans le gouvernement catalan. Camus aime ces noces de l'idéal et de la réalité, ce rare nouage des principes anarchistes et du gouvernement réel. L'anarchie positive, celle qui veut le gouvernement et gouverne, constitue une modalité du socialisme dionysien – la gauche de ressentiment, elle, se contente du ministère de la parole, du jugement et de la critique, exercices futiles.

Pour Camus, l'Espagne c'est l'union de l'amour de vivre et du désespoir de vivre, l'association de la jouissance et de l'ascèse, le mariage de la joie et de la mort, la jonction de l'Europe qui s'y termine et de l'Afrique commençante. Dans ce pays, la vie accompagne le songe, la comédie, la vérité et le sérieux, la danse, mais il réunit également la dictature militaire et l'anarcho-syndicalisme, le fascisme de Franco et la poésie de Machado.

De la même manière que le communisme doit prendre des leçons méditerranéennes en Algérie (générosité, hospitalité, amitié, métissage, cosmopolitisme, santé, vitalité, naïveté, simplicité, tendresse, honneur, sens de l'éternité ici et maintenant, tragique), il gagnerait à se mettre à l'école de l'Espagne pour d'autres valeurs (la bravoure, le sens de l'honneur, la droiture, la détermination, la loyauté, l'intempestivité, la grandeur d'âme – en un mot : le donquichottisme).

Don Quichotte libertaire

Camus aime le roman de Cervantès, car il invente une figure susceptible de servir de modèle dans nos temps nihilistes. On connaît l'histoire. Rappelons-la rapidement : un héros mal à l'aise dans son siècle défend des valeurs caduques. Sa bonté, sa noblesse, son sens de la justice, son désintérêt, sa dilection pour les causes perdues, sa détermination malgré les coups du sort, sa revendication du sens de l'honneur dans un monde qui en a perdu le goût, son idéal de l'amour, en font un héros positif ! Il part en guerre contre le monde entier, mais ne craint pas l'immensité et la solitude d'une pareille tâche.

Camus prononce une allocution pour commémorer les trois cent cinquante ans du livre de Cervantès le 23 octobre 1955 dans l'amphithéâtre Richelieu à la Sorbonne. Le texte de cette intervention paraît dans *Le Monde libertaire* du 12 novembre sous le titre *L'Espagne et le donquichottisme*. Don Quichotte quintessencie l'Espagne : son héros incarne l'honneur. Camus sait que les pauvres dépourvus de tout disposent tout de même de cette vertu, leur seule richesse. Mais le sens de l'honneur porté à un point d'incandescence peut déboucher sur des catastrophes.

Quelles sont les valeurs de Don Quichotte ? « Le renoncement hautain et loyal à la victoire volée, le refus têtu des réalités du siècle, l'inactualité enfin, érigée en philosophie » (III. 980) – on retrouve dans le dernier trait de caractère un écho au goût de l'inactuel et de l'intempestif chez Nietzsche. Don Quichotte se bat et ne renonce jamais, il incarne le combat perpétuel, il se fait gloire de l'humilité de son lignage, il opte pour la charité et la miséricorde, même et surtout s'il peut recourir à la vengeance, il est un exilé de l'intérieur, un être qui porte haut l'étendard de la liberté dans des contrées où l'on a la passion de la servitude.

Don Quichotte plaît également à Camus parce que les prisonniers de Franco peuvent s'en réclamer, mais pas le tyran : il est en effet une figure de la Résistance, jamais de l'oppression. Effigie des humiliés et des offensés, des persécutés et des victimes, le héros à la triste figure incarne la force de l'obstination, la détermination acharnée. Pour ce faire, Camus invite à un radicalisme donquichottesque ici et maintenant, en Europe, mais aussi et surtout dans l'Espagne franquiste : porter le personnage à son point d'incandescence, en faire un drapeau – noir bien sûr.

Remonter les fleuves

L'Algérie, l'Espagne, la Grèce : Camus remonte les fleuves pour parvenir à la source. Il se veut grec – surtout pas romain. Ce qu'il aime chez les Grecs ? Leur incapacité à l'outrance, leur mesure – ils n'ont jamais rien produit dans l'excès. La Grèce équilibre l'ombre par la lumière et voue un culte à la beauté. Pour ne pas donner tort à Camus, évitons de rétorquer que la mythologie ou la tragédie grecques ne le confirmeraient pas forcément : on y tue beaucoup, on y massacre, on y assassine, on y détruit aussi. Œdipe ou Médée par exemple. Simone Weil écrira en 1940 *L'Iliade ou le poème de la force*. Mais peut-être songe-t-il alors, en parlant de la Grèce, à la douceur légendaire de Plotin ?

Cette Grèce rêvée lui sert d'antipode à Rome qu'il n'aime pas. L'opposition entre le pays de la philosophie et celui du droit, entre la terre intellectuelle et le territoire militaire, entre l'agora des philosophes et le sénat des jurisconsultes, constitue un classique de l'exercice rhétorique. Mais, aux yeux de Camus, Rome a inventé le césarisme, l'impérialisme, les guerres de conquête, le droit contraignant. Socrate, lorsqu'il revendique son inscience, manifeste tout le génie grec car, ce que le compagnon de Platon ignore, il ne prétend pas le savoir. D'un côté, la sagesse modeste, de l'autre, la force impérieuse. Socrate qui meurt d'avoir été un philosophe authentique ou César qui tue pour élargir l'Empire. Choix facile.

La Grèce célébrait la Beauté et la Nature. De fait, les fragments des penseurs dits présocratiques témoignent en ce sens, et les *Ennéades* confirment cette idée. Or l'Europe tourne le dos à ces deux valeurs. Elle excelle comme un pur produit romain, moins soucieuse de sentiment océanique, de sens du sublime ou de « raison mystique » (IV. 1040), pour utiliser une expression de Camus à propos de Plotin, que de codes juridiques, de traités d'architecture, de manuels d'agriculture ou d'arts de la guerre. La Grèce platonicienne montre le ciel ; l'Europe aristotélicienne désigne la terre.

Camus n'aime pas Rome car il pense que la philosophie de l'histoire européenne procède de la cité latine. De fait, la théocratie d'une Raison idéalisée semble une passion romaine. Hegel était chrétien et ses thèses sur la Raison dans l'Histoire deviennent limpides si l'on saisit que Raison chez lui équivaut à Idée, Esprit, Logos, Concept, Universalité absolue et… Dieu. L'hégélianisme formule dans le vocabulaire de l'idéalisme allemand et avec la langue de l'université prussienne le vieil idéal chrétien : il existe un sens de l'Histoire avec identité de sa fin et du Paradis. Cette affirmation que « la Raison se révèle dans l'Histoire » se comprend autrement si l'on saisit qu'il faut lire : « Dieu se révèle dans l'Histoire » – une pensée impossible pour un athée de l'Histoire comme Camus.

Le penseur d'Alger n'apprécie pas Hegel qui n'aime pas les paysages, la Nature, la mer, les méditations au bord de la Méditerranée et leur préfère les Idées, les Concepts, la Raison, l'Histoire, la Dialectique, les Villes. Fidèle au Jean Grenier écrivant dans *Cum apparuerit* : « La connaissance n'est qu'une communion » (16), l'auteur de *Noces* ne peut souscrire à la forteresse conceptuelle de la *Science de la logique* et à l'arsenal purement spéculatif censé rendre compte des conditions de possibilités théoriques de l'existant.

Les Grecs enseignent la loi et les dangers terribles encourus par les transgresseurs. Dans la première moitié du XXe siècle, l'Europe outrepasse mille fois les lois, avec deux guerres mondiales, des régimes totalitaires en quantité, des camps de concentration et d'extermination, le largage de deux bombes atomiques. Si la mesure et l'équilibre grecs, accompagnés de la passion pour la vie méditerranéenne, avaient, dans l'Histoire, pris le pas sur la démesure et l'excès romains soutenus par le goût chrétien pour la mort, l'Occident n'en serait pas là.

L'artiste est l'antidote de l'Histoire : le premier défend la liberté là où la seconde enseigne la nécessité. L'homme de l'art veut la Beauté dans une époque qui ne la souhaite plus. D'où son éloge de vertus grecques : connaître ses limites, pratiquer la mesure, vouloir l'équilibre, chercher la beauté, refuser le fanatisme. Voilà matière à nourrir une gauche dionysienne, positive, solaire, là où la gauche apollinienne, négative, nocturne enseigne l'inverse : ignorer ses limites, agir sans mesure, viser l'excès, produire la laideur, s'engouffrer dans la tyrannie.

La Grèce rêvée par Camus (il nous avait prévenu, quand on aime, on n'est pas objectif) le ramène à l'Algérie ! Il affirme en effet que la Grèce déborde la Grèce, car elle est aussi en Kabylie ! Dans ses villages, sur les premières pentes de la montagne, avec les vêtements de laine blanche des hommes, dans les chemins bordés de figuiers, avec les champs d'oliviers, dans les paysages constellés de cactées, ou bien encore dans la relation d'intimité entre les hommes et les paysages, la Kabylie se montre grecque.

Si l'on quitte la géographie, on trouve également d'autres raisons de rapprocher ces deux mondes géologiques constitutifs d'un même univers ontologique. Ainsi la fierté kabyle qui remonte aux traditions les plus hautes de ces tribus perdues dans la nuit des temps : éthique chevaleresque de l'hospitalité, sens de la parole donnée, goût passionné pour l'indépendance. Camus signale que ce beau et grand peuple dispose d'une constitution parmi les plus démocratiques. Il ajoute que leur juridiction ne prévoit aucune peine de prison.

Mais la comparaison s'arrête là, car la Grèce aborde le corps dans la logique de la grande santé d'une pensée épargnée par la contamination judéo-chrétienne, alors que la Kabylie a été romanisée, christianisée (en partie par le Kabyle saint Augustin), islamisée, colonisée (par une France catholique), elle a perdu sa fraîcheur païenne et dionysienne au profit d'une idéologie qui enseigne la suspicion du corps, la peur des désirs et le mépris des plaisirs. La misère totale règne dans ce pays – Camus la dénonce dans un article paru dans *Alger républicain* dès le 5 juin 1939. Son titre ? *La Grèce en haillons*.

Hédonisme et politique

Cette passion hédoniste pour le soleil païen d'Alger, la lumière et la mer de Tipasa, le sens de l'éternité algérien, l'hospitalité africaine, le cosmopolitisme méditerranéen, ce goût pour l'honneur espagnol, la fierté castillane, la loyauté hispanique, l'héroïsme donquichottesque, l'intempestivité et la détermination ibériques, cet amour de la fierté kabyle, du sens berbère de la liberté, convergent vers son socialisme dionysien. Fidèle à son milieu, aux gens du peuple, aux humiliés, aux exploités, Camus n'imagine pas son hédonisme solaire comme un narcissisme solitaire, mais comme l'éthique d'une politique dionysienne. La jubilation nietzschéenne, ou plotinienne, n'interdit pas l'aspiration à une communauté heureuse. Au contraire : elle l'appelle.

Camus ne pense pas pour penser, mais pour agir et produire des effets dans le réel. À quoi bon, sinon, la philosophie ? Le soleil d'Algérie doit éclairer une Grande Politique. Non pas la petite politique politicienne, mais le grand souffle épique d'un désir de communauté pour un peuple. Une éthique sans politique serait un jeu esthétique gratuit visant l'art pour l'art. En revanche, une éthique sans politique, ou une politique sans éthique, définiraient une théologie ludique ou un machiavélisme cynique pareillement récusés par Camus.

L'articulation de l'éthique et du politique accompagne l'assemblage théorie et pratique. Les acteurs de l'agencement de ces instances sont, soit les intellectuels, les penseurs, les philosophes, soit les gouvernants, les hommes d'État. La plupart du temps, les seconds ne manifestent aucun souci des premiers. La traditionnelle opposition wébérienne entre l'éthique de conviction et l'éthique de responsabilité paraît irréconciliable avec d'un côté des gens d'esprit insoucieux du réel, tout à la pureté de leurs idéaux, et de l'autre, des hommes d'action guidés par le succès pragmatique ayant jeté leur idéal à la rivière – le philosophe et le prince. On sait que Platon voulut un philosophe-roi, soit en préparant le philosophe à la royauté, soit en formant le roi à la philosophie. Mais dès qu'un philosophe parvient au pouvoir, il cesse d'être philosophe – l'aurait-il d'ailleurs été vraiment qu'il n'aurait jamais consenti à son exercice !

Camus a passé sa vie à vouloir l'éthique et la politique, sans jamais sacrifier l'un à l'autre. En plus de trente années d'existence publique, on ne le surprend jamais en flagrant délit de bêtise politique au nom de la morale ou d'immoralité sous prétexte de politique. Pourtant, les occasions de faillir ne manquent pas dans son siècle : les fascismes européens, le national-socialisme, la Seconde Guerre mondiale, le pétainisme, Vichy, la Collaboration, le bolchevisme soviétique, les totalitarismes marxistes, la guerre froide, la bombe atomique. La gauche dionysienne, parce qu'elle table sur la vie, l'a dispensé des mauvais choix accomplis par les êtres conduits par leur goût pour la mort.

Un gramscisme méditerranéen

Comment définir un gramscisme méditerranéen ? Et d'abord : qu'est-ce que le gramscisme ? Antonio Gramsci fut le penseur d'une gauche dialectique, en mouvement, le contraire d'une gauche figée. Contre le catéchisme du matérialisme dialectique et historique, mamelles théologiques de la révolution bolchevique, le créateur du parti communiste italien propose une gauche dynamique, jamais fixée, toujours à construire. Il considérait le marxisme moins comme un corpus transcendantal que comme une boîte à outils idéologiques. La gauche n'est pas une forme idéale, pure, conceptuelle, mais une force plastique en perpétuel devenir. Chez lui, le matérialisme dialectique l'est moins dans le cadre formel de l'hégélianisme que dans le flux d'énergie de la vie. Le gramscisme définit d'abord la pensée de Gramsci en tant qu'elle propose une gauche en prise avec la vie et son mouvement.

Dans cette gauche gramscienne, l'intellectuel tient un rôle cardinal. Pour Gramsci, la conquête effective du pouvoir suppose une bataille gagnée en amont sur le terrain des idées : pas de victoire pratique sans succès idéologique au préalable. Gramsci réfute Marx pour qui la révolution s'inscrit naturellement dans le mouvement de l'Histoire en vertu d'un irrépressible tropisme dialectique. Pour l'Italien, les intellectuels doivent assurer d'abord leur domination sur le champ intellectuel et culturel. Le gramscisme nomme cette idée : combattre et gagner d'abord sur le terrain des idées pour emporter ensuite la victoire concrète. La révolution sociale exige d'abord la révolution des esprits.

Le gramscisme méditerranéen de Camus définit donc cette perspective : œuvrer au succès des idées de la gauche dionysienne, effectuer un travail culturel pédagogique tournant le dos à une action révolutionnaire de type putschiste, assurer la domination idéologique par l'éducation populaire. La révolution culturelle doit précéder la révolution sociale dont elle est la condition préalable. Camus adhère au parti communiste en 1935 avec le souci de cette révolution culturelle – à ne pas entendre dans un sens maoïste. Rappelons-nous la lettre de Tipasa envoyée à Jean Grenier :

le communisme représente pour lui une ascèse, une expérience spirituelle, une aventure ontologique. Il aspire alors à révolutionner la révolution, à la dissocier du mécanicisme matérialiste pour la vivifier au soleil algérien des valeurs de la vie.

Camus entreprend donc de célébrer une pensée méditerranéenne à même d'infuser un esprit nouveau au communisme. Il prépare ainsi la société à laquelle il aspire. Cette gauche dionysienne, solaire, positive, libertaire, il souhaite qu'elle supplante la gauche européenne, notamment dans sa formule soviétique. Son gramscisme passe par l'action, la pédagogie, l'éducation, la culture, la propagation concrète de l'idéal de la philosophie des Lumières. Comment ?

Par le théâtre, l'animation de Maisons de la culture, la publication de textes manifestes, par la création et la contribution à des revues, par un engagement journalistique. Prendre sa carte ne suffit pas, jouer le jeu du militant non plus : certes, il faut accompagner les camarades dans les réunions de cellule, les collages, les tractages, acheter et vendre *L'Humanité* sur les marchés, dans les rues, à la sortie des usines, participer à des meetings, recruter, placer des cartes, mais cette fraternité militante ne suffit pas. Il faut aussi mener le combat des idées.

Éloge du théâtre

Camus fait du théâtre une métaphore politique. D'abord, cet homme qui eut si souvent à souffrir de la réception malveillante de ses livres confesse son bonheur sur scène, dans les coulisses, avec les acteurs, pendant les filages et les répétitions. Dans les dernières années de sa brève existence, il explique à la télévision combien cette activité le lave des sanies mondaines. Dans le silence feutré de la salle de théâtre, il oublie le monde, les autres, les sollicitations perpétuelles qui accablent toujours un homme devenu célèbre. Les répétitions, l'après-midi ou le soir, constituent un havre de paix : la totalité du monde s'efface au profit d'un texte sur lequel travaille toute une équipe. L'ambiance des répétitions ressemble à celle d'un cloître.

Ensuite, le théâtre exige un corps performant, adéquat, affûté, en forme, entraîné, capable de souffle et doué d'une réelle résistance physique. Respirer, souffler, maîtriser sa colonne d'air, tenir son corps, posséder ses muscles, savoir se placer dans un espace et occuper un volume, c'est, pour Camus qui lutte avec son mal pulmonaire depuis l'adolescence, une école philosophique, un exercice spirituel : il fait de son corps un instrument obéissant. Sur scène, l'ascèse montre ses succès – leçon efficace au-delà de la salle de théâtre.

Camus ajoute que le théâtre lui permet de côtoyer des gens qu'il aime – et il n'aime pas Paris, les Parisiens et ce petit milieu gendelettres qui font la loi pour la France entière. À juste titre, les intellectuels lui semblent coupés du réel, séparés de l'homme du commun, ils méconnaissent la vie réelle et concrète des gens modestes, ils refont le monde à partir de leurs idées et de leurs bibliothèques. Narcissiques, égotistes, suffisants, prétentieux, les membres de cette tribu se détestent, sont incapables d'aimer, d'admirer, de respecter. Ce monde est faux. *L'Impromptu des philosophes* moque la corporation dans le ton des *Fourberies de Scapin*. Dans une note datant de 1956, dans ses *Carnets*, il consigne cette ébauche ce dialogue : « C'est votre nouveau valet ? — Oui, c'est un philosophe. Je l'ai acheté à Paris » (IV. 1244). Une satire intempestive.

Une métaphore politique

Le théâtre exige la fraternité : chacun a besoin des autres, le metteur en scène, l'auteur, les comédiens, le régisseur, les costumiers, l'éclairagiste, personne n'existe sans l'autre. Cette dépendance mutuelle fonde la solidarité concrète. Voilà pourquoi et comment le théâtre est une métaphore politique : « Ici, nous sommes tous liés les uns aux autres sans que chacun cesse d'être libre, ou à peu près : n'est-ce pas une bonne formule pour la future société ? » (IV. 606). En effet.

Camus n'est pas dupe. Il connaît les planches et n'idéalise pas totalement le théâtre. Il sait que des conflits peuvent surgir dans une équipe, qu'on peut ne pas être d'accord, s'étriper. Bien sûr. Cependant, la crise surgit toujours *après* la représentation, jamais pendant. La raison ? Quand chacun est rendu à lui-même, après l'exercice collectif et communautaire, il se retrouve seul, dans un état psychique et mental favorable à la négativité. Dès qu'il ne dispose plus de la force du groupe, il redécouvre sa propre faiblesse, ses limites. D'où son devenir mauvais.

Le bonheur du théâtre naît aussi de la qualité du travail produit. L'effort du travail en commun se trouve tout de suite récompensé par la représentation. Les énergies invisibles, les forces imperceptibles convergent vers un spectacle visible et perceptible. Tout ce qui bruissait dans son coin, tous les travaux des petites mains, les gestes de la personne qui maquille, sinon le travail d'écriture du dramaturge solitaire à sa table, tout culmine dans une œuvre collective, communautaire. Jamais on ne montre mieux le produit d'une volonté générale obtenue par la coïncidence des volontés particulières dans un même désir, d'un projet conjoint.

Enfin, le théâtre sort l'intellectuel de son petit monde factice. Dans le bureau, avec ses livres, son papier et ses crayons, il pense ou repense le monde en risquant de se déconnecter du réel véritable. Sa formation, la plupart du temps idéaliste et spiritualiste, le conduit et l'installe à demeure dans le ciel des idées où tout devient possible, car le concept ne manifeste aucune résistance aux caprices de l'auteur. Les idées, l'idéal, l'idéalisme déconnectent du monde ici et maintenant.

En revanche, le travail de metteur en scène préserve de ce risque. Pas question d'évoluer dans le ciel intelligible, il faut les pieds sur terre, en contact avec les planches de la scène, avec les décors, les praticables, les projecteurs, les éclairages, il faut appréhender physiquement, corporellement, ce monde-là dans un temps réel et un espace concret. L'univers transcendantal, dans lequel l'intellectuel évolue habituellement comme un poisson dans l'eau, n'a pas droit de cité dans le monde empirique du théâtre.

Un lieu de vérité existentiel

Le théâtre passe souvent pour le lieu de l'illusion. Le rideau s'ouvre, le spectateur découvre le décor, les personnages entrent en scène, les premiers mots emplissent la salle – mais tout est faux, pense l'homme du commun : entre les franges pourpres ourlées, la clairière de lumière artificielle est peuplée de fausses pierres en vrai carton, de faux vêtements pour simuler de vrais déguisements, de vrais comédiens jouant de fausses personnes, leurs fausses paroles constituant autant de véritables fictions, l'imagination et la fantaisie règnent sans partage.

Camus s'oppose à ce lieu commun et inverse les termes : le théâtre n'est pas le lieu de l'illusion mais celui de la vérité, de la réalité. Le monde en dehors du théâtre se nourrit bien plus d'illusions que la scène. Dans la vie courante, le mensonge, l'hypocrisie, l'affabulation, la fausseté, l'imposture règnent plus qu'au théâtre où la moindre incartade se trouve immédiatement sanctionnée. Seul sur scène, isolé dans son rond de lumière, éclairé crûment, froidement, l'imposteur s'écroule. Cette expérience simple distingue le faiseur du personnage sincère, le menteur de l'individu authentique. Dans ces conditions, impossible de ne pas être vrai. L'artifice, le costume, le maquillage n'y peuvent rien.

Camus fait du théâtre le plus haut et le plus universel des genres littéraires. La tragédie grecque, la comédie romaine, les farces médiévales, la commedia dell'arte, le théâtre élisabéthain, la scène du Grand Siècle, les tréteaux romantiques donnent vie à des figures cardinales de la pensée : Œdipe, Antigone, Arlequin, Hamlet, Don Juan, Alceste, Faust comme autant de personnages conceptuels pour dire la nécessité, la fidélité, le rire, le destin, le plaisir, la misanthropie, le nietzschéisme, parfois plus et mieux que de longs discours philosophiques.

Avec ce dispositif culturel, Camus souhaite ne pas s'adresser aux plus stupides ou aux plus intelligents des spectateurs, ni à une catégorie particulière de personnes. Le spectacle doit rassembler dans une même salle toutes les classes sociales et permettre un brassage des gens modestes et de la bourgeoisie sous les auspices d'un même projet culturel et artistique. Camus y voit la grande tradition classique des usages de l'art : constituer des communautés emblématiques.

Dans *Pourquoi je fais du théâtre ?* Camus dit vouloir « parler à tous avec simplicité tout en restant ambitieux dans son sujet » (IV. 609). Voilà donc le noyau dur de l'une des modalités de ce gramscisme : recourir au théâtre porteur d'une culture accessible à tous ; revendiquer la simplicité ; associer cette accessibilité à une haute tenue intellectuelle ; autrement dit : activer une éducation populaire en recourant aux grands textes du théâtre occidental classique ou contemporain. En d'autres termes : préparer l'accès à l'exercice d'une gauche dionysienne par le théâtre.

Lorsqu'il s'interroge sur son goût pour le théâtre, en 1959, Camus combat, *déjà*, la contamination du monde des arts par le marché, le libéralisme, l'obligation de rentabilité. Viser le remplissage des salles contraint à renoncer à la qualité des productions : on amène plus difficilement du monde dans un théâtre avec des textes exigeants qu'avec de la comédie de boulevard. Si les bénéfices constituent la religion du directeur de salle, ce qui peut être un lieu de grandeur devient un lieu de bassesse. Camus lutte pour un authentique théâtre populaire dix ans avant la création d'Avignon par Jean Vilar qui reprenait à son compte le slogan d'Antoine Vitez, « l'élitisme pour tous ».

La scène concrète

Albert Camus a beaucoup donné pour le théâtre : il commence très tôt, en 1936, à vingt-trois ans, au Théâtre du travail, puis au Théâtre de l'équipe. Dès cette époque, il touche à tout : création de troupe, écriture, mise en scène, adaptation, direction d'acteurs, régisseur, scénographe, machiniste, souffleur. Quand il théorise le théâtre comme métaphore politique, scène éthique, consolation existentielle, lieu de vérité et occasion d'éducation populaire, il rapporte des expériences vécues dès son plus jeune âge.

La création du Théâtre du travail constitue donc le premier moment de son gramscisme méditerranéen. Plotinien de l'immanence, nietzschéen doué pour le sacré païen, hédoniste de la mer et du soleil, jouisseur de la vie, Albert Camus est également un enfant de pauvre fidèle à son milieu, un être viscéralement rebelle à l'injustice, un fils de femme de ménage soucieux du peuple, un homme de gauche désireux de donner une forme et une force à son engagement éthique et politique communiste. Il pense le théâtre comme un lieu de militantisme, un espace d'éducation libertaire, un endroit pour les idées propédeutiques à l'action de son nietzschéisme de gauche. Rappelons que, dans *La Naissance de la tragédie*, Nietzsche confie cette mission politique de travailler à la renaissance d'une civilisation à l'opéra, au drame musical wagnérien pour être précis : ce texte théorise l'occasion d'un usage politique de l'esthétique, sinon d'un usage esthétique de la politique. Dans la création de ce Théâtre du travail, Camus reste dans l'esprit nietzschéen.

Il crée donc explicitement ce théâtre pour le peuple. Il ne s'adresse ni aux critiques spécialisés, ni à la fraction cultivée de la bourgeoisie ; il n'envisage pas non plus l'art pour l'art, le théâtre pour le théâtre, et les jeux intellectuels de mise en abyme dont raffolent les théâtreux. Là où le théâtre pensé comme une marchandise abaisse la discipline au plus bas pour tâcher de ratisser au plus large, il veut hisser le peuple au plus haut du répertoire classique ou contemporain. Dans cet univers, quand l'argent prime, la démagogie fait la loi ; en revanche, quand la qualité conduit le programmateur, la démocratie s'installe. Camus s'adresse au peuple d'Alger.

Pour commencer, il adapte *Le Temps du mépris* d'André Malraux qui, à l'époque, incarne une grande figure de l'intelligentsia de gauche, compagnon de route, non pas du parti communiste, mais d'un certain nombre de communistes avec lesquels il partage l'engagement antifasciste. Malraux est venu en 1935 à Alger pour parler de la menace fasciste. Probablement dans la salle,

Camus rend compte de sa venue dans *La Lutte sociale*, le bimensuel du parti.

Le héros communiste du roman de Malraux incarne un révolutionnaire qui sacrifie tout, confort, femme et enfant, au succès de son combat antifasciste en général et antinazi en particulier. Le roman aborde d'autres questions : l'angoisse devant la mort, la fraternité virile des militants, le sacrifice individuel pour une cause collective, l'héroïsme comme occasion de connaissance de soi, le sens de l'existence, l'emprisonnement comme métaphore de la condition humaine, l'état d'esprit d'un homme avant la torture, la tentation suicidaire. Des thématiques camusiennes !

La passion de Camus pour Malraux date des années d'adolescence : Jean Grenier a conseillé la lecture de ses romans dès le lycée. À l'époque où Camus adhère au PC, en 1935, avec seulement douze ans de plus que lui, Malraux a déjà publié *La Tentation de l'Occident* (1926), *Les Conquérants* (1928), *La Voie royale* (1930) et *La Condition humaine* (1933) livre avec lequel il obtient le prix Goncourt. Grenier a reçu Malraux chez lui, mais n'a invité personne. Dans ces années-là, Camus envisage d'écrire un essai sur le romancier.

Il lit *Le Temps du mépris*, en écrit une adaptation pour son Théâtre du travail, envoie une lettre à Malraux, lui demande son avis et son autorisation pour la mise en scène. Malraux répond juste un mot par télégramme : « Joue » ! Dans des conditions de théâtre amateur, la longue salle des bains de Bab El Oued (quarante mètres de long) accueille deux soirs de suite plusieurs centaines de personnes. Entrée gratuite pour les chômeurs, payante pour les autres, mais le bénéfice revient aux premiers. Ce 25 janvier 1936, galvanisé par une réplique pendant la représentation, les spectateurs chantent *L'Internationale* !

L'Espagne libertaire

La deuxième création du Théâtre du travail est une aventure d'écriture collective : Camus rédige avec trois amis un texte intitulé *Révolte dans les Asturies*. Le texte se présente comme un « Essai de création collective » (I. 1) – le fameux « intellectuel collectif » de Gramsci. Cette fois-ci l'antifascisme communiste laisse place à l'antifascisme libertaire des républicains espagnols. L'œuvre est dédiée aux amis du Théâtre du travail.

Camus met en scène le soulèvement des mineurs à Oviedo en 1934. Voici la trame : on annonce des résultats électoraux par radio – la mise en scène recourt beaucoup à ces artifices, radios, haut-parleurs, le tout pour une vingtaine de séquences : la gauche a perdu. Insurrections et révoltes dans les provinces. Incendie de palais, pillage de banques, razzia dans les manufactures d'armes, on fusille le supérieur d'un couvent, des cadavres jonchent les rues. Un patron de bistrot est abattu dans son café. Meurtre d'un épicier. Le pouvoir envoie la Légion étrangère mater la rébellion. Proclamation de l'état de siège. Pendant ce temps, les ministres se perdent dans d'interminables discussions. Déclaration de l'état de guerre, promulgation de la loi martiale. Un capitaine cynique ordonne l'exécution des insurgés.

Écrasement du soulèvement. Un révolutionnaire condamné à mort va être exécuté, il prétexte une crampe, et demande qu'on lui enlève les menottes pour ne pas mourir enchaîné. La soldatesque obtempère et ôte les liens. Le militant en profite pour esquisser le salut du « Front rouge » et frappe un gardien. On récompense les soldats ayant participé à la répression. Rideau.

On y retrouve les mondes de Camus, à défaut d'idées clairement manifestées ou de héros porteurs de thèses explicites : la violence accoucheuse de l'Histoire ; la brutalité des révolutions et de leurs répressions ; l'impéritie gouvernementale ; l'abolition de la justice et le règne de l'arbitraire ; l'antifranquisme : même si son nom n'apparaît pas, le général Franco est bien l'instigateur de cette répression sanglante ; le cynisme des gouvernants. Et puis, leçon politique libertaire, cette idée forte d'un individu qui sauve son destin absurde par l'héroïsme d'un geste donquichottesque. Était-ce la perle de gauche dionysienne dans ce monde noir comme une encre de sang ? Je le crois volontiers.

La pièce devait être jouée le 2 avril 1936 au profit de « l'enfance malheureuse européenne et indigène ». La troupe avait répété plusieurs semaines dans un petit local du quartier pauvre de Belcourt, celui de l'enfance de Camus. La préfecture avait donné son accord pour la représentation. Mais le maire, maurrassien, a refusé le sien. La pièce a été publiée par Edmond Charlot, éditeur à Alger, et distribuée afin d'être lue – un pis-aller, précise Camus dans la préface à son édition papier.

L'adaptation du roman de Malraux et l'écriture à plusieurs mains de cette *Révolte dans les Asturies* montrent à deux reprises des caractères trempés de révolutionnaires : Kassner l'antifasciste communiste de la première pièce, et l'« anarchiste » (I. 25) selon l'épithète du sergent franquiste de la seconde. La mort, la torture, les bains de sang, le massacre, le fascisme national-socialiste dans un cas, le fascisme espagnol dans l'autre, autrement dit l'absurdité de l'Histoire et, comme salut possible, la rébellion individuelle, la révolte solitaire, le refus d'un homme qui dit « non » au tragique de la situation en se voulant debout dans un monde où la plupart rampent. Cet anonyme de *Révolte dans les Asturies*, « un prisonnier » (I. 25) dit le texte, porte la charge politique individualiste et libertaire. En travaillant à ces deux pièces au Théâtre du travail, Camus, déjà camusien, sait l'Histoire tragique et absurde, mais croit au salut par la révolte. À vingt-trois ans, le futur auteur du *Mythe de Sisyphe* porte aussi celui de *L'Homme révolté*, le philosophe, qui annonce le nihilisme et son dépassement.

Cette volonté de théâtre à Alger, pour le peuple, procède d'une volonté d'exister non pas contre Paris, mais sans Paris. Malraux, Eschyle, Gorki, Ben Jonson, Pouchkine, Courteline (pour la satire de la bureaucratie et la scène de *L'article 330* où le personnage baisse son pantalon devant le tribunal), Camus enchaîne le travail, dont un *Prométhée enchaîné* d'Eschyle en costumes avec burnous blancs et bruns, puis gandourah violette pour la jeune fille du chœur, un masque de vache, un autre barbouillé de rouge, des dieux sur des échasses, un paysage mexicain, une musique de Bach avec sardanes aux guitares, plus flûte et trompettes, l'action éclatée dans la salle – « en bref la tragédie dionysienne à la Nietzsche » (I. 1436), écrit-il au metteur en scène.

Une « université populaire »

Communiste, Camus continue de militer dans la cellule de la rue Michelet, dite Plateau-Saulière, future section Alger-Belcourt, avec des militants exclusivement intellectuels : un peintre, une fille de riches planteurs oranais, une autre de chirurgien-dentiste, un architecte élève de Le Corbusier. Le PC avait rattaché Camus à ce groupe pour éviter un contact direct avec les sections prolétariennes. À cette époque, le philosophe s'occupe également d'une autre aventure affiliée au PC avec un « programme de formation destiné aux adultes et patronné par les syndicats de gauche, sorte d'"université populaire" dont le nom officiel était alors le Collège du travail » (Lottman, 105).

Camus avait créé des séminaires, dont l'un à la villa du parc d'Hydra, son domicile. À cette époque, le philosophe réunissait une vingtaine de personnes, dont des marins ou des ouvriers. Plotinien auteur de *Noces* (le nom du philosophe néoplatonicien apparaît dans ce petit livre), nietzschéen convaincu que l'art a une fonction politique, penseur de gauche adhérant au PC, Camus enseigne les rudiments de Freud. Au dire de son biographe, le propos passe au-dessus de la tête de son auditoire, mais Camus croit vraiment avoir formé des hommes nouveaux (*ibid.*, 108) !

On peut imaginer que cette gauche dionysienne, affirmative, positive, concrète, constructive, cette gauche nietzschéenne et libertaire, proche du peuple, qui table sur l'éducation et non sur l'endoctrinement, sur l'ouverture des consciences et non sur la fermeture des intelligences, déplaise aux hiérarques du parti communiste. Trop de culture non estampillée communiste, trop de références laïques incompatibles avec la religion du parti. La tragédie grecque ou le répertoire élisabéthain, Courteline et Freud, le théâtre populaire comme voie d'accès esthétique au politique. Trop peu orthodoxe.

Faut-il voir dans cette indépendance d'esprit d'un Camus communiste les raisons d'un complot ourdi par un adhérent du PC, comédien de la troupe, qui fit courir le bruit que son camarade volait dans les caisses, alors que tous étaient bénévoles et que, la plupart du temps, les déficits étaient comblés personnellement par Camus et ses amis ? Une assemblée générale eut raison de ce personnage qui fut exclu. Le Théâtre du travail a été débaptisé au profit d'un Théâtre de l'équipe dont le nom renvoyait clairement à *La Belle Équipe* de Julien Duvivier, un film célébrant la fraternité ouvrière issue du Front populaire.

La Maison de la culture

En 1937, Camus devient secrétaire général de la Maison de la culture, une création du parti communiste algérien. Dans cet endroit, il accueille l'Union franco-musulmane et ses responsables religieux. Le parti communiste algérien rechigne à ces réunions avec des indépendantistes aux côtés de Messali Hadj – que Camus soutient dès 1937. Le PCA regarde Camus d'un mauvais œil et vice-versa. La vilenie d'un Camus vidant la caisse peut tout aussi bien procéder de la malveillance personnelle d'un communiste solitaire que d'une stratégie concertée par les responsables du parti.

Camus inaugure cette Maison de la culture le 8 février 1937 avec une conférence fonctionnant comme le manifeste du gramscisme méditerranéen. Dans sa prise de parole, il fait de cette maison une instance au service de la « culture méditerranéenne » (I. 565) qu'il souhaite promouvoir régionalement. Il sait ce terrain dangereux, miné par la droite, voire l'extrême droite, les maurrassiens en particulier qui confisquent en effet ces thématiques solaires et régionales. Camus ne veut pas laisser ces idées à la droite qui recourt au dionysisme à des fins réactionnaires et conservatrices : éloge de la tradition, célébration du passé, religion des racines, idéologie raciale et raciste de la promotion des autochtones, déclaration de guerre entre latins et nordiques, etc.

La droite tourne son regard vers le passé de la Méditerranée ; la gauche, vers son avenir. La première est fascinée par la mort et les ancêtres ; la seconde, par la vie et la jeunesse. La droite est nocturne ; la gauche, solaire. L'une est nationaliste et vise le musée ; l'autre, internationaliste, veut la vitalité. Camus identifie le nationalisme à la décadence, au nihilisme ; et l'internationalisme à la santé. La Méditerranée selon son désir, c'est une spiritualité, et non un sol, une terre, une race ;

un état d'esprit, et non un enracinement ; une poétique, et non une géographie, encore moins une géologie. Le nationalisme débouche sur la supériorité d'une nation sur toutes les autres, donc sur l'inégalité des nations – Camus exècre tous les nationalismes. S'en souvenir au moment de la guerre d'Algérie.

Camus oppose les peuples qui bordent la Méditerranée à ceux d'Europe centrale. Tipasa contre Prague, toujours. Au Nord, le froid, les vêtements boutonnés jusqu'au col pour se protéger, l'ignorance de la joie et du laisser-aller ; au Sud, les hommes débraillés, la vie forte et colorée. La patrie ne nomme pas une abstraction apollinienne, mais une vérité dionysienne impossible à penser, car elle s'éprouve physiquement, sensuellement. Pas question d'intelligence pour parvenir à la compréhension d'une idée, car seule la « raison mystique » plotinienne permet l'expérience existentielle. La patrie apollinienne, cérébrale et conceptuelle, débouche sur la pulsion de mort et la guerre – songeons au national-socialisme allemand ; la patrie dionysienne, sensuelle et voluptueuse, empirique et charnelle, se nourrit de pulsion de vie – elle renvoie à la gauche solaire et libertaire à venir, celle dont les Espagnols antifranquistes esquissent les contours ontologiques et politiques.

Le pouvoir de la Méditerranée

Camus pense que, dans l'Histoire, quand une doctrine rencontre la Méditerranée, elle plie, ploie et se modifie, elle s'affine et change, elle subit un effet de sculpture solaire. Ainsi le judéo-christianisme que l'auteur de *Noces* lit en nietzschéen, un œil sur *L'Antéchrist* : le christianisme s'enracine dans la terre judaïque austère et cérébrale, mais le catholicisme européen prend des libertés avec cette ascèse conceptuelle au profit d'une religion sensuelle soucieuse de s'adresser à tous les sens – ainsi les parfums de l'encens, les couleurs des peintures, les formes des sculptures, l'eucharistie du pain et du vin, la musique des offices.

De la même manière, le christianisme est catholicisme au Sud, protestantisme au Nord. Camus manifeste sa préférence pour saint François d'Assise l'Ombrien, sa douceur, ses conversations avec les animaux, sa passion pour la nature, sa conversion d'un loup à Gubbio, contre le Luther du Saint Empire romain germanique avec ses colères, son usage des insultes et son invitation à brûler les sorcières et les juifs. Il oppose même deux façons de vivre le fascisme : la version inhumaine du national-socialisme exterminateur et, selon lui, la formule moins inhumaine des faisceaux mussoliniens, en tout cas un régime qui permet de continuer de vivre en humain.

Contre l'usage de l'Antiquité romaine qui permet à l'Italie de Mussolini de justifier son colonialisme en Afrique sous prétexte de mission civilisatrice, contre cette Méditerranée transcendantale, abstraite, conceptuelle, théorique, militaire, guerrière, contreRome qui emprunte son épuisement à la Grèce et exporte son nihilisme avec ses cohortes, contre le fascisme italien inspiré par César, Camus propose une autre façon de regarder la Méditerranée, une façon grecque, vivante et glorieuse, dionysiaque. Une Grèce frottée à l'Orient – Plotin, là encore ? L'Algérie lui semble le lieu où Orient et Occident cohabitent, se mêlent, se mélangent, se fondent. Un métissage qui hérisserait Maurras et la droite !

Camus souhaite les effets de pouvoir ontologique revigorant de la Méditerranée sur la gauche, le socialisme et le communisme. Lui qui adhère au PC en même temps qu'il lit Plotin le Grec et Augustin le chrétien, il aspire encore à transfigurer son parti. Entre 1935 et 1937, il vit toujours sous adhésion et son engagement sous le signe de la spiritualisation du communisme, et compte bien sur l'effet Méditerranée. Dans ce discours inaugural de la Maison de la culture, il affirme en 1937 : « Un collectivisme méditerranéen sera différent d'un collectivisme russe proprement dit. La partie du collectivisme ne se joue pas en Russie : elle se joue dans le bassin méditerranéen et en Espagne à l'heure qu'il est » (I. 570). On imagine la réaction du parti communiste entièrement tourné vers Moscou !

L'intellectuel doit jouer un rôle considérable dans cette renaissance. À cette époque, on fait peu confiance à cette figure : il est imbu de lui-même, insoucieux du peuple dont il méconnaît la vie et les problèmes. Il donne des leçons à la planète entière mais avec pour seule ambition non pas de contribuer à l'émancipation des hommes, mais de se servir d'elle pour sa propre publicité. Chacune de ses paroles est incompréhensible à l'homme du commun, car il parle pour sa corporation. À qui songe alors Albert Camus en prononçant son discours ?

Cet intellectuel nocturne, narcissique, imbu de lui-même, carriériste, égotiste, pour tout dire méprisant, doit laisser la place à un autre intellectuel. Plus modeste, il ne désire pas changer l'Histoire, mais agir sur les hommes qui la font. D'où, chez Camus, cette vocation à l'éducation populaire, cet usage politique du théâtre, cet engagement dans le Collège du travail pour partager le savoir, la culture et ne pas en faire des instruments de distinction et de domination sociale, mais des armes d'émancipation des consciences et des esprits – osons le mot : des âmes.

La vraie civilisation place la vérité avant la fable, la vie avant le rêve. La volonté dionysienne nourrit l'internationalisme, abolit les nationalismes et ses frontières. La région est ici la chance de l'univers et l'occasion d'en finir avec les territoires enclos, les pays fermés. La culture n'est défendable qu'une fois mise au service de la vie – or, trop souvent, les intellectuels l'utilisent pour la mort et ses entreprises. Tipasa fonctionne en personnage conceptuel de l'éthique et de la politique d'Albert Camus. Et Prague comme anti-Tipasa. Le soleil et la mer, la Méditerranée et la vie, Dionysos et la joie, la gauche et le bonheur, Tipasa et Alger, la douceur grecque et le quichottisme hispanique, le théâtre et la nature, la fierté kabyle et l'hospitalité nord-africaine, le sens de l'amitié et le goût du partage, le drapeau noir espagnol et la fraternité ouvrière, la passion pour le peuple et le métissage des peaux, la grande santé et le cosmopolitisme, le sens de l'honneur et celui de l'éternité, la loyauté et la grandeur

d'âme, le tout dans une intempestivité revendiquée, voilà la définition d'une gauche dionysienne
et d'une spiritualité communiste – Camus y croit
fermement. Mais voilà : la France déclare la
guerre à l'Allemagne le 3 septembre 1939.

5

Une métaphysique de l'absurde

Comment vivre puisqu'il faut mourir ?

> « Le système, lorsqu'il est valable, ne
> se sépare pas de son auteur. »
>
> Camus, *Le Mythe de Sisyphe* (I. 288).

Deux fois condamné à mort

La tuberculose contraint Camus à envisager sa
vie de façon tragique. Lucide sur lui et sur son
mal, il sait le caractère irréversible de cette
atteinte des poumons qui le conduit vers la mort
selon un développement dont les médecins
connaissent le détail. Une pathologie chronique
inscrit l'existence dans une logique *désespérante* au
sens étymologique : le malade cesse d'espérer la
possibilité de recouvrer un jour la santé. Or, nul
ne l'ignore, la santé est un bien dont on découvre
le caractère précieux une fois disparue. À dix-sept
ans, se savoir lentement mais sûrement rongé de
l'intérieur installe sur un terrain ontologique particulier. Dans cette configuration existentielle, la

philosophie n'est pas un jeu d'enfant, une pratique ludique et théorétique, mais un art de vivre au bord du gouffre.

Nous avons déjà vu combien ce mal empêche le déroulement de la vie du penseur : il voulait faire des études de philosophie, passer l'agrégation et enseigner – refus de l'administration. Plus tard il souhaitait s'engager dans les forces françaises lors de la déclaration de guerre, il réitère ce geste militant après avoir été une première fois ajourné – l'armée le récuse. Un œil sur son dossier médical, le militaire l'accueille avec un discours catastrophiste sur son état de santé. L'éducation nationale et la défense de son pays se trouvent donc interdites au collégien boursier, à l'étudiant qui contracte un prêt d'honneur pour faire ses études à l'université, et au pupille de la nation dont le père est mort pour la France. Camus ne pourra rendre à la société ce qu'il lui doit en s'engageant dans les rangs de ceux qui souhaitent défendre le pays attaqué par les nazis. La société l'a déjà condamné deux fois à mort : elle ne veut pas de lui comme professeur, elle ne le souhaite pas comme soldat.

À la déclaration de la guerre, Camus a enchaîné les petits métiers, ceux de son adolescence, dans une quincaillerie, chez un courtier maritime, au service des cartes grises de la préfecture. Plus tard, il a donné des cours particuliers, il a été acteur à la troupe de Radio-Alger. Lors des vacances de l'année 1937, par crainte de la routine, il refuse un poste à Sidi Bel Abbès avant d'accepter un emploi dans la météorologie comme assistant temporaire de novembre 1937 à septembre 1938. Il joue dans des pièces, écrit dans des revues, crée l'une d'entre elles, mais n'en vit pas. En octobre 1938, il devient rédacteur d'*Alger républicain*, un journal de gauche. Il y tient la rubrique littéraire et publie des comptes rendus de lecture de Sartre, Nizan, Montherlant, Silone – parmi d'autres. En septembre 1939, il refuse un poste de professeur de latin dans un lycée de la banlieue d'Alger. Tuberculeux depuis 1930, marié en juin 1934, séparé en juillet 1936, divorcé en février 1940, le voilà donc journaliste, jusqu'à septembre 1939, date de la suppression du journal qui devient *Le Soir républicain*, avant son interdiction en janvier 1940. Il quitte l'Algérie pour Paris où il devient secrétaire de rédaction à *Paris-Soir*. Camus veut écrire.

Écrire avant de mourir

Dans une lettre à Jean Grenier, Camus révèle ses trois projets en cours : un essai, une pièce de théâtre et un roman. Entre 1939 et 1943, autrement dit entre vingt-six et trente ans, Il mène à bien ces trois chantiers avec *L'Étranger*, *Le Mythe de Sisyphe* et *Caligula*, trois chefs-d'œuvre dans leurs registres respectifs. Pendant qu'il travaille à ce triptyque, il écrit dans ses carnets. On y lit le journal de ses états physiques donc psychiques. L'année 1936, Camus parle de désespoir, de fatigue, de lassitude, de tristesse, de lutte contre son corps, de maladie, de souffrance, de solitude, d'envie de larmes. En 1937 : « L'enfer, c'est la vie avec ce corps – qui vaut encore mieux que l'anéantissement » (II. 817).

La souffrance n'a pas de sens pour ce païen : le jeune homme qui aime la beauté du corps des femmes, leurs peaux bronzées, la brûlure du soleil méditerranéen, le caractère intempestif des plages, la fonction lustrale de l'eau de mer, les parfums de Tipasa, les rues d'Alger, n'a aucune raison de trouver normale cette malaDie qui le prive de tout cela. Un chrétien renverrait au dessein de Dieu, à la divine Providence, aux voies impénétrables du Seigneur, au péché originel, mais un disciple de Plotin ? Il lui faut méditer plus et mieux encore l'œuvre et la vie de Nietzsche, lui aussi malade, et philosophe, afin de vivre sans la force de la santé. Dans une lettre à Yvonne Ducailar datée du 19 avril 1940, Camus a vingt-sept ans, il écrit : « Je serai un journaliste et je mourrai jeune [...]. Que demander de plus et pourquoi regretter les vies que l'on n'a pas eues ? »

Camus lit en autodidacte. La tuberculose qui lui interdit l'École normale supérieure, le prive de l'enseignement d'un corpus classique, d'une méthode souvent réductible aux subtilités rhétoriques utiles à la stratégie des habiles. Mais cette privation génère en même temps une positivité qui nourrit le génie de Camus : il ignore peut-être les textes canoniques et leurs commentaires officiels, mais il peut lire librement des auteurs au gré de son caprice ; il ne dispose peut-être pas de l'artillerie sophistique des jeunes gens formatés, mais il oppose sa sincérité existentielle, formulée dans une prose élégante, aux pures joutes formelles pour lesquelles sont mises au point ces machines à penser en regard desquelles le fond compte pour rien puisque seul importe l'art de briller dans la forme. La sincérité touche les gens de bien ; la sophistique, les gens du métier.

En philosophie, Camus a donc lu Schopenhauer et Nietzsche dans la classe de Grenier, puis Augustin et Plotin pour son diplôme universitaire, mais également, dans le désordre, les *Upanisads* et Stirner, Blanchot et Spinoza, Kierkegaard et Spengler, Sorel et Chestov. Boulimique, il découvre également la littérature qu'il ne sépare pas du corpus philosophique : Homère et Flaubert, Balzac et Stendhal, Proust et Kafka, Melville et Dostoïevski, Gorki et Malraux. Il regarde avec un même œil le roman et la philosophie.

Camus pratique une *littérature philosophique* et une *philosophie littéraire*. La première définit des romans qui ne se proposent pas le jeu littéraire de la distraction, de l'agencement formel, de l'art pour l'art, mais formulent la vision d'un monde en dehors des idées et des concepts, à l'aide de personnages, de récits, d'histoires, d'aventures fictives. La seconde suppose la prose élégante, claire, précise, esthétique qui ne sacrifie pas le sens, la profondeur et la vérité à la forme. *L'Étranger* et *La Peste*, mais également *Caligula* ou *Les Justes*, illustrent la littérature philosophique ; *Le Mythe de Sisyphe* et *L'Homme révolté*, mais aussi les trois livraisons d'*Actuelles*, la philosophie littéraire. L'institution, quant à elle, propose une nette ligne de démarcation et tient pour la *philosophie philosophante* et la *pure littérature*, chacune évoluant dans un monde séparé, exemple : Hegel et Joyce.

Une théorie du roman

Camus propose une théorie du roman philosophique aux antipodes du roman à thèse, lourd, pesant, indigeste. *Noces* montre comment on peut, en dehors des codes institutionnels et universitaires, écrire un livre de philosophie de façon littéraire, avec une prose poétique même, sans préjudice pour le fond. Cette volonté de philosophie littéraire et de littérature philosophique suppose une conception alternative aux catéchismes de la philosophie dominante.

Habituellement, en matière de philosophie, la raison fait la loi ; Camus lui préfère la sensation, l'émotion, la perception. Généralement, la philosophie privilégie le concept, l'idée, la théorie ; Camus leur substitue l'image, le personnage, la figure. Communément, la philosophie recourt à la démonstration, à la logique, au syllogisme, à la dialectique, au raisonnement, à l'argumentation ; Camus opte pour la prose poétique, le récit romanesque, le dialogue théâtral. Ordinairement, la philosophie idéalise le monde pour le penser, elle le transforme en objet transcendantal, elle le médiatise par le filtre des bibliothèques ; Camus propose un abord sensuel, matérialiste, hédoniste, empirique de la prose du monde, il célèbre le contact direct, immédiat, phénoménal. Dès lors, on comprend qu'il écrive dans *Le Mythe de Sisyphe* : « Les idées sont le contraire de la pensée » (I. 298) et qu'il puisse penser sans idées.

Camus livre sa théorie de la littérature dans un compte rendu daté du 20 octobre 1938 pour *Alger républicain* : il y parle de *La Nausée* de Jean-Paul

Sartre. Sans surestimer la portée de ce premier échange entre les deux hommes, disons que Camus corrige la copie de Sartre avec la plume de l'instituteur. On peut imaginer que Jean-Paul Sartre, rédigeant son *Explication de L'Étranger* non sans quelques piques, conserve en mémoire le ton avec lequel un Camus de vingt-cinq ans lui fit un jour la leçon à lui qui en avait trente-trois.

Le Compte rendu s'ouvre avec cette phrase célèbre : « Un roman n'est jamais qu'une philosophie mise en images » (I. 794). Quand le roman est bon, tout passe dans les images – mais subtilement. Les personnages et l'action ne doivent pas recouvrir la théorie. Le bon romancier obtient un savant mélange et un équilibre subtil entre les figures, leurs histoires et la pensée. Dans le cas où la philosophie prend le dessus, l'intrigue disparaît, elle perd de son authenticité, le roman se vide alors de tout ce qui vit en lui. Une œuvre ne dure qu'avec une pensée profonde. Le grand romancier réussit cette répartition des forces.

Camus donne le nom d'un romancier capable de ramasser dans un même ouvrage les idées, les intrigues, les personnages, la vie, l'expérience, la réflexion sur le sens de la vie : André Malraux, un homme de lettres de trente-sept ans déjà célèbre. Ailleurs, Camus avoue huit lectures de *La Condition humaine*. Rappelons qu'à cette époque il a vingt-cinq ans, il achève *Noces*, cette grande prose poétique et philosophique, il n'a pas écrit de roman, et travaille à en construire un, *La Mort heureuse*, sans en être satisfait.

Après cette théorie du roman réussi troussée en une dizaine de lignes, Camus passe à l'examen du roman de Sartre. L'article assène : un bon romancier réalise l'équilibre des personnages et des idées ; or *La Nausée* ne parvient pas à réaliser cette délicate opération ; donc Sartre n'a pas réussi son roman. Trop de théorie, trop d'idées. Du haut de sa chaire journalistique, Camus tance Sartre : il lui reconnaît du talent, certes, mais lui reproche de le gaspiller. Bons points distribués sur la description de l'amertume et de la vérité ; mauvais points sur l'angoisse trop clairement démarquée de Kierkegaard, Chestov, Jaspers, Heidegger.

Pour Camus, Sartre publie le roman de l'angoisse d'une vie banale – et, écrit le jeune critique, voilà rien que de très banal. Camus précise qu'on peut songer à Kafka, certes, mais sans conviction. Là encore, retenons le nom de Kafka – il occupe une place importante dans le dispositif sartrien lors de l'analyse du style et de la référence au procès dans *L'Étranger*.

Puis Camus aborde d'autres terrains, tout en continuant à corriger rudement la copie : Roquentin raconte sa nausée, mais comme une fin, alors qu'elle devrait être un commencement ; *La Nausée* est moins un roman qu'un monologue ; avec ce livre, Sartre n'a pas produit une œuvre d'art ; l'absurdité n'est pas une conclusion, mais une ouverture, ainsi que l'ont compris tous les grands esprits ; l'auteur voulait décrire quelques grandes minutes en regard desquelles le restant de l'œuvre compte pour rien, mais le lecteur cherche en vain cette description.

Inversant l'adage en vertu duquel *in cauda venenum*, Camus ayant passé l'essentiel de son temps journalistique à étriller Sartre conclut, faussement patelin, que ce premier ouvrage d'un jeune auteur paraît prometteur, que la lucidité douloureuse dont il fait preuve témoigne de dons certains, que la possibilité de se situer aux confins de la pensée consciente atteste des qualités évidentes. À quoi il ajoute, conclusion de sa conclusion, qu'il attend le prochain ouvrage avec impatience.

Quelques mois plus tard, le 12 mars 1939, alors qu'il travaille à son propre roman, Camus rend compte du *Mur* de Sartre – toujours pour le même journal. Il note le retour de la thématique sartrienne avec des personnages hors norme : un détraqué sexuel, un pédéraste, un condamné à mort, un fou, un incapable de la libido, autant d'incarnations de l'impuissance. Sartre présente le pervers comme le plus banal des êtres. Camus distribue à nouveau les mauvais points : il pointe un usage mal venu de l'obscénité et des scènes sexuelles littérairement inutiles.

Mais il répartit aussi les bons points : la description de ces impuissants terrorisés par l'excès de leur liberté qui les montre interdits devant l'action ou la création ; l'absence de boussole ontologique de ces êtres qui les désoriente ; les personnages suivis dans leurs errances existentielles – voilà des moments avec lesquels Sartre excelle dans l'art de construire son récit et de maîtriser la narration. Des pages émouvantes et bouleversantes décrivent l'homme condamné à être libre, angoissé et enfermé dans sa solitude, vivant son solipsisme et expérimentant l'absurdité de sa condition. Cette fois-ci, Sartre a réussi son coup. Selon Camus, il tient en équilibre ses théories et ses personnages, ses thèses et son récit. En seulement deux publications, il fait œuvre digne de ce nom. Camus s'attelle à la sienne.

L'Étranger comme surhomme

L'Étranger paraît en mai 1942 – le roman de ce jeune auteur de vingt-neuf ans est recensé par Grenier, Arland, Blanchot, Sartre, Barthes, Sarraute, Robbe-Grillet. Les approches dogmatiques ne manquent pas : chrétiennes, marxistes, psychanalytiques, politiques puis, plus tard, structuralistes, néo-colonialistes, raciales, féministes, etc. Les lectures philosophiques démarquent souvent le commentaire sartrien et réduisent l'ouvrage à un roman de l'absurde, Meursault passant pour l'antihéros d'un monde absurde dans une vie absurde.

On n'a pas, me semble-t-il, inscrit ce roman dans la perspective nietzschéenne du surhumain. Pourtant, si l'on a lu le portrait que le philosophe allemand donne du surhomme dans *Ainsi parlait Zarathoustra*, Meursault peut être compris comme une figure de l'innocence du devenir, une notion essentielle de l'ontologie de l'auteur de *Par-delà bien et mal*. Le rôle de la sœur de Nietzsche dans l'inscription de son frère dans la généalogie du fascisme en général et du nazisme en particulier mérite d'être rapporté en quelques mots.

Élisabeth Förster a falsifié des textes de son frère, recopié des lettres en supprimant et ajoutant ce qui contribuait à la légende d'un penseur préfasciste, fabriqué de toutes pièces par taillages et collages une *Volonté de puissance* constituée de fragments dont beaucoup ne sont pas du philosophe, certains étant même des citations recopiées lors de ses lectures. Cette femme, qui fut clairement antisémite, amie de Mussolini, membre du Parti nazi, régulièrement reçue par Hitler qui versa des subventions pour les Archives de son frère, a biologisé et racialisé, politisé et sociologisé le concept de surhomme qui, chez Nietzsche, est *une proposition purement ontologique*.

La mainmise de la sœur du philosophe sur le corps et l'âme, puis l'œuvre de son frère dès sa folie jusqu'à sa propre mort en 1935, a été totale. Selon ses vœux antisémites et nationaux-socialistes, le surhomme a été présenté comme un héros sans pitié, insoucieux de la morale, par-delà bien et mal, cruel et guerrier, sanguinaire et violent, inaccessible au remords, incapable de pitié dans la vie quotidienne : le SS a été adoubé par elle comme incarnation païenne de cette figure philosophique dont le message essentiel consistait moins à *vouloir changer le monde*, perspective nazie, qu'à *vouloir le monde comme il était*, perspective nietzschéenne. Le soldat nazi, prétendument surhomme nietzschéen, croyait dans la possibilité d'un autre monde et, pour ce faire, il recourait au crime, au meurtre, au massacre des juifs au nom d'une fiction : une société pure, aryenne, débarrassée de la « race » juive.

Le véritable sage nietzschéen, le surhomme authentique, ne partage pas cet optimisme sociologique, pas plus qu'il ne souscrit au pessimisme, puisqu'il est tragique : il connaît la nature du réel, sait que la volonté de puissance nomme la vérité du monde et que celle-ci n'est pas vouloir d'un empire sur autrui, mais puissance de la puissance qui nous veut tels que nous sommes. Là où le soldat obtus aspire à changer ce qui est, le nietzschéen enseigne qu'on ne change rien, que tout se répète indéfiniment et éternellement et que, dès lors, face à ce déterminisme absolu, il nous faut vouloir le vouloir qui nous veut pour accéder à la joie et à la béatitude. Le surhomme est l'antithèse du nazi.

Ajoutons à cela que l'œuvre complète de Nietzsche fustige l'esprit judaïque de Paul comme philosophie de l'idéal ascétique, de la haine du corps, des désirs, des pulsions, des passions, de la vie, de la sexualité, de l'ici-bas au nom d'un prétendu au-delà et non comme « race ». Nietzsche reproche au judaïsme sa haine de la nature et sa passion pour la mort généalogique du christianisme qu'il combat. En revanche, en dehors de ce contexte *théologique*, quand il s'agit des juifs *sociologiques*, il ne tarit pas d'éloges à leur endroit et vante leurs qualités.

Comment le IIIe Reich pourrait-il tabler sur un homme qui, en 1872, change d'éditeur dès qu'il apprend son implication dans l'édition de textes antisémites ? Ou un individu qui, en 1886, écrivit dans *Par-delà bien et mal* qu'il faudrait envisager d'« expulser du pays les braillards antisémites » (§ 251) puis encourager le métissage des juifs et des Allemands ? Lui qui parle de « la bêtise antisémite » (*ibid.*) ne saurait admettre que son surhomme puisse souscrire à cette passion triste de la vengeance contre les juifs et à ce parangon pathologique de ressentiment incarné par le soldat nazi.

Si, donc, on prend soin d'en finir avec la légende d'un Nietzsche nazi ou précurseur du national-socialisme et qu'on lit patiemment *Ainsi parlait Zarathoustra*, on découvre la figure du surhomme selon cette acception : la volonté de puissance fait la loi ; elle nomme la vie dans tout ce qui vit et veut la vie ; elle est tout l'univers ; on n'échappe pas à son cycle ; elle revient éternellement ; nous sommes volonté de puissance ; nous revenons éternellement ; nous revivrons sans cesse ce que nous avons vécu et ce sous la même forme ; nous ne pouvons rien faire contre ce mouvement perpétuel ; la sagesse consiste à vouloir ce qui nous veut et qu'on ne peut éviter ; le vouloir supérieur du vouloir est *amor fati*, amour de son destin, il conduit à la joie véritable et à l'authentique béatitude ; la sagesse nietzschéenne consiste à dire un grand « oui » à tout ce qui est, car ce qui est a été et sera à l'identique, personne n'y peut rien. Le sage sait qu'il peut vouloir ce vouloir, alors que les autres se contentent de le subir aveuglément et d'en ignorer la nature, les formes et les forces. Meursault évolue dans la sphère ontologique du surhumain.

Généalogies du surhumain

Le concept nietzschéen de surhomme ne sort pas de nulle part. Nietzsche connaissait par cœur la philosophie gréco-romaine. Toutes les figures de sagesses antiques nourrissent ce que *Ecce homo* présente comme une épiphanie païenne sur le mode de l'ébranlement psychique expérimentée par le philosophe sur les hauteurs de Portofino. D'abord philologue, Nietzsche devient philosophe après le choc de la lecture du *Monde comme volonté et comme représentation*, l'ouvrage dans lequel Schopenhauer fournit un modèle de sagesse pratique en esquissant le portrait d'un genre de Bouddha européen qui pratiquerait la pitié, la contemplation esthétique ou l'abstinence sexuelle appelée dans le langage de la tribu philosophique « extinction du vouloir-vivre ».

Le surhomme de Nietzsche emprunte aux multiples figures de la sagesse antique qui, dans leurs diversités, se proposent toutes un même but : l'impassibilité, la sérénité, la tranquillité, la paix de l'âme, des états producteurs de béatitude ou de joie. Ces chemins différents, certains ardus, austères, exigeants, comme le cynisme ou le stoïcisme, d'autres plus séduisants, plus hédonistes, l'épicurisme ou le cyrénaïsme, visent un même sommet, le souverain bien, un objectif atteint quand l'homme s'est mis au centre de lui-même, a compris sa place dans la nature et dans le cosmos et, suite à cela, sait comment se comporter avec lui, les autres et le monde.

Souvenons-nous de la lecture du *Manuel* d'Épictète effectuée par le très jeune Camus sur son lit d'hôpital. Rappelons-nous qu'il connaît les *Ennéades* de Plotin par son travail universitaire. N'oublions pas qu'il a lu les *Upanishads* sur les conseils de Jean Grenier et probablement les philosophes du taoïsme, Tchouang-tseu ou Lao-tseu. On peut imaginer qu'il connaît les *Hypotyposes* ou d'autres textes de Sextus Empiricus traduits par son professeur de philosophie. Dans sa correspondance, il parle des thèses d'Épicure sur la mort, on imagine mal qu'il n'ait pas lu la *Lettre à Ménécée*. Il cite *De la nature des choses* de Lucrèce dans *L'Homme révolté*. Ne parlons pas des présocratiques, de Platon ou d'Augustin également lus.

Camus connaît donc, comme Nietzsche, les formes possibles de la sagesse antique : l'indifférence stoïcienne à la réalité du réel avec souci et polarisation sur la représentation qu'on s'en fait, avec un éloge des pleins pouvoirs de la volonté sur les représentations ; la fuite plotinienne du monde vers le principe de l'Un-Bien pour s'y unir et connaître la béatitude d'extases païennes ; la voie du tao conseillant le choix du non-choix et célébrant la volonté d'impuissance dans un monde où l'on n'intervient pas ; l'indifférence pyrrhonienne et son relativisme généralisé au nom duquel on ne doit pas plus vouloir une chose que son contraire ; la diététique épicurienne des désirs et la réduction du plaisir à l'ataraxie, l'autre nom de l'absence de troubles – les techniques, les méthodes, les voies ne manquent pas pour conduire à la sagesse qui mène à la joie.

Le Surhomme nietzschéen emprunte à ces sapiences où l'Orient et l'Occident se rejoignent. Zarathoustra lui-même n'est-il pas un fils du Zoroastre perse des religions mazdéennes dans un âge contemporain des plus anciens présocratiques ? Connaître le monde, vouloir le monde, aimer le monde, se contenter de lui, ne jamais récriminer contre lui, le vouloir tel qu'il est, et, conséquence de ces pratiques théoriques et existentielles, jouir du monde, s'y trouver comme un poisson dans l'eau, sans plus se questionner sur ses rapports à son milieu, voilà le fin mot de toute sagesse.

Un triangle généalogique

Si l'on souhaite comprendre le mécanisme intellectuel et spirituel, métaphysique et ontologique de Meursault, inscrivons-le dans cette configuration existentielle des sagesses antiques. Puis lisons la préface que Jean Grenier donne à l'édition des œuvres choisies de Sextus Empiricus annotées et traduites par ses soins. Les dernières lignes de ce texte introductif établissent un triangle philosophique intéressant entre Sextus Empiricus, Nietzsche et Jean Grenier : « Le dernier mot sur Sextus Empiricus, nous l'emprunterons à Nietzsche dont le scepticisme se présente comme un nihilisme radical : "Il faut que je me reporte à six mois en arrière pour me surprendre un livre à la main. Qu'était-ce donc ? Une excellente étude de Victor Brochard, *Les Sceptiques grecs*, dans lesquels mes *Laertiana* ont été avantageusement utilisés. Les Sceptiques sont le seul type *honorable* parmi la gent philosophique si ambiguë et même à quintuple sens." » (33).

Ce texte de Nietzsche se trouve dans *Ecce homo*, plus particulièrement dans le chapitre ironiquement intitulé « Pourquoi je suis malin ». De fait, Brochard renvoie au travail du Nietzsche philologue sur Diogène Laërte dans cette étude qui, publiée en septembre 1887, reste un document exceptionnel dans l'histoire des idées sceptiques.

Mais, en dehors du bonheur de voir son travail reconnu de son vivant (même s'il s'agit de ses recherches philologiques de jeunesse et non de ses travaux philosophiques), retenons que Nietzsche fait du sceptique la seule figure susceptible d'être sauvée dans le monde philosophique. À cette époque, il semble aux antipodes du philosophe qui doute ! Philosopher au marteau ne s'apparente en rien à une pratique sceptique. Pour quelles raisons, donc, Nietzsche sauve-t-il les pyrrhoniens ? Probablement pour leur figure de sage – et non pour leur épistémologie ou leur méthode. Car l'impassibilité pyrrhonienne entretient des relations avec l'*amor fati* nietzschéen – et l'indolence de Meursault.

Victor Brochard propose une étude de tout le scepticisme depuis sa première formule jusqu'à la Nouvelle Académie – soit du IIIe au Ier siècle avant J.-C. La figure emblématique du scepticisme se nomme Pyrrhon. Brochard rapporte un texte d'Aristoclès qui définit avec justesse et concision la philosophie de ce personnage : « Pyrrhon d'Elis n'a laissé aucun écrit, mais son disciple Timon dit que celui qui veut être heureux doit considérer ces trois points : d'abord, que sont les choses en elles-mêmes ? puis, dans quelles dispositions devons-nous être à leur égard ? enfin, que résultera-t-il pour nous de ces dispositions ? Les choses sont toutes sans différences entre elles, également incertaines et indiscernables. Aussi nos sensations ni nos jugements ne nous apprennent-ils pas le vrai ni le faux. Par suite nous ne devons nous fier ni aux sens, ni à la raison, mais demeurer sans opinion, sans incliner ni d'un côté ni de l'autre, impassible. Quelle que soit la chose dont il s'agisse, nous dirons qu'il ne faut pas plus l'affirmer que la nier, ou bien qu'il faut l'affirmer et la nier à la fois, ou bien qu'il ne faut ni l'affirmer ni la nier. Si nous sommes dans ces dispositions, dit Timon, nous atteindrons d'abord l'*aphasie*, puis l'*ataraxie* » (45). Indifférence, incertitude et indiscernabilité des choses, impossibilité de juger, de connaître, de distinguer entre bien et mal, impassibilité, indolence, apathie, atonie, ne dirait-on pas un portrait de Meursault ?

Jean Grenier s'inspire beaucoup du travail de Brochard pour rédiger son introduction. Le futur auteur de *L'Esprit du tao* signale que Pyrrhon eut pour maître Anaxarque d'Abdère qu'il accompagna lors de la campagne d'Alexandre le Grand en Asie. Il enseigna la philosophie de Démocrite, son compatriote abdéritain. Pyrrhon ne cessa de l'apprécier. Tous les deux ont approché les gymnosophistes indiens, ces sages nus qui enseignaient l'ascèse, le détachement du monde, l'extrême frugalité, la mendicité, les exercices de yoga et autres techniques, pratiques et pensées brahmaniques.

Une philosophie
qui achève la philosophie

L'exemple de Calanos, un sage indien de Taxila, marque tout particulièrement Pyrrhon : ce philosophe malade, âgé de soixante-treize ans, met en scène son immolation publique : un cortège l'accompagne au bûcher, des soldats d'Alexandre portent des coupes d'or et d'argent pleines de parfums, des tapis précieux entourent le bûcher, le sage entre dans le feu, s'y consume sans bouger, impassible, sans un mouvement perceptible, pendant ce temps retentit la sonnerie de cors accompagnée par le barrissement des éléphants. L'armée entière pousse un péan en l'honneur du sage qui brûle dignement. Leçon philosophique : un homme déterminé peut tout, une volonté forte et inflexible plie le destin, l'impassibilité est la quintessence du souverain bien. Pyrrhon en fit son miel.

Pour Pyrrhon, tout se vaut, rien n'est vrai. Sa maxime était : « Pas plus ceci que cela ». Sa pratique ? S'en tenir au sens commun et à la conduite de Monsieur Tout le Monde. Son espoir ? Non pas un au-delà, il ne croyait à aucun arrière-monde, mais l'ici-bas d'une vie philosophique consacrée à la recherche de la sérénité. Son idéal ? Le détachement, l'insensibilité, l'apathie, l'indifférence, l'insensibilité. Sa méthode ? Le dépouillement ontologique total, l'ascèse intellectuelle. Son anecdote emblématique ? Son ami Anaxarque d'Abdère ayant chuté dans un marais duquel il tentait de s'extraire, Pyrrhon passe et ne lui porte pas secours. D'aucuns lui en firent plus tard reproche, mais Anaxarque lui-même, sorti du mauvais pas, abondait dans le sens pyrrhonien.

Pyrrhon, bien qu'il n'en souhaitât pas, ni le contraire bien sûr, eut des disciples aux noms différents : les *zététiques* cherchaient la vérité sans relâche, les *sceptiques* examinaient tout sans jamais rien trouver, les *éphectiques* suspendaient leurs jugements, les *aporétiques* s'affirmaient incertains, y compris de leurs incertitudes. Les pyrrhoniens pratiquaient l'*aphasie*, la rétention de toute affirmation dogmatique, mais aussi l'*épochè*, la suspension de tout jugement, les uns visaient l'*ataraxie*, l'absence de troubles, les autres l'*adiaphorie* ou *l'apathie*, l'indifférence à tout, l'ensemble supposait la *métriopathie*, autrement dit : la maîtrise des affects.

Le scepticisme semble achever la philosophie dans un dépassement qui l'abolit. Elle est philosophie de l'affirmation de la négation de la philosophie – et encore ! en toute bonne logique pyrrhonienne, cette affirmation pose problème, épistémologiquement parlant. Nier, c'est affirmer ; dire non à ceci suppose dire non à cela ; ne pas choisir, c'est tout de même choisir – demandez à l'âne de Buridan qui, ne parvenant pas à se décider entre l'eau et l'avoine disponibles à volonté, est mort de faim et de soif ! Avec cette incursion orientale de la pensée dans la philosophie occidentale, l'antidoctrine de Pyrrhon et des siens incendie métaphoriquement les bibliothèques, abroge le professeur, pulvérise la chaire et l'estrade, détruit toute possibilité de gloses doctorales. Reste une obligation : vivre.

Meursault, un Pyrrhon algérien

Camus utilise le roman pour penser. Non pas comme on pense dans les institutions, mais en dehors d'elles, librement, pleinement, véritablement, d'une manière authentique. Son héros permet un *portrait de l'innocence du devenir* telle que Nietzsche l'entend. Le roman n'est pas tenu par les codes habituels de la discipline philosophique : méthode hypothético-déductive, enchaînements logiques, argumentation dialectique, respect du principe de non-contradiction, usage respectueux de la raison raisonnable et raisonnante – le roman laisse place aux images, aux situations, aux descriptions, aux fictions. Camus ne renonce pas définitivement aux concepts pour le percept, mais il ajoute une corde littéraire à son arc philosophique – comme *Noces* y adjoignait déjà une corde poétique.

Ce détour par Pyrrhon et les pyrrhoniens montre de quelle manière on peut comprendre le sens du titre : *L'Étranger*. On voit bien comment l'homme qui passe sans émotions, totalement détaché, près de son ami qui s'enfonce dans un marécage, peut-être dit *étranger*. Même remarque pour Meursault, cet homme sans prénom. Étranger aux péripéties du monde, étranger à l'existence d'autrui, ses peines et ses joies, ses bonheurs et ses souffrances, étranger à soi-même, indifférent que ceci advienne plutôt que cela, étranger aux causes et aux conséquences de ses faits et gestes, y compris dans le cas d'un crime sur une plage sous un soleil brutal, l'étrangeté n'est pas ici inquiétante, elle est la pointe la plus acérée de la sagesse occidentale nourrie par l'Orient.

Or rappelons-nous des textes que Camus consacre au génie méditerranéen en général et à celui de l'Algérie et d'Alger en particulier : une saine barbarie ignorant la mauvaise culture qui sépare de la nature, une adhésion simple et franche au monde tel qu'il est, un grand oui à la vie sous toutes ses formes, l'ignorance des religions, la vie sans mythes et sans consolations, la connaissance charnelle de l'éternité, la pratique existentielle de la mer, du soleil et de la plage comme autant d'exercices spirituels païens, la connaissance du sublime avec le corps tout entier transformé en instrument de savoir, voilà la culture dionysienne, donc l'anticulture apollinienne, dans laquelle Camus s'inscrit – et son héros avec lui.

Certes, Meursault ignore jusqu'aux noms mêmes de Pyrrhon et de Nietzsche ; il n'a jamais lu une page de *Par-delà bien et mal* ou de Sextus Empiricus, sinon de Diogène Laërte rapportant les exploits de Pyrrhon ; il est loin de savoir ce que signifient apathie, épochè, adiaphorie, aphasie ; il se moquerait bien de savoir s'il est zététique, sceptique, pyrrhonien, éphectique ou aporétique ; il ne sait pas qu'il existe des gymnosophistes indiens, des mages perses, des sages taoïstes, des surhommes nietzschéens ; il n'a jamais entendu parler du suicide de Calanos ou de la vision de l'Éternel Retour de Nietzsche – évidemment : puisqu'il est du côté de la Méditerranée où la culture n'est pas affaire de mots, de concepts ou d'idées, mais de sensations, d'émotions et de perceptions. Meursault est un pyrrhonien ignorant jusqu'au nom de Pyrrhon, un nietzschéen n'ayant jamais lu une ligne d'*Ainsi parlait Zarathoustra*. Non pas philosophe sans le savoir, mais sage par vertu immanente.

Portrait d'un pyrrhonien

Meursault n'a rien fait pour, mais il pratique l'apathie, l'aphasie, l'épochè, l'adiaphorie : indifférent à tout, se dispensant de donner son avis, suspendant son jugement, son trajet romanesque illustre ces façons d'être et de faire. Précisons : la mort de sa mère ne le bouleverse pas ; il la sait inscrite dans l'ordre des choses, dès lors, il n'y a aucune raison de se révolter ou de s'offusquer du mouvement de la nature ; il ne réagit pas quand le directeur de l'hospice où sa mère est morte lui présente une personne ; pas plus à ce que lui dit le gardien ; il ne change rien à ses habitudes : devant le cercueil, il fume une cigarette et boit un café ; il n'a pas envie de voir une dernière fois le visage de sa mère alors qu'à deux reprises on lui propose d'ouvrir la bière ; il ne refuse pas l'amitié proposée par Sintès, mais pourrait tout aussi bien s'en passer ; sans états d'âme, il écrit pour ce dernier une lettre de menace à une ancienne maîtresse parce qu'il la lui demande ; il n'est pas contre la proposition de mariage faite par Marie, mais pas plus pour que ça non plus ; à la même jolie femme lui demandant s'il veut savoir ce qu'elle pense, il répond qu'il n'y avait pas pensé ; avec le temps, il a renoncé à ses projets de jeunesse, mais ce n'est pas grave ; son patron lui propose de créer une agence à Paris et de la tenir, il accueille cette offre avec un total détachement ; cet ami lui confie un rôle dans le cinéma que ce raciste vindicatif se fait à propos des Arabes, rôle fatal comme chacun sait, il veut bien ; Sintès lui donne un revolver, il le prend ; l'arme dans les mains, il se dit qu'il peut aussi bien tirer que ne pas tirer ; il tire ; au cours du procès, il a envie de dire à son avocat qu'il est un homme comme tout le monde, mais y renonce par paresse ; il rentre dans le prétoire, mais se demande ce que les gens font là ; il regarde l'assistance avec détachement et imagine que les jurés qui tiennent son destin entre leurs mains sont comme des gens côtoyés sur une banquette dans un tramway ; le juge tient un discours de morale moralisatrice, il feint d'y souscrire pour être tranquille ; il ne regrette pas son geste, mais confesse juste être un peu ennuyé ; il dit qu'il y a plus malheureux que lui ; il pense qu'il aurait pu passer toute son existence à vivre emprisonné dans un arbre creux à regarder le ciel au-dessus de sa tête en attendant que changent les nuages ou passent les oiseaux ; dans la salle d'audience, à un gendarme qui lui demande s'il a le trac, il répond non ; il assiste à son procès comme s'il s'agissait de celui d'un autre ; il confesse son intérêt pour la situation puisqu'il n'a jamais mis les pieds dans un tribunal ; on annonce sa mort, on lui demande s'il a quelque chose à ajouter, *il n'ajoute rien*.

Cet homme n'est pas pour autant une pierre sans conscience, un abruti, une chose. S'il ne manifeste pas d'émotions, s'il ne juge pas, si tout se vaut, s'il veut aussi bien une chose que son contraire, s'il ne voit pas plus de bonne raison de faire une chose, de s'en abstenir ou de faire le contraire, s'il semble incapable d'entrer véritablement en contact avec autrui, il connaît tout de même des moments de bonheur qui sont ceux, nietzschéens, de l'adhésion brute au monde. Certes, il pense que toutes les vies se valent, mais il avoue ne pas détester la sienne.

Fils de Plotin lui aussi, ou lecteur de *Noces* ! Meursault jouit du pur plaisir d'exister dans la contemplation d'un beau paysage. Après la première nuit passée dans l'hospice, près du cercueil de sa mère, le jour levé, le spectacle des collines, les cieux rougeoyants, la course lente et majestueuse du soleil dans le ciel, le vent porteur de l'iode venu de la mer, il ressent le plaisir qu'il aurait à marcher dans la nature, si ce n'était ce cadavre gênant pour réaliser un pareil projet.

Le lendemain de l'enterrement, Meursault va à la plage, rencontre Marie, nage avec elle, jouit de l'effleurer, de se baigner, de la regarder, de poser sa tête sur son ventre, il prend plaisir à son rire, il aime le bleu et le doré du ciel dans ses yeux. Il affectionne aussi la chaleur du soleil, sa brûlure, le sable chaud et liquide sous les pieds, et puis il apprécie aussi de faire la planche, le regard noyé dans l'azur. Épuisé d'avoir tant nagé, il revient sur la plage, s'allonge, met la tête dans le sable, aime cette sensation de faire corps avec les éléments. Plus tard, dans sa chambre, il dit son plaisir de sentir la nuit d'été rentrer par la fenêtre et couler sur les deux corps allongés après l'amour.

Meursault aime la rumeur de la ville et ses bruits, il vibre aux changements de ciels, même s'il les contemple de sa cellule. Le monde ne l'affecte pas plus qu'il ne faut. La mort de sa mère, son enterrement, ses aventures sexuelles, son retour au bureau, ses relations avec ses voisins, son métier, les plaisirs de la plage, le meurtre de l'Arabe, son arrestation, son interrogatoire, son emprisonnement, son procès, sa condamnation à mort, ceci ou le contraire de ceci, c'est tout comme.

La colère d'un apathique

La doxographie rapporte que Pyrrhon, parangon d'impassibilité, avait deux fois dérogé. L'homme qui passe devant son maître englouti par le marécage sans s'arrêter donne un jour un drôle de spectacle : les jambes à son cou, poursuivi par un chien, il se dirige vers un arbre dans lequel il grimpe prestement pour échapper aux crocs du molosse. Une autre fois, il se met en colère contre sa sœur. Pour justifier la première incartade, il explique que, philosophe, on n'en est pas moins homme et que se dépouiller totalement de son humanité nécessite bien des efforts ; pour la seconde, il fait savoir que la mesure de son indifférence ne saurait s'effectuer à l'aune du jugement d'une femme.

Meursault lui aussi a connu ce genre de faiblesse humaine, trop humaine – en l'occurrence une faiblesse... nietzschéenne. Elle apparaît à la fin du roman dans sa relation avec le prêtre. *L'Étranger* ne contient aucune référence philosophique explicite. Aucun nom d'auteur, aucun titre de livre, aucune citation relevant de la tradition philosophique occidentale. Juste un moment où le juge, qui s'affirme chrétien, entreprend un prêche inopérant auprès de Meursault et prend congé de lui avec un jovial : « C'est fini pour aujourd'hui, Monsieur l'Antéchrist » (I. 182) ! De fait, le surhomme nietzschéen semble une formule moderne du pyrrhonien antique disant oui à tout.

Meursault avoue clairement son athéisme. Au juge qui l'invite à se repentir, à confesser sa faute, à reconnaître son péché, à cet homme furieux qui brandit un crucifix en argent comme un inquisiteur médiéval, tutoie son interlocuteur, récuse l'incroyance, professe que ne pas croire c'est vivre une existence dépourvue de sens, Meursault envisage de donner raison pour être tranquille en acquiesçant. Mais il se ravise, et persiste dans la négation, l'athéisme et le refus du repentir. Effondrement du juge sur son siège.

Le même Meursault persiste dans le rôle d'antéchrist dans la scène finale du roman. Il refuse de voir l'aumônier. Mais l'homme d'Église passe outre et pénètre dans la cellule. Dès qu'il entre, le condamné à mort tressaute : cet homme qui aime la mort est la mort – sa profession témoigne. Vient-il pour le supplice ? Un dialogue s'ensuit entre le prêtre et l'athée, Dieu et Nietzsche. Le fonctionnaire de Dieu interroge Meursault sur sa foi – il assure fermement n'en pas avoir. Impossible à entendre pour l'homme qui a construit sa vie sur cette légende réconfortante plutôt que sur une vérité angoissante : il entreprend d'élargir sa propre faiblesse au monde entier et veut que Meursault s'avoue athée par fanfaronnade alors qu'au fond de lui il sacrifierait à sa fiction. Énervement de Meursault. Il n'est pas angoissé, mais il a peur. L'angoisse est une peur sans objet ; la peur, elle, toujours une peur de quelque chose. Le curé s'empare de cette émotion pour placer sa marchandise religieuse ; Meursault refuse ce dont il ne ressent pas le besoin. Peu importe la condamnation à mort du tribunal puisque, de toute façon, ontologiquement, nous sommes tous appelés à mourir, dit le prêtre ; certes, rétorque le mort en sursis, mais le temps qui sépare la sentence de son exécution n'est pas rien ! Le vendeur d'arrière-monde invite le futur guillotiné à la repentance, il invoque la justice de Dieu, il parle de péché ; Meursault ignore le sens de ce mot, sa mort paiera le forfait immanent : que souhaiter de plus ou de mieux dans un monde sans transcendance ? L'aumônier invite le prisonnier à solliciter le mur de sa prison, il lui indique que le visage de Dieu en sort toujours pour ceux qui sollicitent les pierres ; Meursault a bien questionné cette paroi, mais il n'y a jamais vu que le visage de Marie, la nageuse caressée – les chrétiens frottés de freudisme précisent que voir cette femme portant le nom de la mère de Dieu atteste du succès du prêtre ! L'homme à la soutane entreprend d'embrasser le meurtrier – qui refuse : « Aimez-vous donc cette terre à ce point ? » (I. 211) laisse alors tomber le curé. Silence. Le même demande à son vis-à-vis s'il n'a jamais envié une autre vie. Réponse nietzschéenne de Meursault : oui « une vie où je pourrais me souvenir de celle-ci » (I. 211).

Justesse de ces questions du point de vue chrétien, justesse de la réponse nietzschéenne : le curé vend des arrière-mondes, il déprécie la vie, cette vie, le seul bien dont nous disposions véritablement, il minimise l'ici-bas au nom d'un au-delà magnifié, il relativise la mort qui serait la vie quand l'amour de la vie serait la mort, il profite des bords de tombe pour offrir sa compassion comme un sirop gluant – il fait son métier. Mais cette insistance met Meursault dans une véritable colère, à la manière dont le chien aux trousses de Pyrrhon découvre l'homme sous le sage, l'étranger retrouve sa patrie ontologique nietzschéenne.

Meursault élève la voix contre l'aumônier, il crie, insulte, lui interdit de prier pour lui, il empoigne l'homme par le revers de la soutane, il le couvre d'injures, lui assène la vérité de sa pitoyable existence : en vivant selon les principes de la religion chrétienne, il est déjà mort de son vivant alors que le presque guillotiné, lui, sûr de sa vie parce que certain de sa mort, est un authentique vivant. Il aurait pu vivre une autre vie, certes, celle-ci ou une autre, son contraire, et alors ? « Rien, rien n'avait d'importance et je savais bien pourquoi » (I. 212). Pourquoi, justement ? Parce que la mort fait de toute vie une absurdité devant laquelle tout s'effondre.

Le curé sorti, Meursault retrouve le calme – disons-le autrement : la religion disparue, la sérénité apparaît. Alors Meursault connaît un genre d'extase plotinienne, une expérience nietzschéenne : des odeurs de nuit et de terre venues de l'extérieur, des parfums d'iode et de sel montés de la mer, l'été expérimenté comme un océan qui engloutit, le hurlement des sirènes venu du port, l'annonce pour des départs désormais trop tardifs, des étoiles réparties sur le visage, Meursault pense à sa mère qui, sur la fin, avait retrouvé un fiancé pour tâcher de revivre une vie perdue. Dans les dernières lignes de ce roman nietzschéen, Meursault dit ceci : « Vidé d'espoir, devant cette nuit chargée de signes et d'étoiles, je m'ouvrais pour la première fois à la tendre indifférence du monde » (I. 213). Ce bonheur ultime né de la certitude de coïncider avec lui, n'est-ce pas l'autre nom de ce que Nietzsche nomme l'*innocence du devenir* ?

Une saturation blanche

Comme Flaubert disait « Madame Bovary, c'est moi », Camus pourrait affirmer « Meursault, c'est moi ». La ressemblance n'est pas coïncidence de deux images, mais superposition de deux idiosyncrasies. Le triangle Pyrrhon, Grenier, Nietzsche qui conclut le texte introductif du travail du professeur de philosophie de Camus sur Sextus Empiricus délimite un territoire dans lequel combattent des forces propres à l'univers de l'ancien élève. *Sous le signe de Pyrrhon* : la vérité des sagesses antiques, le caractère intempestif de la philosophie ancienne, l'efficacité des exercices spirituels gréco-romains, la perspective existentielle de toute pensée, la puissance du génie méditerranéen, la santé barbare contre l'épuisement nihiliste des civilisations ; *sous le signe de Grenier* : le passé lointain de l'Orient infusant le présent de l'Occident pour un avenir régénéré, l'esprit vivifiant des sagesses de l'Inde, la tentation du non-agir, le questionnement sur le bon usage de la liberté, la pensée vécue contre la philosophie conceptuelle ; *sous le signe de Nietzsche* : la radicalité immanente, doublée d'une critique de toute transcendance, la volonté de sortir de plus d'un long millénaire de judéo-christianisme, la force absolue du déterminisme de la volonté de puissance, la perspective tragique d'un réel vu sans masques, le dépliage du monde par-delà le bien et le mal, la mort de Dieu, donc du sens, l'inexistence de la faute, du péché, de la culpabilité, du remords, l'invitation à connaître la véritable nature du monde, sa force païenne, y souscrire avec passion et en obtenir une joie à nulle autre pareille.

Ces combats se mènent dans l'histoire des idées, dans le grand univers des conflagrations entre les systèmes philosophiques, dans le silence des bibliothèques où les livres répondent aux livres ; mais aussi dans la vie absurde d'un homme banal auquel Camus donne vie et forme dans cette confession d'un genre augustinien : *L'Étranger* se présente en effet comme une autobiographie rédigée à la première personne, dans un style blanc, neutre, faible, qui coïncide absolument avec le personnage. Une narration avec des verbes modestes, des mots simples, des phrases à la syntaxe sommaire, un enchaînement de récits austères, une structure minimale, un effet de saturation solaire où tout est blanc – tel le crime commis lui aussi, nous dit Meursault, *à cause du soleil*.

Comme Camus, Meursault sait sa mort prochaine ; les deux hommes sont condamnés à mort. D'où l'intérêt autobiographique et philosophique pour l'auteur de *L'Étranger* de créer et d'animer cette fiction puis de la questionner pour obtenir des réponses réelles. Question : comment vivre puisqu'il faut mourir ? Réponse : en voulant ce qui nous veut. À cette période algérienne de son existence, Camus demande à la Méditerranée une résolution de son problème existentiel. Qu'est-ce qui sauve de la mort ? Un grand « oui » à la vie. Puisqu'il doit mourir sur l'échafaud, Meursault souhaite qu'au moins il soit accueilli avec une immense foule abîmée par la haine. Car dire « oui » au monde, c'est dire « oui » à tout du monde.

Sisyphe et Meursault

Meursault constitue l'avers d'une médaille dont Sisyphe est le revers. Camus écrit dans *Le Mythe de Sisyphe* : « Le système, lorsqu'il est valable, ne se sépare pas de son auteur » (I. 288). De fait, cet ouvrage, comme tous les autres, propose une nouvelle confession autobiographique. Ce que dit le roman, le livre de philosophie l'exprime autrement – deux voies d'accès formelles pour un même fond à explorer. La question demeure : quid du bon usage de la vie puisque l'on meurt ? Quel sens peut bien surgir au milieu d'un cimetière ? Que faire de son existence quand le néant dévore déjà les poumons ?

Dans *Le Mythe de Sisyphe*, Camus prend soin de se démarquer de la philosophie des professionnels, des institutionnels, des professeurs, des universitaires. Péché mortel : les professionnels, les institutionnels, les professeurs, les universitaires lui font payer cet affront et colportent ce lieu commun que Camus ne fut pas philosophe parce qu'il n'abordait pas la discipline avec leurs tics et leurs travers. En figure emblématique de cette philosophie des professeurs, Sartre a fourni le thème ; les variations ne se comptent plus dans l'abondante bibliographie des gloses.

Le refus de la philosophie des professeurs n'est pas refus de la philosophie, mais le refus des professeurs. *Le Mythe de Sisyphe* n'est pas un livre de philosophie pour les philosophes, mais un ouvrage pour tous ceux que la philosophie intéresse en dehors des institutions qui la confisquent. À la façon des philosophes antiques qui ne parlaient pas à des philosophes de profession, à des professeurs, mais à des gens du commun croisés sur l'agora (marchand de poisson, menuisier, foulon, tisserand, potier), Camus écrit sans souci des agrégatifs ou des agrégés, des doctorants ou des docteurs, des professeurs ou des universitaires, il parle au peuple.

Certes, *Le Mythe de Sisyphe* ne s'inscrit pas dans le sillage de la *Critique de la raison pure*, de la *Science de la logique* ou de *Être et temps* – ou de *L'Être et le Néant* ; mais il prend place dans un autre lignage constitué par les *Essais* de Montaigne, les *Pensées* de Pascal, *Ainsi parlait Zarathoustra* de Nietzsche, *Le Concept de l'angoisse* de Kierkegaard ou *Walden* de Thoreau, des livres existentiels. Ne pas être un philosophe pour philosophes n'interdit pas d'être philosophe – bien au contraire.

Dès lors, dans un univers où la philosophie se trouve confisquée par les professeurs, on peut clamer n'être pas philosophe. Montaigne en fit l'aveu dans ses *Essais*, non pas qu'il ne fût philosophe, mais, dans la conjoncture scolastique, il ne souhaitait pas être assimilé à cette philosophie dominante. Même chose avec Camus qui affirme : « Je ne suis pas un philosophe. Je ne crois pas assez à la raison pour croire à un système. Ce qui m'intéresse c'est de savoir comment il faut se conduire. Et plus précisément comment on peut se conduire quand on ne croit ni en Dieu ni en la raison » (II. 659). Ou ailleurs : « Je ne suis pas un philosophe, en effet, et je ne sais parler que de ce que j'ai vécu » (III. 411). Dans le lignage de la religion rationnelle, de l'édifice systématique, de la doctrine dogmatique, dominant dans l'histoire officielle de la pensée, Camus n'est peut-être pas philosophe ; mais dans le lignage de l'interrogation existentielle, de la vérité idiosyncrasique, de la pensée praticable, de la sotériologie démocratisée, il brille comme l'un des plus grands dans son siècle.

Il existe une épistémologie de Camus : comme elle est minoritaire, la corporation préfère affirmer son inexistence. Camus fait partie des philosophes empiristes, sensualistes, utilitaristes pour lesquels une réelle connaissance théorique du monde s'avère impossible. Seuls les idéalistes pensent le contraire parce qu'ils subsument la diversité du monde sous le registre unique de l'idée : quand ils réduisent les efflorescences et la vitalité du réel à des manifestations fortuites de concepts plus vrais que les épiphanies, ils pensent avoir résolu le problème. Camus sait qu'on ne connaît pas le monde, mais qu'on l'expérimente.

L'auteur du *Mythe de Sisyphe* reste fidèle à celui de *Noces* : la raison, les idées, les concepts valent moins que l'émotion, la sensation, la perception. Hérésie majeure dans la corporation philosophante qui s'évertue à enseigner le contraire : les sens sont trompeurs, préférons-leur la déduction, l'analyse ; les passions égarent, tournons-leur le dos au profit de la raison ; le corps empêche l'accès aux vérités conceptuelles, récusons les informations fournies par ses soins ; la poésie du monde compte moins que le discours tenu sur le monde. On comprend que le philosophe Albert Camus n'ait pas obtenu l'imprimatur officiel. Vivre le monde pour le penser mieux est mieux que le penser pour ne pas le vivre.

Vivre en pourrissant chaque jour

Quand, dans *Le Mythe de Sisyphe*, Camus entretient de l'absurde, de la mort, du suicide, de la valeur de la vie, de l'angoisse, du désespoir, il ne disserte pas sur des idées, des concepts, des fictions, il ne glose pas sur des auteurs ayant commis des livres sur ces sujets : il pense le sentiment absurde qu'il a de sa propre existence de malade ; il pense sa mort annoncée dans de brefs délais pour cause de tuberculose ; il pense à la possibilité de la mort volontaire pour se réapproprier une vie qui, si tôt, ne lui appartient déjà plus ; il pense à ce qu'il peut ou doit faire d'une histoire annoncée comme presque déjà finie ; il pense à ces heures silencieuses et terribles au cours desquelles le malade se retrouve face à lui-même, ravagé par des souffrances morales ; il pense au découragement qui prend la forme de suées intempestives, d'arythmies cardiaques, d'insomnies – *il pense concrètement sa mort concrète.*

La lecture des *Carnets* prouve, si besoin est, que ses interrogations ne sont pas existentialistes mais existentielles : les notes abondent sur la maladie, la souffrance, la solitude, le désespoir, la fatigue, la tristesse, l'envie de suicide. Ainsi, cette note terrible de janvier 1942 : « Tais-toi poumon ! Gorge-toi de cet air blême et glacé qui fait ta nourriture. Fais silence. Que je ne sois plus forcé d'écouter ton lent pourrissement – et que je me tourne enfin vers... » (II. 967) – la fin de la phrase manque comme manque la fin d'une vie à une existence à peine commencée et arrêtée dans son vol. Le mois suivant, il subit une rechute suffisamment grave pour qu'il ait cru mourir ce jour-là. À dix-sept ans, le poumon droit avait été atteint ; cette fois-ci, c'est le poumon gauche. Camus se croyait pourtant guéri, mais cette crise s'accompagne d'une poussée évolutive. Le médecin prescrit une très longue période de repos, un nouveau pneumothorax et des insufflations pour le restant de son existence. Puis il interdit pour toujours la natation. Pendant trois semaines, il reste au lit avec interdiction de se lever. Il prend alors connaissance des critiques de *L'Étranger* et constate qu'on ne l'a pas compris.

Vouloir la vie absurde

Le Mythe de Sisyphe s'ouvre sous les auspices de l'idée de Nietzsche qu'un philosophe mérite l'estime quand il prêche l'exemple. On ne peut mieux placer un livre sous le signe existentiel. Camus livre la clé de la relation entre son roman et son livre de philosophie : « Dans un univers soudain privé d'illusions et de lumières, l'homme se sent étranger » (I. 223). Il inscrit sa réflexion dans le cadre du nihilisme européen si bien décrit par Nietzsche. La mort de Dieu s'accompagne de la fin des valeurs qui découlaient de l'existence de la divinité. Plus de Dieu, plus de valeurs, plus de morale, plus d'éthique : que faire ? Tout est absurde, dépourvu de sens.

L'absurdité ne réside pas dans le monde, mais dans un certain type de rapport à lui. Il ne saurait constituer une catégorie métaphysique à majuscule comme l'Absolu, l'Infini, l'Éternité, le Néant. Il surgit d'une comparaison entre deux vérités incompatibles. Seule la confrontation le fait surgir. Camus donne l'exemple d'un homme uniquement armé d'un couteau qui se jette à l'assaut d'un groupe de soldats derrière une mitrailleuse : situation absurde, geste absurde, démarche absurde. Absurde également la mise en perspective de la vie et de la mort : il y a la vie, mais, dès son début, elle va vers son anéantissement. Nous naissons pour mourir, nous venons au monde pour le quitter, nous sommes pour ne plus être.

Dès lors, que vaut la vie ? Doit-on la vivre ? Et si oui, pour quelles raisons ? Le suicide n'est-il pas la réponse au nihilisme ? La mort volontaire permet-elle de donner un sens à une vie que la mort prendra de toute façon au jour et à l'heure de son choix ? Voilà les véritables questions. Toutes les autres comptent pour rien. Personne ne meurt pour une idée alors que beaucoup en finissent avec l'existence pour n'avoir pas trouvé de raisons de vivre. Si l'on croit le monde absurde, pourquoi n'en pas finir avec lui ? Si l'on n'en finit pas avec lui, a-t-on le droit de le dire absurde ?

Le suicide est tout aussi absurde que l'absurde qu'il prétend nier. Avec ce geste porté contre soi, on croit en finir avec l'absurdité de la vie, alors que, paradoxalement, on l'affirme, on en grandit la force et la puissance. La vie est absurde, en finir avec la vie est absurde. Que reste-t-il alors ? Vivre. Vouloir cette vie absurde et par cette volonté, ce grand « oui » à la vie dépasser l'absurdité. La solution paraît simple : il faut connaître et vouloir « la plus pure des joies, qui est de sentir et de se sentir sur terre » (I. 262) – solution nietzschéenne, évidemment.

Camus examine les vies possibles : vie de séducteur et de libertin comme Don Juan ; vie de comédien brûlant les planches pour obtenir une gloire absurde ; vie de voyageur qui accumule les expériences dépourvues de sens dans les pays collectionnés ; vie de conquérant ajoutant des peuples à son Empire. Mais chaque fois ces existences composent avec des fictions : accumuler des femmes, des succès, des voyages, des pays, à quoi bon ? Au lieu de dépasser l'absurde on augmente plutôt son incandescence.

Le fil du *Mythe de Sisyphe* est celui du labyrinthe autobiographique : cet ouvrage semble procéder des mêmes intentions que celles du saint Augustin des *Confessions* : Camus réfléchit pour lui-même, pense son sujet, va et vient, dit une chose, ne conclut pas, en dit une autre et semble conclure alors qu'il passe à une autre question, ce qui donne l'impression de suspens, d'interrogations non résolues. Une fois, il semble dire que l'homme absurde dit « oui », mais une autre il conclut que la solution consiste à dire « oui », mais cette apparente contradiction se résout dans la conclusion que nous ne sortons pas de l'absurde, quoi que nous fassions. Les apparentes faiblesses philosophiques pointées par les habituels correcteurs de copie se basent sur le schéma classique de l'exposition convenue du discours philosophique. Si l'on comprend *Le Mythe de Sisyphe* comme une introspection subjective assimilable à celle des *Confessions* d'Augustin, on comprend pourquoi et comment l'entrelacs témoigne du mouvement de la pensée camusienne sur ce sujet.

Augustin mélange l'autobiographie factuelle et celle de son âme avec le projet apologétique de témoigner pour un trajet qui le conduit d'une vie dissolue à une vie chrétienne. C'est un texte de maturité. *Le Mythe de Sisyphe* écarte l'autobiographie factuelle, mais propose l'autobiographie d'une âme en quête. Elle est une œuvre philosophique d'extrême jeunesse : Camus commence ce livre début octobre 1939 et le termine le 21 février 1941, soit entre vingt-six et vingt-huit ans. C'est donc l'autobiographie ontologique d'un jeune homme tuberculeux, une recherche plus sûre de ses méandres que de ses certitudes.

La sagesse de Sisyphe

Comme dans *L'Étranger*, ce livre est également construit comme une nouvelle : son sens apparaît à la toute fin du volume, dans quatre pages portant le titre de l'ouvrage. Après avoir poussé son rocher tout le long de la réflexion, et constaté qu'il ne cessait de redescendre dans la vallée, Camus donne la solution de l'énigme dans l'ultime et célèbre phrase du livre : « il faut imaginer Sisyphe heureux » (I. 304). Certes ? Mais qu'est-ce que le bonheur de Sisyphe ?

D'abord, qui est Sisyphe ? Un genre d'autoportrait. Lisons : « Sisyphe est le héros absurde. Il l'est autant par ses passions que par son tourment. Son mépris des dieux, sa haine de la mort et sa passion pour la vie, lui ont valu ce supplice indicible où tout l'être s'emploie à ne rien achever » (I. 302). Ensuite il incarne une figure nietzschéenne de l'éternel retour du même : il pousse sa pierre en haut de la colline, elle redescend, il la grimpe à nouveau, elle tombe encore, il recommence, elle chute une fois de plus, et ce pour l'éternité. La question est donc : que faire après avoir compris que les choses se répètent indéfiniment, que la vérité du monde c'est l'éternel retour ?

À cette question nietzschéenne, le jeune philosophe de vingt-huit ans apporte une réponse nietzschéenne : vouloir le vouloir qui nous veut. Comme Meursault, Sisyphe « juge que tout est bien » (I. 304), et de ce jugement jaillit le sens : la joie et le bonheur d'être au monde. La leçon nietzschéenne de *Noces* continue, Camus n'a pas encore effectué un pas en dehors de la pensée de Nietzsche, il ne distingue pas dans le monde ce à quoi on peut dire « oui » et ce à quoi on pourrait dire « non », pour l'instant, sous le soleil africain, il dit un grand « oui » à tout.

Concluons en rapprochant deux citations : celle-ci, extraite du *Mythe de Sisyphe* : « On ne découvre pas l'absurde sans être tenté d'écrire quelque manuel du bonheur » (I. 303), et celle-là prélevée dans un *Carnet* daté de août-septembre 1937 : Camus visite le cloître des morts à la Santissima Annunziata de Florence, il déambule sous un ciel gris, parmi les dalles funéraires, et lit les mots laissés par les morts gravés sur la pierre des ex-voto, il rapporte l'espérance foudroyée de parents d'une jeune fille emportée trop tôt, le cliché du bon époux bon père, l'étalage des vertus dans toutes les langues.

Puis il note : « Si j'avais à écrire ici un livre de morale, il aurait cent pages et quatre-vingt-dix-neuf seraient blanches. Sur la dernière, j'écrirais : "Je ne connais qu'un seul devoir et c'est celui d'aimer". Et pour le reste, je dis *non*. Je dis *non* de toutes mes forces » (II. 830). Voici le programme du reste de sa brève existence – un programme toujours nietzschéen si l'on se souvient du Nietzsche écrivant dans *Le Crépuscule des idoles* : « Formule de mon bonheur : un "oui", un "non", une ligne droite, un *but*. » Ce qui donnera : « oui » à la vie et « non » à la mort, un programme éthique et politique gigantesque.

Fin du royaume

Pour l'heure, Camus se met en quête d'une géographie plus propice à sa santé. L'Algérie est trop humide. Avec un certificat médical, Camus et sa nouvelle compagne oranaise (il a rencontré Francine Faure en 1937, elle devient sa femme en 1940) demandent à se rendre en France dans une région montagneuse où l'on soigne la tuberculose par l'air et le climat. Il transpire abondamment et, presque tout le temps, il est essoufflé, il a des difficultés pour parler. En attendant de pouvoir franchir la Méditerranée, il lit, réfléchit, prend des notes, remplit ses carnets. Parmi ses lectures, un livre de Berni intitulé *Éloge de la peste*.

À cause de sa santé, celui qui se disait africain et non européen quitte le *royaume méditerranéen* pour un *exil européen*. Il laisse derrière lui la brûlure du soleil, la volupté de la mer, les tapis de sable, la joie des plages, le bonheur de la natation, le quartier de Belcourt, les parfums et les bruits d'Alger, la saine barbarie dionysienne de l'Algérie, les souvenirs de son enfance, sa mère mutique, ses camarades complices, sa famille, la bonté de Monsieur Germain, les peaux bronzées, l'insolence du corps des femmes, l'innocence du devenir, les extases de Plotin, pour le contraire de tout cela – une Europe froide, menaçante, nihiliste, grise, sombre, tragique, pleine des bruits et des fureurs du XXe siècle, avec ses guerres, ses totalitarismes, ses fascismes rouges et bruns, ses barbelés, ses camps de concentration et ses intellectuels fascinés par la violence, abrutis par le ressentiment, passionnés par les crimes de masse qu'ils justifient les livres de Hegel en main. Le royaume méditerranéen avait un nom : *Tipasa* ; l'exil européen aura le sien : *Paris*.

DEUXIÈME PARTIE

L'EXIL EUROPÉEN

Qu'est-ce qu'une vie libertaire ?

« La France et l'Europe ont aujourd'hui à créer une nouvelle civilisation ou à périr. »

Camus, *Actuelles I* (II. 422).

1

Une ontologie politique libertaire

Qu'est-ce
qu'une anthropologie anarchiste ?

« Chacun la porte en soi, la peste. »

Camus, *La Peste* (II. 209).

Dérouler le fil des Parques

Le franchissement géographique de la Méditerranée s'accompagne chez Camus d'un infléchissement ontologique : Tipasa accompagnait un grand « oui » intégral à la vie et au monde ; Paris ne le permet plus. L'Algérie des lentisques et des lumières noires de tant de clarté laisse place à la France des villes grises et des brumes toxiques, de la pluie serrée et des fumées d'usine. La pauvreté avec le soleil n'est pas la misère ; sans la lumière méditerranéenne, la même pauvreté définit l'enfer sur terre. Comment dire oui à cette punition qu'est l'Europe ?

L'Europe de ces années-là se couvre de parades militaires, de défilés de soldats, le ciel se constelle de bombardiers qui sèment la mort, les peuples obéissent à des dictateurs, quantité de Caligula règnent sur les trônes de nations jadis civilisées. Quel nietzschéen sincère ne reverrait pas avec un autre œil son grand consentement au monde ? Tipasa était une patrie idéale pour un disciple de Nietzsche ; en Europe, le philosophe du *Gai Savoir* mérite qu'on le considère autrement, d'autant que les hordes barbares nationales-socialistes se réclament de son Zarathoustra.

De Belcourt, le quartier pauvre d'Alger, à Saint-Germain-des-Prés, la zone mondaine du Paris intellectuel, il y a la même distance que du paradis à l'enfer. Le fils de parents pauvres, le jeune homme tuberculeux, sans travail, sans diplôme, sans recommandation, l'Algérien sans famille, le paria refusé par l'Éducation nationale et le ministère des Armées, le trop malingre pour être professeur ou soldat, le garçon sans tribu, sans appuis mondains et sans protection du milieu littéraire, arrive dans une jungle aux mœurs plus sauvages que celles des peuplades les plus primitives.

Camus a pour tout bagage une passion folle pour la justice et la liberté, la vertu et le sens de l'honneur, la grandeur et la fidélité – autant de qualités fustigées avec cynisme par ce petit monde jouissant de l'éternel retour des prospérités du vice et des malheurs de la vertu. Qu'importe : il va vers d'immenses désenchantements, mais aucun d'entre eux ne le transformera en renégat. En franchissant la Méditerranée, Camus persiste dans la voie indiquée par Monsieur Germain, son instituteur. Mais aussi par son père qui lui avait fait savoir *post mortem* ce que signifiait *être un homme* – autrement dit : le contraire d'un barbare. Souvenons-nous : pour Lucien Camus, ouvrier agricole, *un homme, ça s'empêche*. Le fils n'eut plus qu'à dérouler le fil des Parques. Elles le conduiront de Tipasa à Stockholm.

Paris la Gâteuse

Albert Camus quitte l'Algérie et arrive à Paris le samedi 16 mars 1940. Il pose ses valises dans la petite chambre d'un hôtel de la butte Montmartre où logent des souteneurs et des filles de joie, des artistes bohèmes sans œuvres, des quidams. Dans son esprit, il ne s'agit pas d'une installation définitive. Il envisage d'y passer juste une année pour travailler – il n'est pas mû par un tropisme arriviste. Rastignac n'est pas son héros. À Paris, on ne vit pas ; on travaille dans un état de surexcitation dommageable. Quand on a connu le rythme d'Alger, le temps lent des Méditerranéens, le culte de l'instant présent, la religion du pur plaisir d'exister, la précipitation parisienne et l'énervement urbain ne peuvent convenir ! L'habitué des transpirations solaires et de la tiédeur des bains de mer découvre les blocs de glace qui flottent sur la Seine, le grelottement dans les chambrées polaires, les journées sans lumière. La jeune fille qu'il aime, Francine, vit de l'autre côté de la Méditerranée. Le froid est généralisé.

Il quitte l'hôtel Perrier pour l'hôtel Madison : finie la vie à l'ombre de la basilique Montmartre, il s'installe sous la protection de l'Église Saint-Germain, avec le Flore et les Deux Magots en prime. Son travail consiste à préparer la copie comme secrétaire de rédaction à *Paris-Soir*. Travail de mise en page. Camus n'écrit pas dans ce rapport. À Alger, le jeune homme avait lu dans ce même journal le reportage consacré à l'exécution capitale d'Eugène Weidmann en juin 1939. La coupure de presse figure dans l'un de ses dossiers.

Camus n'aime pas ce journal qui fait dans le sensationnel, joue de la corde sensible, flatte ses lecteurs. Politiquement, le quotidien épouse les fluctuations et se trouve toujours dans le sens du vent. Proche du Front populaire un temps, munichois ensuite, plus tard maréchaliste. Le général de Gaulle ne lui laissera pas le loisir de devenir gaulliste, il en interdira la publication à la Libération. Pour l'instant, il doit ce travail alimentaire à Pascal Pia, un personnage fantasque, anarchiste, bourré de talent, faussaire littéraire de génie, doué d'une immense culture, nègre brillant. Il fut directeur d'*Alger républicain* dans lequel il embaucha Camus en 1938.

En 1940, *via* Pascal Pia qui les présente, Camus rencontre Malraux, son héros. Il déjeune avec cet homme auquel il souhaitait consacrer une monographie. Il assiste à une projection privée de *L'Espoir*. Douze années séparent les deux hommes. Dans les colonnes d'*Alger républicain*, le jeune Albert Camus avait fait de *La Condition humaine* le prototype du roman engagé. Plus tard, l'ancien présentera les manuscrits de Camus à Gaston Gallimard – on connaît la suite.

La tuberculose ne le lâche pas. Il connaît les affres de la fièvre et des migraines très régulièrement. Son corps le dégoûte. Ses *Carnets* rapportent ses souffrances. On y lit sa tristesse, sa mélancolie, ses doutes. Il maigrit. Il sort peu, refuse des invitations, vit dans sa chambre, travaille, écrit, mais n'est pas content de lui. Il attend Francine, va se marier avec elle ; mais elle ne lui écrit pas ; une autre femme entre alors dans sa vie. Puis il découvre la superficialité de la vie littéraire parisienne. Dans une lettre à Irène Djian datée du 9 avril 1940, il parle « de faux artistes, de faiseurs et de penseurs à la noix ». Il n'aime pas Paris ; Alger lui manque.

La mort de la République

L'Europe s'enflamme. Dans Paris, les sirènes retentissent, les alertes se suivent, les avions passent dans le ciel, les batteries anti-aériennes tirent, les gens crient. Une seconde fois, il cherche à s'engager et souhaite rejoindre les corps francs du front de l'Est afin de partir se battre en Syrie. Le gouvernement demande des volontaires pour conduire des ambulances sur le front et précise qu'ils devront subvenir à leurs besoins. Camus offre ses services mais souhaite être considéré comme un soldat de deuxième classe afin d'être dégagé des soucis matériels. Il croit que, soldat sur le front, il pourra continuer à écrire. Il trouve la guerre absurde mais trouverait plus absurde encore de s'en tenir à l'écart.

Le 14 juin 1940, les troupes de l'armée hitlérienne défilent dans les rues de Paris et descendent les Champs-Élysées. Ce jour-là, le fils d'Alger se sent vraiment français. L'Exode conduit des millions de gens sur les routes. Les avions allemands piquent sur les colonnes de civils désarmés et tirent sur les enfants, les vieillards et les femmes qui fuient la capitale pour descendre vers le sud. *Paris-Soir* quitte la capitale pour Clermont-Ferrand. Camus descend en voiture, il accompagne le flux. Dix jours plus tard, un ordre de repli lui fait reprendre son véhicule pour Bordeaux.

Le maréchal Philippe Pétain devient président du Conseil dans la nuit du 16 au 17 juin ; le lendemain, à Londres, le général de Gaulle lance son fameux Appel. Une lettre à Yvonne Ducailar datée du 8 juillet 1940 nous apprend que Camus a roulé trois jours pour rejoindre Bordeaux et envisage de trouver un bateau afin de quitter la France pour se battre pour elle ailleurs. Il arrive trop tard pour embarquer. Le 10 juillet, Pétain est nommé chef de l'État français : l'Assemblée nationale lui vote les pleins pouvoirs, la République est abolie. *Paris-Soir* devient maréchaliste. Le journal se replie à Clermont ; Camus se replie à Clermont. En septembre, *Paris-Soir* se déplace à Lyon ; Camus se déplace à Lyon. Fin novembre, Francine le rejoint, le 3 décembre il l'épouse, avec Pascal Pia pour témoin.

Camus déplore la politique antisémite de Vichy, il critique les lois maréchalistes et ne souscrit pas au projet de statut de la presse fomenté par le nouveau pouvoir, il souhaite quitter le journal dans lequel il n'écrit pas, rappelons-le, mais dont il fait la maquette. Il n'a qu'une seule envie : rentrer en Algérie. Le journal comprime le personnel, il se trouve licencié. Camus retourne à Oran. La première ligne de *La Peste* nous apprend que l'épidémie commence à Oran en « 194. » (II. 35).

Dans cette ville algérienne qu'il n'aime pas, Camus donne des cours à des enfants juifs interdits de scolarité par les lois de Vichy. En 1941, Jacques Derrida entre en sixième au lycée de Ben Aknoun près d'El-Biar, son père fréquente la même loge maçonnique que l'oncle de Camus. L'année suivante, le jour de la rentrée scolaire, le petit juif Derrida est expulsé de l'école : il raconte l'événement dans *La Carte postale*. Les Allemands ne viendront jamais en Algérie, mais les lois de Vichy y sont appliquées avec zèle. Après avoir souhaité s'engager à deux reprises dans l'armée française en 1939 et 1940, Albert Camus effectue ce premier acte de résistance concrète dès janvier 1941 : enseigner à des enfants juifs privés d'école par Vichy.

Rechute de tuberculose en février 1942. Retour en France au Panelier, près de Chambon-sur-Lignon, dans la campagne, près de Saint-Étienne. Il rejoint ce lieu pour des raisons médicales : à mille mètres d'altitude, le climat vaut mieux pour ses poumons que la brûlure et l'humidité algériennes. Sa femme intègre son poste d'institutrice en Algérie pour la rentrée des classes d'octobre. Camus se retrouve seul dans une vaste ferme fortifiée faisant pension de famille dans un village de quatre maisons. Aux antipodes de Tipasa placée sous le signe du feu, il découvre, sous le double signe de la terre et de l'eau, les prés, les sapins, les bois, les sources, les parfums de l'herbe verte, la mousse, le trèfle, les clairières, les myrtilles – il marche dans la campagne. Une modalité non méditerranéenne de Dionysos !

L'affaire Kafka

Camus publie *Le Mythe de Sisyphe* en octobre 1942. Gaston Gallimard, qui ne veut pas de problèmes avec la censure allemande et souhaite continuer à publier des livres sous l'Occupation, propose de supprimer le chapitre consacré à Kafka, écrivain juif. Le jeune philosophe y consent. Ce texte sur l'auteur du *Procès* paraîtra de façon séparée dans une revue dite « de contrebande », *L'Arbalète*, durant l'été 1943 à Lyon, avant d'être réintégré dans *Le Mythe de Sisyphe* en 1945.

Fallait-il consentir à retrancher ce texte ? Quel était le risque de soumettre le manuscrit aux autorités allemandes avec ce chapitre-là ? Une interdiction de paraître ? Elle aurait pu, *alors*, être contournée par un retrait effectué sous la contrainte, une solution plus honorable que le désir de ne pas heurter la censure en devançant son souhait. Cette autocensure pour ne pas déplaire aux Allemands ne constitue pas un grand moment éditorial chez les Gallimard.

Et chez Camus ? Une lettre à Jean Grenier témoigne de l'état d'esprit du philosophe. Le 7 mars 1942, Camus vit à Oran et subit une rechute de tuberculose, alité, interdit de lecture. La récidive, foudroyante, peut lui être fatale – il le sait. À cette époque, Camus est donc moins un philosophe opportuniste soucieux de faire paraître son œuvre dans une France occupée qu'un jeune homme de vingt-huit ans qui se demande s'il va survivre à cette deuxième attaque. Sur ce sujet, il confie donc à son professeur de philosophie : « *L'Étranger*, m'a écrit Gallimard, doit paraître ce mois-ci ou le prochain. Il acceptait aussi de publier mon essai, mais il y a un chapitre [sur Kafka] qui ne peut passer. Malheureusement, je ne suis pas en état de m'occuper de mes affaires. Les choses en restent là. J'aurais mauvaise grâce à m'en plaindre. J'ai été servi par la chance et par mes amis. Pia et Malraux ont tout fait. »

Le *malheureusement* de cette lettre n'est pas le mot d'un Rastignac qui ferait volontairement, sciemment et par intérêt, une concession à la censure allemande pour que son livre sorte en librairie, insoucieux du coût moral. Les biographes de Camus rapportent son état de santé à cette époque : quand on lutte pour ne pas mourir, on ne dispose pas des moyens intellectuels, ni de la force, ni du temps, ni de la disponibilité mentale pour dialoguer avec son éditeur sur ce sujet. On le laisse agir parce qu'on ne peut faire autrement quand on est cloué au fond de son lit, à mille cinq cents kilomètres de la rue Sébastien-Bottin. Malraux et Pia, peu suspects de complaisances collaborationnistes, suivent le dossier pour lui.

Une lettre de Pia à Camus datée du 16 mars 1942 permet d'en savoir plus : l'ami anarchiste de Camus défend la publication par Gallimard du *Mythe de Sisyphe* en France avec le chapitre sur Kafka. À défaut, il émet l'hypothèse d'une édition suisse de l'ouvrage dans son intégralité. Pia, qui est à Lyon, mandate Pierre Leyris pour obtenir de Paulhan une publication avec les pages sur Kafka. Dans ces échanges de lettres avec Pia, on apprend au passage que Camus a refusé de publier dans la NRF dirigée par Pierre Drieu la Rochelle, proallemand notoire. On ignore le détail de la discussion entre Leyris et Paulhan, mais on connaît le résultat : Kafka fut sacrifié.

Sa correspondance témoigne : Camus déteste Pétain, le pétainisme, Vichy, le maréchalisme, l'Occupation (lettre à Francine, 8 juillet 1940). Sa vie le prouve : deux fois (3 septembre 1939 et juin 1940) il veut s'engager pour combattre le nazisme, une autre (8 juillet 1940, lettre à Yvonne Ducailar) il cherche à quitter la France afin de lutter pour elle – rejoindre Londres ? Possible. À Oran (février 1941), il donne des cours à des enfants juifs privés de scolarité par le régime antisémite de Vichy. On peut imaginer que, disposant d'une véritable santé, l'épisode du chapitre sur Kafka n'aurait pas été sous-traité par Malraux et Pia, mais réglé par lui-même. Avec quel succès ? on ne sait. Mais Camus n'était pas en état physique d'être Camus sur cette affaire.

Interlude sartrien 1 :
Évadé pour bons et loyaux services

Sartre est fait prisonnier en Lorraine le 21 juin 1940. Transféré au Stalag XII D à Trèves, il ne se plaint pas des conditions d'incarcération, lit Heidegger, donne des conférences de philosophie, entreprend d'écrire *L'Être et le Néant*, rédige une pièce de théâtre jouée dans le camp. Joseph Gilbert précise que Sartre demande à des figurants d'endosser le rôle de juifs pouilleux afin de correspondre aux clichés judéophobes de l'époque – ce qui fit rire, dit-il, les militaires allemands présents dans la salle et éructer tel ou tel dans le public. Joseph Gilbert cite trois témoins : « Sartre avait rajouté dans sa mise en scène un tableau muet montrant, au début de la pièce en guise de présentation, des juifs tout loqueteux parqués derrière des barbelés, représentant les habitants de Béthaur » (90). Quelques pages plus loin (101), il émet l'hypothèse que la *libération* de Sartre et son retour à la vie civile procédaient des bons et loyaux services de son animation culturelle dans le camp. Première version.

Deuxième version : en 1980, l'abbé Marius Perrin précise, dans *Avec Sartre au Stalag XII D*, qu'on lui doit la *libération* du philosophe grâce à un jeu d'écritures qui lui permit de mentionner sur le livret militaire du philosophe : « Strabisme entraînant des troubles dans la direction ». Profitant d'une directive de l'Abwehr qui invitait à libérer les « incurables », Sartre s'est présenté à la visite médicale devant un parterre de quatre hommes, dont un membre de la Gestapo, et fut libéré. Le strabisme paraissant tout de même une modalité douce de la maladie incurable, Joseph Gilbert y voit une confirmation de sa thèse : « Tous les camarades de Sartre furent convaincus qu'il recevait la récompense de Bariona » (101).

Troisième version : Lucien Rebatet le fit savoir, mais, après guerre, c'était parole de fasciste contre parole de Beauvoir, Sartre aurait bénéficié, comme d'autres, de l'intervention de Drieu la Rochelle, par solidarité entre écrivains. À l'appui de cette thèse, Gilles et Jean-Robert Ragache (76) citent l'extrait d'un carnet de Drieu sur lequel l'auteur de *Rêveuse bourgeoisie* avait noté des noms d'écrivains, dont celui de Sartre : « Demander la libération des auteurs – contrepartie de mon action à la N.R.F. ». Le mot employé est bien : *libération*.

Quelles que soient les versions (remerciements pour *Bariona*, acte d'écriture d'un ami complice ou intervention d'un écrivain notoirement collaborateur), Sartre fut administrativement *libéré* et put reprendre en toute liberté le chemin de Saint-Germain-des-Prés. Dès lors, on sursaute en lisant la narration de cet événement par Simone de Beauvoir qui, parlant de Sartre qu'elle vient de retrouver, écrit dans *La Force de l'âge* (492) : « Il me raconta d'abord son évasion » – on aura bien lu : *évasion*.

Il n'y a rien à se reprocher d'avoir été officiellement libéré et, quels qu'aient été les véritables motifs, peu glorieux au demeurant, ce qui importe ici est moins le manque d'héroïsme que le mensonge sciemment utilisé pour créer une légende. Car Beauvoir donne les détails de cette « évasion ». Soutenu par les détails développés par ses soins, le mot ne saurait donc être un lapsus : bénéficiant de complicités dans le camp, des prisonniers auraient fourni à Sartre des cartes, des vêtements et des plans d'évasion. Devant le bureau de nazis, le philosophe aurait d'abord dit souffrir de « palpitations cardiaques » avant de se faire mettre à la porte avec un coup de pied au derrière (méthode assurément nazie !). Sartre revient en changeant de motif (!) : « [Il] tira sur sa paupière, dénudant de façon pathétique son œil presque mort : « Troubles de l'équilibre » (492) – ce qui aurait suffi. Beauvoir ajoute que si le stratagème n'avait pas fonctionné, « il serait de toute façon parti huit jours plus tard, à pied comme il l'avait projeté ».

Interlude sartrien 2 :
« Qu'est-ce qu'un collaborateur ? »

Sartre ne semble pas souffrir de l'Occupation. On est sidéré de lire dans *Paris sous l'Occupation*, un texte paru dans *France libre*, à Londres en 1945. Sartre ressent une certaine compassion pour les Allemands qui occupent Paris, il ne parvient pas à les haïr, la preuve, « ils offraient, dans le métro, leur place aux vieilles femmes, ils s'attendrissaient volontiers sur les enfants et leur caressaient la joue ; on leur avait dit de se montrer corrects et ils se montraient corrects, avec timidité et application, par discipline ; ils manifestaient même parfois une bonne volonté naïve qui demeurait sans emploi » (18) – l'Occupation, pas si terrible que ce que l'on dit ?

Le même Sartre s'attardant sur l'analyse de son sentiment compassionnel en présence d'un accident de la circulation qui met en dangereuse posture un « colonel allemand » (21) ne cache pas qu'il doit lutter fermement et « souvent » pour ne pas « haïr » les Alliés avec leurs bombardements. Le philosophe trouve également qu'en entretenant leurs locomotives pour qu'elles soient en état de marche, d'une certaine manière, les cheminots collaboraient : « le zèle qu'ils mettaient à défendre notre matériel servait la cause allemande » (37). Ces considérations ne choquent pas Sartre qui, en

1949, n'écarte pas ce texte et les publie à nouveau dans le volume intitulé *Situations III*.

On trouve dans ce livre un autre texte intitulé *Qu'est-ce qu'un collaborateur ?* initialement publié dans *La République française* en août 1945. Une phrase mérite l'attention : « La plupart de ceux qui ont écrit dans la presse ou participé au gouvernement étaient des ambitieux sans scrupules, cela est certain » (50). Faut-il souligner que Sartre associe dans une même réprobation l'auteur d'articles dans les journaux et le ministre du gouvernement de Pétain, bien qu'il ait lui-même publié dans une presse collaborationniste ?

Jean-Paul Sartre écrit en effet dans le premier numéro de la revue *Comœdia* le 21 juin 1941. Qu'est-ce que cette revue ? Un hebdomadaire des arts, des spectacles et des lettres qui, écrit Nathalie Léger dans son *Dictionnaire des lettres françaises : le XXᵉ siècle*, « devient l'un des magazines culturels les plus actifs et les plus prisés de l'Occupation ». Elle précise quelques lignes plus loin : « Sous couvert d'apolitisme et tout en conservant une certaine liberté de ton, l'hebdomadaire jouait un rôle collaborationniste subtil ». C'est donc dans ce support que Sartre accepte d'écrire.

La légende sur ce sujet, ici comme ailleurs, est construite par Simone de Beauvoir. Elle prétend en effet, dans *La Force de l'âge*, que Sartre écrivit *une seule fois* dans cette revue avant qu'il comprenne son erreur : « Elle fut aussi la dernière car, une fois le numéro sorti, Sartre réalisa que *Comœdia* était moins indépendant que ne l'avait dit, et sans doute espéré, Delange » (498) – le directeur du journal. Beauvoir l'affirme donc noir sur blanc : Sartre n'a publié qu'un seul article.

Selon Beauvoir, Sartre n'a publié qu'un seul article, dont acte. Mais il y en eut trois, dont le dernier à une poignée de semaines du Débarquement est consacré à Jean Giraudoux, l'ami de von Ribbentrop, ministre des Affaires étrangères du IIIᵉ Reich, un auteur qui écrivait dans *Pleins Pouvoirs* (1939) contre le métissage et le cosmopolitisme, notamment celui des Ashkénazes : « Nous les trouvons grouillants sur chacun de nos arts ou de nos industries nouvelles ou anciennes, dans une génération spontanée qui rappelle celle des puces sur un chien à peine né. » Et plus loin : « Le pays ne sera sauvé que provisoirement par ses seules frontières ; il ne peut l'être définitivement que par la race française, et nous sommes pleinement d'accord avec Hitler pour proclamer qu'une politique n'atteint sa forme supérieure que si elle est raciale. » Voilà l'homme salué par Sartre en février 1944 dans une revue dans laquelle, si l'on en croit Beauvoir, il n'écrit plus depuis juin 1941 ! *La Force de l'âge* écrit tout de même : « La première règle sur laquelle s'accordèrent les intellectuels résistants, c'est qu'ils ne devaient pas écrire dans les journaux de la zone occupée » (498). Un syllogisme à la Brochier conclurait que, puisque Sartre a écrit dans des journaux de la zone occupée, Sartre n'était pas un intellectuel résistant.

Précisons également que Sartre ne s'est pas contenté de collaborer à *Comœdia* de juin 41 à février 44 avec des articles ou par un entretien, mais aussi en siégeant dans un jury de sélection de scénarios organisé par l'hebdomadaire aux côtés de Giraudoux et de quelques autres, dont Rebatet (qui publie *Les Décombres* en 1942, premier texte des *Mémoires d'un fasciste*), Montherlant (qui se réjouit de la victoire allemande dans *Solstice de juin* en 1941), Colette (qui publie dans *La Gerbe* ou *Combats*, le journal de la Milice), Edwige Feuillère (qui apprit ce qu'était le marché noir après la guerre).

Sartre a donné un entretien à *Comœdia* lors de la représentation des *Mouches* – une pièce à laquelle la censure allemande n'avait rien trouvé à redire. Sartre fit savoir à la Libération que son œuvre était cryptée et que le public, lui, saisissait ce que les occupants spécialistes nazis de la censure en matière de culture, eux, les ballots, ne comprenaient pas. Les soirées d'après représentation permettaient à Sartre et Beauvoir de deviser avec les responsables allemands de la censure théâtrale (*Theatregruppe*), un verre à la main. Rapprochons ces *faits* du *texte* intitulé *Paris sous l'Occupation* (1945) dans lequel Sartre écrit à propos des Allemands : « Nous nous remémorions la consigne que nous nous étions donnée une fois pour toutes : ne jamais leur adresser la parole » (20).

À la Libération, lors de l'enquête diligentée contre *Comœdia*, le juge Zoussman, chargé d'instruire le dossier, reçut de Sartre une lettre classée aux Archives nationales sous la cote Z6, n. 1, 15070 dans laquelle il affirme avoir été sollicité par le directeur de la revue, certes, mais n'avoir jamais participé. Voici ses mots : « Je décidai, après consultation de mes amis [*sic*], de m'abstenir de toute collaboration [*sic* !]. Je le fis non par défiance de *Comœdia* [*sic*], mais pour que le principe d'abstention ne souffrît aucune exception. » Beauvoir ment sur la prétendue évasion, elle ment sur la participation de Sartre à cette revue collaborationniste (un seul article, puis plus rien), Sartre ment lui aussi sur ce sujet (jamais aucun article), et la presse se contente de reprendre ce mensonge qui devient une vérité. *La Force de l'âge* écrit la légende (Beauvoir, 498), le biographe la duplique (Cohen-Solal, 244, Todd, 308), le bibliographe confirme (Contat, 83), les autres la répètent (Sallenave, 258) et le mensonge réitéré devient une vérité inscrite dans le marbre du *Dictionnaire Sartre* (Adrian Van den Hoven, 323).

Interlude sartrien 3 :
Une résistance transcendantale

La légende d'un Sartre créant un réseau de Résistance intitulé « Socialisme et Liberté » (498) est sculptée dans le marbre hagiographique de *La Force de l'âge*. Après son « évasion », Sartre surgit en héros désireux d'action : « S'il était revenu à Paris, ce n'était pas pour jouir des douceurs de la liberté, mais pour agir. — Comment ? lui demandai-je abasourdie : on était tellement isolés, tellement impuissants ! — Justement, me dit-il, il fallait briser cet isolement, s'unir, organiser la résistance » (494). Suivent des aventures dignes d'un roman bien fait : l'urgence est d'abord de ne rien faire, puis de s'accorder un répit, enfin de se promener dans Paris – dans l'ordre donné par l'auteur.

Ensuite, Beauvoir signale que, s'il avait voulu se mettre en règle avec l'administration, Sartre aurait dû se faire démobiliser en zone libre : « Mais l'Université n'y regarda pas de si près ; on lui rendit son poste au lycée Pasteur » (495) – il aura suffi que Sartre présente les papiers de sa libération officielle, puis signe un formulaire attestant qu'il n'était ni juif ni franc-maçon. À ce propos, Sartre reproche à Beauvoir d'avoir signé (Beauvoir, 549), avant de parapher lui-même (Joseph, 187), puis de faire savoir qu'il n'avait jamais commis une pareille ignominie (Gerassi). Ayant montré sa docilité envers l'administration de Vichy, Sartre reprend ses cours, revoit sa bande, parle, parle, parle. Et s'imagine en résistant.

Dans le feu de l'action, Sartre propose d'organiser un attentat contre Déat ! Mais Beauvoir sent bien que l'action combattante n'est pas trop leur affaire : « Notre principale activité, outre le recrutement [*sic*], consisterait pour l'instant à recueillir des renseignements et à les diffuser par un bulletin et des tracts » (495). Réunions à La Closerie des Lilas. Bost promène avec lui une machine à ronéotyper – indéplaçable pour ceux qui connaissent le poids de pareil engin. Sartre écrit donc dans ces bulletins dont parle Simone de Beauvoir – mais jamais personne n'en a trouvé trace, ni même de brouillons. Sartre prétend avoir rédigé un projet de constitution destiné à la France d'après la Libération et distribué ce document autour de lui. Nulle trace de ce gros œuvre, aucune copie retrouvée, pas une seule preuve – alors que

Bariona, une pièce écrite au Stalag, a été sauvée. Ce temps des prétendues *écritures résistantes* est aussi et surtout l'époque où Sartre écrit pour *Comœdia* et Beauvoir travaille pour Radio-Vichy – une activité qu'elle légitime dans *La Force de l'âge* (528) et dont on ne retrouve aucune trace dans *Les Écrits de Simone de Beauvoir* qui signalent juste *L'Invitée* en guise d'écriture entre 1937 et 1944. Sartre lui a trouvé ce poste dans cette radio auprès du directeur de *Comœdia* (« hebdomadaire collaborationniste », écrit Cohen-Solal, 244). Il écrit à Simone de Beauvoir le 8 juillet 1943 : « J'ai accepté pour vous d'enthousiasme ».

À Maurice Nadeau, Sartre dit : « Dans un an nous devrons avoir étudié la nature de l'État édifié par Vichy » – dans *Grâces leur soient rendues*. Voici probablement ce que Sartre pouvait faire en matière de Résistance, penser l'événement – voilà même ce qu'il n'a pas fait. Les pitoyables analyses de *Paris sous l'Occupation* sont bien loin de ce qu'aurait été un véritable livre *sur* et *contre* Pétain et le pétainisme.

Danièle Sallenave écrit dans *Castor de guerre* que, pendant ces années d'occupation, Beauvoir a dû composer avec la mort lors d'un « accident de bicyclette en zone sud où elle l'a "frôlée" » (284) – en fait le texte de Beauvoir dit « touchée » (511). On apprend aussi dans ces pages édifiantes que le vin blanc n'est pas pour peu dans cette sortie de route. Gageons qu'elle ne la frôla que cette fois-ci. Et restons-en là concernant les pantalonnades de cette résistance transcendantale qui ne fit de tort à personne – mais tant de bien à la légende.

Avec et sans Rirette

Même l'historiographie anarchiste n'évite pas la légende. Habituellement, on aborde peu la question de la politique d'Albert Camus. Quand d'aventure le sujet se trouve traité, on apprend que le philosophe serait un social-démocrate à sensibilité libertaire. Camus a proposé une version libre et nouvelle, radicalement inédite, de l'engagement anarchiste et libertaire au XXᵉ siècle. Parce qu'il ne fut pas anarchiste comme un dévot identifiable à une chapelle – Bakounine, Kropotkine, Stirner ou Proudhon – mais en penseur pragmatique cherchant moins les solutions libertaires dans un corpus de bibliothèque que dans une réflexion originale, Camus fut négligé comme penseur anarchiste et philosophe libertaire.

Lou Marin effectue un excellent travail de regroupement de textes de Camus sous le titre *Camus et les libertaires (1948-1960)*. Mais on lit dans sa préface cette thèse souvent reprise : « C'est Rirette Maîtrejean qui sensibilisa Camus à la pensée libertaire et lui fit découvrir le milieu anarchiste » (13) – c'est aller un peu vite. D'abord, précisons qui est Rirette Maîtrejean. À l'époque où Camus la rencontre, elle travaille à *Paris-Soir*. Mais avant cela, elle a été une militante anarchiste ayant suivi les conférences d'Albert Libertad au cours desquelles il était question, entre autres sujets, de Nietzsche et de Stirner. Après la mort de Libertad, elle s'occupe de la rédaction et de la publication du journal *L'Anarchie*. En 1919, elle rencontre Victor Serge qui devient son compagnon et travaille avec elle à la publication militante. Tous deux vivent à Romainville, un village habité par quelques futurs acteurs de la bande à Bonnot. Cette proximité lui vaudra des ennuis avec la police. D'autant qu'on retrouve chez elle des armes, des papiers et un livret de caisse d'épargne volés à un agriculteur de l'Eure, des objets déposés par un ami, dit-elle. On peut la croire, car Rirette Maîtrejean défend une ligne individualiste anarchiste assez critique sur la propagande par le fait. Elle écrit par exemple dans *Le Matin* du 18 août 1913 : « Derrière l'illégalisme, il n'y a pas même des idées. Ce qu'on y trouve : de la fausse science et des appétits. Surtout des appétits. Du ridicule aussi et du grotesque. »

Rirette Maîtrejean a survécu à Camus. Elle a participé à un volume d'hommages préparé par les ouvriers du livre après la mort du philosophe. Elle témoigne de la nature d'une relation qui a duré trois mois. Rirette Maîtrejean précise qu'elle a d'abord connu Camus à *Paris-Soir*, à Paris, où elle était correctrice. Elle entretenait avec lui des « relations assez lointaines [...]. On se connaissait comme ça. On bavardait un peu ». À Lyon, elle parle de lui comme d'un bon compagnon, d'un ami très sûr, d'un homme d'une grande qualité humaine, serviable. Elle rapporte des balades faites dans la campagne auvergnate, dit que lors de ces sorties en voiture Camus était gentil et amusant. Elle assure qu'il était très accueillant et que son prix Nobel ne l'a pas changé. Elle précise enfin l'avoir vu plus à l'aise avec les ouvriers typos qu'avec les journalistes dont il se méfiait. Rien qui témoigne d'une *initiation à l'anarchie* d'Albert Camus par Rirette Maîtrejean.

D'autant que le rapport de Camus à l'anarchie ne date pas de 1940 ! Quand le philosophe rencontre la compagne de Victor Serge, il connaît déjà bien la pensée libertaire. Rappelons un certain nombre de faits historiques et biographiques : en 1930, l'oncle boucher qui l'accueille chez lui lors de sa tuberculose a eu un passé anarchiste : Camus a dix-sept ans ; en 1933, à vingt ans, il lit Proudhon avec son ami Fréminville ; à cette époque, Camus prête à un ami *L'Unique et sa propriété* de Max Stirner, un individualiste anarchiste qu'il a lu ; en 1935, avec ses amis, il écrit *Révolte dans les Asturies* pour soutenir les antifranquistes parmi lesquels, on le sait, les anarchistes ont joué un rôle considérable ; en 1936, son compagnon Vincent Solara, qui travaillait avec lui au Théâtre du travail, était anarchiste ; son ami Pascal Pia auquel il doit son embauche à *Alger républicain* en 1938 était lui aussi de sensibilité libertaire ; le fondateur de ce journal, Jacques Régnier, est un descendant de la famille anarchiste des Reclus. Pascal Pia dit qu'à cette époque, 1938 donc, soit deux ans avant de rencontrer Rirette Maîtrejean, les sympathies de Camus allaient « aux libertaires, aux objecteurs de conscience, aux syndicalistes à la Pelloutier, bref à tous les réfractaires ». Quand *Alger républicain* périclite, Pia décide de créer un journal vendu à la criée, *Le Soir républicain*. Camus fait partie de l'aventure dès le 15 septembre 1939 comme rédacteur en chef. Le journal connaîtra cent dix-sept numéros avant son interdiction le 10 janvier 1940. L'un des biographes de

Camus écrit : « Pia et Camus, qui s'entendaient comme larrons en foire, ne tardèrent pas à en faire un organe anarchiste » (Lottman, 227).

Puis, en dehors de cette biographie d'un Camus connaisseur de la sensibilité anarchiste depuis son plus jeune âge, il faut en appeler aux textes, car les dates de publication constituent d'incontestables juges de paix. L'historiographie anarchiste dominante considère que la publication d'un article dans une revue anarchiste, estampillée comme telle, fait la loi, ou que la citation d'hommage explicite et élogieuse d'un penseur anarchiste faisant partie du catéchisme révolutionnaire constitue une preuve. À défaut de ces laissez-passer, les anarchistes peinent à être vraiment libertaires.

Qu'est-ce qu'un libertaire ?

Quel est donc le premier texte libertaire de Camus ? *Caligula*. Le deuxième ? *La Peste*. Le troisième ? *L'État de siège*. Autrement dit, des œuvres respectivement publiées en mai 1944, juin 1947 et octobre 1948. Des produits de l'Histoire en général et de la Seconde Guerre mondiale en particulier. Textes *libertaires* ? Oui, si l'on prend soin de définir ce terme. Le *Dictionnaire culturel en langue française* en fait une création de Proudhon en 1858, pour le mot, et de Zola en 1901, pour l'adjectif qualificatif. Voici sa définition : « Qui n'admet, ne reconnaît aucune limitation de la liberté individuelle, en matière sociale, politique ». Elle renvoie à « anarchiste ».

Mais, contrairement à ce qu'affirme le dictionnaire, le substantif se trouve pour la première fois un an avant, en 1857, sous la plume de Joseph Déjacque, auteur d'une lettre à Proudhon dans laquelle il oppose le libéral partisan du marché libre au libertaire qui critique le capitalisme. Ce quarante-huitard a connu les barricades, la prison, l'exil en Angleterre et aux États-Unis, il vit à La Nouvelle-Orléans et travaille comme peintre en bâtiment. Il lutte contre la phallocratie, l'esclavagisme et publie en mai 1857 cette fameuse *Lettre à Proudhon (sur l'être humain, mâle et femelle)* dans laquelle apparaît ce mot utilisé pour se distinguer du penseur socialiste, libéral à ses yeux, et en faire une violente critique. En 1858, il commence la publication d'un journal intitulé *Le Libertaire, journal du mouvement social* qu'il sera souvent seul à rédiger. En 1861, après le vingt-septième numéro, le journal s'arrête. Il rentre en France et meurt en 1864.

L'immense *Encyclopédie anarchiste* de Sébastien Faure totalise près de trois mille pages publiées entre 1925 et 1934. Elle consacre un très gros article à « liberté », mais aucun à « libertaire ». Le mot et la chose gênent souvent les « anarchistes », plus doctrinaires, dévoués à leur catéchisme, soucieux d'orthodoxie, prompts à instruire des procès, allumer des bûchers et se séparer des libertaires qui revendiquent leur liberté, y compris parmi ceux qui veulent élargir les libertés ! Les libertaires sont donc les anarchistes de l'anarchie. Albert Camus est l'un d'entre eux.

Caligula : portrait du pouvoir

Le premier texte véritablement libertaire de Camus est donc *Caligula*, et non, comme souvent dit, tel ou tel entretien donné à une revue ouvrière ou à un follicule syndicaliste après la guerre. Pourquoi cette pièce de théâtre relève-t-elle de l'écrit libertaire ? Parce qu'elle démonte les rouages du pouvoir, elle présente les mécanismes de la sujétion, de la soumission, elle développe, dans l'esprit de La Boétie, une analyse de la servitude volontaire, elle décrit l'exercice du pouvoir et double cette description d'une anatomie de la psychologie de l'homme qui l'exerce ; puis, elle propose une réponse au pouvoir en scénographiant une figure rebelle qui refuse, dit non, agit dans cette direction et pratique le tyrannicide. Caligula exerce une politique sans éthique, et Cherea, son assassin, une éthique politique, une pensée et une action libertaires.

Ainsi, cette repartie de l'Empereur romain à son intendant : le fonctionnaire s'étonne de devoir concrétiser le souhait de Caligula exigeant que les patriciens déshéritent leurs enfants et fassent de l'État leur légataire universel. Réponse de Caligula : « Il n'est pas plus immoral de voler directement les citoyens que de glisser des taxes indirectes dans le prix des denrées dont ils ne peuvent se passer. Gouverner, c'est voler, tout le monde sait ça » (I. 335). Cynisme, violence, brutalité, caprice, arbitraire, injustice, despotisme, tyrannie, cruauté, le portrait de *cet* homme de pouvoir vaut chez Camus portrait de l'homme politique emblématique dès qu'il n'est pas retenu par l'éthique, tenu par la loi, guidé et canalisé par la morale. Caligula nomme en chacun ce qui se répand si rien n'est fait pour le contenir : l'empire sur les autres et le monde entier. Son nom est celui de la volonté de puissance – au sens trivial et commun du terme : désir de maîtrise, envie de domination, soif de soumission.

Caligula couche avec sa sœur, veut l'impossible, la lune en l'occurrence, pour être bien sûr de ne jamais l'obtenir, ainsi dispose-t-il d'une justification de ses colères politiques par la frustration. Lorsqu'il rentre dans ces déchaînements hystériques, il expérimente la jouissance d'une liberté sans limites et connaît l'ivresse du bonheur dans le crime sans crainte d'un reproche puisqu'il a le pouvoir, il est le pouvoir, et ne reconnaît aucune limite à sa liberté qui est pouvoir – ou à son pouvoir qui est liberté. Le tyran est l'homme du pouvoir absolu ; le libertaire, celui de la puissance contenue par une éthique, celui qui *s'empêche*. Cette puissance contenue par une éthique nomme l'ordre libertaire.

L'Empereur humilie sa cour patricienne, il tue, ourdit des complots, prostitue les femmes des sénateurs en la présence de leurs maris, condamne à mort pour le plaisir d'en jouir ; il mange comme un porc, crache ses déchets dans le plat, envoie ses noyaux d'olive dans l'assiette de ses voisins, se cure les dents et les ongles à table ; il décide de fermer les greniers publics pour déclencher une famine et se donner le plaisir d'arrêter la pénurie selon son caprice ; il se moque des dieux ; il se vernit les ongles des pieds ; il simule l'agonie pour épier la réaction de ses courtisans : l'un offre son argent et l'autre sa vie pour le sauver ; révélant le subterfuge, il prend les imprudents aux mots, exige le trésor du premier et la vie du second ; il organise des concours de poésie puis distribue les blâmes et les félicitations dans le plus pur arbitraire ; il se rit de l'amitié ; il se moque tout autant de l'amour et étrangle sa maîtresse uniquement pour exercer le pouvoir de détruire qui surpasse celui de créer ; il veut exterminer les contradicteurs et la contradiction ; il clame que tout le monde est coupable, qu'il n'existe aucun innocent et décrète qu'infliger la mort aux coupables est un effet de la raison bien conduite.

Logique du crime logique

Caligula prétend être logique, il pousse cette dialectique jusqu'au bout et défend le crime logique. Ainsi : un homme sort une petite fiole pour en boire le contenu ; Caligula demande de quoi il s'agit ; d'un « contrepoison » (I. 352), dit-il, en l'occurrence d'un médicament contre l'asthme ; s'il s'agit d'un *contrepoison*, ce mot est fatal, puisqu'il signifie que son interlocuteur craint que Caligula ne l'empoisonne ; dès lors, Mereia, c'est son nom, est coupable : soit d'avoir pu imaginer que son Empereur veuille l'empoisonner, soit, si tel était son bon vouloir, de s'opposer à la volonté impériale ; dans les deux cas, l'homme est condamné à mort par l'effet de cette logique spécieuse. Mereia récuse les termes de cette alternative.

Caligula rebondit alors avec la même sophistique : troisième crime, puisqu'il récuse cette logique caligulesque, l'asthmatique prend l'Empereur pour un imbécile.

Dès lors, le César décrète disposer de trois chefs d'accusation obtenus selon l'ordre des raisons : Mereia est soit coupable d'avoir suspecté son Empereur, soit coupable de s'opposer au désir qu'aurait pu avoir son Empereur de vouloir l'empoisonner, soit coupable de récuser la dialectique impériale. Caligula décide que, de ces trois chefs d'accusation, seul le deuxième est honorable : s'opposer, se révolter, se rebeller. Il mourra donc pour ce motif louable. Caligula le brutalise, lui rentre la fiole de verre dans la bouche, l'écrase à coups de poing sur le visage et libère le poison qui tue l'homme. Un courtisan vérifie, il s'agissait bien d'une potion contre l'asthme. Peu importe, conclut Caligula, puisqu'il faut mourir un jour, un peu plus tôt, un peu plus tard.

Un autre caprice de despote soutenu par la rhétorique esquisse un nouveau crime logique : un vieux patricien informe Caligula d'un complot se tramant contre lui. L'Empereur affirme qu'il ne peut pas croire le vieil homme car : s'il dit vrai, il trahit ses amis ; s'il trahit ses amis, il est lâche ; s'il est lâche, il mérite la mort pour avoir trahi. Caligula prend l'homme à témoin : est-il traître et lâche ? Devant sa réponse négative, l'Empereur conclut qu'il ne saurait donc y avoir de complot mais que, faute majeure tout de même, le patricien lui a menti. Venu pour sauver Caligula d'une mort annoncée, le patricien comprend qu'il pourrait payer ce geste de sa propre disparition ! Caligula affirme que, puisqu'il n'a été ni lâche ni traître, son interlocuteur est donc un homme d'honneur, mais, nouveau rebondissement sophistique, pareille exemplarité éthique, il ne pourrait longtemps la supporter. Il demande donc au vieux patricien de déguerpir s'il veut sauver sa peau.

Cherea le libertaire

Caligula dort deux heures par nuit, le reste du temps il erre dans son immense palais. Camus montre un homme brisé, cassé, qui brise et casse. Dans ses *Carnets* de l'année 1937, il écrit : « La politique et le sort des hommes sont formés par des hommes sans idéal et sans grandeur. Ceux qui ont une grandeur en eux ne font pas de politique » (II. 845). Propos libertaires. Caligula est sans idéal et sans grandeur ; les hommes politiques également ; Caligula nous renseigne donc sur l'être des hommes politiques, de tous les hommes politiques.

Cette pièce de théâtre montre donc un homme de pouvoir, certes, mais également son antidote : Cherea, le rebelle, le révolté qui refuse un pouvoir sans limites, une puissance que ne contraindrait pas un idéal éthique. Caligula dit de Cherea qu'il est « anarchiste ». Dans une note des *Carnets* (II. 896), Camus écrit : « Caligula. Le glaive et le poignard ». Cet autre titre potentiel pour *Caligula* résume bien l'alternative : le glaive du pouvoir impérial tyrannique contre le poignard du tyrannicide animé par le recouvrement de la liberté. Caligula contre Cherea. Le liberticide contre le libertaire.

Cherea incarne la figure libertaire de cette pièce. Il enseigne d'abord la mécanique du pouvoir avant d'inviter à l'enrayer quand elle n'est pas indexée sur une éthique. Aux patriciens humiliés qui veulent tuer Caligula, il dit : « Sachez d'abord le voir comme il est, vous pourrez mieux le combattre » (I. 342). Autrement dit : la connaissance du tyran constitue le premier temps de la dialectique qui mène au tyrannicide. Qu'enseigne d'autre Étienne de La Boétie (souvent présenté comme un ancêtre de la pensée libertaire) dans son *Discours de la servitude volontaire* ?

Dans ses *Carnets* de 1937, Camus imagine une fin pour sa pièce : « Non, Caligula n'est pas mort. Il est là, et là. Il est en chacun de vous. Si le pouvoir vous était donné, si vous aviez du cœur, si vous aimiez la vie, vous le verriez se déchaîner, ce monstre ou cet ange que vous portez en vous » (II. 812). De la même manière qu'il dira que la peste se trouve en chacun de nous, le philosophe propose une analyse ontologique et anthropologique du pouvoir : chacun porte en lui une potentialité dont l'Histoire fait un Caligula, ou un Cherea. Or l'Histoire, c'est ce que nous faisons. Le tyran n'est pas hors de nous, mais en nous ; il n'est pas un tiers, mais nous – de même pour le résistant au tyran. Il existe en chacun de nous du glaive ou du poignard, tâchons de vouloir le poignard libertaire contre le glaive liberticide.

Cherea parle avec Caligula : le second ne méprise pas le premier, même s'il est cruel, nuisible, égoïste et vaniteux – car ce tyran n'est pas heureux. Cherea sait qu'une partie de Caligula se trouve également en lui. Le dictateur n'ignore pas que son interlocuteur veut le tuer, mais il échange avec lui tout de même. À propos de Caligula, Camus parlait de « suicide supérieur » (I. 447) : le philosophe faisait de l'Empereur un homme conscient de son être et de son action, une personne ayant l'intelligence de son destin, même s'il s'agissait de l'exercer dans le mal.

Caligula incarne le nihilisme : pour lui, tout se vaut, tout est permis, rien n'est interdit. Il n'y a ni bien ni mal, ni bon ni mauvais. Il est engagé dans une folie à laquelle il donne son mouvement, sa force et son déroulé. Il veut exercer la liberté totale, absolue, sans limites, sans retenue, il sait qu'il paiera cet exercice de sa propre vie. Ce délire en fait un tyran intelligent, conscient, un fou logique, un fou rationnel, un fou calculateur et sophiste. Le pouvoir ne rend pas fou ; mais il est le pire des maux entre les mains du fou qui parle et argumente.

Cherea, en anti-Caligula emblématique, n'aime pas mentir, il n'a pas peur de la mort, il veut vivre et être heureux et il sait qu'on ne peut être heureux sans les autres ou malgré eux. Il n'ignore pas que, si son geste n'aboutit pas, d'autres résistants, d'autres rebelles porteront la main sur lui. Le jour venu, Cherea frappe Caligula au visage. Caligula mourant, presque mort, se vidant de son sang, s'écrie : « Je suis encore vivant » (I. 388). Le rideau tombe.

La peste contre *La Peste*

Constatant que son règne a été trop heureux, sans religion cruelle, sans coup d'état, *sans peste*, Caligula décide ceci : « C'est moi qui remplace la peste » (I. 379). Le portrait de Caligula peut donc se lire en relation avec *La Peste*, ce fameux roman qui a fait couler beaucoup d'encre. Dans un compte rendu qui passe totalement à côté de la nature allégorique de l'œuvre (reproche-t-on à La Fontaine de manquer son sujet philosophique parce qu'il recourt au renard et au corbeau ?), Roland Barthes dit au moins une chose juste : « *La Peste* a commencé pour son auteur une carrière de solitude » (*Œuvres complètes*, I. 455) – en l'occurrence, et ça n'est pas le moindre paradoxe, à cause de gens comme Barthes.

Le livre paraît en 1947. La guerre vient de se terminer. La communauté intellectuelle n'a pas beaucoup résisté, c'est le moins qu'on puisse dire. Le PCF a tardé pour entrer dans la Résistance. Le pacte germano-soviétique qui allie Hitler et Staline dans une même complicité militaire, guerrière, idéologique et impériale vaut catéchisme pour le PCF qui suit la ligne édictée par Moscou : être communiste entre le 23 août 1939 et le 22 juin 1940, c'est pendant dix mois faire du national-socialisme un allié stratégique du marxisme-léninisme.

Les historiens dignes de ce nom déconstruisent aujourd'hui la légende écrite par les communistes sur leur propre parti. Selon la mythologie, le PCF aurait été un grand parti résistant. Avec ses 75 000 fusillés (il y en eut 4 520 au total et tous ne furent pas communistes), ses héros comme Guy Môquet, le parti aurait beaucoup donné pour la Résistance et mené le combat antifasciste dès la première heure. En regard de l'Histoire, les choses sont tout autres. Le pacte germano-soviétique se double en effet d'un essai de collaboration entre le PCF et les autorités d'Occupation allemande à Paris : dès la défaite de juin 40, le parti envoie deux responsables, Maurice Tréand, responsable des cadres, et Denise Ginollin, pour négocier la reparution du journal *L'Humanité* et obtenir la légalisation des activités du parti.

L'argumentaire est simple. Selon l'aveu même du PCF, le parti se retrouve sur nombre de points avec la doctrine des nationaux-socialistes, ce dont témoignent les notes retrouvées sur les deux négociateurs communistes arrêtés par la police et relâchés trois jours plus tard : l'anticapitalisme forcené, la haine des gouvernements bourgeois, l'antiparlementarisme, la vindicte contre les ministres juifs et les banquiers juifs responsables de la décadence contre laquelle il faut lutter, l'implantation ouvrière et le culte des masses. Les négociations durent deux mois et n'aboutissent pas. Le Kremlin donne son accord pour cette ligne mais déplore la rencontre d'un négociateur communiste avec Otto Abetz, une situation trop explicite. Un « appel du 10 juillet » 1940, présenté comme un contre-appel du 18 Juin, sera réécrit dans les années 1950 et publié dans un faux numéro de *L'Humanité* antidaté pour accréditer la thèse d'un PCF résistant de la première heure. Quant à Guy Môquet, une caution morale bien utile par la suite, il est arrêté pour avoir distribué des tracts justifiant le pacte germano-soviétique, donc la collaboration avec l'occupant, et fusillé comme otage en répression à l'abattage d'un soldat allemand par d'autres.

Les années d'après guerre, le PCF réécrit son histoire et construit sa légende. Pour nombre d'intellectuels dont l'engagement n'a pas été la première vertu pendant les années d'occupation, la tentation est grande de célébrer l'héroïsme du parti, le parti célébrant en retour la grandeur de ceux qui les absolvent. Nombre de personnages équivoques se refont une virginité avec un PCF qui en profite pour effacer son rôle douteux jusqu'à juin 1941. Sartre a bénéficié de ce genre d'eau lustrale. Pas Camus qui n'avait pas besoin de ce type de malversation intellectuelle : ses états de service impeccables suffisaient.

Barthes critique *La Peste* coupable de mise en scène allégorique au détriment d'un abord historique et politique. Né en 1915, l'écrivain a vingt-quatre ans quand la guerre commence, vingt-neuf quand elle se termine, un âge qui permet largement de s'engager. Il se contente de faire ses études de lettres, de continuer son métier de professeur sans licence d'enseignement, de prendre des leçons de chant auprès du baryton suisse Charles Panzera, de se faire réformer de tout service militaire. Il soigne une tuberculose au sanatorium, écrit des comptes rendus, dont celui de *L'Étranger* qui rend hommage à l'écriture blanche et neutre de Camus. En octobre 1943, il s'inscrit en médecine avec l'idée de se spécialiser en psychiatrie. Il vit la Libération au fond de son lit. Personne ne le lui reproche. En 1951, écrivant contre Caillois, très tôt lucide sur les méfaits du totalitarisme communiste, il parle de « l'inquiétude salutaire [*sic*] que le marxisme continue d'inspirer au monde, en dépit de ses zélateurs et de ses sceptiques » (I. 104).

De façon allégorique, *La Peste* renvoie dos à dos les deux totalitarismes : celui des fascismes bruns européens de Mussolini, d'Hitler et de Franco, mais également celui des fascismes rouges des pays de l'Est – la Hongrie est le seul pays mentionné dans le roman. On comprend que cette dénonciation de *tous* les totalitarismes puisse valoir à Camus d'entrer dans une longue solitude intellectuelle : il aura en effet contre lui les communistes, les marxistes, la gauche officielle et la droite – lire *L'Opium des intellectuels* de Raymond Aron. Camus n'eut jamais l'indignation sélective : *La Peste* nous dit pourquoi.

La raison allégorique

La Peste paraît le 10 juin 1947 après plusieurs années de maturation. On trouve en effet des notes sur ce sujet dès 1938. Le projet du roman date d'avril 1941. Camus commence la rédaction au Panelier en septembre 1942, il note la date d'achèvement : décembre 1946. Pendant les quatre années du travail (de 42 à 46), le philosophe accumule les documentations, les notes, les rédactions, les plans, il modifie ses projets d'écriture, lit des traités de médecine, des ouvrages d'épidémiologie, des manuels de pathologie, des récits historiques. Des premières heures de ce projet au point final, l'arrière-plan historique se manifeste sous forme de tragédies : triomphe de fascismes en Italie et en Espagne, montée des périls, déclaration de la guerre, invasion de la France par les troupes nazies, occupation, exode, collaboration, libération, épuration, reconstruction – tout cela, bien sûr, se retrouve codé, crypté dans le roman.

Pour qui sait lire, Camus donne le mode d'emploi dès l'exergue extrait de Daniel Defoe : « Il est aussi raisonnable de représenter une espèce d'emprisonnement par une autre que de représenter n'importe quelle chose qui existe réellement par quelque chose qui n'existe pas » (II. 33). Les droits du romancier se trouvent donc revendiqués avant même la première phrase du roman. « La Peste » incarne donc une allégorie, elle dit une fable, elle montre une parabole, elle est une métaphore – ensuite, comprenne qui pourra.

Lisons la définition de l'*allégorie* dans *Les Figures du discours* de Fontanier : « Elle consiste dans une proposition à double sens, à sens littéral et à sens spirituel tout ensemble, par laquelle on présente une pensée sous l'image d'une autre pensée, propre à la rendre plus sensible et plus frappante que si elle était présentée directement et sans aucune espèce de voile. » Ce roman de Camus est, au moins, à double sens : la peste réelle, autrement dit l'épidémie bien connue, bien sûr, mais également la peste symbolique que l'auteur ne définit pas avec précision afin de laisser la porte ouverte aux sens.

Le fascisme ? Le totalitarisme ? La dictature ? Le franquisme ? Le national-socialisme ? Oui. Le régime de Vichy, le maréchalisme, l'État français, la Révolution nationale ? Oui, aussi. Mais tout aussi bien le marxisme-léninisme, le soviétisme, la révolution qui veut le sang, le régime qui s'appuie sur la guillotine et justifie la mort d'un homme et fonde la politique de la terreur. Ou bien encore : toute politique passée et toute politique future qui se nourrit de la pulsion de mort. On pourrait en effet établir un signe d'équivalence entre la peste et la pulsion de mort – non pas au sens freudien, biologique, somatique, fatal, mais au sens éthologique.

De la même manière que *Caligula* montre la pulsion de mort à l'œuvre chez un homme de pouvoir qu'aucune pulsion de vie ne retient, ne contient, ne limite, *La Peste* raconte les ravages de cette même pulsion sur le terrain non plus de l'individu, mais de la communauté. La pièce de théâtre racontait la pulsion de mort dans l'âme noire d'un homme fêlé, cassé, brisé qui fêlait, cassait, brisait le monde ; le roman, pour sa part, rapporte l'odyssée de cette même force négatrice dans le cœur d'une communauté – en l'occurrence un Oran de fiction.

Camus recourt donc à la raison allégorique. Un pari risqué avec les lecteurs sans imagination ontologique – du genre Barthes ou Sartre. De la même manière que La Fontaine utilise cette même raison allégorique (ou bien encore Orwell dans *La Ferme des animaux*, un livre qui paraît dans sa traduction française la même année que le roman de Camus), le philosophe déconstruit le fascisme sans souci de savoir s'il est brun ou rouge, s'il sévit au nom de la Race ou du Prolétariat, s'il sert Dieu ou le Diable. Au contraire des partisans ayant renoncé à leur intelligence et à leur esprit critique, Camus n'a pas l'indignation sélective. La radicalité de sa dénonciation est simple, elle s'enracine dans la parole d'un père absent, mais présent par ses leçons.

Souvenons-nous en effet que, devant les cadavres mutilés, décapités, émasculés de ses compagnons d'infortune, leurs sexes rentrés dans leurs bouches, le père du philosophe requis pour une guerre coloniale au Maroc avait dit au soldat avec lequel il partait pour assurer la relève de ses camarades équarris : « Un homme, ça s'empêche ». *La Peste* est le roman de ceux qui ne s'empêchent pas – autrement dit, le roman de ceux qui ne sont pas des hommes parce qu'ils tuent d'autres hommes – des hommes compagnons des rats, sinon des rats eux-mêmes.

Qu'est-ce qu'un pamphlet ?

Dans ses *Carnets*, Camus écrit « *La Peste* est un *pamphlet* » (II. 1067). Allégorie et pamphlet ? Pourquoi le mot « pamphlet » apparaît-il en italiques dans le texte ? Que faut-il entendre par ce mot et comment comprendre cet artifice typographique ? Demandons ses lumières au *Dictionnaire de la langue française* : au sens vieilli, le pamphlet est une « brochure ». Certes, le roman n'atteint pas le format de *Guerre et paix* ou d'*Anna Karénine*, pour autant, il n'a rien d'un fascicule, d'un opuscule. Un deuxième sens associe le mot à cela : « Petit livre, court écrit satirique, qui attaque avec violence le pouvoir établi, les institutions, un personnage connu ». Suit cette série de mots : « Diatribe, factum, libelle, satire ». L'étymologie procède de l'anglais qui signifie « brochure sur un sujet d'actualité ».

La brièveté ne saurait être retenue. La satire ne semble pas non plus évidente : de qui se moque-t-on dans ce roman ? Ou de quoi ? Aucune figure avérée, réelle ou symbolique, fictive ou reconnaissable tel un personnage historique, n'est identifiable : pas de dictateur pour critiquer la dictature, par de tyran pour stigmatiser la tyrannie. *Caligula* offrait le portrait d'une peste sans sujets – juste un tyran et une cour de sénateurs pitoyables ; *La Peste* est le récit d'un césarisme sans César – juste un préfet minable et une administration invisible.

On ne voit donc pas d'attaque des institutions : rien contre l'État, la république ou un régime clairement identifié et tout aussi nettement dénoncé, rien contre un chef d'État reconnaissable, aucune allusion à un homme ressemblant à Mussolini, Franco, Pétain ou Staline. Pas plus on ne voit de violence dans ce roman : une description chirurgicale, sans pathos, une analyse froide, une chronique, une leçon d'anatomie calme et posée d'un mal qui arrive, tue, se stabilise, s'éloigne, disparaît, mais menace encore.

Ni la brièveté, ni la violence, ni l'attaque habituellement associés au pamphlet ne caractérisent ce roman – *L'Étranger* comporte soixante-douze pages dans l'édition de la Pléiade, *La Peste*, cent treize ; la violence n'est nulle part : la mort rôde, emporte en silence, tue sans un mot, opère un génocide mutique, les rats se faufilent, puis deviennent invisibles ; en dehors des tirs dirigés contre les fuyards désireux de quitter la ville, personne ne tue personne, il n'y a pas un crime, pas un assassinat, pas une guillotine, pas un peloton d'exécution, juste des tas de cadavres et des fosses communes dans lesquelles les corps pétillent presque sans bruit sous la chaux vive ou se dématérialisent en fumées dans les crématoires. Le narrateur ne vocifère pas, ne crie pas, ne se met pas en colère, pas plus qu'un autre personnage du roman. L'allégorie n'a pas besoin de bruit.

Alors qu'est-ce que ce pamphlet allégorique – ou cette allégorie pamphlétaire ? Un portrait du mal, non pas avec une majuscule, comme en font les professionnels de la philosophie confits en dévotion platonicienne, mais selon les logiques du philosophe-artiste qui scénographie une fiction pour mieux cerner la vérité de la réalité, voire la réalité de la vérité. Le Mal n'existe pas en soi, dans l'absolu, mais relativement, il se trouve partout, en chacun de nous, personne n'y échappe.

Le roman montre un *prêtre* proclamant en chaire que la peste est une punition divine. Il invite à prier pour se débarrasser du mal, puis évolue vers la résistance au mal par un engagement concret. Il passe donc de la résignation fataliste appuyée sur la croyance dans une providence divine à la possibilité de contrarier, donc de contredire, le dessein de Dieu. Passant également d'un bord l'autre, un *journaliste* qui voulait à tout prix quitter la zone pestiférée finira, une fois le jour et l'heure du passage confirmés par des trafiquants et autres acteurs du marché noir, par rester avec les victimes de l'épidémie. Preuve que ces deux représentants d'une catégorie professionnelle n'ayant pas les faveurs de Camus pouvaient *aussi* vouloir lutter contre le mal, autrement dit : faire (le) bien, et avoir pu passer de l'un à l'autre.

Cette allégorie qui ne montre jamais le Mal (comme le ferait un philosophe au sens classique du terme) mais les effets du mal (comme le fait l'artiste) est un pamphlet parce qu'elle affirme violemment une ontologie noire : les hommes portent la négativité en eux. Il existe au creux de l'âme de chacun une force qui vise la mort et veut la destruction, elle aspire au sang versé, elle espère le cadavre. Pour Camus, l'homme est le mammifère qui conduit son semblable à la guillotine – l'énergie mauvaise désireuse de ce geste homicide, voilà la *peste*.

Régime liberticide et idéal libertaire

Camus écrit contre tout régime politique liberticide (on pourrait aussi écrire : il écrit contre tout régime ontologique liberticide) au nom d'un idéal libertaire. Il pense en termes éthologiques : il existe en l'homme de quoi défaire l'homme, une capacité à soumettre autrui, comme dans la nature le mâle dominant aspire à posséder, dominer, contraindre, assujettir. Caligula laisse faire sa nature obscure, la peste est l'état dans lequel se trouve une société quand elle laisse faire une pareille nature.

Mais il y a également dans l'homme de quoi sauver l'homme, une part lumineuse. Si les darwiniens de droite, *via* Spencer, insistent sur la lutte pour la vie qui sélectionne les plus adaptés, les darwiniens de gauche, *via* Kropotkine, pointent un tropisme naturel positif, constructeur, par lequel l'adaptation s'effectue également. Cette force positive se manifeste dans l'association, la solidarité, le secours aux moins adaptés. Darwinisme de droite et darwinisme de gauche, le libéral Spencer et le libertaire Kropotkine, pulsion de mort et pulsion de vie, Caligula et Cherea, Cottard et Rieux, la Collaboration et la Résistance, Hitler et Jean Moulin, l'envers et l'endroit, l'exil et le royaume, Tipasa et Paris, l'Europe judéo-chrétienne et l'Algérie méditerranéenne, les régimes liberticides et l'idéal libertaire, Camus connaît le perpétuel mouvement de balancier entre ces deux pôles magnétiques.

Sa philosophie ? Dire non au pôle négatif et oui au pôle positif. Ne pas souscrire aux thèses du libéral Spencer, mais à celles que développe Kropotkine, le Prince anarchiste russe, dans *L'Entraide*. Passé la mer Méditerranée, le nietzschéisme de Camus se fait plus personnel : un grand « oui » à tout supposerait également un grand oui à la peste. Or on ne peut consentir à ce fléau ontologique. Dès lors, il faut dire non. *La Peste* est le roman de ceux qui disent oui, de ceux qui disent non, puis de ceux qui hésitent, ou de ceux qui choisissent de ne pas choisir, ou bien encore de ceux qui disaient oui et finiront par dire non. À chacun de trouver ensuite le fil d'Ariane du labyrinthe de son être.

Le régime liberticide tue l'amour, l'amitié, la discussion, l'échange, il interdit l'avenir et les déplacements. Avec lui, on n'aime plus, on ne parle plus, on ne discute plus, on n'espère plus, on ne bouge plus. La mort rôde partout, elle peut emporter en silence quiconque se croit éternel. La vie n'a plus les pleins pouvoirs. Oran, c'est l'anti-Tipasa, *La Peste*, le contraire de *Noces*, mais comme le recto constitue l'inévitable contraire du verso d'une même feuille.

« Chacun la porte en soi, la peste »

Camus écrit : « Chacun la porte en soi, la peste » (II. 209). Ce roman propose donc une ontologie toujours selon la méthode d'une phénoménologie non philosophique activée dans ses précédents ouvrages. Barthes se trompe en faisant du livre un objet qui échoue parce que centré sur la morale et non sur la métaphysique ! C'est tout à fait le contraire : chez Camus, il y a *d'abord* une métaphysique, *ensuite* une morale. Et c'est même d'ailleurs *parce qu'*il existe une métaphysique que surgit une éthique.

Précisons toutefois que le mot « métaphysique » semble inapproprié pour Camus qui n'a jamais pensé, selon les raisons étymologiques, qu'il y aurait une physique, autrement dit un monde, et un au-delà de la physique, en d'autres termes : un arrière-monde. Pour l'auteur de *Noces à Tipasa*, un seul monde existe, le nôtre, dont il se propose de rapporter l'être et ses modalités. Voilà pourquoi, au lieu de « métaphysique », je préfère « ontologie » : l'ontologie nomme la métaphysique du matérialiste moniste.

La Peste est donc un traité d'ontologie phénoménologique non philosophique. Pour Camus, le
roman, on le sait, permet un discours philosophique : « On ne pense que par image. Si tu veux
être philosophe, écris des romans » (II. 800). Le
roman est donc l'occasion de penser avec des
images, mais aussi avec des fictions, des personnages, des situations. Souvenons-nous de la théorie du roman telle qu'elle apparaît dans le
compte rendu de *La Nausée* de Sartre : réaliser
la fusion de l'expérience et de la pensée, de la
vie et de la réflexion sur sa signification, concilier la théorie et la fiction, le tout dans un dosage
équilibré.

Dans le roman, Camus ne veut pas la philosophie pure et dure, abstraite, conceptuelle, apollinienne, mais l'efflorescence dionysiaque. Pas
question de procéder à la façon d'un lourd traité
de métaphysique, avec la rhétorique des professionnels formatés par l'Université ou les grandes
écoles qui célèbrent la forme au détriment du
fond. Le roman permet de susciter, solliciter le
lecteur, il suggère, éveille. Quand il commence à
réfléchir à son projet d'écriture romanesque,
Camus écrit dans ses *Carnets* : « La véritable
œuvre d'art est celle qui dit moins » (II. 862). La
lecture des traités d'ontologie du XXe siècle nous
apprend qu'à l'inverse ils disent plus et dans des
volumes considérables. On peut comprendre qu'à
cette aune *La Peste* dise moins et soit un texte
bref. Mais dans le cas de ce roman, dire moins
c'est dire mieux.

Cette ontologie dite par le roman est politique.
Si la peste gît en nous, la politique devient affaire

de nature humaine, de psychologie, d'anthropologie et non d'économie, d'histoire ou des disciplines qui arrivent après, longtemps après. Si le mal existe, il n'est pas le produit de circonstances extérieures sur lesquelles on pourrait agir pour les supprimer, comme le pensent les marxistes. En rousseauiste convaincu, Marx croit en effet que la nature est bonne et que la société capitaliste a aliéné les hommes. Pour en finir avec cette aliénation, une révolution économique supprimera la propriété privée des moyens de production et réalisera l'appropriation collective des machines, des usines, des outils du travail. Alors, comme par miracle dialectique, le mal disparaîtra et le paradis se réalisera sur terre. Au nom de cette vision simpliste de l'Histoire qui fait l'impasse sur l'ontologie, le XXe siècle se couvre de cadavres.

Camus n'est ni optimiste comme les révolutionnaires ni pessimiste à la façon des contre-révolutionnaires, il n'est disciple ni de Karl Marx ni de Joseph de Maistre, il est tragique : autrement dit il ne voit pas le réel mieux ou pire que ce qu'il est, mais tel qu'il est. La peste se trouve en chacun de nous, dit-il : le marxiste refuse cette thèse et croit qu'elle s'enracine dans l'organisation de la société, elle est donc *conséquence* et non cause ; le contre-révolutionnaire souscrit à son caractère secondaire, mais il la pense issue du péché originel et indéracinable. Dès lors, le contre-révolutionnaire fait de l'État la machine sévère et nécessaire qui punit l'homme pécheur. Camus pense la peste comme une partie de l'être de l'homme, de la même manière qu'existe en lui une partie capable de lutter contre elle.

Au contraire de Marx, Camus choisit *la lucidité sur la peste* : elle n'est pas le produit d'un capitalisme en décomposition ; contre de Maistre, il active une radicale *volonté d'en empêcher l'expansion :* elle n'est pas l'autre nom du mal radical. Opposé aux doctrines économistes et théologiques, il aura donc comme adversaires la gauche communiste et la droite dans sa totalité. Cette anthropologie anarchiste prend à rebours l'optimisme de l'ontologie marxiste et le pessimisme de la métaphysique chrétienne au profit du tragique de l'ontologie libertaire. Voilà pourquoi *La Peste* est un pamphlet à sa manière – un contre Marx qui énerve les marxistes, Jean-Paul Sartre le premier, un contre de Maistre qui froisse les chrétiens, Gabriel Marcel en tête de pont. On comprend qu'avec ce livre, Camus entre en effet dans une longue solitude.

Un pamphlet politique

En plus d'être un pamphlet ontologique, *La Peste* est également un pamphlet politique. L'allégorie antinazie est visible dans la totalité du roman et, au-delà, l'allégorie antifasciste se déduit d'un court passage où la peste se trouve associée à un ancien militant communiste qui se souvient d'avoir crié avec les loups marxistes-léninistes. Si chacun porte la peste en lui, elle pouvait être hier brune ou rouge, elle peut être verte aussi aujourd'hui ou d'une autre couleur demain. Le bacille est ontologique, ses ravages politiques.

Camus ne communie pas dans les optimismes politiques de grande envergure : il préfère une politique modeste, réelle et concrète, efficace et pratique, à une politique arrogante, idéale, planétaire et mortifère. On lui a souvent reproché le manque d'éclat et d'envergure de ses solutions, mais son pragmatisme n'a que faire d'effets de manche théoriques et conceptuels. Il ne croit pas à l'Homme nouveau souhaité dans un même temps par Marx et Lénine, Mussolini et Hitler. Il ne croit pas à l'Homme total des marxistes, au Reich aryen des nazis, à la Révolution nationale maréchaliste, mais à *un homme qui s'empêche* pour le dire dans les mots de son père : autrement dit, à l'individu qui fait taire la bête en lui. Certes, cette proposition modeste lutte difficilement contre les envolées lyriques abstraites des adversaires de Camus, mais il vaut mieux une modestie qui dit non à la pulsion de mort ici et maintenant qu'à une suffisance qui lui déroule le tapis rouge en attendant que l'Histoire lui donne raison demain – alors que déjà aujourd'hui elle lui donne tort.

La Peste formule un bréviaire d'athéisme politique : sur ce terrain-là, Camus n'est pas croyant, il ne sacrifie à aucune divinité – le Peuple, le Prolétariat, l'Aryen, la Race, le Bon Français. Grâce à Jean Grenier et Louis Guilloux, il connaît les livres du philosophe Georges Palante puisqu'il le cite dans une note de *L'Homme révolté* (III. 308). Ce nietzschéen de gauche parle d'« athéisme social » dans *Les Antinomies entre l'individu et la société* (289) pour exprimer son impiété sociologique et politique et son incroyance dans les idoles politiques du moment. Camus s'inscrit dans ce lignage en évitant le double écueil optimiste et pessimiste. Il souscrit donc à l'invite libertaire : ni dieu ni maître – ni dieux ni maîtres. Pas de lendemains qui chantent, pas de négatif aujourd'hui pour un positif demain, pas de peste dans l'instant pour une hypothétique santé à venir.

La leçon politique camusienne est modeste mais exigeante, efficace et responsabilisante. Elle refuse les lendemains qui chantent et veut l'aujourd'hui radieux par l'exercice d'une volonté déterminée. Elle exige le possible ici-bas et ne communie pas dans l'impossible au-delà d'une Histoire achevée après-demain. Sa solution fait songer à celle d'Étienne de La Boétie, souvent présenté dans les histoires de l'anarchisme comme un précurseur aux côtés du Diogène qui récuse Alexandre avec son « ôte-toi de mon soleil » ou du Rabelais de l'abbaye de Thélème enseignant « Fay ce que vouldras ».

Que dit La Boétie ? Le pouvoir n'est pas en dehors de soi mais en soi puisque seul notre consentement le crée, le fonde, le légitime, l'entretient et lui donne sa force. Autrement dit : la peste est en nous, il convient de ne pas la laisser se répandre. Question de vouloir. La pensée centrale du *Discours de la servitude volontaire* constitue un programme politique majeur, c'est celui de Camus : « Soyez résolus de ne plus servir, et vous voilà libres. » En d'autres termes : « Récusez la peste en vous, et vous voilà immunisés. » Ou bien encore : « Le fascisme ne vient pas de l'extérieur, il est une construction des hommes ; il ne descend pas du ciel, il monte de la terre. Ne le voulez pas, il ne sera pas. »

Le fascisme transcendantal

Dans *La Peste*, le déroulement de la fiction coïncide avec celui de l'Histoire concrète. Voici le schéma conceptuel : prémices et avènement de la catastrophe, exercice de la négativité, négation de la négation, effacement de la catastrophe, disparition du péril – du moins, péril en veilleuse puisque susceptible de réactivations. Ce qui donne sur le terrain romanesque : découverte de rats morts à cause de la peste, déclaration officielle du fléau, ravages de l'épidémie, expansion pandémique, atteinte d'un seuil maximal, déclin de la maladie, recouvrement de la santé, fin de la peste – même si le bacille veille. Le schéma conceptuel et le déroulement romanesque coïncident avec le développement historique de la Seconde Guerre mondiale : montée des périls, installation des fascismes, exercice de la brutalité (guerres, massacres, tortures, persécutions, exterminations), chute des dictateurs, écroulement des régimes, libération, épuration – risque de reprises.

Dans la logique de l'État français, de Vichy, du maréchal Pétain, la grille est plus précise encore : déclaration de la guerre, invasion de la troupe allemande jusqu'à Paris, exode, occupation, collaboration, résistance, libération, épuration. Camus a connu ces moments historiques comme acteur et spectateur. Il puise le matériau de son roman dans sa vie à cette époque et la transfigure par la création artistique, la production romanesque. Mais les mouvements internes du roman restent induits par les secousses de l'Histoire.

La Peste raconte donc les modalités transcendantales du fascisme. Ainsi, l'*Occupation* : bouclage de la ville ; interdiction de sortie ; réduction des communications ; limitation du ravitaillement ; rationnement de l'essence ; économie d'électricité ; diminution de la circulation des voitures ; augmentation des piétons dans les rues ; ralentissement de l'activité économique ; fermeture des magasins de luxe ; annonce de pénuries alimentaires dans les épiceries ; files d'attente sur les trottoirs ; accumulation de stocks chez certains commerçants ; apparition du marché noir ; augmentation des prix ; imposition du couvre-feu ; découverte de la faim en ville ; abondance de victuailles en campagne ; circulation de patrouilles ; séparation des familles entre zone libre et zone occupée ; pénurie de café ; manque de papier pour imprimer les journaux ; émission de messages radios venus de l'étranger ; déclaration de « l'État de siège » (II. 154) ; construction de camps d'internement avec des toiles de tente dans un stade ; sentinelles, murs, haut-parleurs ; organisation de filières pour franchir une zone de démarcation ; tirs sur ceux qui cherchent à la franchir.

Autre moment constitutif du fascisme transcendantal : la *Collaboration*. Camus met en scène la collusion entre le régime et le clergé. On sait qu'en France l'Église catholique, apostolique et romaine a fait bon ménage avec le régime antisémite et anticommuniste de Vichy. L'épiscopat soutenait le Maréchal qui mit en place la politique de collaboration avec le régime national-socialiste. De son côté, le Vatican a décrété l'excommunication de tout communiste quel qu'il soit et n'a jamais réservé le même sort aux nazis. Le pape a mis les livres de Sartre et Beauvoir à l'Index, il n'a jamais fait de même avec *Mein Kampf* d'Adolf Hitler. L'État du Vatican a fourni des passeports diplomatiques aux criminels de guerre nazis afin de leur permettre de quitter l'Europe pour échapper à un procès. Nombre d'anciens nazis ont pu alors émigrer dans des pays où ils ont coulé des jours tranquilles jusqu'à leurs morts tardives. En Europe, les monastères servaient de caches et de relais lors des exfiltrations. L'Église catholique s'est pareillement compromise avec l'Italie mussolinienne et l'Espagne franquiste.

Rien d'étonnant à tout cela, car l'ontologie chrétienne légitime ce compagnonnage : la croyance à la Providence, au péché originel, à la rédemption par le repentir et la pénitence permettent une lecture particulière de la peste : elle est volonté divine, dessein de Dieu, message en direction des hommes pour les convaincre qu'ils sont punis de n'avoir pas été assez chrétiens, d'avoir préféré la jouissance et le corps, le plaisir et le bon temps à la morale ascétique de cette religion. Pour un chrétien, la peste a pour cause l'impiété des hommes ; elle se combat par la prière et le retour à la foi. Voilà la thèse de Paneloux, le curé de *La Peste* qui tonne et rage contre ses ouailles dans un prêche qui effectue des variations sur cette idéologie. C'est celle du Maréchal dans nombre de ses discours.

Cette collaboration ontologique se double d'une collaboration triviale : celle d'hommes qui trouvent dans l'association avec les occupants une excellente occasion de prendre leur revanche et d'exercer leur ressentiment sans retenue. Les humiliés peuvent à leur tour humilier. Ainsi, Camus brosse le portrait de Cottard, un petit rentier impliqué dans le marché noir qui organise les passages en dehors de la zone contaminée. Ce raté qui échoua même à se suicider (« Entrez, je suis pendu » (II. 46), avait-il écrit sur sa porte) avait des choses à se reprocher – on ne saura jamais lesquelles, on apprend juste qu'elles auraient inté-ressé la police. Ce moins que rien avant le fléau devient beaucoup grâce à lui. D'où cette repartie : « Je m'y trouve bien, moi, dans la peste, et je ne vois pas pourquoi je me mêlerais de la faire ces-ser » (II. 143). À la Libération, il s'enfermera chez lui, ne sortira que la nuit. Puis il se retranchera dans son appartement, tirera sur la foule, blessera un gendarme, tuera un chien, avant de se faire cueillir par la police. Un agent en profitera pour le bourrer de coups.

Quid de la mort d'un enfant ?

Occupation, collaboration, mais aussi *résis-tance*. La résistance permet à Camus de ne plus suivre Nietzsche dans son invitation à dire un grand « oui » à la vie. Le nietzschéisme intégral de *Noces* n'est plus défendable dans la configura-tion de *La Peste* : dire oui à la peste ? Aimer la peste ? Vouloir la peste ? Jouir de la peste ? De la même manière que la colère contre l'aumônier dans *L'Étranger* permet à Meursault d'accéder à la jubilation simple d'être au monde, donc de révé-ler son nietzschéisme, la rébellion contre le prêche de Paneloux permet à Rieux de n'être pas nietzschéen – et de dire non, un grand « non » à ce qui, dans la vie, est la mort.

Paradoxalement, le nietzschéen dans ce roman, c'est le curé qui enseigne aux fidèles venus l'écouter dans son église que Dieu a décrété la peste en général et son détail en particulier : il a voulu les rats pestiférés, la contamination, la maladie, les souffrances, les agonies, les cadavres, leur décomposition, leur puanteur. Dire non à la peste, c'est dire non à la volonté de Dieu, dès lors, c'est se rebeller, se faire semblable au diable, un ange déchu pour avoir désobéi, c'est égaler Lucifer. Dans cette configuration spirituelle, Dieu a voulu aussi la mort d'un enfant – Philippe, le fils du juge Othon.

Où et quand Paneloux pense-t-il en nietzschéen ? Devant le corps de l'enfant mort. L'infection, les bubons, les convulsions, les articulations bloquées, le visage décomposé, les gémissements, l'odeur de la sueur, l'aveuglement et le mutisme, les frissons, les tremblements, la fièvre, les halètements, les larmes, les paupières enflammées, les jambes crispées, l'amaigrissement en quelques jours, un effroyable cri qui entraîne celui de tous les malades dans la salle, l'agonie de cet enfant est terrible.

Juste après sa mort, le docteur Rieux quitte la chambre. Le prêtre l'arrête. Rieux se fâche et se révolte face à la mort d'un innocent. Il dit « non » ; le curé dit « oui » à l'événement et le justifie de la sorte : « Peut-être devons-nous aimer ce que nous ne pouvons pas comprendre » (II. 184). Propos d'un surhomme qui enseigne l'*amor fati* ! À cela,

Rieux dit « non ». Non et non, trois fois non. Impossible, *ici*, d'être nietzschéen. La mort et le mal, on ne saurait les aimer – il faut les combattre.

Dès lors, Camus sera nietzschéen autrement – en l'occurrence dans son refus de toute téléologie en matière de philosophie de l'histoire, dans son anti-hégélianisme, dans sa considération que le modèle théologique fait toujours la loi en matière de politique, dans son refus de l'historicisme, dans son invitation à mettre l'histoire au service de la vie, et autres leçons de la deuxième *Considération intempestive* de Nietzsche intitulée *De l'utilité et des inconvénients de l'histoire pour la vie*.

Aimer et bénir la création parce qu'elle est l'œuvre de Dieu et que ne pas l'aimer ce serait insulter son Créateur ? Vouloir ce qui est parce que ce qui est procède d'un dessein divin et qu'on ne saurait s'y opposer sans pécher ? Consentir à la mort d'un enfant innocent parce que la Providence l'a voulue ? Faire de l'agonie du petit garçon un projet divin ayant ses raisons dans l'ordre théologique ? Renvoyer la faute sur l'homme coupable du péché originel pour défausser Dieu qui n'aurait pas voulu ce que l'homme a choisi ? Impossible de souscrire à pareille ontologie. La mort d'un enfant représente le scandale absolu, on ne peut ni vouloir ni aimer un tel événement. Rieux dit : « Je refuserai jusqu'à la mort d'aimer cette création où des enfants sont torturés » (II. 184). Ce refus, c'est celui de *L'Homme révolté* ; et l'homme révolté, c'est le résistant.

Le docteur Rieux incarne l'anticuré Paneloux. Autrement dit : l'homme de raison en antipode à l'homme de foi, le philosophe en antithèse du croyant. Camus fait coïncider la mort du prêtre avec le palier de la peste, le moment à partir duquel elle décroît avant de disparaître. Faut-il y voir un signe nietzschéen ? Le prêtre a évolué : le jésuite interprétant la peste comme une punition divine voulue par la Providence est devenu résistant. Lui qui croyait aux prières et aux actions de grâces pour infléchir la volonté divine souscrit désormais aux thèses du médecin. Le défenseur de l'amour de ce qui est se met à lutter contre ce qui est. Cet homme qui justifiait théologiquement la peste légitime philosophiquement que l'on doive tout de même lutter contre elle.

Le jésuite qui travaillait sur Augustin et ses rapports avec l'Église africaine (sujet du travail universitaire de Camus) tranche en faveur de sa congrégation contre l'augustinisme : les jésuites croient en effet au discernement, à l'usage de la raison et à l'existence du libre arbitre ; les augustiniens, au péché originel, au mal radical, à la grâce accordée par Dieu, à la prédestination. Le prêche délivré dans la cathédrale d'Oran s'effectuait sous le signe de saint Augustin ; l'engagement dans la Résistance, sous celui d'Ignace de Loyola.

Ce changement ontologique permet à Camus de défendre l'idée qu'il n'existe pas des « Héros » et des « Salauds » emblématiques, autrement dit des individus qui incarneraient absolument ces Idées de la raison pure, mais des personnes travaillées par l'héroïsme et la vilenie, chacune pouvant passer d'un état à l'autre sans qu'on ait à juger leurs volte-face existentielles. Collaborateur ontologique hier avec sa théorie de l'épidémie comme volonté de Dieu, résistant pragmatique aujourd'hui dans son engagement auprès des êtres qui sauvent concrètement les corps, le prêtre a effectué un trajet qui l'honore selon l'éthique de Camus. Mais il aurait mené le chemin inverse que le philosophe ne l'aurait pas pour autant condamné.

Le curé meurt, mais on ne sait pas véritablement s'il s'agit de la peste. Sur le formulaire administratif, le docteur Rieux écrit : « Cas douteux » (II. 191) – avec toute l'ambiguïté possible associée à cette expression. Cette mort ressemble au sacrifice d'un bouc émissaire : avec sa mort christique, la peste se calme et finit par disparaître. S'agit-il d'une façon subtile pour Camus de dire que le christianisme véritable, sincère, défendable, authentique, ne saurait être justification théologique du réel mais révolte contre le mal ? Jésus crucifié pour racheter les péchés du monde contre l'Église unique comme machine à légitimer le négatif sous prétexte de faute adamique ? Le corps du Christ souffrant et supplicié contre le Vatican pourvoyeur de bûchers, d'inquisitions, de guerre de religion, de souffrances existentielles, de culpabilité ? Un Christ résistant contre un Vatican collaborateur ? Pourquoi pas.

Qu'est-ce qu'un résistant ?

Qu'est-ce qui caractérise le résistant dans *La Peste* ? On entre dans les « formations sanitaires » (II. 124) secrètes, discrètes, par cooptation. En faire partie est dangereux : on peut y trouver la mort. Ces formations s'agencent en réseaux. Le mot d'ordre ? « Combattre la peste » (II. 125). Le narrateur insiste pour que ces résistants ne soient pas considérés comme des héros. Exhiber les belles actions est une mauvaise chose : si on les présente comme rares, on n'affirme que le caractère trivial et courant du mal. Paradoxalement, en parlant de vertu héroïque, on rend un hommage au vice, car la rareté vertueuse témoigne d'un vice répandu. L'étonnant n'est pas qu'on ait pu résister mais qu'on ait pu ne pas résister. La peste étant l'affaire de tous, il fallait combattre pour éviter de vivre à genoux. Rien d'autre n'était pensable ou possible.

Le roman parle d'un sérum contre la peste fabriqué avec les souches microbiennes autochtones. On peut songer que Camus distingue Vichy de Berlin, Pétain de Hitler, le fascisme français du national-socialisme allemand quand il écrit : « Un sérum fabriqué avec les cultures du microbe même qui infestait la ville aurait une efficacité plus directe que les sérums venus de l'extérieur, puisque le microbe différait légèrement du bacille de la peste, tel qu'il était classiquement défini » (II. 125). D'où l'excellence du recrutement intérieur de la résistance, plus efficace pour lutter sur place contre le mal. On songe à Londres et à Lyon, deux hauts lieux de la Résistance française. Dans le roman, une voix venue de l'étranger parvient dans la ville pestiférée par la radio. Certes, c'est une aide, mais il faut aussi, et surtout, des gens sur place pour s'occuper de l'intendance et du terrain. Le travail s'effectue dans l'ombre : constitution de réseaux, repérage de lieux, convoyages, transports, information, rédaction d'organigrammes, de fiches et de statistiques de cette armée secrète. Des secours arrivent par air et par route.

La résistance transcendantale nomme le refus de consentir à la pulsion de mort. La peste en nous pousse ses métastases : y consentir, c'est collaborer ; les combattre, c'est résister. Il n'y a ni honneur, ni grandeur, ni héroïsme à résister, juste de l'humanité. Une fois de plus, il faut entendre la leçon donnée par le père de Camus : « un homme, ça s'empêche », alors il n'est d'homme que dans l'empêchement à la négativité, dans le refus de la pulsion de mort éthologique, dans le combat contre la peste. Le collaborateur n'est pas un sous-homme ; le résistant n'est pas non plus un surhomme – juste un homme. C'est peu, mais c'est tant, c'est beaucoup, et c'est souvent tout.

Libération, épuration, etc.

Après l'Occupation, la Collaboration, la Résistance arrive la *Libération*. La description donnée dans *La Peste* fait évidemment songer à celle de Paris, puis de la France : joyeusetés dans la ville ; orchestres aux carrefours ; pétards d'enfants ; foules rieuses et bruyantes ; jubilation généralisée ; reprise des communications ; grands titres dans la presse ; annonces officielles à la radio ; communiqués de la préfecture ; retour des voitures dans les rues ; musique et danse dans les quartiers ; sonnerie des cloches à toute volée ; coups de canon ; nuits illuminées ; feux d'artifice ; rumeurs montées de la ville ; cafés débordant de monde ; alcool à profusion ; couples enlacés ; fraternisation dans les rues d'individus que tout oppose ; retour de l'espoir.

Bien sûr, l'*Épuration* suit la Libération. La plupart exagèrent leur rôle dans la Résistance – Camus pense probablement au petit milieu des gendelettres parisiens, Sartre en tête. Lors des procès qui suivent cette période, le docteur Rieux témoigne, certes, non pas *contre* les collaborateurs, mais *pour* leurs victimes. Le médecin qui fut effectivement résistant le sait : « Beaucoup de nos concitoyens céderaient aujourd'hui à la tentation d'en exagérer le rôle » (II. 124). Les plus actifs ne furent pas les plus bavards – parfois même, ils ont été les plus mutiques.

Camus montre une France dans laquelle, contrairement à la pensée binaire exprimée dans *L'existentialisme est un humanisme* – la fameuse conférence du 29 octobre 1945 publiée l'année suivante –, il n'y a pas d'un côté le héros qui s'engage dans la Résistance, l'individu authentique, et de l'autre le « salaud », personnage inauthentique, qui se donne de bonnes raisons de n'avoir pas fait le bon choix en prétextant n'avoir pas eu le choix. Pour Sartre (qui n'a pas choisi le bon camp), on ne peut pas ne pas choisir, dès lors il fallait faire le bon choix sous peine d'être un « salaud » ; pour Camus, qui s'est trouvé dès le début septembre 1939 du bon côté de la barricade, le choix n'est pas toujours aussi simple.

Peste brune et peste rouge

Le fond romanesque de *La Peste* témoigne pour une allégorie antifasciste brune. Certes. Mais elle permet également une allégorie antifasciste rouge. Quels éléments permettent de penser que ce roman est une allégorie du fascisme brun en général et du national-socialisme en particulier ? L'abondance de morts ; les entassements de cadavres ; les immenses fosses communes dans lesquelles on précipite les trépassés recouverts de chaux vive ; l'usage de « fours crématoires » (II. 157) pour transformer en cendres les squelettes sortis de leur concession à perpétuité afin de faire place aux défunts nouveaux, mais aussi pour se débarrasser des pestiférés ; la fumée des crémations répandues sur la ville ; le tramway utilisé pour convoyer les défunts ; les wagons qui ondulent en direction du four crématoire ; les camps avec leurs sentinelles.

Quels autres éléments en faveur d'une allégorie du fascisme rouge ? Le discours d'un homme (Jean Tarrou) qui raconte un jour sa vie : fils d'un avocat général, il explique avoir connu *la* peste bien avant *cette* peste. Son père était obsédé par les horaires de train qu'il connaissait par cœur, une passion qui faisait la joie de son fils pendant son enfance. À dix-sept ans, son père l'invite à une séance d'assises. Sidération : le jeune homme découvre et comprend qu'un inculpé, c'est aussi et d'abord un homme. Le réquisitoire envoie le condamné à la guillotine *via* l'avocat général qui a requis la peine de mort. Immédiatement, la sympathie de l'adolescent va au coupable devenu victime et non pas à son père dont il découvre qu'il envoie régulièrement des justiciables à la mort. Il le quitte alors.

Indépendant de sa famille dès l'âge de dix-huit ans, il connaît la misère, les petits boulots. Puis il veut régler son compte à ce fameux jour d'assises. Il entre alors en politique avec pour objectif premier d'éviter d'être un pestiféré : il s'engage contre la société capitaliste qui repose, pense-t-il, sur la peine de mort. Combattre cette société, c'est combattre la peine de mort. Dès lors, tous les combats menés en Europe contre le capitalisme et ses guillotines deviennent les siens.

Certes, dans le camp où il militait, on activait aussi des couperets mortels, mais pour la bonne cause : on décapitait aujourd'hui pour n'avoir plus à décapiter demain, on tuait ici et maintenant pour préparer un futur dans lequel on ne tuerait plus jamais. Cet aveuglement cesse quand il assiste à une exécution capitale en Hongrie. Ce pays est communiste depuis mars 1919, Camus date la peste des années 1940, on peut donc imaginer que cette exécution s'effectue sous un régime communiste. Dans un premier jet, le manuscrit signalait « en Espagne », Camus corrige et remplace par « en Hongrie » (II. 1193), inaugurant ainsi une longue et belle amitié avec ce pays.

Ce communiste par anticapitalisme, cet anti-capitaliste par opposition à la peine de mort, cet abolitionniste défendant l'exécution capitale sous prétexte de préparer dialectiquement la négation, donc l'abolition de la peine capitale, renonce à la peste rouge quand il voit de ses propres yeux la boucherie d'un abattage légal – souvenir, une fois encore, du rôle majeur tenu dans la vie de Camus par le souvenir du père. La dialectique, l'idéologie, la sophistique, la rhétorique, la philosophie peuvent justifier cet injustifiable : tuer pour ne plus tuer ; mais l'intelligence, la raison, le bon sens ne sauraient consentir à ces paralogismes de doctrinaires. La peste est la peste, il n'y en a pas de bonnes clairement distinctes des mauvaises : elles sont toutes condamnables. Quelles leçons a tiré ce fils d'avocat général communiste après avoir vu la bestialité d'un peloton d'exécution ? « J'ai décidé de refuser tout ce qui, de près ou de loin, pour de bonnes ou de mauvaises raisons, fait mourir ou justifie qu'on fasse mourir » (II. 209).

C'est donc cet homme, Jean Tarrou, qui affirme savoir désormais que la peste est inscrite en chacun de nous, que personne n'en est indemne, que nous devons lutter contre elle, nous surveiller, nous empêcher, pour le dire dans le vocabulaire paternel camusien. La peste est naturelle ; la résistance, culturelle. Le philosophe n'a pas à entretenir le penchant animal et bestial des hommes, il doit solliciter son tropisme humain, autrement dit, son aptitude à la compassion, sa capacité à la pitié, son talent pour l'empathie, sa disposition à la sollicitude. Leçon libertaire : « Je dis seulement qu'il y a sur cette terre des fléaux et des victimes et qu'il faut, autant qu'il est possible, refuser d'être avec le fléau » (II. 210). Camus a choisi le camp des victimes – pas Sartre.

La peste est nomade

La fin de la peste n'est pas la fin. Camus ne pouvait que fâcher le petit monde d'une très grande partie des écrivains, des philosophes et des penseurs d'après guerre tout à leur compagnonnage avec le communisme, soucieux alors de prendre leur place dans le monde des lettres françaises. À l'heure où le PCF connaît des records électoraux (28,6 % en juin 1946) et forge sa légende avec d'autres faussaires ayant intérêt à cette mythologie pour se faire reconnaître, Camus termine son roman en écrivant qu'on n'en finit jamais avec la peste – cette conclusion témoigne en faveur d'un traité d'ontologie politique plus que d'un roman de circonstance.

À la Libération, la foule est en liesse, elle connaît la joie des rescapés. Mais Rieux ne se réjouit pas car il sait que « le bacille de la peste ne meurt ni ne disparaît jamais, qu'il peut rester pendant des dizaines d'années endormi dans les meubles et le linge, qu'il attend patiemment dans les chambres, les caves, les malles, les mouchoirs et les paperasses, et que, peut-être, le jour viendrait où, pour le malheur et l'enseignement des hommes, la peste réveillerait ses rats et les enverrait mourir dans une cité heureuse » (II. 248). Du vivant de Camus, les rats ont envahi nombre de pays : Italie, Espagne, France, Allemagne, mais aussi URSS et « pays de l'Est », Chine et Cuba, Corée du Nord, après lui encore Cambodge, Grèce, Chili, Argentine, etc. Des dizaines de millions de morts.

Certes, les officiels construisent *après* des monuments aux morts avec des plaques et le nom des victimes gravé dans le marbre. Sous les drapeaux, en présence d'anciens combattants bardés de médailles, pleins de componction, les gens de pouvoir lisent leurs discours sans en croire un seul mot. Ils déposent des gerbes, en appellent à la mémoire, multiplient les commémorations inutiles. Dans ses dernières pages, *La Peste* raconte cet inévitable mémoriel et passe au-delà. L'important n'est pas la commémoration mais la vigilance, non pas la mémoire du passé mais la haute tenue du présent, non pas la religion nostalgique mais l'action résistante. L'ontologie politique de Camus n'est pas un monument de l'après, mais une machine de guerre libertaire *contemporaine*.

Créer un mythe antifasciste

De la même manière qu'après la Libération l'Histoire devait se répéter dans les formes tragiques que nous savons, Camus réitéra ses exercices d'ontologie politique libertaire. Après *Caligula* et *La Peste*, il met au point *L'État de siège*, un travail commencé en 1942 pour faire suite à un premier jet de Jean-Louis Barrault et d'Antonin Artaud. *Caligula* se veut un genre de *peste*, *La Peste* annonce l'*état de siège*, *L'État de siège* raconte *la peste* à son tour. Cette trilogie défend une même vision libertaire du monde.

Cette pièce finie en janvier 1948 est jouée le 27 octobre de la même année. Cette fois-ci, l'Espagne est clairement nommée : il s'agit donc de la peste franquiste. Dans l'avertissement à l'édition du texte, Camus propose de construire « un mythe qui puisse être intelligible pour tous les spectateurs de 1948 » (II. 291). Il ne s'agit pas d'une adaptation du roman de Camus ; pas plus il ne s'agit de mener à bien le premier projet de Barrault-Artaud : adapter le *Journal de l'année de la peste* de Daniel Defoe. Camus ne veut pas d'une pièce de théâtre classique, il souhaite un spectacle total qui associe le monologue lyrique, le théâtre collectif, le jeu muet, le dialogue classique, la farce, le chœur. La création de l'œuvre s'effectue avec une musique de Honegger, des décors et des costumes de Balthus.

Une comète passe dans le ciel de Cadix, une ville espagnole fortifiée, elle annonce un mauvais présage : la peste. Nada (« Rien » en espagnol) qui ne croit ni en Dieu ni en Diable, ni au ciel ni aux enfers, seulement au vin, interpelle les soldats et leur reproche de ne jamais mourir au combat, mais toujours dans leurs lits. Ce nihiliste espagnol voudrait que le monde soit un taureau pour le mettre à mort plus facilement. La peste arrive, personnifiée par un homme qui prend le pouvoir, vêtu d'un uniforme. Nada dit alors : « Peste ou gouverneur, c'est toujours l'État » (II. 318). L'Église affirme une fois de plus que l'épidémie procède d'un châtiment divin à cause de l'impiété des hommes.

Sous le gouvernement de la peste (ou sous la peste du gouvernement), certains portent des signes distinctifs. La dénonciation est une vertu civique récompensée. Le juge, kantien emblématique, dit : « Je ne sers pas la loi pour ce qu'elle dit, mais parce qu'elle est la loi » (II. 335) – et l'on ne discute pas la loi. On ne discute donc pas le juge non plus. On trahit parce qu'on a peur ; on a peur parce que personne n'est pur. Les votes hostiles au gouvernement sont considérés comme des votes nuls. L'amour est interdit. On marque les maisons des pestiférés avec une étoile noire – jaune dans le manuscrit de la première version où il était également question d'abat-jour en peau humaine. L'état de siège suppose le couvre-feu, les laissez-passer, les sentinelles, les barreaux aux fenêtres, les fusils, les barbelés, les miradors, les matricules, la pénurie, les tickets de rationnement, les tatouages sous les aisselles (comme le numéro de matricule des nazis), les certificats de naissance pour attester des identités. Le texte parle de camps de concentration et de déportation, de réquisition et de radiation, de tortures, d'exécution d'otages. De fours crématoires aussi. La vie privée n'existe plus. Les comptabilités, les statistiques, l'administration du crime triomphent. On établit des listes. Pour la peste, « l'idéal, c'est d'obtenir une majorité d'esclaves à l'aide d'une minorité de morts bien choisis » (II. 362).

Camus donne la solution pour en finir avec la peste, il s'agit toujours de la thèse la boétienne : le pouvoir n'existe que parce qu'on y consent, si l'on refuse son consentement, alors il s'effondre de lui-même. La servitude est volontaire. Il y a peste parce qu'il y a « oui » à la peste ; dès qu'il y a « non », refus, révolte et rébellion, elle disparaît. La peste part, vaincue par l'amour de « Victoria » et de « Diego » : elle avait promis la vie sauve à qui renoncerait à la révolte. Victoria a voulu mourir pour Diego – qui meurt tout de même. La révolte a eu raison de la peste – elle annonce qu'elle reviendra.

La pièce fut unanimement éreintée. Gabriel Marcel, philosophe maréchaliste pendant l'Occupation, se scandalisa qu'elle se passe en Espagne et dénonce donc le franquisme – elle eut un moment pour titre *L'Inquisition à Cadix*. Le penseur vichyste aurait préféré la voir située dans les pays de l'Est. Barthes et Sartre à gauche, Gabriel Marcel à droite avec tant d'autres, la curée s'annonçait. Camus commençait en effet son trajet solitaire.

Pour n'avoir pas eu d'indignations sélectives, pour avoir condamné tout totalitarisme indépendamment de sa couleur, il concentra sur son nom la haine de la droite qui lui reprochait sa critique des dictatures fascistes et celle de la gauche marxiste qui lui en voulait de dénoncer les camps soviétiques. Sa pièce de théâtre ne parvint pas à créer un mythe antifasciste, mais elle contribua à la construction de la pensée d'un philosophe antifasciste qui agit, par-delà les années, non pas comme un mythe, mais comme une référence grâce à son ontologie politique libertaire, l'autre nom d'une arme de guerre antifasciste redoutable : *la Résistance*.

2

Principes d'utopie modeste

*Comment faire la révolution
sans Marx ?*

> « Les questions qui provoquent ma
> colère : le nationalisme, le colonialisme,
> l'injustice sociale et l'absurdité de l'État
> moderne. »

Camus, *Entretien avec Chiaramonte* (II. 720).

Métaphysique du fait divers

« Journaliste à la Sorbonne, professeur au
Figaro », disait un certain général de Gaulle de
Raymond Aron. Cette saillie généralissime
résume assez bien le risque encouru par un philosophe à donner son avis sur toute chose dans
la presse dès qu'il dispose d'un éditorial le
contraignant à remettre sa copie chaque
semaine dans l'urgence. La patience du travail
méditatif fait mauvais ménage avec la vitesse
journalistique. La lecture longue et lente de pensées complexes, l'analyse critique et sereine d'un

monde lourd de sens obscurs, la réflexion juste et adéquate sur un univers en mouvement, tout cela installe dans un monde aux antipodes des délais de bouclage et de la course à l'exclusivité.

Alain, professeur de philosophie célèbre, philosophe notable et journaliste au long cours, a donné plus de trois mille *Propos* à des journaux divers. La vulgate prétend qu'en philosophant dans les journaux il se proposait de « hisser le fait divers à la hauteur de la métaphysique ». Un chiasme facile met en évidence le risque encouru avec pareil projet : « descendre la métaphysique au niveau du fait divers ». Le danger existe, d'Alain à Aron, en passant par Camus, de ne pas trouver le bon équilibre et de sacrifier la philosophie au fait divers – le contraire ne posant pas de problème. Lorsque Alain disserte sur les méfaits de la technologie moderne avec pour prétexte le déraillement d'un train, le pittoresque ferroviaire peut prendre le dessus sur la critique de la modernité qui, dans l'absolu, n'a pas besoin d'une occasion triviale pour s'exercer. Mais c'est la loi du genre journalistique de prendre appui sur le concret le plus immanent pour conduire un peu le lecteur vers le transcendantal !

À ce sujet, retenons que Maurice Clavel se réclamait du « journalisme transcendantal » pour caractériser ses interventions de philosophe dans la presse de son temps. Pour ce croyant en Dieu et en Kant, la Providence se manifeste dans l'Histoire : la tâche du journaliste transcendantal consiste donc à chercher puis à trouver dans les faits les modalités conceptuelles de cette épiphanie. Pour présenter un recueil d'articles parus dans *Combat* et *Le Nouvel Obser-vateur*, Clavel rapporte, dans *Combat*. *De la résis-tance à la révolution*, qu'un philosophe lui demanda un jour d'écrire « le livre de philoso-phie qui est en filigrane de [*sic*] vos articles ». De fait, quand le philosophe qui s'exerce au jour-nalisme est grand, il existe toujours un livre en filigrane dans ses articles éparpillés.

Camus ne fut donc pas journaliste à la Sor-bonne, et pour cause, et pas plus professeur à *Combat* où il s'est exercé à penser en philosophe une actualité alors confondue avec l'Histoire. Le fait divers existait à peine tant il coïncidait à cette époque avec le ton du moment fait de bruit et de fureur, de sang et de guerre, de terreur et de tyrannie. La moindre petite histoire procédait de la grande, et Camus journaliste avait le talent vif et clair pour aller au nerf de l'événement afin d'en saisir le caractère général, universel, voire transcendantal. Cette aptitude à fixer le noyau idéal du phénomène puis d'en rendre compte dans la langue d'un moraliste français (il avait une passion pour Chamfort dont il préfaça les *Maximes*) caractérise son art d'écrire dans les journaux.

Un Diogène moderne

Ainsi à *Alger républicain* qu'il intègre en 1938 comme rédacteur en chef à l'âge de vingt-cinq ans. Dans les comptes rendus de procès, ou dans les onze articles donnés au journal entre le 5 et le 15 juin 1939 sur la misère en Kabylie, il existe déjà *un livre en filigrane* qui montre un Camus défenseur des minorités arabes et musulmanes, critique du mécanisme colonial, farouche opposant à la justice de classe, engagé bec et ongles contre toutes les formes d'erreurs judiciaires ou d'arbitraire juridique. En un mot, un Camus déjà libertaire.

Le premier numéro de ce journal de gauche coopératif et non communiste s'ouvre sur une déclaration d'intention politique. Le journal revendique un certain nombre de combats politiques : l'égalité politique immédiate pour tous les Français quels qu'ils soient, donc pour les indigènes d'Algérie, l'accès pour tous les habitants de ce pays aux mêmes services sociaux que les habitants du continent, la constitution d'un peuple homogène à partir de la diversité des communautés vivant dans ce pays. Camus publiera une cinquantaine d'articles entre le premier numéro daté du 6 octobre 1938 et le dernier paru le 15 septembre 1939, date à laquelle Pia crée *Le Soir républicain*, un journal moins lourd en papier, donc moins coûteux en fabrication.

Dans ce support, Camus pense et écrit comme un Diogène moderne : il joue au chat et à la souris avec la censure, invente des phrases prêtées à des auteurs célèbres dont l'aura enfume la relecture policière, propose une prétendue citation de Ravachol (« Supprimons les scombéroïdes », en fait, une variété de poisson, mais comme la censure l'ignore, elle fait sauter le mot, ce qui ajoute un blanc dans la page). Camus soumet à l'officier qui taille dans le texte une Provinciale de Pascal qui paraît amputée, puis un texte de Giraudoux, alors commissaire à l'Information dans le gouvernement français, arguant ensuite auprès du fonctionnaire qu'il ne pouvait tout de même pas censurer Pascal et son supérieur hiérarchique !

Sa ligne politique est claire : avec humour et cynisme, ironie et colère, persiflage et vertu, Camus défend le droit de grève, critique la censure, bien sûr, y compris quand elle s'exerce contre ses adversaires communistes, il s'engage aux côtés des plus modestes, des ouvriers humiliés par leurs patrons, des gens de peu exploités par les colons, il se met aux côtés des musulmans. Il peste contre la charité des dames patronnesses catholiques et veut la justice en lieu et place de cette fausse vertu, un vrai vice qui entretient la misère afin de permettre le salut égoïste des acharnés de la bonne œuvre. Il soutient la cause des travailleurs immigrés, sous-prolétariat exploité en métropole. Il invite à lutter contre le chômage avec de grands chantiers nationaux à la façon des quarante-huitards. Il défend les congés payés, un acquis du Front populaire mis en péril par les radicaux-socialistes proches des patrons et par les communistes obéissant aux ordres de Moscou pour qui l'heure n'est pas à la révolution mais à la reprise du travail. Il dénonce le caractère profondément inique du code de l'indigénat. Évidemment, il attaque violemment les fascismes européens. Il défend le droit à l'avortement. Il prend parti pour le projet Blum-Viollette qui envisage d'accorder la nationalité française à un grand nombre d'Algériens.

Il manifeste une véritable compassion pour les bagnards qu'il voit embarquer dans le port d'Alger. Il soutient les objecteurs de conscience et milite pour sa légalisation. *Dès décembre 1939*, il critique les régimes totalitaires, dont l'Union soviétique fustigée pour son impérialisme. Il dit sa détestation pour Hitler et Staline. Rappelons que ces positions politiques se trouvent défendues par un jeune homme entre l'âge de vingt-quatre et vingt-six ans.

Avec Pascal Pia, il rédige une *Profession de foi* évidemment censurée dans laquelle il se dit pacifiste, désireux de préserver la paix, non pas en négociant avec Hitler, mais en travaillant à la construction d'un front international du refus susceptible d'empêcher le pire. Camus pensait que l'hitlérisme avait des causes et invitait à agir contre elles : par exemple, en accédant à la demande d'une renégociation du traité de Versailles humiliant pour le peuple allemand, puis en aménageant cette dette de guerre impossible à honorer. Il croyait qu'en agissant contre les causes de la guerre, on pouvait en empêcher l'avènement.

Camus énerve beaucoup : des lecteurs, les actionnaires du journal, l'autorité de censure, les édiles algériens. Convoqué au commissariat qui croulait sous les plaintes contre lui, bravache, il ajoute un certain nombre de motifs oubliés par la censure. Diogène et Don Quichotte ! Le 10 janvier 1940, le journal est suspendu. Camus assiste au retournement des actionnaires contre lui, ils lui reprochent le sabordage du journal dans un esprit anarchiste ! Un procès se profile. Deux mois plus tard, il part pour Paris.

Vertu de l'insurrection

La grande aventure journalistique de Camus est indissociable de *Combat*, un journal issu en 1941 de la fusion des bulletins du *Mouvement de libération française* et d'autres supports clandestins, dont *Vérités* et *Liberté*. Ce combat-là renvoie au *Mon combat* d'Hitler, le journal ayant failli un temps s'appeler *Notre combat* ! À ses débuts, la rédaction n'est pas opposée à Pétain, mais à son entourage. Il faut attendre mai 1942 pour qu'elle associe le Maréchal aux maréchalistes et cite dans le même numéro une déclaration du général de Gaulle. La croix de Lorraine apparaît dans le sigle du journal à l'automne 1942. En novembre de cette année-là, une phrase de la Déclaration Montagnarde du 24 juin 1793 indique la voie en faisant une référence à la Révolution française : « Quand le gouvernement viole les droits du peuple, l'insurrection est pour le peuple le plus sacré des droits et le plus indispensable des devoirs. » En décembre, le journal fait du général de Gaulle un chef et un symbole. Il propose pour régime politique : « République socialiste et démocratie en actes ». En février 1943, le journal envisage l'après-Libération et souhaite une autre République, la Révolution socialiste qui est « révolution de l'esprit ». En janvier 1943, nouvelles fusions avec d'autres mouvements. *Combat* est alors sous-titré « Organe du Mouvement de libération nationale ». Le journal n'envisage pas le recyclage de la vieille classe politique ayant failli et rejette les partis. À la Libération, *Combat* prend pour sous-titre « De la Résistance à la Révolution ». Camus souscrit concrètement à ces deux programmes : la Résistance, on l'a vu, et la Révolution, on va le voir.

Camus dispose d'une fausse carte d'identité datée du 20 mai 1943 au nom d'Albert Mathé, preuve de son activisme dans la Résistance à cette date. Son adhésion date assez probablement de la période du Panelier, soit au milieu de l'année 1942. En juillet 1943, il rédige sa « Première lettre à un ami allemand » qui paraît clandestinement dans la *Revue libre*. À l'automne, Camus intègre l'équipe du journal sous le pseudonyme de Bauchard. En novembre de cette même année, il devient lecteur chez Gallimard. Il écrit la « Deuxième lettre à un ami allemand » en décembre, elle paraît début 1944 dans les *Cahiers de la Libération*. En mars 1944, il publie son premier texte dans *Combat* clandestin : « À guerre totale, résistance totale ». Plus de cent cinquante articles suivront jusqu'au 3 juin 1947.

Début 1944, lorsque Pia part en missions de résistance, Camus assure les principales tâches de la rédaction, après avoir été d'abord chargé de la mise en page. Outre la rédaction d'articles, il intervient sur d'autres terrains : le transport des journaux, leur mise en place, la diffusion. Tâches risquées. Dans sa correspondance avec sa femme, il évoque des « missions d'inspection et de liaison », un rôle d'« inspecteur pour Paris » du Mouvement de libération nationale. On le recherche, il se cache, puis reprend sa tâche. Fin août 1944, Camus commande un reportage sur la libération de Paris à un certain Jean-Paul Sartre – une tâche probablement assurée par Beauvoir et signée par Sartre qui pourra ainsi faire savoir bientôt que, deux mois après le débarquement allié en Normandie, il contribuait à un journal de la Résistance.

Une éthique du journalisme

Avant de subir la haine des journalistes avec *L'Homme révolté*, Camus manifestait déjà des réserves sur ce métier dans *Alger républicain* – sa correspondance avec Jean Grenier en témoigne. Ce pourrait être le plus beau des métiers s'il se proposait une éthique : la vérité, la liberté, la justice, autrement dit s'il n'était pas à la solde des actionnaires du journal qui aspirent à une seule chose : des bénéfices conséquents. Il a connu *Paris-Soir* et les ficelles journalistiques, la démagogie, la séduction, le mensonge, l'opportunisme, la facilité, la sensiblerie. Son travail de secrétaire de rédaction lui a révélé les coulisses du journal.

Dans ses « Réflexions sur une démocratie sans catéchisme » paru dans *La Gauche*, le journal du Rassemblement démocratique révolutionnaire, il écrit : « Nous mangeons du mensonge à longueur de journée, grâce à une presse qui est la honte de ce pays » (II. 718). La presse dépend de la banque qui la finance. Jadis, à Alger, avec Pia, Camus a connu le fonctionnement du journal coopératif avec des actionnaires moins soucieux d'engranger des bénéfices que de rendre possible, soutenir et défendre une presse de qualité dans laquelle le journaliste pense l'événement en totale liberté.

Penser l'événement, certes, mais aussi et surtout l'analyser sous un angle politique libertaire, c'est-à-dire nullement inféodé à un parti, à une idéologie. Pas question, pour Camus, de presse militante, de journal portant la voix d'une formation empêchant de penser parce qu'elle ne viserait qu'à entretenir les convictions de ses lecteurs. Le journaliste est un homme avec des idées personnelles et non les idées de l'organe qui l'appointe. Il doit prendre le temps de la réflexion et ne pas souscrire au temps des exclusivités journalistiques pour arriver avant les confrères. Il ne faut pas informer vite, mais bien.

Camus souhaite une information accompagnée d'un commentaire critique. Le journaliste doit fournir des analyses utiles pour comprendre l'événement. Il donnera ses sources, confrontera les provenances, mettra en page de façon à ne pas conclure mais à permettre au lecteur de le faire dans les meilleures conditions. Il l'éclairera au lieu de vouloir lui plaire. Il indiquera les degrés de crédibilité des provenances d'information. Il visera la vérité, même si, en histoire, elle paraît fragile. Il expliquera comment fonctionnent les agences de presse internationales afin de solliciter le sens critique du lecteur. Il proposera un commentaire politique et moral sachant que le goût de la vérité n'empêche pas de prendre parti. Il montrera le sens du relatif, un certain talent pour l'ironie, une volonté toujours tendue de ne jamais jouer l'instituteur, le professeur de morale ou le juge. Il sera prudent, soucieux d'objectivité. Il ne confondra pas grande et petite information. Il saura que le droit à la critique dont il dispose se double d'un devoir d'autocritique. Ainsi se définit un *journa-lisme critique* soucieux « de créer un esprit public et de l'élever à la hauteur du pays lui-même » (II. 523). Ce souhait d'après guerre reste à réaliser.

Une pensée en archipel

Cette théorie du journalisme se double d'une pratique de la profession dans des règles édictées théoriquement. Ses plus de cent cinquante articles donnés dans *Combat* sont réunis sous le titre *Actuelles. Chroniques 1944-1948*. L'exercice périlleux met en relation des textes écrits dans la brève durée journalistique avec la longue durée d'un autre temps. Certes, la réunion d'articles éparpillés fait une somme, mais cette somme constitue une efflorescence sauvage d'idées, de thèses et de thèmes, d'anecdotes et de réflexions, de grande et de petite histoire. La lisibilité du jour de parution du journal n'est plus celle du livre en librairie. Le contexte effacé, l'énigme grandit. Le temps chaud du marbre et des morasses laisse place au temps froid des bibliothèques.

Dans le court texte de présentation de ce premier volume d'*Actuelles*, Camus signale les limites de l'exercice. Il ajoute même que, le temps passant, ce qu'il écrivait en 1944 ou dans les années suivantes, il ne le pense plus toujours en 1950, date de la mise en circulation du volume en librairie. Les cinq années qui séparent le Débarquement de cette année inaugurale d'une nouvelle décennie regorgent d'événements historiques : libération de Paris et de la France, chute de l'Allemagne nazie, fin de l'Italie fasciste, installation au pouvoir du général de Gaulle avec des ministres communistes au gouvernement, triomphe du stalinisme, construction de camps de concentration soviétiques, conférence de Yalta, dépeçage de l'Europe, bolchevisation de l'Est. On comprend facilement que, sur tel ou tel sujet, Camus puisse ne plus soutenir totalement les mêmes thèses.

Certes, le philosophe précise qu'il a changé d'avis, qu'il lit aujourd'hui certains textes avec malaise et tristesse et doit lutter contre lui pour les livrer au public. Mais l'exercice d'*Actuelles* exige la publication de ce qui fut un jour écrit. Une préface permettrait de préciser ce qui a changé et pourquoi. Car, à défaut de détails donnés par l'auteur lui-même, on peut imaginer que rien de ce qui a été pensé par lui dans les années 1940 n'est encore valable. Par exemple : l'éthique du journalisme est-elle toujours d'actualité ? Et le projet d'associer une économie collectiviste avec la liberté politique ? Qu'en est-il de ces moments phares de sa pensée politique : la démocratie modeste, l'utopie relative, le nouvel ordre international, le fédéralisme européen, l'émancipation des colonies, l'abolition des frontières, le gouvernement mondial ? A-t-il toujours envie de supprimer l'école libre ?

À l'évidence, cinq ans plus tard, un certain nombre des idées fortes du philosophe demeurent d'actualité. On imagine mal un changement d'avis sur les principes de son édifice intellectuel et spirituel : la critique des totalitarismes bruns et rouges, le combat aux côtés des républicains espagnols et la lutte contre le franquisme, la dénonciation des camps soviétiques en même temps que la critique de l'usage de l'arme nucléaire américaine, la lutte contre toute forme de peine de mort, le refus du crime légal, l'envie de justice et de liberté – la guerre menée à tout ce qui ressemble de près ou de loin à la peste.

Hourra l'Oural !

À défaut de notes, de précisions, de commentaires rédigés de la main de Camus, on ne conclura pas. Mais on peut, sans risquer de se tromper, émettre l'hypothèse qu'un certain philosoviétisme de Camus ne serait plus de mise. Pendant la guerre, avec et après Stalingrad, les Soviétiques jouent un rôle majeur dans la destruction du national-socialisme en Europe. À cette époque, même si Camus n'est pas dupe du réalisme politique de l'URSS, du caractère fautif de sa philosophie de l'histoire et du coût humain très élevé de pareille méprise intellectuelle, bien qu'il sache que les marxistes-léninistes jugent, déportent et suppriment les anarchistes, les socialistes et les libéraux, toutes choses dénoncées dans ses chroniques, lucide mais réaliste il sait que la Russie soviétique a collectivisé pour des raisons sociales, qu'elle récuse l'argent et son pouvoir, et produit ainsi une nouvelle civilisation.

Camus se reproche probablement d'avoir donné à cette époque la priorité au réalisme et fait peu de cas de cette lucidité qui lui faisait écrire quelques mots sur la négativité soviétique dans un article globalement positif sur ce grand pays. Cette chronique datée du 10 avril 1945, donc juste après la victoire des troupes de Staline sur le front de l'Est, invite à prendre en considération l'expérience de la Révolution bolchevique : la France aurait refusé 1917, puis contraint la Russie de Lénine à militariser ses frontières, avant de faire courir le bruit que le pays connaissait un désordre sans nom. Camus va jusqu'à faire du pacte germano-soviétique un effet réaliste à mettre en perspective avec Munich – bien qu'il fasse tout de même de ce pacte « une tragédie morale » (II. 612).

Si l'URSS soviétise certains pays d'Europe, par exemple la Tchécoslovaquie, elle en a le droit puisque la France a perdu la place qu'elle occupait traditionnellement en Europe faute d'avoir effectué les bons choix en 1939 ! Camus prend soin de dire qu'il n'est pas communiste, puis il ajoute dans la foulée que l'URSS crée une civilisation jeune, vivante et vigoureuse, une nécessité en matière d'histoire, car les vieilles cultures doivent se rajeunir. Puis il écrit cette phrase sidérante sous sa plume : « De ce seul point de vue (et il y en a bien d'autres), sachons voir que l'antisoviétisme est une stupidité aussi redoutable que le serait l'hostilité systématique à l'Angleterre ou aux États-Unis » (II. 613). On dirait du Sartre.

La présence de ce texte dans *Actuelles* est tout à l'honneur d'Albert Camus qui, à cette époque, juin 1950, travaille à *L'Homme révolté* ! Il lui aurait été facile, entre la composition du volume et la correction des épreuves, de passer sous silence ce genre de texte, d'en évincer d'autres, de réécrire ceci ou cela, pour sculpter sa propre statue, afin de donner une image lisse de lui. Mais il n'a pas voulu réécrire son passé à la lumière de son présent, encore moins le peaufiner en regard de l'idée qu'il pouvait se faire de son futur. Se montrer tel qu'il fut, en mouvement, d'une certaine manière en contradiction avec son passé, souligne son honnêteté, sa droiture, sa rectitude – sa vertu.

Le livre en filigrane

Ces chroniques mélangent intimement l'écume des jours et la pensée substantielle. La lecture d'un pareil volume pose des problèmes : comment séparer le bon grain philosophique de l'ivraie anecdotique ? Car, même si l'un fournit le prétexte à l'autre, le fait divers phénoménal recouvre la substance transcendantale. Faits divers : une élection municipale en Algérie, une parole d'Émile Henriot, la mort de Roosevelt, un article de Mauriac, le procès de Pétain, la libération de l'Alsace, la formation d'un gouvernement en Belgique, la réduction du tirage des journaux par le ministère de l'Information, l'exécution de communistes résistants par les Grecs, un poème de Claudel hier maréchaliste aujourd'hui gaulliste, une exaction de Franco, une démission de Mendès France, etc. Commentaire substantiel : des réflexions sur le pouvoir, l'opportunisme, la realpolitik, le sens de l'Histoire, l'exercice de la justice, la responsabilité des intellectuels, les conditions du pardon, le compagnonnage ontologique de l'Église et des fascismes, le manque de lucidité des intellectuels, leur responsabilité, etc.

S'il fallait extraire de ces articles le *livre en fili-grane*, il faudrait probablement supprimer l'écume des jours, les choses trop datées, les anecdotes du moment, la politique politicienne, le fait divers au sens traditionnel du terme. Mais comment disso-cier texte et prétexte ? Car l'exercice semble moins conceptuel que pragmatique : il part du réel et y revient en passant par le moment proprement réflexif impossible à dégager de la gangue triviale. Un choix de textes n'éviterait pas l'inextricable attelage du réel immanent et de sa pensée.

Ce livre en filigrane ne peut donc être constitué d'extraits, puisque les chroniques, chacune à leur manière, constituent déjà des extraits, des frag-ments détachés d'une œuvre non faite. Ces pages groupées sous le titre *Actuelles* méritaient une pré-face de Camus, elle aurait permis de dater, de contextualiser, de hiérarchiser les propos, de tirer un fil d'Ariane dans le labyrinthe historique. Jus-tifiant son titre, Camus fait du journaliste « un historien au jour le jour » (II. 521), autrement dit un oxymore puisque l'historien, par définition, ne saurait l'être du présent, mais du passé, fût-il le plus immédiat. Il lui faut le recul, une mise à dis-tance que la préface rendait possible comme un exercice d'intempestivité.

Reste donc aujourd'hui à proposer une esquisse de ce livre invisible pour rendre justice à Camus qui proposait avec *Actuelles* un difficile exercice de pensée pour le lecteur : le nietzschéen de Tipasa a préféré le chantier dionysiaque à l'archi-tecture apollinienne. Dès lors, on a peu ou pas, voire mal entendu ce qu'il avait à dire sur le ter-rain politique – trop brouillon, trop confus, trop dissimulé pour les lecteurs pressés, autrement dit pour le lecteur d'aujourd'hui. Car, deux années avant la parution de *L'Homme révolté*, il existait en librairie ce grand livre de Camus qui interdit pour toujours de le ranger du côté des ennemis du socialisme.

Parce qu'il ne défendait pas le *socialisme des camps*, Sartre et les siens ont fait de lui un bourgeois, un conservateur, un réactionnaire, un ennemi de classe, un compagnon de route de la droite ou, dans la meilleure des hypothèses, un réformiste social-démocrate, alors qu'il fut le défenseur d'un *socialisme libertaire* qui constitue le fil rouge de sa pensée politique depuis l'avant-guerre d'*Alger républicain* et qui, *via* la guerre de *Combat* et l'après-guerre de *L'Express*, demeurera le sien jusqu'à sa mort prématurée. Les trois publications des *Actuelles* et *L'Homme révolté* témoignent en ce sens. Pas étonnant que l'on ignore encore aujourd'hui le détail de la pensée politique de Camus puisqu'elle fut écrite dans ce livre invisible, ce livre en filigrane des *Actuelles* et que, pour y accéder, il faut *lire* l'œuvre, un exercice passé de mode !

Pour une anarchie positive

Conservons le schéma chronologique de l'Histoire qui fut aussi celui de *La Peste* pour lire *Actuelles* : Résistance, Collaboration, Libération, Épuration, Reconstruction – en l'occurrence, les propositions pour éviter le retour de la peste. On découvrira, sous le signe de ce que Proudhon aurait appelé une *anarchie positive*, ce qu'auraient pu être les titres du livre formidable caché dans les chroniques : « La démocratie modeste » (II. 428), « L'utopie relative » (II. 445), « La démocratie internationale » (II. 448), « Le nouvel ordre universel » (II. 446), « Le choc des civilisations » (II. 449), « L'économie internationalisée » (II. 587), « La Fédération économique mondiale » (II. 596).

Premier temps : *la Résistance*. Personne mieux que Camus, qui fut un résistant historique, concret, engagé, réel, ne peut mieux célébrer l'existence d'une résistance transcendantale, autrement dit d'un lignage qui, de Spartacus à Jean Moulin, *via* Charlotte Corday, oppose un grand « non » aux forces noires qui assurent le triomphe de la pulsion de mort, de l'ordre, de l'autorité, de la hiérarchie, de la sujétion. Le Résistant dit « oui » à la vie, à la liberté, à la justice, à la fraternité, à la morale. Jamais il n'a tué de victimes innocentes, et si tel avait été le cas, il n'en aurait pas joui et n'aurait pas scénographié ses meurtres à la façon des nazis.

Ceux qui, pendant l'Occupation, ont dit « non » à Vichy, au Maréchal, aux lois de Pétain, à l'ordre moral de la Révolution nationale, mais aussi à la collaboration avec l'envahisseur national-socialiste, ne peuvent après la Libération dire « oui » aux méfaits du capitalisme et de sa formule libérale qui produit pauvreté, précarité, souffrances des pauvres et misère des gens de peu. Refuser le totalitarisme de l'État français de 1940 à 1944 suppose après 1945 la récusation de la dictature nazie tout autant que le désordre capitaliste qui, fort avec les faibles et faible avec les forts, génère une paupérisation inacceptable. La leçon de la Résistance historique d'hier ? La révolution à venir.

Qu'est-ce que cette révolution voulue par Camus ? Surtout pas une révolution par le sang, avec violence et échafauds, de ces fausses révolutions qui, au sens étymologique, opèrent un virage à trois cent soixante degrés, autrement dit réactivent les mêmes vices que la veille au nom d'une prétendue vertu révolutionnaire. On garde le pouvoir, on change juste ceux qui l'exercent ; tels ou tels sujets de la veille deviennent alors les despotes du jour ; les rois sont rétrogradés au rang de sujets sans droits ; parfois même on les décapite, roi de France ou tsar de toutes les Russies par exemple. Or, dans ce genre d'opération sanglante, le peuple change tout simplement de maîtres, une fois de plus il fait les frais de l'Histoire, paie un lourd tribut et ne voit pas modifier ses conditions de vie concrètes : il dispose de droits nouveaux sur le papier, certes, mais il travaille toujours avec peine, il change de joug et passe à la guillotine ou au knout, il doit encore obéir, se soumettre, courber l'échine. La police ne disparaît pas, ni les prisons, ni les banques, ni les casernes, ni les percepteurs – bien au contraire !

Pour mémoire, et afin de comprendre ce qui anime un anarchiste, lisons ou relisons cette belle citation de Proudhon extraite d'*Idée générale de la Révolution au XIXᵉ siècle* : « Être gouverné, c'est être gardé à vue, inspecté, espionné, dirigé, légiféré, réglementé, parqué, endoctriné, prêché, contrôlé, estimé, apprécié, censuré, commandé par des êtres qui n'ont ni titre, ni la science, ni la vertu. Être gouverné, c'est être, à chaque opération, à chaque transaction, à chaque mouvement, noté, enregistré, recensé, tarifé, timbré, toisé, coté, cotisé, patenté, licencié, autorisé, apostillé, admonesté, empêché, réformé, redressé, corrigé. C'est, sous prétexte d'utilité publique, et au nom de l'intérêt général, être mis à contribution, exercé, rançonné, exploité, monopolisé, concussionné, pressuré, mystifié, volé ; puis, à la moindre résistance, au premier mot de plainte, réprimé, amendé, vilipendé, vexé, traqué, houspillé, assommé, désarmé, garrotté, emprisonné, fusillé, mitraillé, jugé, condamné, déporté, sacrifié, vendu, trahi, et pour comble, joué, berné, outragé, déshonoré » (344). Le Résistant ne veut être gouverné que par lui et les siens selon une logique contractuelle – l'ordre libertaire.

La révolution spirituelle de Camus est politique, elle s'inspire de La Boétie et de Proudhon. Leçon en provenance du *Discours de la servitude volontaire* : le pouvoir existe uniquement parce qu'on y consent, n'y plus consentir, donc se rebeller, résister, c'est immédiatement abolir ce pouvoir. Leçon issue de la lecture du Proudhon auteur de la *Création de l'ordre dans l'humanité ou principe d'organisation politique* : le gouvernement imposé d'en haut est illégitime, seul est légitime celui que l'on se choisit en bas et qui prend la forme contractuelle, coopérative, mutualiste, fédérative. La révolution de La Boétie, de Proudhon et de Camus repose sur l'intelligence, pas sur la force.

L'éthique pour politique

La révolution libertaire est pacifique. Pour Camus, elle commence avec le remplacement du personnel politique corrompu. La classe politique d'avant guerre a failli. Pas question de la voir réapparaître après la Libération alors qu'elle a été incapable de prendre en considération la montée des périls, d'empêcher la guerre, puis de résister moralement, intellectuellement et physiquement. Une autre génération, aguerrie, formée au combat réel et concret de la Résistance, doit la remplacer : « Les affaires de ce pays doivent être gérées par ceux qui ont payé et répondu pour lui. Cela revient à dire que nous sommes décidés à supprimer la politique pour la remplacer par la morale » (II. 526). Là où la révolution du socialisme césarien enferme, déporte, emprisonne, torture et assassine, la révolution du socialisme libertaire écarte, déplace, remplace, supplante les hommes sans qualité par des individus ayant fait leurs preuves en faveur de la liberté et de la justice, de l'humanité et de l'action.

Camus parle de morale. Dès lors, il fait rire les cyniques qui, lecteurs de Lénine, de Trotski ou de Staline, excellent dans la sophistique. Le créateur de l'Armée rouge, le massacreur des marins libertaires de Kronstadt, Léon Trotski, écrivit *Leur morale et la nôtre* : il s'agit d'un chef-d'œuvre pour les dictateurs d'hier, d'aujourd'hui et de demain. Il distingue en effet la morale bourgeoise de la morale révolutionnaire en interdisant de juger la révolution avec les catégories de la morale bourgeoise et en exigeant un jugement selon les critères de la morale révolutionnaire.

Ainsi, fusiller, torturer, envoyer au Goulag est certes *mauvais* pour le bourgeois, mais *bon* pour le révolutionnaire, puisque ces négativités présentées comme des bagatelles dialectiques sont appelées à produire la positivité de l'avènement de la révolution prolétarienne, du moins pour la poignée qui aura survécu. La logique conséquentialiste et opportuniste de cette morale révolutionnaire sans principes convenait aussi bien à Hitler qu'à Lénine, à Mussolini qu'à Staline, à Pétain qu'à Trotski, à Franco qu'à Mao, elle convenait aussi à Sartre – elle ne convint jamais à Camus.

La pensée post-totalitaire a conservé un réflexe totalitaire quand elle dissocie éthique et politique. S'appuyant sur Machiavel ou se réclamant de Rousseau, bon nombre pensent en effet aujourd'hui que la morale et la politique constituent deux registres séparés et que ce qui est bon pour l'une ne l'est pas forcément pour l'autre. Ceux qui dissocient les deux instances établissent cette antinomie pour justifier l'immoralisme et l'immoralité des ventes d'armes, des guerres, de la raison d'État, du réalisme économique. *Le Prince* fait l'éloge de la ruse du renard ou de la force du lion ; pour sa part, le *Discours de la servitude volontaire* ne renvoie pas aux animaux, mais à la volonté des hommes, à leur courage, à leur détermination. La Résistance ne fut pas florentine, elle fut libertaire.

La logique marxiste s'appuie sur la doctrine selon laquelle l'infrastructure économique conditionne la superstructure idéologique – en d'autres termes : le mode de production des biens induit la façon individuelle et collective de penser. Dès lors, si l'on accepte ce postulat, une révolution qui remplace la propriété privée des moyens de production par une appropriation collective, autrement dit le capitalisme par le communisme, produit *automatiquement* une révolution intellectuelle et spirituelle. Supprimer le propriétaire privé de l'usine, de la mine ou de la terre, le remplacer par un cartel de l'avant-garde éclairée du prolétariat assurant une dictature (le mot et le projet sont explicites chez Marx et les marxistes), ce serait donc changer l'homme.

Camus pense l'inverse : on ne révolutionne pas l'économie avec pour objectif de changer l'homme ; mais on change l'homme pour qu'il révolutionne ensuite l'économie et la mette non plus au service du capital, des propriétaires, des possédants, mais du peuple. Marx croit à l'économie d'abord ; Camus, à l'anthropologie, à la psychologie, à l'éthologie, à l'ontologie. Le premier, en digne élève européen de Hegel, sacrifie à la religion des idées, de la dialectique, des concepts et des noumènes ; le second, en fils d'ouvrier agricole et de femme de ménage, en disciple de la Méditerranée, en compagnon des pauvres, en ami fidèle des déshérités du quartier de Belcourt, pense d'abord aux hommes concrets. C'est dans cette perspective qu'il faut comprendre son invitation à « sauver les corps » (II. 438). Pour Marx, la politique n'a pas à être éthique, ni même une éthique ; pour Camus, l'éthique est une politique.

Le sabre et le goupillon

Deuxième temps : la *Collaboration*. Camus ne s'acharne pas sur la collaboration bas de gamme, mais sur la complicité lourde de l'Église catholique et des grands patrons français. Soit celle du pouvoir spirituel et du pouvoir de l'argent réunis sous la bannière de l'intelligence avec l'ennemi. Régulièrement, quand il aborde le fascisme espagnol, Camus dénonce la collusion entre les militaires et le clergé, le sabre et le goupillon, cet attelage luttant contre le matérialisme athée du marxisme-léninisme. Mais quid de ce spiritualisme chrétien qui justifie que des prêtres bénissent des armes et des soldats qui partent au combat ou des condamnés à mort ligotés à un poteau d'exécution ?

Dans sa chronique du 26 décembre 1944, Camus se félicite du message radiodiffusé de Noël dans lequel le pape, un peu plus d'une demi-année après le débarquement des Alliés sur les plages de Normandie, reconnaît, *enfin*, la valeur de la démocratie ! Mais il déplore, d'une part, que Pie XII range la république et la monarchie sous la rubrique démocratique, et, d'autre part, que le souverain pontife invite à la modération dans l'exercice démocratique. Ce qui est reprendre d'une main ce qui aurait pu être donné de l'autre.

Une note scandaleuse des éditions de La Pléiade parle de « l'impartialité » (II. 1265) du pape Pie XII pendant cette période tragique ! Impartial Pie XII qui refuse l'inscription de *Mon combat* d'Adolf Hitler à l'Index alors que Jean-Paul Sartre s'y trouve, ainsi que Simone de Beauvoir ? Impartial

Pie XII qui se félicite de la victoire de Franco ? Impartial Pie XII qui revient sur la condamnation de l'Action française, antisémite et anticommuniste ? Impartial Pie XII se taisant sur les lois antisémites de Mussolini et les rafles contre les juifs effectuées sous les fenêtres du Vatican ? Impartial Pie XII qui ne prend pas position contre les lois antisémites de Vichy ? Impartial Pie XII qui, en juillet 1949, excommunie tout communiste parce qu'il est communiste, alors qu'aucun nazi ne l'a été pour cause de nazisme ? Impartial Pie XII qui, après guerre, a mis ses monastères européens au service d'une filière permettant l'exfiltration des criminels de guerre nazis vers l'Amérique du Sud où ils échappaient aux poursuites de la justice humaine et pouvaient ainsi envisager de finir leurs jours tranquillement en Amérique du Sud où ils conseillaient le gouvernement américain pour fomenter des coups d'État militaires anticommunistes et installer des juntes militaires sanguinaires au pouvoir ?

Camus, scandalisé par la partialité de Pie XII et de l'Église catholique, apostolique et romaine dans sa complicité avec les fascismes européens en général et avec le nazisme en particulier, dans sa compromission avec les politiques de collaboration de nombre de gouvernements européens avec le Reich antisémite et anticommuniste, dans son silence sur l'extermination des juifs alors qu'elle était au courant depuis début 1942, Camus, donc, écrit le lendemain de Noël 1944 : « Disons-le clairement, nous aurions voulu que le pape prît parti, au cœur même de ces années honteuses, et dénonçât ce qui était à dénoncer. Il est dur de penser que l'Église a laissé ce soin à d'autres, plus obscurs, qui n'avaient pas son autorité, et dont certains étaient privés de l'espérance invincible dont elle vit. Car l'Église n'avait pas à s'occuper alors de durer ou de se préserver. Même dans les chaînes, elle n'eût pas cessé d'être. Et elle y aurait trouvé au contraire une force qu'aujourd'hui nous sommes tentés de ne pas lui reconnaître » (II. 402). L'Église a collaboré ; la Résistance a porté la flamme qu'aurait dû faire briller cette instance spirituelle.

Le Vatican a failli, et il faillit encore en célébrant la démocratie modérée, autrement dit une politique qui laisse les choses en l'état et n'aspire surtout pas à plus de justice humaine, dans le but non avoué de rendre possibles encore longtemps ses entreprises de charité et ses processions religieuses. Pie XII justifie ontologiquement la misère, la pauvreté, les injustices, les inégalités, puisqu'elles procèdent du péché originel contre lequel il n'y a rien à faire, sinon prier, prier encore et toujours prier. Pour le pape, il faut également se soumettre au pouvoir en place – pourvu qu'il ne soit pas communiste. Car « tout pouvoir vient de Dieu », enseigne saint Paul (Rom. V. 29), mais il faudrait ajouter : sauf le communisme qui, lui, probablement, vient du Diable.

Face à l'impéritie de l'Église catholique, Camus avance des thèses qui, peut-être, pourraient faire partie de celles qu'il ne défendrait plus en 1950. Le 27 mars 1945, il aborde la question de l'allocation gouvernementale de crédits à l'école privée. Vichy avait, dès 1940, largement subventionné l'enseignement catholique. La laïcité, dans cette période postvichyste, garantit la liberté de conscience et de choix, y compris, et surtout, sur le terrain de la religion. Si l'État peut transmettre des vérités reconnues de tous, l'instruction civique par exemple, il ne peut inculquer la religion selon les mêmes principes car, comment enseigner la foi qui ne s'apprend pas plus que l'amour ? Les croyants ayant des certitudes religieuses, un domaine où pourtant jamais rien ne saurait être certain, ne peuvent demander à l'État qu'il subventionne l'enseignement de leurs points de vue.

Pour Camus, un demi-siècle de laïcité a permis la paix sociale et relégué l'anticléricalisme au rayon des vieux souvenirs. L'école laïque fonctionne comme un lieu où le dialogue entre croyants et incroyants peut avoir lieu ; ce qui n'est pas le cas de l'école confessionnelle qui ne laisse pas de place au débat, à la discussion et à l'échange. Des enseignants chrétiens peuvent professer à l'école communale, au collège, au lycée, à l'université, la chose se voit souvent ; en revanche, l'école privée n'accueille jamais de mécréants ou d'athées.

Camus précise que s'il était catholique, et l'on imagine bien qu'il invite les catholiques à se comporter selon l'ordre des raisons qu'il indique, il supprimerait purement et simplement l'école dite libre parce que dans l'école laïque le débat a lieu et qu'il est préférable pour un chrétien de débattre et de défendre ses convictions dans le cadre de cette école qui vit de confrontations et d'échanges seulement en milieu fermé, en dehors du monde. Un catholique digne de ce nom devrait donc participer à l'enseignement laïc national. Ce qui permettrait à sa communauté de se mélanger au peuple, de le voir et de le côtoyer. Cette mixité sociale serait du meilleur effet spirituel et éthique. Par ailleurs, on peut imaginer qu'en sortant de leurs ghettos confessionnels les chrétiens feraient une expérience sociologique et politique utile. À terme, on peut même imaginer que l'Église pourrait perdre ses tendances réactionnaires et acquérir une relation authentique avec le monde tel qu'il est.

Conclusion : Camus n'est pas pour la subvention des écoles confessionnelles chrétiennes par l'État ; il récuse le maintien de deux écoles, l'une, ouverte, qui dialogue, l'autre, fermée sur elle-même, qui n'accepte pas le débat d'idées ; ou bien encore : l'une, tolérante et laïque, qui accepte les enseignants croyants, l'autre, intolérante et religieuse, qui les refuse ; il prétend que, s'il était chrétien, il voudrait la fin des deux écoles au profit d'un grand service public laïc unifié dans lequel se mélangeraient les religions, les origines sociales, les diversités spirituelles ; il pense enfin que cette école unique engagerait l'Église sur la voie de la modernité.

La collaboration industrielle

La collaboration avec l'ennemi a également concerné les grands industriels français, Louis Renault en particulier. À la Libération, les grands patrons protestent de leur innocence : ils étaient obligés, contraints, soumis ; ils risquaient la confiscation de leurs biens ; dès lors, rester aux commandes leur permettait de ralentir la production, donc de résister à leur manière ; ils obéissaient aux injonctions d'un gouvernement légal auquel il était impossible de refuser le consentement – et autres sophisteries censées justifier leurs engagements condamnables.

Or, dit Camus, les patrons ont déjà montré dans l'Histoire leur capacité à désobéir aux injonctions d'un gouvernement légal : par exemple, lors des grèves de 1936, les chefs d'entreprise, les maîtres des forges, les propriétaires se sont sciemment mis hors la loi. Contre les ouvriers, les travailleurs, les syndicalistes, les manœuvres, contre les radicaux-socialistes, les socialistes et les communistes, les patrons savaient alors dire non, refuser, même si la loi leur enjoignait d'obéir. Mais dire non au Front populaire et oui à Vichy s'inscrit bien dans l'ordre des choses du monde patronal.

À la Libération, le gouvernement réquisitionne les biens de Louis Renault, puis décide de leur confiscation. Le capitaine d'industrie devait être jugé ; il est mort avant. L'État a donc nationalisé Renault. Normal, écrit Camus : « l'argent a des devoirs » (II. 565), il ne fait pas que donner des droits dont les propriétaires ont largement usé avant et pendant la guerre. Construire une société sur l'argent exclut la grandeur et la justice. Avec cette nationalisation, le gouvernement réalise une politique éthique, il active une éthique politique, car il « a estimé que ces richesses avaient autorisé assez de privilèges sans responsabilités correspondantes, et devaient servir maintenant au bien de tous » (II. 565). Louis Renault a préféré l'argent à la résistance, le déshonneur à l'honneur, dès lors les nationalisations constituent une réponse appropriée à ce qu'il fut et à ce qu'il a fait.

De la même manière que la réponse éthique à la collaboration de l'Église catholique avec Vichy est la laïcité, la riposte morale à l'implication active des industriels dans le régime de Pétain, ce sont les nationalisations. Camus veut « une économie collectiviste et une politique libérale » (II. 539), mais pas l'une sans l'autre : une économie collectiviste sans la liberté, c'est la dictature, et précisément celle de l'Union soviétique ; une liberté sans l'économie collective, c'est un autre genre de tyrannie, celle des États-Unis. La collectivisation sans liberté abolit l'initiative individuelle et toute liberté singulière ; la société libre sans propriété collective donne les pleins pouvoirs à l'argent. Camus veut le social de l'URSS et la liberté des États-Unis.

Le marxisme-léninisme et le libéralisme incarnent deux idéologies qui, chacune à leur manière, constituent des utopies concrètes coûteuses en vies humaines. À l'Est, on croit au progrès, au sens de l'histoire, à la dialectique, à la négativité accoucheuse de positivité, à la révolution, à la réalisation de l'humanité, à la libération du genre humain, à la fin de l'aliénation, du salariat et du capitalisme – et l'on a voulu, pour accélérer une fin pourtant présentée comme inéluctable, des camps, des barbelés, des polices, des milices, des potences ; à l'Ouest, on communie dans la religion de l'économie de marché, de la main invisible régulatrice, de l'enrichissement de tous par celui de quelques-uns, de la vertu de la libre entreprise, de l'argent comme signe de grâce, de la constitution d'une vertu publique par l'agencement de vices privés – et l'on constate que cette imparable logique prévue pour le bien de l'humanité s'accompagne de paupérisation, de la misère du plus grand nombre, de violences et de brutalités sociales, de délinquance et de prisons pour y punir les pauvres bougres qui donnent tort aux dogmes de cette utopie. Fin 1944, Camus ne veut ni la société totalitaire soviétique sans la liberté, ni la société barbare libérale sans la collectivisation.

Camps de concentration et bombe atomique

Car les choses sont claires pour Camus : l'URSS, ce sont les camps ; les États-Unis, la bombe atomique. En octobre 1948, il écrit à d'Astier de la Vigerie. Ce journaliste venu de l'extrême droite de l'Action française passé au compagnonnage avec le parti communiste français, *via* la Résistance, lui reproche, en récusant de la même manière l'URSS et les États-Unis, de ne pas choisir et de ne pas prendre parti. En n'élisant pas la peste ou le choléra, Camus ferait le jeu de la bourgeoisie, du capital et du capitalisme – paralogisme puisque, pour faire le jeu de la droite, il lui faudrait clairement défendre les thèses de la droite, ce qu'il ne fera jamais.

Camus refuse de légitimer les camps, quelles que soient les raisons de leur existence : un camp nazi ou un camp bolchevique ne saurait être ponctuellement bon parce que *nazi* ou *bolchevique,* car il est toujours mauvais du simple fait d'être un *camp*. L'épithète n'est pas le problème, mais le substantif. Il n'existe aucune justification à quelque camp que ce soit. Il écrit : « Je vais vous donner un bon exemple de violence légitimée : les camps de concentration et l'utilisation comme main-d'œuvre des déportés politiques. Les camps faisaient partie de l'appareil d'État, en Allemagne. Ils font partie de l'appareil d'État en Russie soviétique, vous ne pouvez l'ignorer. Dans ce dernier cas, ils sont justifiés, paraît-il, par la nécessité historique » (II. 466). Voilà donc la chose dite en 1948 : les camps nazis et les camps bolcheviques relèvent d'une même ontologie contre laquelle le philosophe se bat.

De la même façon qu'il ne saurait donner son aval à un régime qui massacre des hommes au nom de Marx, Camus ne souscrit pas à un système politique qui donne l'ordre de larguer des bombes atomiques sur Hiroshima et Nagasaki sous prétexte de hâter la fin d'une guerre qui allait s'arrêter de toute façon. Deux jours après le crime américain, le 8 août 1945, Camus publie une chronique dans laquelle il condamne radicalement cette arme de folie et son usage. Il écrit : « La civilisation mécanique vient de parvenir à son dernier degré de sauvagerie » (II. 409).

Lorsque les communistes vomiront les thèses de *L'Homme révolté* et que, sous la plume de Pierre Hervé, dans *La Nouvelle Critique*, ils répandront les habituelles insultes et contrevérités qui leur servent de méthode, Camus répondra dans une lettre ouverte intitulée *Révolte et police*. Revenant sur Hiroshima, il rappelle une chose bien oubliée aujourd'hui tant la légende d'un PCF pacifiste recouvre l'histoire d'un parti dont la morale n'a jamais été le fort : « Que disaient, dans leurs journaux, M. Hervé et ses amis ? Ils se réjouissaient, avec la presse qu'ils appellent bourgeoise, de cette victoire sans bavures » (III. 405). Sachons nous en souvenir. M. Hervé, professeur de philosophie par ailleurs, écrivit six articles au moment de l'affaire dite des blouses blanches à Moscou pour justifier la mise à mort de médecins juifs décidée par Staline et justifier une campagne antisémite de grande envergure en URSS. Dans cette prose parue dans *Ce soir*, journal dirigé par Pierre Daix, il fustige le cosmopolitisme dégénéré, les « sionistes-trostkystes », la finance juive qui a commandité Hitler. Pierre Hervé mourut gaulliste, après un passage par la SFIO, en 1993.

« Ni bourreaux, ni victimes », écrivit-il dans une chronique restée célèbre : Camus ne souhaite pas se laisser enfermer dans le manichéisme qui, au XXe siècle, a eu raison des plus belles intelligences qui n'imaginèrent pas une seule seconde que l'on puisse éviter de choisir entre le socialisme concentrationnaire et la barbarie du capitalisme libéral en ne voulant ni l'un ni l'autre. À consentir aux termes de l'alternative, les intellectuels se retrouvaient à justifier les camps parce qu'ils ne voulaient pas de la bombe, ou à légitimer l'arme atomique parce qu'ils refusaient le Goulag. Ne pas vouloir d'un mal à cause du Mal les conduisait à vouloir un autre mal, au nom du Bien. Camus fut le seul à refuser cet enfermement rhétorique qui empêchait de penser : ni le collectivisme sans libéralisme, ni le libéralisme sans collectivisme, mais, ensemble, le libéralisme pour la société et le collectivisme pour l'économie, et ce dans un même pays – avant une grande fédération avec d'autres peuples.

La libération après la Libération

Troisième temps : la *Libération*. Pour Camus, la libération doit se poursuivre après la Libération. Ses chroniques racontent l'entrée des chars dans Paris, les barricades dans les rues, les tirs des Allemands embusqués, la libération de la capitale, la joie dans les quartiers, la liesse populaire. Les Résistants ayant combattu pendant quatre années les armes à la main, ceux qui ont mis leur vie en jeu, vu mourir leurs amis, leurs camarades, les femmes et les hommes qui ont pris des risques, ceux-là ne peuvent imaginer, à ce moment de l'histoire, qu'ils ont agi pour que la classe politique coupable d'impéritie, de lâcheté, de trahison, revienne au pouvoir et retrouve ses prébendes.

À l'heure du bonheur, la pensée des Résistants va bien sûr aux copains morts : cette allégresse n'est-elle pas obscène ? Le rire, la fête, la gaieté, le vin, les débordements, les corps tout à la volupté, tout cela est-il défendable ? Ne faudrait-il pas plutôt rester à l'écart des cris de joie, se souvenir, penser aux défunts ? Non, dit Camus : les compagnons d'armes se sont battus pour l'existence de ces journées, pour que la liberté revienne et soit fêtée dans cette explosion d'enchantements. Fêter la libération, c'est donc légitimer leurs sacrifices, justifier leur trépas, donner un sens à leurs combats et à leur abnégation. Leur éthique débouche sur une politique. Ces journées célèbrent la vie recouvrée – les survivants leur doivent un grand « oui » nietzschéen.

Être fidèle aux Résistants est moins une affaire de devoir de mémoire que d'exigence pour le futur. Certes, il ne faut pas les oublier, mais la meilleure façon de s'en souvenir ne passe pas par la componction des amis esseulés, ni par les commémorations officielles doucement moquées dans les dernières pages de *La Peste*, mais par la reprise du flambeau : ils résistaient à la tyrannie ? Résistons aux tyrannies nouvelles – en l'occurrence, celles qui s'imposent aujourd'hui au nom du Prolétariat ou du Capital comme jadis au nom du Reich ou de l'État français.

Ce combat libertaire, Camus le mène avec la colère du juste dès la première heure. Ainsi, lors de la libération des camps, le 17 mai 1945, il parle de Dachau, des poux, des puces, des juifs morts, des tas de cadavres, des odeurs de putréfaction. Le camp a été libéré par les troupes américaines. Mais, huit jours plus tard, la plupart des déportés attendent toujours qu'on s'occupe d'eux, qu'on les soigne et les rapatrie. Beaucoup meurent de faim, de soif, du typhus ou des suites de leurs conditions d'incarcération. Pendant ce temps, dehors, les Allemands mangent à leur faim, les officiers nazis aussi, puisqu'ils bénéficient d'une humanité garantie par le droit international.

Ce qui met Camus en colère ? Le rapatriement des « déportés d'honneur » (II. 418) par avion. *Déportés d'honneur* ! L'expression glace le sang. Comment qualifier les autres déportés ? Les déportés du déshonneur ? Camus ne donne pas le nom des élus de cette surhumanité protégée et privilégiée d'apparatchiks de gauche, de syndicalistes, de ministres et de gens de pouvoir. Trente-deux personnes internées à Buchenwald bénéficient en effet du vol spécial qui se pose au Bourget le 18 avril. De qui s'agit-il ? D'hommes politiques ayant été ministres et responsables sous la IIIe République : parmi eux, Paul Daladier, l'homme des accords de Munich, Léon Blum, le président du Conseil ayant refusé d'armer les républicains espagnols qui résistaient au fascisme espagnol soutenu par le fascisme nazi, Paul Reynaud, munichois, puis ministre de la Défense nationale et de la guerre, donc de la débâcle de juin 40 – etc.

Toujours aux côtés de ceux sur lesquels s'exerce le pouvoir, et jamais avec ceux qui l'exercent – une autre excellente définition du libertaire –, Camus écrit, concernant les déportés sans noms et sans visages : « Un seul des cheveux de ces hommes a plus d'importance pour la France et l'univers entier qu'une vingtaine de ces hommes politiques dont des nuées de photographes enregistrent les sourires. Eux, et eux seuls, ont été les gardiens de l'honneur et les témoins du courage » (II. 418). La révolution spirituelle a laquelle il aspire passe par une sévère mise à l'écart du vieux personnel politique ayant failli, puis par la promotion de ces déportés et de ces résistants qui, loin des circuits politiques classiques ont moins été soucieux d'acquérir des honneurs que de porter haut l'Honneur d'une Nation qui ne voulait pas renoncer à la Liberté, à l'Égalité et à la Fraternité.

« Les forces de la vengeance »

Quatrième temps : l'*Épuration*. Avec le temps de la Libération vient celui de la reconstruction : mais que faire des collaborateurs ? Des centaines de milliers de gens ne s'étaient pas révoltés et n'avaient pas dit non à l'occupant nazi, au régime de Vichy, à la politique du maréchal Pétain. Cependant ils n'avaient pas non plus forcément dit oui – ils avaient attendu, vivant au jour le jour, travaillant, tâchant d'exister malgré tout dans cette période difficile. Ni héros ni salauds, la France profonde, celle qui n'eut l'occasion ni d'un fait d'armes exemplaire, ni d'une vilenie indélébile. Le petit peuple silencieux, mutique, soumis, bien que secrètement désireux de recouvrer une liberté simple, celle d'aller au travail sans passer sous les drapeaux à croix gammée, ou de se rendre dans un café pour un apéritif avec les copains sans devoir croiser des uniformes verts de gris. Mais pour ceux qui ont clairement choisi le déshonneur ?

D'abord il s'agit d'établir scrupuleusement les véritables responsabilités car, si d'aucuns exagèrent leur rôle dans la résistance en prétendant parfois faussement en avoir fait partie, un même flou règne à l'autre bord politique où l'on se presse en affirmant n'avoir pas été complice des Allemands. En effet, la Collaboration posait aussi un problème d'établissement des faits : pour certains, ce fut clair, parce qu'ils étaient notoirement aux côtés de l'occupant ; pour d'aucuns, ce fut moins net ; pour d'autres encore, totalement faux, le ressentiment trouvant à cette époque d'excellentes occasions pour régler des comptes personnels. Dans cette configuration passionnée et passionnelle, l'exercice serein de la justice relevait de la gageure.

Camus a évolué sur ce sujet. Le combat abolitionniste de toute sa vie a vacillé, bien que viscéralement inscrit dans sa vision du monde puisque architectonique de l'œuvre entière. Ainsi, avec Pierre Pucheu : ce normalien, militant d'extrême droite avant guerre, industriel dans la sidérurgie, banquier, membre du gouvernement de Vichy, puis ministre de l'Intérieur, a créé les Sections spéciales et les Groupes mobiles de réserve (GMR) pour juger les résistants dans des cours dites de justice qui, au mépris du droit, ont envoyé à la guillotine une grande quantité de personnes. En novembre 1942, quand lui aussi sent tourner le vent de l'Histoire, Pucheu se rapproche de la résistance, part à Alger retrouver le général Giraud. À la Libération, il est arrêté, jugé et condamné à mort. De Gaulle refuse sa grâce. Il est fusillé le 20 mars 1944. Pucheu devient le premier membre du gouvernement de Vichy à être exécuté.

Dans un article des *Lettres françaises* de mai 1944, Camus, qui, on le sait, a toujours dit son opposition à la peine de mort, ne la défend pas, mais la comprend, la tolère, et pourrait même aller jusqu'à la justifier. Devant le cadavre de cet homme, il se dit pour la première fois de sa vie sans haine et sans compassion. L'article permet au philosophe de réfléchir sur ce que peuvent être des crimes sans imagination, des assassinats de fonctionnaires, des meurtres de bureaucrates, des mises à mort de techniciens, des peines de mort administratives. Camus fait de ce criminel de bureau un assassin sans imagination, incapable de concevoir ce que supposaient concrètement les exécutions décidées sur le papier – ce qui est faire peu de cas de son inhumanité concrète.

Si Pucheu manquait d'imagination, Camus, lui, n'en manque pas. Voilà pourquoi il écrit : « C'est dans la pleine lumière de l'imagination que nous apprenons en même temps, et par un paradoxe qui n'est qu'apparent, à admettre sans révolte qu'un homme puisse être rayé de cette terre » (II. 923). Ainsi, sans haine et sans pitié, mais sans prendre le temps toutefois d'expliquer pourquoi ce paradoxe ne serait qu'apparent, Camus légitime intellectuellement cette exécution en affirmant que le juge inique d'hier qui envoyait à la mort a été justement condamné aujourd'hui à la même peine, ce qui, somme toute, légitime la loi du talion, cette inévitable rhétorique des défenseurs de la peine de mort. Camus n'a pas dérogé, il ne renonce pas à son abolitionnisme et ne dit pas clairement qu'il est pour la peine de mort, mais dans cette configuration de l'épuration, aux premières heures de la liberté recouvrée, il comprend qu'on puisse néantiser Pucheu.

Un autre moment de la barbarie nazie contemporain de cette réflexion sur l'affaire Pucheu permet de comprendre que Camus, à cette époque, mai 1944, n'est pas encore prêt pour l'exercice serein d'une justice sereine – mais après quatre années de clandestinité, on ne peut, calme et tranquille, passer du feu de l'action résistante au froid principe de la justice. Il publie dans *Combat* clandestin un texte intitulé « Pendant trois heures ils ont fusillé des Français » dans lequel il rapporte la sauvagerie avec laquelle les occupants ont répondu au sabotage d'une ligne de chemin de fer ayant fait dérailler deux wagons sans tuer personne. Un officier allemand abat froidement le chef de gare et tire sur deux de ses collègues. Dans le village, il rassemble quatre-vingt-six otages sur la place : pendant trois heures, méticuleusement, à raison de deux minutes par personne, quatre-vingt-six innocents sont abattus.

Camus ne doute pas une seconde qu'il faudra faire payer l'occupant. Puis il conclut : « Devant ce nouveau massacre, nous nous découvrons la solidarité du martyre et les forces de la vengeance » (II. 917). Philosophe, Camus plus qu'un autre sait que la vengeance n'est pas la justice, qu'elle en est même exactement l'inverse. C'est d'ailleurs pour éviter le talion qu'au travers des âge, les hommes inventent une réponse qui n'est plus œil pour œil, dent pour dent, mais punition juste, équilibrée, proportionnée en paiement au dommage, de façon à ne pas répondre au crime barbare par le crime inhumain, mais par une sentence humaine – ce qui définit un progrès éthique. Pour l'heure, le futur auteur des *Réflexions sur la guillotine* expérimente une sensation humaine, trop humaine : le désir de vengeance.

Quelques mois plus tard, en juillet 1944, toujours dans *Combat* clandestin, sous le titre « Vous serez jugés sur vos actes », Camus persiste dans cette direction. Cette fois-ci, il s'appuie sur le couple Pétain et Laval : pas dupe du jeu qui leur ferait, pour le premier, parler de la France, et pour le second, de l'Allemagne, Camus les réunit dans un même opprobre. Seuls les actes importent, et ces deux hommes ont agi en criminels, en traîtres, en malfaiteurs. Camus appelle à la guerre totale, le compromis n'est plus d'actualité si d'aventure il l'a été un jour. Pas question de pardonner. Chacun doit choisir son camp et il n'y en a que deux : « La France de toujours et ceux qui seront détruits pour avoir tenté de la détruire » (II. 920). Ce texte réactive un même argumentaire : juger les juges, tuer les tueurs, détruire les destructeurs. Autrement dit, laisser faire en soi ce qui ressemble aux germes de la peste.

Troisième texte : le 30 août 1944, dans *Le Temps du mépris*, Camus rapporte le massacre de trente-quatre résistants français par des SS. Les corps ont été abandonnés dans les fossés de Vincennes. Comme toujours, loin de la mise à distance par le concept, fidèle à sa méthode, Camus présentifie les choses, il les raconte en détail, les montre, les dit, y revient, fournit des précisions : désarmés, dévêtus, mutilés, éventrés, déchiquetés, les victimes ont eu les yeux écrasés par les talons de leurs tortionnaires tous semblables à des hommes ordinaires, comme Himmler qui rentrait le soir chez lui sans faire de bruit pour ne pas réveiller son canari.

Ceux qui torturent veulent torturer, ils humilient sciemment, ils choisissent de détruire le corps, mais aussi d'humilier l'âme, ils cherchent à pulvériser la dignité de leurs victimes. Ces hommes-là transforment la torture en science exacte, ils savent que, dans la psychologie d'un homme, il existe toujours un moment pour la faille : ils la cherchent, parfois la trouvent, s'y engouffrent, écartent les chairs de la psyché pour y porter le feu du mal. La barbarie n'est jamais un accident, elle est toujours une construction volontaire.

Qui peut alors pardonner ? Qui veut oublier ? Malheureusement, l'Histoire du moment donne ses leçons : l'épée ne se vainc pas par l'esprit mais par l'épée. Dès lors, sans haine, il faut la mémoire et la justice. Camus invite à « frapper terriblement pour les plus courageux d'entre nous dont on a fait des lâches en dégradant leur âme, et qui sont morts désespérés, emportant dans un cœur pour toujours ravagé leur haine des autres et leur mépris d'eux-mêmes » (II. 383). *Frapper terriblement* comme exercice de la justice. Camus ne donne pas le détail de cette frappe terrible, mais il dit bien, à cette date encore, combien il exige de la rigueur, de la résolution, de la fermeté. Il semble qu'à cette époque de l'année 1944, dans les semaines qui suivent la Libération, il demeure prisonnier des *forces de la vengeance*. La justice est une patience. Qui lui reprocherait d'avoir besoin de temps, lui qui, bientôt, ira si vite sur ce sujet ?

La justice est une patience[1]

Au contact de la réalité, Camus évolue. Il a voulu une épuration sévère qui fut tout de même juste et fidèle à la mémoire des amis disparus et

---

1. Sur l'impossible justice de l'épuration, voir cahier photos, p. 6.

des martyrs de la Résistance. Il signe le manifeste des écrivains qui préconisent l'épuration littéraire et entre dans le Comité national de l'édition (CNE). Parmi les plus ultras, le Comité rassemble Sartre, qui écrivait encore le 5 février 1944 pour la revue collaborationniste *Comœdia* ; Simone de Beauvoir, qui, de janvier à avril 1944, travaillait à Radio-Vichy ; Aragon, qui défendait le pacte germano-soviétique et souscrivait au refus motivé par l'appareil du parti communiste de résister à l'occupant jusqu'à mi-1941 ; Eluard, qui a publié dans la NRF de Drieu en 1941. Qu'on n'ait pas été glorieux à cette époque peut se comprendre ; en revanche, pas qu'on fasse la morale à la Libération, ni qu'on juge ses pairs sans avoir été impeccable.

Pour information : un décret du *Journal officiel* paru le 11 juillet 1946 apprend à Camus que le général de Gaulle lui décerne la rosette de la Résistance – une distinction supérieure à la médaille, il y eut 42 902 médailles et seulement 4 345 rosettes. Louis Germain, son instituteur, le félicite par lettre. Il répond : « Je ne l'ai pas demandée et je ne la porte pas. Ce que j'ai fait est peu de chose et on ne l'a pas encore donnée à des amis qui ont été tués à côté de moi » (Lottman 409). Il refusa la Légion d'honneur, en revanche il accepta que le gouvernement espagnol en exil le décore de la médaille de l'ordre de la Libération le 2 février 1949 pour son action en faveur de la libération de l'Espagne franquiste. Lors de la remise du prix Nobel, son épouse avait acheté la Rosette de la Légion d'honneur pour qu'il la porte, il a refusé de l'arborer, mais portait la distinction du gouvernement légal de l'Espagne en exil.

Dans ce Comité national de l'édition, Paulhan, Duhamel et Mauriac sont les moins intransigeants. Camus, habituellement classé du côté des ultras, se déplace vers les pragmatiques. Il envoie une lettre de démission du CNE à Jean Paulhan : l'aspect tribunal révolutionnaire, la haine et le ressentiment plus moteurs que le sens de la justice, l'évident opportunisme de tels ou tels qui se servent du Comité pour se refaire une santé intellectuelle et une virginité morale dans le petit monde des lettres parisien et saisir l'occasion d'un compagnonnage avec le PCF qui noyaute lui aussi afin de faire oublier son entrée très tardive dans la Résistance, voilà autant de motifs de vengeance plus que de justice. Camus ne souscrit pas à cette logique.

Albert Camus a assisté à au moins un procès d'épuration – était-ce celui de Pétain auquel il se rendit sans jamais en faire le compte rendu ? Une lettre à Jean Grenier précise les choses. Lisons ces phrases écrites au Sanatorium du Grand Hôtel de Leysin le 21 janvier 1948 : « J'ai toujours la réaction élémentaire qui me dresse contre le châtiment. Après la Libération, je suis allé voir un des procès de l'épuration. L'accusé était coupable à mes yeux. J'ai quitté pourtant le procès avant la fin parce que *j'étais avec lui* et je ne suis plus jamais retourné à un procès de ce genre. Dans tout coupable, il y a une part d'innocence. C'est ce qui rend révoltante toute condamnation absolue. On ne pense pas assez à la douleur. L'homme n'est pas innocent *et* il n'est pas coupable. Comment sortir de là ? »

Camus ne répond pas, mais précise sa philosophie : une réaction viscérale, une idiosyncrasie, une sympathie, une empathie aux sens étymologiques de ces deux mots, puis, au-delà de la réaction épidermique, une ontologie : personne n'est totalement coupable, personne n'est totalement victime, il existe une part de culpabilité chez la victime, une part d'innocence chez le bourreau. Or, on sait que Camus souhaite n'être ni bourreau ni victime. Il n'est pas du genre à distinguer de façon manichéenne le Salaud et le Héros pour condamner radicalement le premier et célébrer le second sans réserve. Lui qui a réellement résisté dès la première heure, il ne jette pas la pierre au résistant ayant craqué sous la torture. Qui sait ce qu'il ferait après des heures de supplice ?

Pour comprendre la position de Camus, on lira *Ne jugez pas*, un texte daté du 30 décembre 1944 à propos de René Hardy. Cet homme né près d'Argentan dans l'Orne organisait dès 1941 les sabotages dans le chemin de fer au sommet de l'appareil. Entre les mains de Klaus Barbie, et sous la torture, écrit Camus, il a livré des noms ayant conduit à l'arrestation de Jean Moulin. Il n'a pas été plus fort que la torture ; qui le jugera ? Ne chargeons pas celui qui n'aura pas eu la force. Choisir le chemin le plus escarpé et n'avoir pas vaincu la douleur dans la torture reste malgré tout plus respectable que n'avoir rien risqué ni fait. Un tribunal peut juger René Hardy, mais seule sa conscience pourra le faire. Le regard qu'il porte sur lui est pire que tous les regards possibles.

Justice ou charité ?

Un dialogue avec Mauriac témoigne de son évolution à propos de l'épuration. Dans *Le Figaro* du 19 octobre 1944, l'écrivain catholique s'élève contre la parodie de justice à l'œuvre dans les Comités d'épuration : ils font plus songer à la vindicte des tribunaux révolutionnaires qu'à la sérénité des prétoires en démocratie. Mauriac refuse la justice politique, exècre les tribunaux d'exception, récuse les principes au profit d'un pragmatisme catholique : comment reconstruire la France si l'on traîne devant les tribunaux tous ceux qui n'ont pas été impeccables pendant cette période ? Quelles élites pourront remettre la France en marche puisque la plupart n'ont pas été glorieuses ? En vertu de cette logique réaliste, Mauriac en appelle à l'indulgence, au pardon chrétien. Camus rechigne.

Rappelons qu'avec quelques autres écrivains, Mauriac a lui aussi personnellement intérêt à l'indulgence ! Dans *Le Figaro* du 3 juillet 1940, cet homme de droite mobilise tout son lyrisme pour célébrer le maréchal Pétain : « Ce vieillard était délégué par les morts de Verdun et par la foule innombrable de ceux qui, depuis des siècles, se transmettent le même flambeau que viennent de laisser tomber nos mains débiles. » Après l'armistice, ce futur gaulliste transi persiste dans le soutien au Maréchal, j'en veux pour preuve un article paru dans *Le Figaro* le lendemain de l'appel du 18 Juin : « Après que le maréchal Pétain eut donné à son pays cette suprême preuve d'amour, les Français ont entendu une autre voix, qui leur assurait que jamais la France n'avait été aussi glorieuse. Eh bien, non ! » Toujours dans *Le Figaro*, le même Mauriac condamne le bombardement anglais de la flotte française à Mers el-Kébir le 3 juillet 1940. Cette opération militaire permettait aux Britanniques d'empêcher qu'à la faveur de l'armistice la flotte française ne tombe entre les mains de l'armée hitlérienne. En 1941, Mauriac légitime la reprise de la NRF par le collaborateur notoire Pierre Drieu la Rochelle – quatre ans après la guerre, en 1949, dans une lettre à Gide, il trouve même que c'était une excellente occasion de maintenir à flot l'esprit français ! En septembre 1942, Mauriac devient résistant et signe le manifeste clandestin du Front national des écrivains – les victoires soviétiques sur l'armée du Reich déclenchent alors nombre de vocations résistantes chez quelques anciens pétainistes. Plus prudents encore, Mitterrand et Marguerite Duras attendront l'été 1943.

Dans *Justice et charité*, un article paru le 11 janvier 1945, Camus refuse l'alternative dans laquelle, malin, Mauriac l'enferme : refuser la charité ce serait vouloir la haine ; or Camus refuse la charité ; donc Camus préconise la haine. Ce genre de sophisme contraint à se ranger aux côtés des défenseurs chrétiens de l'option charitable sous peine d'être un personnage haineux. Mais on peut ne vouloir ni la charité ni la haine, mais tout simplement la justice et la mémoire. Pas le pardon, mais le jugement sévère et juste.

Pendant l'Occupation, Camus demande à Pascal Pia (28 janvier 1943) l'envoi contre remboursement de *Du mensonge* de Jankélévitch – un autre philosophe au trajet impeccable. Preuve que l'auteur du *Mythe de Sisyphe* lisait le philosophe qui travaillait alors à son *Traité des vertus* (1949). En revanche, on ne sait si Jankélévitch a lu Camus mais, dans *Le Pardon* (1967) et *Pardonner ?* (1971), les deux philosophes réfléchissent sur ces sujets à partir des mêmes bases : seul l'offensé peut pardonner, car il s'avère impensable qu'un être pardonne une offense faite à autrui ! Au nom de quoi peut-on se substituer à celui qui, *seul*, peut accorder un pardon ? Et si l'offensé est mort de cette offense ? Alors le crime devient impardonnable. Jankélévitch ajoute que, pour accorder un pardon, une deuxième condition s'impose : que l'offenseur demande lui-même à l'offensé qu'on le lui accorde ! À défaut, le pardon devient inenvisageable.

Comme toujours, et selon l'ordre des raisons journalistiques qui président à l'écriture dans *Combat*, Camus part d'exemples : dans *Justice et charité* (11 janvier 1945), il répond à Mauriac qui souhaite qu'on soit juste et charitable qu'il ne le trouve ni juste ni charitable. Camus ne veut ni l'amour du Christ, ni la haine des hommes, mais la justice nécessaire qui ne passe pas obligatoirement par le pardon. Il écrit : « Je pardonnerai ouvertement avec M. Mauriac quand les parents de Velin, quand la femme de Leynaud m'auront dit que je le puis » (II. 404). En attendant, le pardon est impossible, impensable. On le verra bientôt, Camus changera d'avis.

Qui était Velin ? L'un des pseudonymes d'André Bollier, un ami de Camus, le responsable technique de *Combat* clandestin. Arrêté, torturé, évadé, il est tué à l'âge de vingt-quatre ans lors de l'attaque de l'imprimerie clandestine du journal à Lyon. Qui était Leynaud ? Dédicataire des *Lettres à un ami allemand*, il était l'ami résistant de Camus, arrêté lui aussi et fusillé par les Allemands le 13 juin 1944. Camus ne ferme pas toute porte au pardon comme Jankélévitch en faisant de l'offensé leur seul être légitime pour pardonner, ce qui, on le voit bien, interdit *de facto* le pardon, mais il élargit la possibilité du pardon aux parents, à l'épouse – aux proches. En attendant ce jour (qu'à cette heure Camus estime improbable mais qu'il saura bientôt possible), il en appelle à la fidélité aux morts et à leur mémoire, puis il interdit qu'on les trahisse.

Et puis il existe pour Camus une autre raison au refus du pardon : ces collaborateurs présentés aujourd'hui comme des martyrs sur lesquels on souhaite attirer la pitié ont été de redoutables prédateurs qui n'hésitaient pas à envoyer à la mort. Par ailleurs, ils ont trahi leur pays. Comment peut-on inviter à aimer des traîtres ? Une telle proposition éthique banalise la traîtrise. De plus, elle fait de la médiocrité un sentiment ordinaire et commun, à peine critiquable puisque pardonnable. Un jour, un homme commet des horreurs ; le lendemain, on les lui pardonne ; le surlendemain, le criminel a repris sa place parmi les autres – dès lors, à quoi bon la vertu si l'on se contente de payer le vice avec cette petite monnaie éthique ?

En appeler au Christ, c'est détourner le regard des hommes. Sans avoir le souci de sauver son semblable, Camus précise avoir juste envie de ne pas le désespérer. Il veut bien faire son deuil de Dieu et de l'espérance, mais pas de l'homme dont il faut aimer, désirer et vouloir ardemment la justice. Mauriac légitime le pardon par le recours à la transcendance ; Camus ne peut le suivre, lui qui veut la justice construite sur la plus totale immanence.

Pour une épuration éclairée

Camus milite pour une épuration éclairée : pas question d'une justice qui masquerait la violence et la brutalité du ressentiment. L'examen scrupuleux des cas permet d'exprimer une sentence appropriée, il s'agit de moduler les sanctions, de les décider avec discernement : on ne saurait par exemple assimiler dans un même opprobre le recruteur de la Légion des volontaires français qui enrôle de jeunes Français au combat contre les Soviétiques aux côtés des soldats nazis, et un journaliste pacifiste responsable de la rubrique littéraire d'un journal collaborationniste. Certes, dans la configuration de la Seconde Guerre mondiale, le pacifisme est indéfendable parce qu'il conduit à une collaboration avec l'envahisseur. Du moins, l'idée de départ que la paix vaut mieux que tout demeure honorable, même si elle reste utopique. Bien sûr, rédiger des articles dans la presse qui soutient l'Allemagne nazie n'est pas pardonnable, même s'il s'agit de rendre compte de parutions littéraires sans portée politique. Mais ces erreurs lourdes se distinguent nettement de la faute majeure du militantisme prohitlérien.

Le jugement qui condamne à cinq ans de travaux forcés le pronazi ayant recruté des hommes pour tuer et massacrer et à huit années le journaliste pacifiste n'ayant jamais dénoncé personne est injuste. Dès lors, une conclusion s'impose : « Il est certain désormais que l'épuration en France est non seulement manquée, mais encore déconsidérée. Le mot d'épuration était déjà assez pénible en lui-même. La chose est devenue odieuse. Elle n'avait qu'une chance de ne point le devenir qui était d'être entreprise sans esprit de vengeance ou de légèreté. Il faut croire que le chemin de la simple justice n'est pas facile à trouver entre les clameurs de la haine, d'une part, et les plaidoyers de la mauvaise conscience, d'autre part. L'échec en tout cas est complet » (II. 407). Nous sommes le 30 août 1945 : Camus tourne la page de l'épuration.

Rédigeant une introduction aux poèmes posthumes de son ami René Leynaud en 1947, Camus rapporte le détail de l'arrestation de son ami fusillé à trente-neuf ans : les rafales d'armes automatiques des miliciens dans les jambes, la prison, l'incarcération, le transfert de dix-neuf résistants dans un bois, l'abattage à la mitraillette dans le dos, les coups de grâce, le miracle d'un rescapé qui se traîne jusqu'à une ferme et raconte la scène. Journaliste, Leynaud était profondément chrétien. Il aimait les poètes du XVIᵉ siècle et avait le projet, après la guerre, d'un grand poème dans lequel il versifierait tout ce qu'il avait à dire. Camus rapporte l'amitié simple et vraie, les cigarettes partagées, les conversations sur la boxe, le camping, les bains de mer, le silence sur leurs activités clandestines mutuelles, leur rendez-vous raté avec un ami de Camus, « un dominicain énergique et frondeur, qui disait détester les démocrates chrétiens et rêvait d'un christianisme nietzschéen » (II. 708), leur dernier entretien et leur projet, après guerre, de *faire quelque chose pour la morale*.

Dans les quelques lignes extrêmement denses d'amitié qui terminent ce bref texte, Camus dit que Leynaud avait mis en lui une image souvent interrogée par le philosophe, une image et une vertu ayant son nom et son visage. La mort de son ami l'a aveuglé et révolté ; or, l'image en lui de cet ami n'aurait probablement pas consenti à cette révolte. Cette image chrétienne déposée par son ami poète dans le cœur du philosophe athée le conduit en un autre endroit que celui où, se réclamant de Leynaud, il expliquait à Mauriac le chrétien l'impossibilité de consentir au pardon. Quand Camus renonce à son renoncement au pardon, il s'agit moins du triomphe de Mauriac que de celui, modeste et discret, de René Leynaud.

Quand on conclut ce duel entre Mauriac et Camus par une victoire concédée par le second au premier lors d'un exposé effectué au couvent des dominicains de Latour-Maubourg en 1948, on oublie toujours que, même si son nom n'est pas prononcé, l'ombre lumineuse de Leynaud rôde dans ce monastère des Frères de saint Dominique. Camus montre ce qu'est une morale sans Dieu, une éthique athée. Contre le pape ou Gabriel Marcel, il fustige des chrétiens si peu chrétiens qu'ils en oublient les valeurs du Christ auxquelles il souscrit bien volontiers, lui, l'incroyant : vouloir le bien qui est tout simplement l'empêchement du mal – dont chacun sait qu'il est la négation d'autrui.

Rebatet, Brasillach et Céline

Le temps passe. Il estompe tout, y compris la colère et la révolte contemporaines de la Libération. Marcel Aymé, qui donna romans et nouvelles en feuilletons à *La Gerbe* et à *Je suis partout*, de francs supports collaborationnistes et ne fut jamais inquiété, sollicite Camus, en appelle à la fraternité littéraire, avance qu'il existe du hasard dans les opinions politiques et souhaite le paraphe du philosophe pour obtenir la grâce de Brasillach. Camus répond dans une lettre datée du 27 janvier 1945 : il signe, non pas pour l'écrivain qu'il n'estime pas, ni pour l'homme viscéralement méprisé, mais pour le principe d'opposition à la peine de mort – principe dont se moquerait l'ancien normalien qui, dans ses articles de presse, manifestait un antisémitisme et un philonazisme sans mesure. Une fois de plus, Camus songe à l'ami Leynaud et à quelques autres compagnons abattus. Camus signe ; pas Sartre ni Beauvoir, sous prétexte de porter haut, bien sûr, la fidélité à la mémoire de leurs amis résistants ! Le général de Gaulle refuse la grâce, estimant que le talent et le statut d'écrivain créent des devoirs. L'auteur des *Sept Couleurs* est fusillé le 6 février 1945 au fort de Montrouge. Il avait trente-cinq ans, son procès a duré six heures et le délibéré vingt minutes.

L'année suivante, on le sollicite encore. Cette fois-ci pour Rebatet qui fut l'auteur d'un best-seller sous l'Occupation : *Les Décombres*, un livre antisémite et pronazi salué en 1943 comme le meilleur de l'année par Radio-Vichy – la radio qui embauche Beauvoir l'année suivante. Même réaction ; mêmes motivations. Dans la lettre envoyée au garde des Sceaux le 5 décembre 1946, naïf, Camus croit que les tourments de son âme en prison, l'angoisse de se savoir condamné à mort et peut-être bientôt exécuté, sa mauvaise conscience suffisent comme punitions. Ayant renoncé à la justice et clairement pris le parti de la pitié et de la clémence, il estime montrer ainsi la supériorité de qui sait surmonter son ressentiment sur celui qui, hier, exacerbait cette passion triste. Naïf une seconde fois, Camus croit qu'en cas de grâce, Rebatet comprendrait l'étendue de son erreur.

La condamnation à mort de Lucien Rebatet a été commuée par Vincent Auriol, devenu président de la République, en détention à perpétuité en juillet 1947. Incarcéré à la prison de Clairvaux jusqu'en 1952, Rebatet publie tranquillement des livres aux éditions Gallimard, notamment *Les Deux Étendards* en 1951, *Les Épis mûrs* en 1954. Libéré le 16 juillet 1952, d'abord assigné à résidence, il retrouve Paris en 1954. Il a été ensuite journaliste à *Rivarol* et à *Valeurs actuelles*. En 1965, il vote pour le candidat d'extrême droite Tixier-Vignancour au premier tour de la présidentielle et pour François Mitterrand au second. Il meurt en 1972 à l'âge de soixante-neuf ans.

Naïf, ai-je écrit, Camus l'a été en effet car, outre que Rebatet n'a jamais rien regretté, n'est jamais revenu sur son antisémitisme, n'a nullement fait amende honorable, il a utilisé ses vingt années de liberté recouvrée, d'abord à ne jamais connaître la « mauvaise conscience » que lui supposait Camus, mais ensuite, et surtout, à manifester une réelle conscience mauvaise jusqu'au bout. Camus note en effet ceci dans ses *Carnets*, alors qu'il vient d'obtenir le prix Nobel : « Rebatet ose parler de ma nostalgie de commander des pelotons d'exécution alors qu'il est un de ceux dont j'ai demandé, avec d'autres écrivains de la Résistance, la grâce quand il fut condamné à mort. Il a été gracié, mais il ne me fait pas grâce » (IV. 1266).

Dans le même esprit que Lucien Rebatet, un autre écrivain ne lui fera pas grâce non plus : Jean-Paul Sartre. Le philosophe de *La Nausée* donne en effet des entretiens à John Gerassi en vue d'une biographie autorisée. En février 1972, il vomit sur Camus présenté comme un Pied-noir extrêmement réactionnaire, défenseur de l'Algérie française. Sartre détaille la vie privée du philosophe, puis, parlant des *Temps modernes*, il dit : « Nous avions des disputes sérieuses pour savoir, par exemple, s'il fallait punir les collaborateurs. Camus voulait que Brasillach soit exécuté par exemple. Mauriac ne voulait pas » (286). Sans commentaire.

En janvier 1950, la revue hebdomadaire jadis fondée par Joseph Déjacque, *Le Libertaire*, sollicite des intellectuels, des écrivains, des philosophes sur l'opportunité du procès Céline : l'auteur de *Bagatelles pour un massacre* supporte en bougonnant son exil au Danemark où il bénéficie du statut de réfugié politique, ce qui lui vaut la protection des Danois qui refusent son extradition. La cour de justice de la Seine le juge donc par contumace pour faits de collaboration. Question du journal qui s'élève contre les procès d'opinion : « Que pensez-vous du procès Céline ? ». Réponse de Camus : « La justice politique me répugne. C'est pourquoi je suis d'avis d'arrêter ce procès et de laisser Céline tranquille. Mais vous ne m'en voudrez pas d'ajouter que l'antisémitisme, et particulièrement l'antisémitisme des années 40, me répugne au moins autant. C'est pourquoi je suis d'avis, lorsque Céline aura obtenu ce qu'il veut, qu'on nous laisse tranquilles avec son "cas" » (III. 868-869).

Louis-Ferdinand Céline, qui affirmait dans ses pamphlets délirants qu'Hitler était juif, est finalement condamné à un an de prison, mais la prescription efface cette peine, puis à une amende et à l'indignité nationale – le tout disparaît sous le coup d'une grâce accordée en avril 1951. Il rentre alors en France. Gallimard lui propose de nouveaux contrats. La vie reprend normalement. Pour information, Céline écrivait à Jean Voilier le 2 octobre 1947 : « Sartre et Camus et consorts tous aussi fumiers. Triste clique de petits branlés à blanc qui sont plutôt disposés à < > listes noires qu'à me faire sortir du pétrin » (*Lettres*, Pléiade, 964).

La leçon politique de la guerre

Occupation, Résistance, Collaboration, Épuration constituent nombre d'occasions de développer une positivité, certes, mais négativement :

contre la politique sans éthique de l'occupation, Camus propose l'éthique comme politique de la révolution non marxiste à venir ; contre la politique de collaboration de l'église, il préconise une spiritualité laïque radicale travaillant à la disparition de l'enseignement privé ; contre le même fourvoiement des industriels, il veut un programme de confiscation des biens et de nationalisation ; contre l'épuration indexée sur les passions tristes comme la vengeance et le ressentiment, il aspire à une justice ferme visant à terme le pardon.

Quelles leçons globales Camus tire-t-il de la Guerre – s'il faut entendre sous ce vocable générique et général les fascismes européens, la montée des périls, la déclaration de guerre proprement dite, l'invasion, l'exode, l'armistice, Vichy, Pétain, le pétainisme, la collaboration, la résistance, la libération, l'épuration ? Une fois de plus, les articles de *Combat* réunis dans le premier volume d'*Actuelles* permettent de répondre : au sortir de la guerre, Camus a trente et un an, il dispose déjà d'une philosophie politique claire : un socialisme libertaire internationaliste. En octobre 1948, dans des entretiens avec Nicola Chiaramonte, il l'affirme clairement : « Les questions qui provoquent ma colère : le nationalisme, le colonialisme, l'injustice sociale et l'absurdité de l'État moderne » (II. 720). Peut-on être plus clair ?

Les questions coloniales, d'injustice sociale ou d'État moderne constituent des variations sur un seul et même thème : le nationalisme. Camus n'est pas nationaliste. Il n'a pas le nationalisme sélectif comme certains Français qui fustigent la France, son histoire, son passé, ses traditions, son hymne, ses grands hommes, son drapeau, mais ne trouvent pas ridicule de célébrer en face ce qu'ils conchient chez eux : l'hymne, le drapeau, la nation – pourvu qu'il soit occitan, corse, basque ou algérien.

Quand Camus critique le nationalisme, il critique tous les nationalismes : une option politique à ne jamais oublier pour comprendre ses positions sur la guerre d'Algérie. Dans la grande tradition libertaire, il récuse le nationalisme au nom d'un internationalisme avec abolition des frontières. Le sécessionnisme régionaliste ou indépendantiste fonctionne à rebours de l'internationalisme : quand Camus se bat pour faire tomber les frontières, d'autres combattent pour en dessiner de nouvelles ; il travaille à la fin des drapeaux, d'aucuns en cousent des neufs ; il souhaite abolir les hymnes patriotiques, certains en composent d'inédits.

Dès le 8 février 1937, quand il se bat pour une culture méditerranéenne lors de sa conférence inaugurale faite à la Maison de la culture, il prend soin de se démarquer de l'usage nationaliste du sol et du soleil, de la terre et des racines. Il vise à l'époque Maurras et le maurrassisme. Âgé de vingt-quatre ans, il pense *déjà* le nationalisme comme un signe de décadence : son apparition coïncide toujours avec le moment nihiliste de l'Histoire. Dans *Alger républicain*, le 18 août 1939, il met en relation la montée du nationalisme algérien avec l'accumulation des humiliations, des frustrations, de l'exploitation. Pour lui, le nationalisme est une réponse d'orgueil et d'arrogance, une maladie politique, une pathologie dangereuse. Dans *Le Soir républicain*, il défend la liberté de critiquer, le droit à l'objection de conscience et le pacifisme comme autant de remèdes à la montée des périls nationalistes européens. Lucide, il sait que l'impérialisme est la forme suprême du nationalisme. Ainsi, dès 1939, il critique les visées impérialistes de droite et de gauche – Reich d'Hitler (II. 769) et Union soviétique de Staline (II. 780) confondus.

Contre les nations et le nationalisme, Camus promeut très tôt (le 9 octobre 1939) le fédéralisme (I. 846), la grande idée anarchiste de Pierre-Joseph Proudhon. Après guerre, il pense pareillement et aspire plus que jamais à la fin des nations. En 1955, par exemple, dans *L'Express* (III. 1068), il défend une *gauche libertaire* capable de proposer le fédéralisme pour l'Algérie déchirée, et non une énième réponse nationaliste et communiste, il parle de « ceux qui désirent que le cadre national soit dépassé », puis il ajoute : « je suis de ceux-là » (III. 1069).

Abolir les frontières

Pendant la guerre, Camus a également défendu cette thèse antinationaliste dans ses *Lettres à un ami allemand*. Ce texte composé de quatre lettres dont trois sont parues dans des revues clandestines (*La Revue libre* en 1943, les *Cahiers de Libération* la même année, *Libertés* en 1945 pour la troisième écrite en avril 1944) constitue un manifeste de combat antinationaliste, un texte dédié à l'ami René Leynaud. Dans cet échange avec un correspondant de papier, l'Allemand et le Français défendent deux façons d'être nietzschéen.

Dans la préface à l'édition italienne de ce petit livre, Camus écrit : « J'aime trop mon pays pour être nationaliste » (II. 7). Puis il donne les raisons de son acceptation à faire reparaître ces lettres hors de France : « C'est la première fois qu'elles paraissent hors du territoire français et, pour que je m'y décide, il n'a pas fallu moins que le désir où je suis de contribuer, pour ma faible part, à faire tomber un jour la stupide frontière qui sépare nos deux territoires » (II. 7). Quels deux territoires ? Puisqu'il s'agit d'une préface pour l'Italie : les frontières entre la France et l'Italie. Dans un premier état d'écriture, Camus avait écrit : « qui sépare deux territoires qui avec l'Espagne forment une nation » (II. 1132). Mais comme les lettres opposent un Allemand et un Français, on peut aussi imaginer que les frontières concernent également ces deux pays. Dans les deux états d'écriture, Camus pense toujours à son projet méditerranéen d'abolir les frontières entre pays latins. Mais l'ambiguïté demeure : la suppression des frontières pourrait aussi concerner les deux frères ennemis séparés par le Rhin.

Le conflit qui oppose les deux pays depuis 1940 est celui de l'épée germanique contre l'esprit français. Or, Camus le croit, l'esprit triomphe toujours de l'épée. Aimer son pays signifie une chose pour un habitant de Berlin, une autre pour un citoyen de Paris : le premier ne met rien au-dessus de l'amour de son pays, de sa patrie, de sa nation, il aime une idée pure, un concept sec ; le second ne sacrifie pas la vérité, la liberté et la justice à son pays, car il chérit une passion. Dans cette guerre, l'Allemagne est colère ; la France, intelligence. Le Reich veut la puissance ; la France défend les valeurs de sa République.

L'Allemagne nazie voulait une Europe bien particulière, celle du sang, de la race dite pure, celle qui permettait au pays qui l'initiait de viser plus grand encore et de réaliser l'Empire, elle pensait en termes de territoire, d'espace vital, de géographie, de propriété ; la France aspirait à une Europe des Lumières, des idées, des pensées et des cultures, des grands hommes de la littérature et des beaux-arts, de la spiritualité, elle envisageait les choses sur le terrain de l'esprit. L'Allemagne construisait son Europe sur le socle millénaire chrétien ; la France intégrait l'épopée chrétienne, certes, mais comme un élément constitutif parmi d'autres influences deux fois millénaires – on songe à la Méditerranée, bien sûr, aux Grecs présocratiques, aux sagesses païennes préchrétiennes, aux influences orientales passées par l'Afrique du Nord puis transfigurées par le Berbère saint Augustin, au néoplatonisme alexandrin aussi.

Camus oppose également deux façons de lire Nietzsche : la mauvaise, l'allemande, produite par la sœur du philosophe, une faussaire, on le sait désormais, ayant rédigé un faux, *La Volonté de puissance*, pour faire de son frère un précurseur antisémite, belliciste, patriote et nationaliste des fascismes européens et du nazisme ; la bonne, la française, convaincue que Nietzsche est le moins allemand des philosophes, le plus français et le plus européen des penseurs. Le Nietzsche germanisé suppose qu'on fasse fautivement de la volonté de puissance une force agressive de domination d'autrui, une saine brutalité à libérer contre la civilisation, et du surhomme un barbare immoral ignorant la pitié, la sympathie, la compassion, un primitif jouissant de la dureté et du cynisme envers les faibles ; le Nietzsche français est voltairien, briseur d'idoles, médecin de la civilisation, ennemi du nihilisme et du pessimisme, amoureux des vertus dionysiaques solaires qui disent « oui » à la vie et « non » à la mort. Ce Nietzsche-là est portraituré dans la biographie de Daniel Halévy, *La Vie de Nietzsche*, d'abord parue en 1909 puis en 1944 dans sa version définitive, un livre majeur pour l'entrée en France du philosophe allemand.

Contre son ami allemand, mais d'une manière fine, avec lui parce qu'il lui prête cette culture commune avec laquelle il repérera la citation de Nietzsche, Camus, fidèle à Tipasa, écrit contre l'Allemand ayant choisi l'injustice : « J'ai choisi la justice au contraire, pour rester fidèle à la terre » (II. 26) – la *fidélité à la terre* est une invitation d'*Ainsi parlait Zarathoustra*, elle signifie la passion pour ce qui est, aux antipodes de l'aspiration à l'idéal. Le nietzschéisme allemand transfigure Nietzsche en barbare ; le nietzschéisme français propose une philosophie de l'individu qui se crée liberté. Nietzsche des forêts noires contre Nietzsche des ruines romaines écrasées sous le soleil méditerranéen, un Nietzsche de l'Exil, un Nietzsche du Royaume.

Avec l'invasion et l'occupation de la France, l'Allemagne abolit ce royaume en empêchant tout bonheur d'être, tout plaisir d'exister, toute béatitude à se sentir vivant – le sens véritable de cette fidélité à la terre. Le nietzschéisme nocturne apporte avec lui les prisons, les tortures, les agonies, les camps de prisonniers, les rafles, les carnages, les déportations. L'Allemagne voulait l'héroïsme et fustigeait le bonheur ; la France a préféré la jouissance à l'orgueil, elle célébrait le nietzschéisme solaire simple – « jouir du cri des oiseaux dans la fraîcheur du soir » (II. 27). L'un faisait du surhomme un soldat sans foi ni loi ; l'autre, un poète de la présence au monde.

Les *Lettres à un ami allemand* n'échappent pas à un essentialisme assez peu dans l'esprit de Camus. Car, en dehors de ce contexte historique précis de la Résistance, le philosophe brille plutôt dans le paysage intellectuel français comme l'une des rares intelligences pragmatiques, concrètes, immanentes. Gardons présent à l'esprit que ces textes s'inscrivent dans une logique combattante, résistante, militante, guerrière, qu'ils contribuent à la Résistance de papier susceptible de galvaniser l'esprit, de raidir les consciences, de tendre les énergies. Respectivement écrites en juillet 1943, décembre 1943, avril 1944 et juillet 1944, elles relèvent du style épique.

Allemagne, année zéro

Loin de l'épopée, Camus aborde la question de l'Allemagne de l'après-guerre sur le terrain concret. Le temps où il veut la justice sévère et juste qui lui fait justifier l'épuration au nom de l'éthique contre le pardon charitable des chrétiens correspond à celui où il souhaite une occupation sévère du pays vaincu. Le 19 octobre 1944, il se félicite que les troupes françaises participent à l'occupation de l'Allemagne débarrassée de son dictateur. Pas de haine ou de vengeance, pas de ressentiment, mais, là encore, de la justice : il s'agit de manifester sa force tout de suite afin de pouvoir, plus tard, se montrer généreux. Camus ne perd pas de vue qu'une justice sévère prépare toujours un temps pacifié.

Du 30 juin au 11 juillet 1945, Camus visite l'Allemagne sous l'uniforme français du correspondant de guerre. Il rapporte ses impressions dans *Images de l'Allemagne occupée*. Comme il s'y était préparé, il traverse des paysages d'apocalypse : des villes en ruine, des cimetières militaires partout, des décombres à perte de vue, des gens courbés sous le poids de la défaite, une terre gorgée du sang de millions de morts tombés depuis un siècle et trois guerres. Lui, le penseur solaire, il expérimente le malaise dans cette patrie de la pulsion de mort.

Toutefois, le bonheur et la tranquillité semblent aussi régner sur place. Camus trouve en effet la Rhénanie prospère à côté de certaines régions françaises traversées pour atteindre cette région allemande. Le spectacle d'enfants bien roses, frais, correctement nourris tranche sur celui des petits Français de Montmartre cachectiques, pâles et maladifs. Les soldats français sortent avec de jolies jeunes filles blondes, s'amusent au bord d'un lac, nagent, canotent. Les scènes semblent sorties des cartes postales folkloriques. L'Occupation, sévère mais juste, punit également les pillages et les viols effectués par les troupes alliées. Désobéir aux lois de l'occupation se paie cher. Le gouvernement militaire tient les choses avec une main de fer. Les locaux sont réquisitionnés. Mais la vie continue, simple et limpide.

L'habitant qui l'héberge vient lui souhaiter bonne nuit, débite les platitudes, fustige la guerre, célèbre la paix en général et celle du Christ en particulier, la paix éternelle que ledit Fils de Dieu apporterait à chaque homme. Camus écrit : « Je pensais à cette femme que je sais, déportée en Allemagne, prostituée aux S.S. et à qui ses bourreaux ont tatoué sur la poitrine : "A servi pendant deux ans au camp de S.S. de..." » (II. 630). Il avoue ne pas pouvoir tirer d'autre conclusion à son voyage que celle-ci : deux mondes existent bel et bien dans cette Europe déchirée, partagée entre ses victimes françaises et ses bourreaux allemands, en quête d'une impossible justice et d'un improbable pardon.

Mais, comme sur le sujet de l'épuration, Camus évolue : l'homme blessé laisse place au philosophe qui pense, le résistant éprouvé, privé de ses amis abattus, torturés, tués, s'efface au profit du penseur désireux de construire concrètement la justice, le combattant écœuré par la barbarie s'estompe en faveur du sage qui aspire à la paix, à la réconciliation. Combien de temps faut-il à la viscéralité pour disparaître sous l'effet de la réflexion ? Chez Camus, vingt-trois mois, le temps qui sépare ce bref récit de voyage de l'article intitulé *Anniversaire* paru dans *Combat* le 7 mai 1947.

Pour la date commémorative de la chute du Reich nazi, Camus se refuse à parader. Pas question de se réjouir, la victoire est moins l'occasion de droits à humilier que de devoirs de justice. Que faire ? Il y eut la haine, puis la méfiance, une vague rancune, ensuite un genre d'indifférence lassée, enfin une distraction quelque peu méprisante. Une réconciliation ? Comment oublier le nazisme qui apprit la haine aux Européens et habitua l'Europe au mal ? L'Allemagne nazie fut moins en proie à une furie destructrice et meurtrière qu'à un calme et froid calcul administratif de fonctionnaires de l'apocalypse. La passion du mal laisse des traces moins profondes que l'activation glaciale d'un dispositif à détruire la vie. Oublier ? Impossible.

Pour autant, dans cette configuration ontologique, se réjouir serait mal venu en vertu de l'éthique chevaleresque pratiquée par Camus : on ne piétine pas un vaincu. Puisque la justice absolue est impensable, impossible, que l'oubli ou le pardon semblent hors d'accès éthique, restent les leçons d'un sage et correct usage de la raison, l'exercice de la sagesse modeste, le goût du bonheur, l'envie de vivre malgré tout, l'obligation de remettre les choses à leur juste place – ni trop ni trop peu, ni haine ni pardon, ni vengeance ni oubli, ni ressentiment ni indulgence.

Loin des débats théorétiques, la raison pratique et pragmatique ayant sa faveur, Camus nous enseigne ceci : la paix européenne et mondiale exige une Allemagne pacifiée, et la pacification contraint à ne pas maintenir ce pays vaincu au ban des nations punies. Un autre usage de la même raison réaliste nous fournit une autre donnée fondamentale : l'Allemagne est devenue un enjeu entre les États-Unis et l'Union soviétique. Son devenir augurera celui de l'Europe, donc du monde. La paix avec l'Allemagne n'est pas envisageable selon l'ordre des raisons charitables et chrétiennes, mais en vertu de l'usage rationnel et raisonnable d'une raison qui veut encore et toujours la paix, la justice et la liberté. Les fins éthiques justifient les moyens politiques.

Sous le signe de Proudhon

Voici donc la grande et première leçon de la guerre chez le philosophe : abolir les frontières. Leçon anarchiste depuis bien longtemps : rappelons pour mémoire que le but encore proclamé aujourd'hui par la Fédération anarchiste consiste à réaliser « une société libre, sans classes ni États, sans patries ni frontières », un idéal que le philosophe a toujours poursuivi en *pragmatique* soucieux de lier l'idéal et la réalité, la fin et les moyens – autrement dit aux antipodes des *doctrinaires* de l'anarchisme qui rechignent si souvent à faire de lui l'un des leurs parce qu'il avait moins le souci de garder intactes les lois sacrées de l'anarchie que de réaliser concrètement cet idéal –, Camus fut un anarchiste pragmatique – comme Proudhon, une rareté dans cet univers où l'esprit prêtre commet nombre de ravages.

Voilà donc la fin libertaire de la politique de Camus à la sortie de ces années d'épreuves : faire tomber les frontières qui séparent les nations et les peuples. Quels sont les moyens proposés pour parvenir à ces fins ? Dans un premier temps, la réalisation des « États-Unis d'Europe » (IV. 286) ; dans un second, « les États-Unis du monde » (*ibid.*). Voilà le programme politique camusien. De bonne foi, chacun mesure toute la distance séparant ce projet politique de celui de la social-démocratie qui ne remet pas en cause les frontières et les nations aussi nettement que lui et qui ne propose pas non plus des élections mondiales, un parlement mondial, un gouvernement mondial des peuples qui abolissent les élections nationales, les parlements nationaux et les gouvernements nationaux.

L'internationalisme libertaire camusien interdit de faire de lui un social-démocrate : sa révolution non marxiste ne fait aucun doute, et ça n'est pas parce que sa révolution n'est pas marxiste qu'elle n'est pas révolution. Les marxistes, Sartre et les sartriens en tête, feront beaucoup pour interdire à toute révolution de gauche non marxiste le simple droit intellectuel de se dire révolution. En plus de cet interdit doctrinaire, les intellectuels marxistes ne reculeront devant rien pour affirmer de façon éhontée que, non content de ne pas être une révolution, la révolution libertaire est conservatrice, réactionnaire, petite-bourgeoise, qu'elle fait le jeu du grand capital, des trusts, des grands patrons et, *in fine*, qu'elle est l'une des ruses de la droite. Vouloir Proudhon contre Marx, c'était pour eux prendre le parti du capital contre la révolution. Nous en sommes encore là.

L'instrument de cette révolution libertaire ? Le fédéralisme (II. 467) – cet instrument est clairement proudhonien. Quel rapport Camus entretenait-il avec la pensée de Proudhon ? Il l'a lu, le connaît, en parlait dans sa jeunesse avec son ami Fréminville. Mais il le cite peu. Je tiens d'une conversation privée avec Jean Daniel que ce qui empêchait Camus de se réclamer de Proudhon, c'étaient les proud-honiens ! Formule juste car Pierre-Joseph Proudhon fut un genre d'ogre intellectuel chez qui se trouve le meilleur et le pire, chez lui bien sûr, mais aussi chez certains de ses disciples auto-proclamés.

Le meilleur chez l'auteur de *Qu'est-ce que la propriété* ? Le fédéralisme, le mutualisme, la coo-pération, la passion pour la justice, un réel goût pour la liberté, une façon d'être anarchiste même avec l'anarchie, c'est-à-dire, à cette époque, avec lui-même, la notion d'« anarchie positive », à savoir l'envie d'incarner des principes concrète-ment doublée du refus de l'idéalisme doctrinaire, un pragmatisme le conduisant à affiner sa pen-sée, donc à tenir des discours apparemment contradictoires : critique puis défense de la pro-priété, critique puis défense de l'État, critique des élections puis candidature personnelle – mais l'on comprend cette logique si l'on saisit que Proudhon critique la propriété capitaliste et défend la propriété libertaire, qu'il fustige l'État défenseur du capital mais célèbre l'État garantie des processus fédéralistes, mutualistes et fédéra-tifs, qu'il s'oppose aux élections bourgeoises mais les défend quand il s'agit de porter le projet anar-chiste. Le pire chez Proudhon ? L'antisémitisme, la misogynie, la phallocratie, la défense de la guerre.

Parce qu'il ne voulait pas penser le monde en le mettant à distance avec des idées, des concepts et des abstractions, Camus a été considéré par les philosophes institutionnels comme ne faisant pas partie des leurs. Pour lui, une guerre n'est pas un moment de négativité dans la dialectique du réel, mais l'affrontement d'hommes qui s'éviscèrent, s'éventrent et s'assassinent. Camus pense *directement* le monde, la chair du monde, ce qui fait de lui un philosophe qui croit moins à la vérité de l'idée qu'à la réalité du concret. Ces photos témoignent.

Michel Onfray

SOUS LE SIGNE DU PÈRE : LE REFUS DE LA BARBARIE

« Un homme, ça s'empêche. »
Lucien Camus

Le vomissement du père[1], la colère du père[2], la mort du père[3], voilà trois moments forts dans la vie d'un enfant ignorant tout de lui sauf ces bribes d'existence, ces morceaux d'âme.

Exécution capitale publique à Batna, comme celle à laquelle assista Lucien Camus, Algérie, 1910.

Deux musulmans torturés par les rebelles, au douar Zenata (Remchi), 1956. Dans l'expérience de Lucien Camus, ce sont des soldats français qui subissent le même sort, au Maroc, presque 40 ans plus tôt. Photo tirée d'*Aspects véritables de la rébellion algérienne*, édité par le ministère de l'Algérie, 1957.

Soldat allemand mort dans une tranchée française, 1916. Lucien Camus est mort à 29 ans au combat de la Première Guerre mondiale. Il a reçu la médaille militaire à titre posthume, envoyée à sa femme ainsi que les éclats d'obus retrouvés dans sa tête.

CONTRE LA PEINE DE MORT

Le combat contre la peine de mort constitue une véritable ligne de partage entre le socialisme libertaire (de Camus) et le socialisme césarien (de Sartre). Le combat abolitionniste ne fut en effet pas celui de Sartre : « Un régime révolutionnaire doit se débarrasser d'un certain nombre d'individus qui le menacent, et je ne vois pas là d'autre moyen que la mort. On peut toujours sortir d'une prison. Les révolutionnaires de 1793 n'ont probablement pas assez tué et ainsi inconsciemment servi un retour à l'ordre, puis la Restauration. », Entretien avec Michel-Antoine Burnier pour la revue *Actuel*, février 1972.

Pour Camus, la guillotine n'est pas une idée
de la raison, un concept opératoire de justice,
mais un instrument de torture barbare
qui coupe en deux le corps d'un homme.
Rien de plus, rien de moins, rien d'autre.
Cette machine est la honte de l'humanité.

Ci-dessus : Exécution d'Eugène Weidmann à Versailles, 1939.

Lutter contre la peine de mort, c'est également lutter contre les pelotons d'exécutions de l'occupant national-socialiste en France ; lutter contre les tirs dans le cœur des collaborateurs lors de l'épuration ; lutter contre les pendaisons publiques dans la Russie soviétique ; lutter contre « le sang algérien » si généreusement répandu par le FLN et l'armée métropolitaine.

Ci-contre : Soldats exécutant un opposant au régime nazi.

Massacre par le FLN de la population
de Melouza à Mechta Casbah, 1957.

LA MONTÉE DES FASCISMES

Camus a passé sa vie à vouloir l'éthique et la politique, sans jamais sacrifier l'un à l'autre. En plus de trente années d'existence publique, on ne le surprend jamais en flagrant délit de bêtise politique au nom de la morale ou d'immoralité sous prétexte de politique. Pourtant, les occasions de faillir ne manquent pas dans son siècle : les fascismes européens, le national-socialisme, la Seconde Guerre mondiale, le pétainisme, Vichy, la Collaboration, le bolchevisme soviétique, les totalitarismes marxistes, la guerre froide, la bombe atomique.

© 2011, Cinecittà Luce / Scala, Florence

Rassemblement franquiste, Espagne, 1936-1939.

Les Chemises noires défilent devant Mussolini, 1937-1943.

© Keystone France / Gamma

Adolf Hitler acclamé par la foule à Berlin, 1934.

Photo : Scherl © Suddeutsche Zeitung / Rue des Archives

PESTE, ALLEGORIE DU MASSACRE ORGANISÉ

La violence n'est nulle part, la mort rôde. Personne ne tue personne, il n'y a pas un crime, pas une guillotine, juste des tas de cadavres dans des fosses communes dans lesquelles les corps pétillent presque sans bruit sous la chaux vive ou se dématérialisent en fumée dans les fours crématoires. Cette allégorie qui ne montre jamais le Mal mais les effets du mal affirme violemment une ontologie noire : l'homme est le mammifère qui conduit son semblable à la guillotine — l'énergie désireuse de ce geste homicide, voilà la Peste.

Atrocités commises par les Allemands, vraisemblablement contre des Russes.

Cadavre d'un homme torturé sous le régime franquiste, Espagne, 1936-1939

Soldats posant avec les têtes coupées de leurs ennemis, Espagne, vers 1936.

Célèbre photo montrant le massacre de Juifs par des membres du *Sonderkommando* allemand, Pologne, 1943.

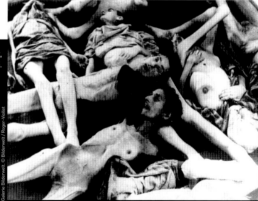

Auschwitz, janvier 1945.

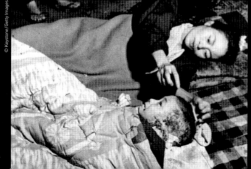

Hiroshima : « La civilisation mécanique vient de parvenir à son dernier degré de sauvagerie. », *Actuelles, I*.

L'ÉPURATION :
L'IMPOSSIBLE JUSTICE

« Dans tout coupable, il y a une part d'innocence. C'est ce qui rend révoltante toute condamnation absolue. On ne pense pas assez à la douleur. L'homme n'est pas innocent et il n'est pas coupable. Comment sortir de là ? », Lettre à Jean Grenier, 21 janvier 1948.

« Le mot d'épuration était déjà assez pénible lui-même. La chose est devenue odieuse. L'échec en tout cas est complet. », *Actuelles, I.*

Exécution d'un collaborateur après la Libération, France, 1944.

Femme tondue accusée d'avoir collaboré avec les Allemands, France, 1944.

Pendaison du corps de Benito Mussolini après son exécution publique, Milan, avril 1945.

CONTRE LA GAUCHE COMPLICE DU GOULAG

Dans le pays de la révolution bolchevique de 1917, dans l'Union des Républiques socialistes et soviétiques de Lénine, on tue, comme à Auschwitz, pour des raisons politiques et idéologiques.

Les prisonniers épuisés et malades «à l'hôpital» du complexe de camps de Nizhny Tagil, URSS, province de Svedrlovsk, 1943.

Découverte des fosses communes de Katyn (Pologne) par les troupes allemandes, le 13 avril 1943, après le meurtre de 15 000 officiers polonais par le service secret stalinien NKWD en septembre 1939.

Les esclaves du canal Belomor entre 1923 et 1933.

LA GUERRE D'ALGÉRIE OU LA « JUSTICE » TERRORISTE

Il faut un coupable barbare ; il faut une victime innocente et sacrificielle.
Or, dans cette aventure tragique, il y eut barbarie dans les deux camps.

Sartre affirme dans un entretien avec un journaliste d'*Actuel* (1972) : « La révolution implique la violence et l'existence d'un parti plus radical qui s'impose au détriment d'autres groupes plus conciliants. Conçoit-on l'indépendance de l'Algérie sans l'élimination du MNA par le FLN ? Et comment reprocher sa violence au FLN, quotidiennement confronté pendant des années à la répression de l'armée française, à ses tortures et à ses massacres ? Il est inévitable que le parti révolutionnaire en vienne à frapper également certains de ses membres. » : on a bien lu, une justification du massacre de Melouza. Déjà, en 1961, dans la préface aux *Damnés de la terre* de Frantz Fanon reprise dans *Situations, V*, Sartre célébrait la « patience du couteau ».

Opération Bigeard, Algérie, 1956, en réponse au meurtre de neuf soldats français.

Fillette égorgée par le FLN, le « grand sourire », El-Alia, 1955. Photo tirée de *L'Algérie médicale* n° spécial : « Les mutilations criminelles en Algérie – L'effort chirurgical », vol. 61, édité par les Imprimeries Fontana, 1957.

Françoise Salles, 7 ans, massacrée par le FLN sur la route de Sakamody (Alger), 1956. Photo tirée d'*Aspects véritables de la rébellion algérienne*, édité par le ministère de l'Algérie, 1957.

Camus, lui, dénonce, dans la préface à *Actuelles, III, Chroniques algériennes* (1958), « le terrorisme appliqué par le FLN aux civils français comme, d'ailleurs, aux civils arabes ». Cette phrase renvoie explicitement aux moments de terreur de Melouza et Alger. C'est de cette « justice » terroriste, prétendue justice, bien sûr, dont il est question dans la phrase qu'il prononce à Stockholm : entre la justice des assassins qui posent des bombes, et sa mère qui pourrait succomber à cause des explosifs disséminés dans Alger, Camus choisit sa mère — au nom de la justice, la vraie, celle qui ne suppose pas l'injustice pour sa réalisation.

Et chez ceux qui s'en sont réclamés ? Le « Cercle Proudhon » qui, de 1912 à 1914, s'appuie sur le philosophe bisontin pour rassembler des monarchistes, des syndicalistes révolutionnaires, des nationalistes, des républicains fédéralistes, tous critiques du régime parlementaire, afin d'envisager un genre de révolution nationale. Autour de Georges Valois, et avec Charles Maurras, il était facile de prélever chez Proudhon matière à un corpus de droite révolutionnaire : la défense de la petite propriété terrienne contre le communisme, l'éloge du travail comme vertu, la célébration de la famille traditionnelle, la paysannerie et la ruralité préférées à l'ouvrier et à la ville, le goût pour la virilité révélé dans la guerre, la femme s'occupant des enfants dans la cuisine. Ce Cercle qui mariait la carpe anarchiste et le lapin nationaliste n'était pas viable – il avorte bien vite, mais vécut assez pour servir de référence à Vichy.

L'utopie modeste

L'Europe doit en finir avec les fantasmes guerriers, impérialistes, conquérants, militaires de l'Allemagne nazie. On a vu les résultats. « L'Europe doit réapprendre la modestie » (III. 365) – non pas apprendre, mais réapprendre. Qu'est-ce à dire ? Avant les fascismes, l'Europe se composait de démocraties. Certes, la démocratie est moins intellectuellement exaltante que l'idéal révolutionnaire d'une humanité prétendument pacifiée : vouloir la paix, l'échange cordial, le débat honnête, le respect de l'adversaire, la discussion franche, récuser la sophistique, refuser les habiletés dialectiques et les tours de passe-passe rhétoriques, excite moins l'intellectuel que les jeux théorétiques, la révolution planétaire, la légitimation dialectique de la paix pour demain qui justifierait aujourd'hui la guerre pour y parvenir.

La modestie définit le projet pragmatique et concret là où l'immodestie signale l'idéal extravagant. La ligne de partage entre les idéalistes et les pragmatiques partage également l'univers libertaire. Mais elle distingue nettement le socialisme hégélien, marxiste, césarien, du socialisme méditerranéen, néoproudhonien et solaire de Camus. Le projet marxiste, parce que excessivement idéaliste et dangereusement utopique, conduit vers l'abîme : plus l'idéal est impraticable, plus le réel décevra, plus les croyants de cet idéal forceront le réel afin qu'il aille plus vite vers l'Absolu. À vouloir contraindre l'idéal, les marxistes forcent les hommes – d'où les camps.

Camus veut donc une utopie modeste – il parle d'« utopie relative » (II. 445). Il ne récuse pas l'utopie, mais son épithète : une utopie définit souvent non pas l'irréalisé mais l'irréalisable. Il souhaiterait qu'elle définisse *le pas encore réalisé* qui soit malgré tout *le tout à fait réalisable*, et non un projet messianique fabriqué sur le principe des religions qui promettent le paradis sur terre pour demain. Vouloir descendre l'Éden du ciel des idées dans lequel il scintille sans dommages sur la planète très terrestre où il commet des dégâts, c'est se préparer à l'échec, donc à la déception. La droite récuse toute utopie ; la gauche s'en réclame. Mais cette gauche s'ouvre en deux : sa partie idéaliste croit au Grand Soir politique, sa partie pragmatique ne croit qu'à ce quelle voit et elle ne voit que ce qu'elle peut réellement faire.

L'utopie immodeste croit aux lois de l'Histoire, elle sacrifie au caractère inéluctable du progrès, elle pense que toute négativité prépare l'avènement de la positivité, en d'autres termes que le mal du camp de concentration ici et maintenant travaille à l'avènement du bien d'une société sans camp de concentration, elle communie dans l'optimisme. L'utopie modeste se méfie de ce schématisme religieux activé sur le terrain politique, elle propose un athéisme social : il n'existe pas de sens *a priori* à l'Histoire, juste celui qu'on lui donne. L'optimisme est le premier pas vers le pire, le pessimisme n'est pas pour autant la solution (c'est celle de la droite qui essentialise la négativité), le tragique en revanche dit juste et vrai : le pire menace, il est la pente naturelle ; le meilleur se conquiert, il procède d'un vouloir doublé d'une intelligence.

L'utopie modeste ne veut pas le bien ; elle se contente de ne pas vouloir le mal. L'humiliation, le crime, l'assassinat, le meurtre légal, la peine de mort, le crime de fonctionnaire, le camp de concentration, la torture, le peloton d'exécution, la guerre civile, en un mot, *la peste*, voilà ce qu'il faut à tout prix ne pas vouloir. Même et surtout quand ceux qui défendent ponctuellement ces modalités du mal affirment son caractère nécessaire et dialectique, momentané et passager, dans le processus qui conduit aux lendemains qui chantent. Refuser l'idéal, souscrire encore et toujours à l'invitation nietzschéenne de fidélité à la terre :

comme le serpent de Zarathoustra qui garde le contact avec le sol avec son ventre, cesser de croire que la vérité du monde se trouve dans le ciel des idées rempli par les rêves infantiles et les souhaits des innocents.

« De la Résistance à la révolution »

L'abolition des frontières nationales et l'exercice d'une utopie modeste, voilà le programme avec lequel se constituent les États-Unis d'Europe – un vieux projet hugolien puisqu'on lui doit l'expression *États-Unis d'Europe* dans un Discours prononcé au Congrès international de la paix le 21 août 1849 et dans lequel il prévoyait la fin des nations, des frontières, donc des conflits et des guerres. Pas besoin d'une révolution dans le sang, ni d'échafauds pour raccourcir les récalcitrants : la révolution pour la paix ne se fait pas avec la guerre, la révolution pour la fraternité ne s'effectue pas avec la guerre civile, la révolution pour le salut de l'humanité ne se réalise pas en mettant l'humanité en péril, elle s'obtient avec la paix, la fraternité et l'humanité – avec et pour elle.

La France peut être exemplaire dans ce processus d'union de tous les États européens et de suppression des frontières : il lui suffit de réaliser le projet du sous-titre de *Combat* : « De la Résistance à la révolution » ! Si l'on compare les projets du philosophe et du Conseil national de la Résistance daté du 15 mars 1944, on constate d'incroyables convergences : abolir les anciennes féodalités économiques et industrielles ; soumettre les intérêts particuliers à l'intérêt général ; nationaliser la production, l'énergie et les sous-sols ; réserver le même traitement aux assurances et aux banques ; développer les coopératives de production, d'achat et de vente agricole et artisanale ; associer les travailleurs à la direction de l'économie ; promouvoir un nouveau droit du travail soucieux de la dignité des ouvriers : le repos, le salaire, le pouvoir d'achat, la retraite ; renforcer le pouvoir des syndicats réorganisés ; instaurer une sécurité sociale ; établir un droit au travail et une sécurité de l'emploi ; réglementer les conditions d'embauche et de licenciement en faveur des travailleurs ; rétablir les délégués d'atelier ; manifester une réelle solidarité avec le monde agricole et paysan ; étendre ces droits aux peuples des colonies ; décréter la gratuité de la scolarité et de la culture ; promouvoir socialement les enfants issus des classes modestes pour leur permettre d'accéder aux charges les plus hautes dans cette société nouvelle.

Ce programme, Camus le fait sien nombre de fois dans ses articles de *Combat* : une nouvelle constitution (II. 518) ; des nationalisations (II. 539) ; la destruction des trusts (II. 518) ; la collectivisation de l'économie (II. 540) ; l'émancipation de l'Indochine (II. 604) ; une Algérie libre, car il s'agit pour l'Europe de libérer « tous les hommes qui dépendent de l'Europe » (II. 620) ; le subventionnement d'une seule école, l'école laïque (II. 602) ; le pouvoir politique donné aux personnes ayant fait leur preuve dans la Résistance (II. 526) ; la dignité rendue au travail et au travailleur contre le capital et les capitalistes

(II. 563) ; la réalisation sans délai d'une « vraie démocratie populaire et ouvrière » (II. 517) – voilà une révolution de gauche non marxiste.

Un internationalisme libertaire

Une révolution de ce type en France agirait en moteur d'une Europe elle-même motrice d'un nouveau monde. Voilà la dynamique de Camus. Il sait impossible la révolution dans un seul pays. Prévoyant la guerre froide, dans la configuration de cette nouvelle révolution française, les États-Unis, écrit-il en novembre 1946, déclencheraient une « guerre idéologique » (II. 445). Pas question, donc, d'envisager ce changement seul. Voilà pourquoi Camus propose d'élargir à la planète sa révolution de gauche non marxiste.

Dans un éditorial de *Combat* daté du 18 décembre 1944, il précise donc son souhait : « Une organisation mondiale où les nationalismes disparaîtront pour que vivent les nations, et où chaque État abandonnera la part de souveraineté qui garantira sa liberté. C'est ainsi seulement que la paix sera rendue à ce monde épuisé. Une économie internationalisée, où les matières premières seront mises en commun, où la concurrence des commerces tournera en coopération, où les débouchés coloniaux seront ouverts à tous, où la monnaie elle-même recevra un statut collectif, est la condition nécessaire de cette organisation » (II. 587). Internationalisation de la révolution, abolition des nationalismes, collectivisation mondiale, coopération planétaire, mutualisation globale, paix universelle, postcolonialisme, monnaie commune à tous les peuples – voilà l'utopie modeste d'Albert Camus *via* pour une unification par le bas.

Si nous ne voulons pas cette révolution par capillarité, nous aurons l'ordre infligé par les États-Unis ou l'Union soviétique, une discipline imposée par le sommet de façon arbitraire, violente et brutale. Cet ordre, les deux superpuissances l'imposeront avec le feu nucléaire, et il y aura des millions de morts. L'alternative est simple : soit l'*ordre libertaire via* l'organisation des peuples par eux-mêmes avec des élections planétaires, un Parlement international et un gouvernement populaire monté de la base au sommet, issu des principes d'une révolution continuant la Résistance, avec la France et l'Europe en moteurs ; soit l'ordre mondial américain ou soviétique, autoritaire, indexé sur la pulsion de mort, un *ordre disciplinaire* imposé par la brutalité capitaliste ou la barbarie soviétique. L'Histoire a montré de quoi le capitalisme et le marxisme étaient capables – elle n'a pas encore laissé sa chance au socialisme libertaire.

3

Célébration
de l'anarcho-syndicalisme

Qu'est-ce que la pensée de midi ?

> « [...] ma sympathie allant aux formes
> libertaires du syndicalisme ».

Camus, *Conférence faite en Angleterre* (1951),
(III. 1099).

Corriger la création

À partir de juin/juillet 1947, une poignée de
notes disséminées dans ses *Carnets* en témoignent,
Camus eut envie d'un livre de mille cinq cents
pages qui se serait appelé *Le Système* ou *La Création corrigée* et dont le sujet aurait été l'abomina-
tion des camps de concentration nazis. Voici l'une
d'entre elles : « *Création corrigée* ou *Le Système*
– grand roman + grande méditation + pièce
injouable » (II. 1085). Le philosophe eut déjà le
souhait d'une pièce injouable avec *L'État de siège*.
Ce projet ne manque pas d'originalité formelle et
conceptuelle, il mélange les genres, confond les

registres et propose une esthétique de l'œuvre d'art totale susceptible de fondre dans une même forme Cervantès, Nietzsche et Shakespeare – pour emprunter à son panthéon personnel.

Dans les cartons des archives Camus à la bibliothèque Méjane d'Aix-en-Provence, on trouve dans une enveloppe kraft un paquet de photographies faites à la libération des camps. Peut-être font-elles partie de la documentation réunie par le philosophe pour ce projet. On le retrouverait alors fidèle à sa méthode : partir du réel, réfléchir sur le concret, penser le monde dans son épiphanie la plus brutale, saisir l'immanence, ne pas aborder le sujet en biais, par ce que les livres en disent déjà après la déformation opérée par les concepts et les idées.

Ce livre n'eut pas lieu. Pourquoi ? On peut imaginer que, toujours dans l'esprit camusien, l'archive du passé lui importait moins que la réalité du présent. Lui qui ne pensait pas la philosophie comme une activité séparée du monde, mais comme une discipline permettant d'agir sur le cours des choses pour l'infléchir vers plus de justice et de liberté, plus d'humanité et de droiture, il a pu écarter l'idée d'un livre sur le passé du totalitarisme afin de concentrer ses efforts sur son présent et, malheureusement, son futur probable. Camus aurait ainsi préféré une déconstruction du totalitarisme rouge très actif après guerre au démontage de sa formule brune dans les ruines fumantes de l'Europe postnazie.

On peut également penser que Camus renonce à ce très gros livre parce qu'il existe déjà, et qu'il ne trouve aucune bonne raison de se mettre à la tâche pour rédiger une œuvre exigeante et coûteuse en temps, en énergie, en travail, en force.

Lisons en effet cette autre note des *Carnets* :
« Rousset. Ce qui me ferme la bouche, c'est que
je n'ai pas été déporté. Mais je sais quel cri
j'étouffe en disant ceci » (II. 1107). Quand cette
citation se trouve utilisée, c'est parfois, voire souvent, sans le nom propre qui lui donne son sens.
Dès lors, le patronyme de David Rousset passé
sous silence, on conclut que Camus n'a pas écrit
ce livre parce qu'il n'a pas été lui-même déporté.

L'idée n'est pas fausse ; mais pas totalement
juste non plus. Certes, Camus allait au-devant de
reproches en écrivant sur les camps sans avoir été,
comme Robert Antelme, Primo Levi ou David
Rousset, un témoin direct de la barbarie nazie.
Mais à cette époque, le récit de retour de camp
de concentration n'est pas prisé par les éditeurs
qui ne voient pas d'aubaine commerciale dans ce
genre d'ouvrage. La difficulté rencontrée par
Primo Levi pour faire éditer *Si c'est un homme* en
témoigne – dix-sept éditeurs refusèrent en effet son
manuscrit. La France traduira ce grand livre trente
ans après sa parution en Italie, en 1967. Mais le
travail effectué par David Rousset pourrait avoir
dissuadé Camus de s'installer sur le même terrain,
armé des seules armes de la fiction, de l'imagination et de la licence littéraire. D'où le sens de cette
note qui renvoie explicitement à Rousset.

Qui est David Rousset ?

David Rousset a un an de plus que Camus ; il
lui survivra trente-sept ans. Fils de pauvre lui
aussi, il peut, grâce à son père qui, d'ouvrier

métallo, est devenu cadre, s'inscrire à la Sorbonne en philosophie et en littérature. Adhérent à la SFIO à dix-neuf ans, puis exclu pour avoir rencontré Trotski en France pendant trois jours, il contribue à fonder le Parti ouvrier internationaliste en 1936 et lutte contre le colonialisme en Algérie et au Maroc. Pendant l'Occupation, il s'occupe du POI clandestin, se fait arrêter le 16 octobre 1943, torturer, emprisonner, déporter à Buchenwald et transférer dans deux camps, dont Neuengamme. À la Libération, il fait partie des files de déportés conduites par les nazis pour échapper aux troupes alliées. Il recouvre la liberté en avril 1945.

Revenu en France, il publie *L'Univers concentrationnaire* aux Éditions du Pavois en 1946, et, chez le même éditeur, *Les Jours de notre mort* en 1947. Avec le premier ouvrage, il obtient le prix Renaudot ; le second se présente comme un « roman », mais Rousset prend soin, dans une note liminaire, de préciser : « Ce livre est construit avec la technique du roman, par méfiance des mots. [...] Toutefois, la fabulation n'a pas part à ce travail. Les faits, les événements, les personnages sont tous authentiques. Il eût été puéril d'inventer alors que la réalité passait tant l'imaginaire. » Roman vrai, donc, composé de nombreux témoignages recueillis par l'auteur. Roman et non récit, peut-être pour éviter de laisser croire possible un compte rendu de cette expérience par des mots, même quand on a vécu ce que l'on raconte – surtout quand on l'a vécu.

Ce gros livre de sept cent quatre-vingt-six pages écrit par un résistant, prisonnier, torturé, déporté, qui, malgré tout, se place sous le signe du roman par défiance à l'endroit des mots, a pu convaincre Camus que son expérience existentielle et ontologique ne lui permettait pas d'ajouter à la littérature concentrationnaire un point de vue venu de l'extérieur. On aurait pourtant pu lui rétorquer qu'une pensée de l'événement peut être plus juste, même si on ne l'a pas vécu, qu'une narration faite par un sujet incapable de la restituer – ce qui n'était pas le cas de David Rousset dont la performance livresque est remarquable.

En 1948, trois jours après le Coup de Prague, Rousset crée le Rassemblement démocratique révolutionnaire, le RDR, avec un certain Jean-Paul Sartre mélangé à d'authentiques résistants et de réelles figures militantes de gauche de d'extrême gauche. Le projet ? Se tenir à égale distance du capitalisme décomposé, de l'impéritie et de l'impuissance de la social-démocratie et du stalinisme du parti communiste. À gauche, certes, mais sans aucune de ses composantes officielles. Comme son nom l'indique, le rassemblement rassemble : autrement dit, il permet la double appartenance. On peut être dans un parti classique et, en même temps, au RDR. La plupart des activistes adhérents sont des intellectuels qui se réclament de la Révolution française, de la révolution de 48 et de la Résistance. Camus fréquente le groupe, mais n'y adhère pas. Il publie deux articles dans le journal du RDR, *La Gauche*, pour polémiquer contre Emmanuel d'Astier de la Vigerie qui nie l'existence des camps de concentration soviétiques et célébrer Garry Davis, cet ancien pilote de bombardier américain ayant arrosé des villes allemandes qui se proclame citoyen du monde après avoir remis son passeport à l'ambassade des États-Unis à Paris.

Le RDR lutte contre l'impérialisme américain et le totalitarisme soviétique. La crainte d'une Troisième Guerre mondiale est alors réelle ; leurs militants souhaitent lutter de toutes leurs forces contre cette perspective nihiliste. Ils aspirent à une Europe socialiste qui construirait sa gauche avec la base et les syndicats. Camus souscrit à ces thèses : la fédération européenne avec des pays socialistes, le combat pacifiste contre la guerre, le refus de s'aligner sur le capitalisme américain autant que sur le communisme soviétique, la récusation du RPF du général de Gaulle et du PCF aligné sur Moscou.

Un *Appel du Comité pour le RDR* est publié le 27 juin 1948 dans *Combat* et *Franc-Tireur*. Ce texte aurait dû paraître dans *Les Temps modernes*, mais, sous couvert de Merleau-Ponty, alors directeur politique de la revue de Sartre, la publication est ajournée au dernier moment pour ne pas indisposer les communistes. De fait, la presse communiste se déchaîne contre ce texte. Le PCF et Sartre jouent au chat et à la souris avec négociations discrètes, promesses de luttes en commun, invitations au compagnonnage, rencontres privées et affichage dans la presse communiste d'une opposition radicale avec l'auteur de *Huis clos*. Sartre rapporte le détail de cet étrange jeu de séductions mutuel dans les *Entretiens sur la politique* avec David Rousset et Gérard Rosenthal.

Rousset sollicite des intellectuels et des syndicats américains, dont certains sont anticommunistes, pour financer le RDR – que Sartre, c'était l'une de ses qualités, finançait avec générosité. Sartre y voit l'abandon du principe de neutralité du Rassemblement à l'endroit des États-Unis et de l'URSS. Il quitte donc le RDR en octobre 1949, pour se rapprocher des communistes et de l'Union soviétique, neutralité oblige sûrement ! Rousset signala plus tard que Sartre était un homme d'idées, dogmatique, cérébral, doué pour le jeu intellectuel et le mouvement des idées, mais totalement dépourvu d'intérêt pour le réel, le monde et les autres.

Pour ou contre les camps soviétiques ?

Le mois suivant le départ de Sartre qui reproche au RDR son virage à droite, David Rousset fait paraître dans *Le Figaro littéraire* du 12 novembre 1949 un texte dans lequel il révèle l'existence du Goulag au grand public. *Les Lettres françaises* d'Aragon et *L'Humanité* se déchaînent contre l'initiative de Rousset alors accusé de tous les maux : agent de l'impérialisme américain, payé par les services secrets US, diffamateur de l'Union soviétique, etc. L'ancien déporté porte plainte contre le Parti du pacte germano-soviétique et gagne son procès. Cet article invite ses compagnons de déportation à créer une commission d'enquête sur ce sujet. Les défenseurs de la gauche communiste reprochent à Rousset d'avoir fait paraître son appel dans un journal de droite. Imagine-t-on que *L'Humanité* lui aurait ouvert ses colonnes ?

Kravtchenko publie *J'ai choisi la liberté* en 1947. *Les Lettres françaises* font de son auteur un agent américain – lui aussi porte plainte pour diffamation. Margaret Buber-Neumann témoigne en faveur de Kravtchenko. La belle-fille du philosophe Martin Buber rapporte ce qu'elle a vécu : en 1938, un simulacre de procès dans un tribunal soviétique lui vaut d'être condamnée à cinq années de détention pour menées contre-révolutionnaires, les bolcheviques l'envoient en camp de concentration à Karaganda, au Kazakhstan – un camp grand comme deux fois le Danemark ! Elle y passe deux années avant, pacte germano-soviétique oblige, que Staline ne livre à Hitler les communistes allemands réfugiés en URSS. Les Soviétiques remettent donc Margaret Buber-Neumann à la Gestapo qui l'emprisonne à Ravensbrück pour cinq années. En avril 1945, craignant l'avancée des troupes alliées qui libèrent les camps, elle fuit l'armée soviétique à pied à travers l'Allemagne en ruine.

En 1949, elle peut donc témoigner de l'existence des camps de concentration soviétiques et des camps de concentration nazis – puisqu'elle connaît les deux. *Les Lettres françaises* perdent leur procès. À cette date, *avril 1949*, plus aucun intellectuel français ne peut ignorer que, dans le pays de la révolution bolchevique de 1917, dans l'Union des républiques socialistes et soviétiques de Lénine, on tue, comme à Auschwitz, pour des raisons politiques et idéologiques.

En 1951, David Rousset décrit le procès de Margaret Buber-Neumann dans *Pour la vérité sur les camps concentrationnaires*, toujours aux Éditions du Pavois. Le 24 janvier 1950, il crée la « Commission française d'enquête contre le régime concentrationnaire » avec d'anciens déportés. Cette instance devient « Commission internationale contre le régime concentrationnaire » (CICRC) en octobre 1950 et mène des enquêtes en Espagne et en Grèce. Elle publie ses conclusions sous forme de Livres blancs. L'URSS refuse d'accorder un visa d'entrée à David Rousset. Qu'à cela ne tienne : il organise le 1er juin 1950 un tribunal public sur les camps soviétiques. De 1952 à 1953, il enquête en Chine ; puis en Algérie en mai 1957. Voilà qui se cache derrière le « Rousset » de la note du carnet de Camus.

Le présent concentrationnaire

Camus a connu David Rousset, sa vie et son œuvre, ses livres et son travail, son action et son engagement, son militantisme et ses combats. On peut penser que, à la lecture de ses deux ouvrages majeurs, *Le Système concentrationnaire* et *Les Jours de notre mort*, il puisse renoncer à écrire *La Création corrigée*. Dès lors, il fait moins œuvre d'*archéologue du passé nazi* comme il en avait l'intention que de *phénoménologue du présent concentrationnaire*. Il y avait en effet plus d'urgence politique à dénoncer *ce qui est* qu'à analyser *ce qui fut*. On ne ressuscite malheureusement pas les innocents réduits en cendres par le feu nazi ; en revanche, on peut éviter que des contemporains meurent sous la botte de commissaires politiques bolcheviques. *L'Homme révolté* semble donc le contrepoint d'urgence à *La Création corrigée*.

En 1950, Camus publie un *Manifeste aux hommes libres* : « Privé du droit de dire non, l'homme devient un esclave. » Il travaille à *L'Homme révolté*. Cette année-là, Sartre signe avec Merleau-Ponty un article de quinze pages intitulé *Les Jours de notre mort* qui paraît dans *Les Temps modernes*. On peut aujourd'hui le lire sous le seul nom de Merleau-Ponty dans *Signes* publié chez Gallimard en 1960. Ce réquisitoire contre David Rousset est un plaidoyer pour l'Union soviétique des camps.

Petit *a parte* sur Merleau-Ponty : le professeur agrégé du lycée Carnot jadis très soucieux de sa thèse et de sa carrière a probablement oublié, à cette heure où il tient pour négligeable l'existence des camps soviétiques, que pendant l'Occupation, en novembre 1942 pour être précis, il a procédé à une quête pour remplacer deux portraits de Pétain lacérés par des élèves de sa classe de philo. Vingt-quatre heures après, le futur auteur de *Humanisme et terreur* avait rapporté au directeur de l'établissement de quoi remplacer les icônes tailladées ! Quelques mois plus tard, pour le Noël du Maréchal, sa classe se distingue en étant la plus généreuse ! Les sceptiques vérifieront les informations concernant son zèle salué par le proviseur aux Archives du Rectorat de Paris à la cote AJ 16.

Retour à Camus : la parution de *L'Homme révolté* le 18 octobre 1951 fournit l'occasion d'un tir de barrage des marxistes, des léninistes, des communistes, de Sartre, des sartriens, du Parti communiste français, de la presse du parti et de tous les défenseurs des camps de la mort soviétiques. On connaît la polémique ayant opposé Camus et *Les Temps modernes*. Les attaques de la part de Sartre, Beauvoir et Merleau-Ponty, dont le moins qu'on puisse dire est qu'ils n'ont guère résisté à l'occupant nazi, montrent qu'ils ne comprirent pas plus qu'il fallait également lutter contre le socialisme des camps parce qu'il présentait un danger totalitaire semblable à celui du fascisme brun.

Pour éviter de devoir examiner une pensée de gauche critique, de débattre avec un révolutionnaire non marxiste, d'envisager le dialogue avec un défenseur de l'anarcho-syndicalisme libertaire, pour se dispenser de remettre en cause ses certitudes, ses convictions, par confort intellectuel et suffisance personnelle, par opportunisme carriériste aussi (le PCF était plus agréable à vivre au quotidien comme ami que comme ennemi), Jean-Paul Sartre écrivit une *Réponse à Albert Camus* parue en août 1952 dans lequel il propose sans s'en douter un autoportrait.

On y retrouve en effet le normalien donneur de leçons, le professeur de philosophie qui corrige une copie, l'héritier qui moque l'origine sociale modeste de son vis-à-vis, le petit-bourgeois qui interdit la fidélité à la pauvreté dont il ignore tout, l'agrégé bien né qui humilie l'autodidacte orphelin, le fils de riche affirmant qu'avoir été pauvre et ne l'être plus interdit de parler au nom de ceux qui vivent toujours dans le dénuement, le sophiste habile qui enfile les formules, les traits d'esprit et les vacheries pour se dispenser de débattre sur le fond, le Parisien qui ridiculise le Méditerranéen, le vindicatif qui préfère les attaques *ad hominem* à l'examen critique des thèses. Car, de la véritable interrogation : *comment peut-on être communiste et défendre encore l'Union soviétique quand on sait qu'elle se constelle de camps de concentration où l'on donne la mort comme dans les camps nazis ?*, il ne sera jamais question dans l'article de Jean-Paul Sartre. On imagine combien, en France et à l'étranger, hier comme aujourd'hui, la lecture de *L'Homme révolté* fut conditionnée par la réception sartrienne de cet ouvrage qu'à l'époque on n'a pas lu par passion et que, depuis un demi-siècle, par paresse intellectuelle, on n'a pas plus et mieux lu.

Le retour de la Première Internationale

L'Homme révolté est un grand livre antifasciste, antitotalitaire, anticapitaliste, anticommuniste. Or la critique a beaucoup insisté sur la partie négative, ou négatrice, de ce grand ouvrage porteur d'une positivité libertaire : éloge de la Commune, de l'anarchisme espagnol, du « socialisme libertaire » (III. 189), de l'anarcho-syndicalisme, de la tradition révolutionnaire française, de Spartacus et de Fernand Pelloutier, mais aussi de Bakounine et de Proudhon, des révolutionnaires russes de 1905, des marins de Kronstadt assassinés par l'Armée rouge créée par Trotski, de la CNT espagnole, de la capacité politique de la classe ouvrière, de l'autogestion des travailleurs et de toutes les occasions d'une gauche positive qui ne soit pas de ressentiment, mais affirmative, solaire, constructive, réaliste, pragmatique – cette positivité constitue ce qu'il appelle la « pensée de midi ».

Dans une *Défense de l'Homme révolté*, Camus, qui pouvait compter ses soutiens sur les doigts de la main, assure lui-même sa plaidoirie : il n'a pas critiqué la révolution et le socialisme, comme la presse communiste éructante, Sartre et les sartriens, le lui reprochent, mais le nihilisme historique justifiant le crime légal au nom de l'idéal révolutionnaire qui se trouve ainsi *malheureusement* dévoyé. Camus n'est pas un contre-révolutionnaire, mais un révolutionnaire contre : contre les camps, contre les barbelés, contre la formule bolchevique du marxisme, contre l'usage de Marx fait par Lénine, contre le totalitarisme marxiste-léniniste, et ce au nom de l'excellence des fins révolutionnaires : la liberté, la justice, l'égalité, la fraternité, la paix, la dignité, l'humanité.

Contre ceux qui lui reprochent d'avoir écrit contre la révolution, contre toute révolution, il précise : « Le succès du syndicalisme libre depuis le XIXe siècle, l'effort des mouvements libertaires et communautaires en Espagne ou en France sont les repères auxquels je me suis référé pour montrer au contraire la fécondité d'une tension entre la révolte et la révolution » (III. 371). Donc : révolution accompagnée de révolte, la sienne, contre la révolution qui mate la révolte, celle de l'URSS et de Sartre.

Les combats autour de *L'Homme révolté* réactivent les enjeux de la Première Internationale qui, dès septembre 1866 à Genève, opposaient Marx à Bakounine et Proudhon, autrement dit deux formes de socialisme, sa formule autoritaire avec l'intellectuel allemand, son option libertaire avec l'ogre russe et l'anarchiste français. Marx n'a reculé devant aucun moyen pour parvenir à ses fins : l'hégémonie sur le mouvement ouvrier international – intrigues, coups bas, désinformation, calomnies, médisances, insinuations sur la personne de Bakounine, une technique qui rappelle celle du couple Jeanson et Sartre contre Camus. La déconsidération idéologique du camp libertaire a consisté à présenter les proudhoniens qui défendaient la révolution immanente par le mutualisme, la coopération, la fédération, le crédit gratuit, et qui souhaitaient une émancipation ouvrière en dehors d'une improbable grève générale et d'un hypothétique soulèvement dans la violence, comme une ruse de la raison capitaliste.

De la même façon que Sartre avec Camus, et selon les mêmes logiques, parfois avec le même argumentaire sophistique et rhétorique, Proudhon, *lui aussi*, a été sali humainement : Marx, *lui aussi*, fut d'abord l'ami de celui dont il ferait bientôt son ennemi : dans *La Sainte Famille*, il rendit même un hommage appuyé à *Qu'est-ce que la propriété ?* avant de casser le lendemain ce qu'il avait admiré la veille, pour des raisons ayant plus à voir avec la domination du champ intellectuel et politique contemporain qu'avec la vérité, la justice ou le salut de la classe ouvrière ; Marx, *lui aussi*, a passé de longues heures à discuter philosophie au coin du feu, à Paris, avec celui qu'il déclarerait ensuite inapte à la comprendre parce qu'il ne la déchiffrait pas comme lui ; Marx le grand bourgeois intellectuel lecteur des philosophes allemands ricanait, *lui aussi*, de l'amateurisme de l'ouvrier Proudhon en écrivant, par exemple, sur « le gauche et désagréable pédantisme de l'autodidacte qui fait l'érudit » ; Marx, l'homme des villes, le fils d'avocat, le mari d'une comtesse, a, *lui aussi*, méprisé Proudhon, le fils de tonnelier, le petit paysan venu de sa campagne franc-comtoise, il écrit par exemple ceci : « L'ex-ouvrier qui a perdu la fierté de se savoir penseur indépendant et original et qui, maintenant, en parvenu de la science, croit devoir se pavaner et se vanter de ce qu'il n'est pas et de ce qu'il n'a pas » ; Marx stigmatisait, *lui aussi*, la prétendue incapacité de Proudhon à comprendre les grands textes philosophiques, la dialectique de Hegel déjà ; Marx recourait à l'ironie doublée d'une plume assassine, *lui aussi*, pour détruire la démarche proudhonienne, c'est tout le sens de la publication de sa *Misère de la philosophie* pour détruire la *Philosophie de la misère* de Proudhon ; Marx, *lui aussi*, disqualifiait la démarche socialiste libertaire de Proudhon comme non scientifique, non dialectique, utopique, petite-bourgeoise, contre-révolutionnaire, faisant le jeu de la bourgeoisie et du capital.

Marx n'ayant hésité devant rien, insoucieux de la morale, de l'élégance, de la vérité, tout à son désir de vaincre par une guerre totale, sans merci, eut raison de Proudhon et des proudhoniens. Ses théories prétendument scientifiques, matérialistes, dialectiques, mais véritablement messianiques, millénaristes, apocalyptiques, l'emportèrent. L'avant-garde éclairée du prolétariat constituée en dictature recourant à la violence pour forcer ce qui, pourtant, était présenté dans le corpus doctrinaire comme devant obligatoirement se réaliser en fonction des lois dialectiques de l'Histoire, put montrer de quoi elle était capable : le coup d'État marxiste de la Première Internationale inaugura une longue série de putschs sur le principe militaire. Marx et ceux qui s'en réclamèrent eurent plus d'un demi-siècle la Russie et nombre de pays de l'Est pour expérimenter leurs thèses – Camus s'est juste contenté de faire savoir, devant les camps et au pied des miradors, qu'on pouvait préférer un autre socialisme que celui-ci. *L'Homme révolté* fut le livre noir de cette odyssée de Marx en Europe – il fut aussi celui de l'aventure libertaire écrite en filigrane dans l'ouvrage. Un genre de Contre-Marx doublé d'un Pour-Proudhon – du moins : d'un contre les marxistes et pour les proudhoniens, contre la pensée nocturne de minuit et pour la pensée solaire de midi.

Prendre les livres au sérieux

L'Homme révolté est le livre d'un homme qui prend les livres au sérieux. Souvenons-nous du rôle tenu par l'écrit dans l'enfance, l'adolescence et les jeunes années de Camus : la lecture des *Croix de bois* de Dorgelès effectuée par l'instituteur ancien combattant de la guerre de 14-18 qui signifie discrètement aux orphelins de guerre de sa classe, dont Camus, combien il les aime plus encore que les autres, par fidélité à ses compagnons morts sur le champ de bataille ; la découverte de *La Douleur* d'André de Richaud, un roman qui rapporte l'histoire simple d'une femme veuve de guerre déçue par une improbable histoire d'amour avec un prisonnier allemand, un récit qui prouve à son jeune lecteur qu'on peut raconter les histoires simples de gens simples et que le monde des livres ne se coupe pas obligatoirement du réel ; la passion des volumes empruntés à la bibliothèque municipale, le retour à la maison dans les rues d'Alger, le feuilletage sous les réverbères, l'odeur de l'encre, du papier, la couleur des pages sous le rond de lumière dessiné par la lampe à pétrole sur la toile cirée sur laquelle repose le trésor ; la révélation des *Îles* de son professeur de philosophie Jean Grenier lui faisant miroiter qu'il pourra peut-être, lui aussi, écrire – donc changer de monde.

Au contraire de Sartre qui raconte dans *Les Mots* combien le livre, la lecture, la bibliothèque, l'écriture relèvent de la donnée familiale, de la tradition de la maison, de l'héritage, puisque son grand-père a publié et que l'enfant a vu arriver au domicile familial les paquets d'épreuves à corriger. Le futur auteur de *L'Idiot de la famille* écrit même qu'il découvre « l'exploitation de l'homme par l'homme » (22) en entendant son grand-père pester contre son éditeur à la réception de ses droits d'auteur sous prétexte qu'il lui volait de l'argent.

Sartre naît, grandit et vit dans un univers de livres, les murs en sont tapissés. Le grand père passe sa vie avec, il va les chercher sur le rayonnage, les extrait, les ouvre à la bonne page, les feuillette, les lit, les replace à l'endroit *ad hoc* ; la grand-mère est abonnée à la bibliothèque, chaque semaine elle rend ses emprunts et remporte ses nouveaux prêts ; sa mère, dont il est amoureux, lui lit des contes en le savonnant dans la baignoire et en le frictionnant d'eau de Cologne ; il prélève

Aristote, Térence, Fontenelle, Rabelais dans la bibliothèque familiale, il furète dans le Grand Larousse, il lit des récits de voyages, des encyclopédies, des dictionnaires, des livres illustrés.

Le jeune homme pense un jour ce que l'adulte Sartre croit toujours : « Je sais ce que je vaux » (14). Le petit-fils raffolant de Courteline, le grand-père l'invite à lui écrire une lettre et l'accompagne dans la rédaction de sa missive dans laquelle il laisse traîner quelques fautes. Sans aucune difficulté, le petit garçon élu signe tout simplement : « Votre futur ami » (36). L'auteur de *Théodore cherche des allumettes*, mais aussi d'*Une lettre chargée*, ne répondit pas, une indifférence qui froissa Charles Schweitzer. Sartre précise en rédigeant *Les Mots* que, soixante ans plus tard, il lui est resté, « vice mineur » (36), cette *familiarité* avec les grands auteurs.

Né avec une petite cuillère conceptuelle dans la bouche, Jean-Paul Sartre écrit : « Platonicien par état, j'allais du savoir à son objet ; je trouvais à l'idée plus de réalité qu'à la chose, parce qu'elle se donnait à moi d'abord et parce qu'elle se donnait comme une chose. C'est dans les livres que j'ai rencontré l'univers : assimilé, classé, étiqueté, pensé, redoutable encore ; et j'ai confondu le désordre de mes expériences livresques avec le cours hasardeux des événements réels. De là vint cet idéalisme dont j'ai mis trente ans à me défaire » (26-27). On pourra ne pas souscrire à ce diagnostic de guérison posé par le malade.

Camus pense le livre comme une conquête, non comme un héritage : pas de livres à la maison, encore moins de bibliothèque familiale, un grand-père mort, une mère qui ne sait ni lire ni écrire, une grand-mère brutale et méchante, le jeune Albert Camus n'est pas du genre à penser qu'il est élu dans le monde de la littérature et que, dès lors, il peut se permettre de la familiarité avec les gloires littéraires du moment ou de l'histoire générale de la littérature. Il ne l'a pas pensé quand il n'avait pas dix ans ; il ne le pensa jamais, se trouvant d'ailleurs toujours illégitime dans l'univers des gendelettres dont, lui plus qu'un autre, il comprit très tôt et très vite l'inaptitude au réel, l'incompétence en matière d'immanence, le tropisme idéaliste et le vice associé quand ce tropisme devient une passion furieuse, et qu'elle féconde une idéologie.

Contre le « nihilisme de salon »

Camus se sort d'un monde sans livres à l'aide des livres ; Sartre souhaite sortir d'un monde de livres avec les livres, mais restera toute sa vie un philosophe de papier. Camus prend appui sur les livres pour entrer de plain-pied dans un monde qu'il veut comprendre pour le changer, la littérature est pour lui une affaire viscérale, il écrit avec son sang, pèse des mots nourris de sa fidélité aux siens, les gens de peu ; Sartre prend la littérature en otage pour un projet existentiel très simple : la célébrité, la renommée – aspirations bourgeoises à souhait. Dans ses *Carnets de la drôle de guerre*, Sartre peste contre les événements qui l'empêchent de se faire un nom. Beauvoir le rapporte dans sa correspondance avec lui ou dans les lettres de guerre : il veut être « à la fois Spinoza et Stendhal » – Camus, plus modestement, veut être Albert Camus, fils fidèle de son père ouvrier agricole et de sa mère femme de ménage.

Lorsque l'on vient au monde dans une famille intellectuellement démunie, issu d'une parentèle en délicatesse avec la langue française, il faut apprendre à parler sa langue dite maternelle comme une langue étrangère, avec effort et difficulté, patience et courage. De même avec les références culturelles qui ne sont pas ingurgitées au biberon : la peinture, la littérature, la musique, la philosophie, le théâtre, les idées, le concert, le cinéma, mais aussi le restaurant, les vacances, les voyages à l'étranger, la fréquentation des musées, constituent autant de bastilles à prendre, de mondes à conquérir de haute lutte. D'où le respect de Camus pour ce qui a été acquis par l'effort. Ainsi, il ne lui serait pas venu à l'esprit, comme Sartre le fit, d'uriner sur la tombe de Chateaubriand à Saint-Malo.

On ne trouvera donc pas chez Camus de familiarité avec les auteurs et leurs pensées, il ne considère pas la philosophie comme un jeu d'enfant dont les règles lui auraient été apprises dès le plus jeune âge, jamais il n'en fera un petit monde ludique où l'on brille à peu de frais en répétant les recettes transmises par un membre de la famille. Il n'hérite pas d'un patrimoine intellectuel ; il le conquiert. D'où son refus du dilettantisme littéraire, du changement d'idées pour satisfaire à la nouveauté, du débat intellectuel vécu comme une joute plaisante sans enjeux concrets, il déteste l'art pour l'art, l'esthétisme, la frivolité mondaine des gendelettres, la désinvolture avec les idées utilisées comme des pelotes à jongler, la cérébralité gratuite jamais suivie d'effets, l'inconséquence des faussaires qui professent des idées qu'ils ne pratiquent pas.

Dès lors, il part en guerre contre le « nihilisme de salon » (III. 139) et demande des comptes à la littérature et à la philosophie. Si l'on veut continuer à croire au pouvoir des idées et des livres, ces idées doivent être suivies d'effets et ces livres induire des réalités. Parce qu'il prend la littérature au sérieux, Camus demande aux littérateurs d'être sérieux, donc de ne pas écrire n'importe quoi, de ne pas penser n'importe comment, de ne pas affirmer ou enseigner des inepties dangereuses, autrement dit d'éviter d'ajouter au déraisonnable du monde.

Dans sa généalogie du nihilisme contemporain, Camus n'épargne aucune des valeurs sûres de l'époque. Lui qui a découvert la vérité des choses dans la lumière franche du dépouillement de son enfance pauvre, il affirme sans vergogne que le Roi est nu en présence des gens de plume qui vantent la beauté de ses atours et la magnificence de ses habits. Sade ? Non pas un divin Marquis, mais le précurseur des camps de concentration nazis. Rimbaud ? Non pas l'homme aux semelles de vent, mais le petit-bourgeois du Harar désireux de faire fortune et de se marier. Lautréamont ? Non pas le poète génial et sans visage, mais le Comte Isidore Ducasse, frère dans le mal du Marquis inventeur des camps. Les surréalistes ? Non pas des promesses de bonheur intellectuel, mais des destructeurs fascinés par la table rase et la violence gratuite. Le dandy ? Non pas une figure rebelle, solitaire et sauvage, mais un pitoyable personnage quêtant son identité dans le regard du premier venu. On comprend que ce tir à vue sur ces idoles de Saint-Germain-des-Prés puisse mobiliser la tribu de ces beaux quartiers si loin de Belcourt.

Camus n'est pas du genre à tirer sur des ambulances. Quand, dans *L'Homme révolté*, il s'attaque à ces idoles germanopratines, il vise le magistère de Guillaume Apollinaire, le créateur de la légende d'un Sade libertaire et libérateur, révolutionnaire et féministe. En tapant sur l'auteur des *120 journées de Sodome*, il blesse également Maurice Blanchot, Pierre Klossowski et Georges Bataille. Contre Sade, il ajuste aussi le tir sur André Breton, l'ami du poète des *Calligrammes* avec lequel il s'affiche tous les jours dans les cafés, mais il arrose aussi la cour du Pape du Surréalisme, Eluard, Aragon, Soupault, Crevel, Vitrac, Desnos. De même, quand il ironise sur Rimbaud et Lautréamont, il envoie une nouvelle salve contre les mêmes qui adoubent ces deux poètes en ancêtres du surréalisme, ce dont témoigne l'*Anthologie de l'humour noir*. En prenant Marx pour cible, il fâche obligatoirement Sartre et Beauvoir, Merleau-Ponty et nombre d'épigones de seconde zone, de Kanapa à Desanti, en passant par toute l'équipe des *Temps modernes*. En fustigeant Hegel, il maltraite Jean Hyppolite, l'auteur de *Genèse et structure de la phénoménologie de l'esprit de Hegel*, et Alexandre Kojève qui a professé entre 1933 et 1939 des leçons très courues par le Tout-Paris sur le philosophe d'Iéna à l'École pratique des hautes études, un cours publié en 1947 sous le titre *Introduction à la lecture de Hegel* – on y a vu sur les mêmes bancs Lacan, Bataille, Caillois, Aron, Paulhan, Klossowski, Jean Wahl, Levinas, Leiris, Koyré, Hippolyte, Merleau-Ponty, Breton, Queneau, Éric Weil.

On comprend qu'en attaquant tout seul sur autant de fronts, les ralliements soient nuls. Venus d'où ? Simone Weil, probablement, citée élogieusement dans le livre, mais elle dormait dans la terre anglaise depuis le 24 août 1943. René Char, bien sûr, l'impeccable René Char, lui aussi salué par Camus dans l'ouvrage libertaire, l'auteur d'une sublime lettre d'ami dès la réception de *L'Homme révolté*, mais Char lui aussi était un solitaire, sans meute derrière lui.

Pour information, pour la jubilation, pour la beauté de l'amitié, pour la vérité de l'échange de ces deux Résistants authentiques de la première heure, et en contrepoison aux textes de Jeanson et Sartre, puis de tant d'autres plumitifs d'alors, je ne résiste pas à citer cette lettre en entier : « Mon Cher Albert, Après avoir lu et relu votre *Homme révolté* j'ai cherché qui et *quelle œuvre* de cet ordre – le plus essentiel – avait pouvoir d'approcher de vous et d'elle en ce temps ? Personne et aucune œuvre. C'est avec un enthousiasme réfléchi que je vous dis cela. Ce n'est certes pas dans le carré blanc d'une lettre que le volume, les lignes et l'extraordinaire profonde surface de votre livre peuvent être résumés et proposés à autrui. D'abord j'ai admiré à quelle hauteur familière (qui ne vous met pas hors d'atteinte, et en vous faisant solidaire, vous expose à tous les coups) vous vous êtes placé pour dévider votre fil de foudre et de bon sens. Quel généreux courage ! Quelle puissance et irréfutable intelligence tout au long ! (Ah ! cher Albert, cette lecture m'a rajeuni, rafraîchi, raffermi, étendu. Merci.) Votre livre marque l'entrée dans le combat, dans le grand combat intérieur et externe aussi des vrais, des seuls arguments – actions valables pour le bienfait de l'homme, de *sa conservation en risque et en mouvement*. Vous n'êtes jamais naïf, vous pesez avec un scrupule. Cette montagne que vous élevez, édifiez tout à coup, refuge et arsenal à la fois, support et tremplin d'action et de pensée, nous serons nombreux, croyez-le, sans possessif exagéré, à en faire *notre montagne*. Nous ne dirons plus "il faut bien vivre puisque" mais "cela vaut la peine de vivre parce que". Vous avez gagné la bataille principale, celle que les guerriers ne gagnent jamais. Comme c'est magnifique de s'enfoncer dans la vérité. Je vous embrasse. René Char[1]. »

Le crime littéraire

Camus n'aura donc eu de cesse, en attaquant le nihilisme de salon, de mener une guerre contre les idées qui conduisent aux camps marxistes-léninistes. Il propose une généalogie intellectuelle, une archéologie conceptuelle des crimes litté-raires, philosophiques, conceptuels ayant préparé les esprits et les consciences, les intelligences et

---

1. Lettre extraite de Albert Camus et René Char, *Correspon-dance, 1946-1959*, édition établie, présentée et annotée par Franck Paneille, Gallimard, 2007.

les entendements, aux crimes historiques. Il prend la littérature au sérieux parce qu'il croit au pouvoir de la littérature en dehors des salons : les idées tuent, les livres assassinent, les poèmes ou les romans, les traités ou les manifestes esthétiques peuvent conduire à armer un fusil, affûter le couteau d'une guillotine, dévider des rouleaux de barbelés, construire des camps, bander les muscles d'un tortionnaire dans une salle où l'on inflige des supplices. Camus souhaite en finir avec l'inconséquence des gens de plume qui célèbrent le crime sur le papier, le meurtre dans un poème, l'assassinat dans un roman et invitent au massacre sous prétexte de licence poétique, de liberté littéraire ou de beau geste esthétique.

Pour déplorer le *crime littéraire*, Camus examine le cas de Sade. Il voit bien que, dans le petit monde littéraire parisien, Sade a le vent en poupe. On trouve dans sa bibliothèque les œuvres du Marquis éditées par Maurice Nadeau et Jean-Jacques Pauvert, les études de Maurice Blanchot sur *Lautréamont et Sade*, le livre de Pierre Klossowski, *Sade mon prochain*, et la *Vie du marquis de Sade* de Gilbert Lely. Camus fait de Sade un romancier philosophe, autrement dit le contraire d'un romancier à thèse – une qualité à ses yeux, puisqu'il l'associe à Dostoïevski, Melville, Proust, Kafka.

Sade fut longtemps (et encore aujourd'hui) ce qu'Apollinaire en fit l'année 1909 dans une longue préface présentant une anthologie dans la collection « Les maîtres de l'amour » pour la « Bibliothèque des curieux » sous le titre *L'Œuvre du marquis de Sade* : un héros de la libération sexuelle, un féministe amoureux des femmes libérées, un partisan de la sexualité sans entraves, un ami du genre humain, un psychologue préfreudien, un moraliste postchrétien, un grand homme de lettres sublimant par la plume ce qu'il ne pouvait épanouir par la chair, un opposant à la peine de mort, un aristocrate qui renonce à sa particule pour épouser la cause révolutionnaire, un anarchiste victime de trois régimes – Monarchie, République, Empire –, une victime du système injustement emprisonnée pendant vingt-sept années.

Une lecture croisée des œuvres, de sa biographie et de sa correspondance montre un Sade historique, aux antipodes de la légende apollinarienne : un libertin féodal auteur de plusieurs crimes sexuels concrets, un homme dans le jardin duquel on a retrouvé des ossements humains, un violeur compulsif, un misogyne forcené, un immoraliste radical, un défenseur de la tyrannie et du bonheur dans le crime, un abolitionniste par opportunisme (le texte invitant à l'abolition de la peine de mort est écrit en cellule, à l'ombre d'une guillotine que la Révolution française promettait au marquis contre-révolutionnaire qu'il était), un prisonnier purgeant des peines de prison infligées pour des crimes sexuels réels. Sade historique, contre Sade légendaire.

Camus envisage la métaphysique et la philosophie de Sade, car il n'est pas qu'un auteur de fictions, un raconteur d'histoire, c'est aussi un homme qui propose une vision du monde, donc une pratique du monde. Sade fonctionne en disciple inversé de Rousseau : il croit l'homme naturellement cruel, totalement dépourvu de libre arbitre, déterminé par la nécessité naturelle, obéissant à un fatalisme aveugle, soumis aux caprices de la matière. Son *isolisme*, le maître mot de son système philosophique, suppose que chacun se trouve métaphysiquement condamné à l'égotisme. Dieu n'existe pas, ni la faute ni la punition, ni le vice ni la vertu. Rien d'autre ne se produit en dehors d'un grand entrecroisement de forces noires dans lesquelles chacun joue un rôle qu'il n'a pas choisi.

Cette lecture d'un monde sans Dieu, dépourvu de sens, débouche sur un nihilisme dans lequel chacun occupe une place qu'il ne peut pas ne pas occuper : le maître et l'esclave, le bourreau et la victime, le tueur et le tué, le violeur et le violé, le libertin et l'abusé, le prédateur et la proie, le marquis et le vilain – le bourgeois et le prolétaire. Dans un pareil univers, l'asservissement est une fatalité, de même que l'assujettissement, la servitude, la subordination. On ne peut rien faire, sinon jouir de ce spectacle pourvu que l'histoire permette au libertin du régime féodal de laisser libre cours à ses instincts en passant par pertes et profits les victimes étranglées par le marquis qui a joui.

Dans les *120 journées de Sodome*, Sade met en place un dispositif politique qui préfigure la modernité la plus noire de notre nihilisme : on rafle dans la rue des victimes destinées à des prédateurs ; on les incarcère dans une forteresse inaccessible et protégée par la force ; on tond les victimes, on les tatoue, on leur associe des tissus de couleur en fonction de leur destin ; on humilie, on déshumanise ; on raffine les tortures et on multiplie les façons de faire souffrir ; on assassine, on tue ; on jette des innocents vivants dans des fours ; on comptabilise les morts sur des registres ; les bourreaux jouissent que la nature mauvaise les ait placés du bon côté de la barrière ontologique. Camus écrit : « deux siècles à l'avance, sur une échelle réduite, Sade a exalté les sociétés totalitaires au nom de la liberté frénétique que la révolte en réalité ne réclame pas. Avec lui commence réellement l'histoire et la tragédie contemporaines » (III. 100).

Comment cette *idée* d'une « république barbelée » (III. 97), car il s'agit plus d'une idée que d'une fiction (à quoi bon, sinon, mobiliser et citer dans ses œuvres les philosophes Helvétius et d'Holbach, Diderot et La Mettrie, Féret et Montesquieu, Voltaire et Rousseau, Hobbes et Fontenelle), peut-elle séduire autant d'intellectuels, de philosophes et de penseurs ? Réponse de Camus : l'auteur de *La Philosophie dans le boudoir* « a souffert et il est mort pour échauffer l'imagination des beaux quartiers et des cafés littéraires [...]. Le succès de Sade à notre époque s'explique par un rêve qui lui est commun avec la sensibilité contemporaine : la revendication de la liberté totale, et la déshumanisation opérée à froid par l'intelligence » (III. 100).

Les poètes du crime

Autres modalités du crime littéraire : les poètes. Objectifs visés ? Le satanisme de Baudelaire, le nihilisme de Lautréamont, la révolte de papier de Rimbaud, le non-conformisme de parade des surréalistes. *Le satanisme de Baudelaire* : théoricien et praticien du dandysme, l'auteur de *Mon cœur mis à nu* théorise sa vie plus qu'il ne la vit, il la met à distance par l'esthétisation mais, pour ce faire, il s'en sépare, incapable de l'incarner véritablement. Le dandy se croit supérieur, aristocrate, il revendique une extrême solitude et un surstoïcisme, mais, dans les faits, il a besoin de l'assentiment d'autrui, car seul son regard le constitue, on ne fait donc pas plus servile, pas plus esclave que cette caricature de grande et belle individualité. Il s'imagine unique, mais autrui le constitue comme une chose à sa merci.

Camus ne s'étonne pas que, dans *Fusées*, Baudelaire fasse de Joseph de Maistre le maître à penser qui lui apprend à raisonner. Le penseur de la contre-révolution croit en Dieu, donc au Diable et à son pouvoir maléfique ; il pense le mal et la négativité dans la logique du péché originel contre lequel on ne peut rien, il existerait donc une fatalité du mal consubstantiel à l'âme noire de l'homme ; il célèbre le pouvoir purificateur du bourreau dans la société qu'il veut terrible pour contenir la foule ; il offre une solution religieuse à la souffrance des hommes, la prière et le sacrifice. Dans ce sillage, Baudelaire célèbre le satanisme, la révolte romantique luciférienne, le crime et l'assassinat comme purifications éthiques, il invite à la férule pour le peuple, il appelle à s'enivrer du parfum des *Fleurs du mal*. Mais tout cela reste sur le papier : l'artiste dandy, le romantique sataniste ont le choix entre mourir jeune, devenir fou ou faire carrière, poser pour la postérité et se proposer comme des modèles.

Le nihilisme de Lautréamont : comme Baudelaire et Lacenaire, Lautréamont fait du crime l'un des beaux-arts. *Les Chants de Maldoror*, en effet, célèbrent l'apocalypse, la destruction, le crime, le mal, l'assassinat, le plaisir de tuer, dépecer, déchiqueter, maltraiter, nuire. Maldoror, quand il embrassait les joues roses d'un enfant, avait envie de les lui enlever avec un rasoir. Lautréamont écrit : « Moi, je fais servir mon génie à peindre les délices de la cruauté ! » (47).

Sévère, Camus associe le texte de Lautréamont à la corvée d'un exercice scolaire, à la révolte adolescente, aux rébellions infantiles. Il transforme les Chants du poète en une montagne de monstruosités, d'accouplements de l'homme et de la bête accouchant d'une souris : le conformisme éthique et la banalité morale. Il veut la révolte pure ; il obtient le nihilisme. Camus affirme sans sourciller : « *Les Chants de Maldoror* sont le livre d'un collégien presque génial » (III. 130). André Breton n'aimera pas.

La révolte de papier de Rimbaud : autre idole des surréalistes, l'auteur du *Bateau ivre*. La confrontation de la vie et de l'œuvre s'effectue au détriment du poète. Le génie précoce, le créateur des *Illuminations* et d'*Une saison en enfer* fut en effet aussi, et peut être surtout, du moins pour Camus, l'homme de sa correspondance dans laquelle se découvre le contraire d'un homme révolté. Le jeune garçon rebelle venu de ses Ardennes natales devient en Afrique un marchand d'armes, un trafiquant d'esclaves, un acariâtre qui empoisonne des centaines de chiens, un faux détaché du monde qui conserve les lettres d'admirateurs lui parvenant au Harar, un avare portant de très lourdes ceintures d'or qui lui détraquent les intestins, un célibataire souhaitant faire un bon mariage, un indicateur de la police. Pour l'auteur de *Noces*, le génie suppose de ne pas renoncer au génie ; or, Rimbaud y a renoncé ; donc... Le mythe rimbaldien n'efface pas la vérité qui s'impose : Rimbaud enseigne l'accablement nihiliste.

Le non-conformisme de parade des surréalistes : après avoir donné du canon contre quatre précurseurs majeurs du surréalisme, Camus s'attaque à la tribu d'André Breton. De fait, on ne peut éviter, en lisant les deux *Manifestes du surréalisme*, de trouver que, parfois, la licence littéraire autorise chez lui quelques propositions problématiques d'un point de vue éthique. Comment défendre en effet cette affirmation de Breton pour qui « l'acte surréaliste le plus simple consistait à descendre dans la rue, revolver au poing, et à tirer au hasard dans la foule » (III. 140) ? Ou bien cette invitation au suicide, mais pour les autres qu'on laisse s'enfumer, en prenant bien soin, quant à soi, de se préparer à mourir centenaire dans un fauteuil.

L'éloge surréaliste du crime, du meurtre, de l'assassinat, la transformation de Violette Nozière, l'empoisonneuse de sa mère et de son père qui en meurt, en héroïne emblématique de leur mouvement, leurs pratiques violentes du coup de main, leur éloge de la beauté de l'agression, leur justification de la trahison, leur terrorisme intellectuel radical, le refus du dialogue et de la discussion, leur défense de la peine de mort, voilà qui consti-

tue un nihilisme radical. Ajoutons à cela la destruction de la raison occidentale remplacée par
une dilection pour l'occultisme, la magie, l'irra-
tionnel, l'alchimie, le mystère, le rêve, le mépris
de la méthode cartésienne écartée au profit du
chamanisme freudien, ou bien encore l'invitation
à détruire la syntaxe, tout cela augmente la négativité et n'y remédie pas.

Après avoir appelé au meurtre et au crime, célébré la table rase radicale, après avoir invité à
détruire tout ce qui résistait au désir et proposé
de le satisfaire sans entraves, après avoir opté
pour la révolution politique la plus coûteuse en
brutalité, André Breton délivre une nouvelle
morale. Laquelle ? Que peut-on attendre après ce
vent d'hiver appelé sur la raison occidentale ? Là
encore, déception, la montagne surréaliste
accouche d'une souris éthique : Breton rentre à la
maison, le chien fou et enragé se met alors à
défendre l'amour. Sourire de Camus.

Les crimes philosophiques

Après un premier jeu de massacre des écrivains
et des poètes prophètes du nihilisme, Camus en
propose un second avec les philosophes. Sade
pouvait figurer dans ce registre mais le penseur
des Lumières noires mélange les genres – littérature, philosophie, théâtre, dialogues et contes.
Cette fois-ci, les cibles camusiennes relèvent clairement de l'histoire de la pensée occidentale.
Camus attaque en effet : Hegel et sa religion de
la Raison, sa sophistique dialectique, son éthique

désespérante, sa philosophie de l'histoire chrétienne, sa destruction de la transcendance, sa doctrine erronée de la fin de l'histoire ; Marx et son millénarisme, sa religion de l'humanité, son déterminisme économiste, ses limites de penseur inscrit dans son temps, mais Camus dénonce aussi sa trahison par les révolutionnaires bolcheviques ; Nietzsche enfin et la dangerosité de son déterminisme de la volonté de puissance, le caractère risqué de son surhomme, mais il souligne également la justesse de son diagnostic sur le devenir césarien du socialisme au XXe siècle.

En lecteur attentif de l'*Essai sur l'esprit d'orthodoxie* de Jean Grenier, Camus souscrit à ce qu'écrivait son professeur de philosophie : « Nos temps sont voués à Hegel, comme ils le sont au cancer et à la tuberculose » (150). Camus a lu cet ouvrage, bien sûr, et l'on retrouve chez lui nombre de thèses de ce livre qui, à mes yeux, est le meilleur de Grenier : critique de l'État qui limite les libertés ; analyse de l'orthodoxie comme doctrine de l'exclusion ; explication du succès de celle-ci par la peur de penser seul et par l'angoisse calmée par l'agrégation dans une tribu ; tropisme de la meute chez les intellectuels ; proximités téléologiques entre christianisme et marxisme ; implication du surréalisme dans le nihilisme contemporain ; ralliement massif de l'intelligentsia de gauche au communisme ; devenir religion du marxisme ; limites de cette idéologie qui ne saurait rendre compte de tout ; dénonciation du rôle sophistique de la dialectique ; déterminisme des idiosyncrasies ; surenchère intellectuelle des nouveaux convertis à un parti ; refus du manichéisme contemporain transformant en fasciste quiconque n'est pas communiste ; possibilité d'un socialisme non marxiste ; démontage de la croyance au progrès et de l'optimisme rationaliste ; négation du déterminisme économique – l'infrastructure économique ne conditionne pas la superstructure idéologique, mais, à l'inverse, l'esprit veut l'économie ; opposition à la dictature intellectuelle du moment, conséquemment, invitation à une nécessaire solitude ; aveuglement de Marx sur le devenir immédiat de l'Histoire – il n'a pas prévu que les classes moyennes souscriraient au capitalisme plus qu'à la révolution, que le socialisme deviendrait national, que la révolution irait à droite et le conservatisme à gauche ; dissociation des idées de révolution et de gauche, découverte que la droite peut être révolutionnaire ; affirmation que la révolution est d'abord spirituelle et non économique ; défense forcenée de la liberté de penser ; promotion d'une nouvelle culture populaire ; transformation de l'hégélianisme, *via* Cousin, en philosophie officielle française ; réhabilitation, en contrepoison, du Nietzsche de la considération inactuelle sur l'Histoire ; et puis, éloge de formes alternatives au socialisme autoritaire : Godwin et l'anarcho-communisme, Owen et l'antiétatisme, Proudhon et le mutualisme, Bakounine et l'anarcho-syndicalisme, l'Espagne et l'anarchisme catalan. En 1938, ce livre est prophétique.

L'autre source de Camus, concernant Hegel, est le cours de Kojève auquel Camus n'a pas assisté, mais qu'il a lu et annoté : l'*Introduction à la lecture de Hegel. Leçons sur la Phénoménologie de l'esprit* se trouvait dans sa bibliothèque. On peut même imaginer que, pour la critique de la dialectique, Camus lit Grenier, et Kojève pour la relation maître/esclave. Sartre et les sartriens lui ont beaucoup reproché d'hypothétiques lectures de seconde main, notamment sur Hegel. Nous n'aurons pas la cruauté de commenter cet extrait du *Dictionnaire Sartre* : « *L'Introduction à la lecture de Hegel* (publiée en 1947) apparaît dans les *Cahiers pour une morale* comme un livre de référence de première importance, avec *Genèse et structure de la phénoménologie de l'esprit de Hegel* (1946) de Jean Hyppolite, peut-être même plus [*sic*] que le texte de Hegel lui-même » (272). On ajoutera cette autre perle, dans le même ouvrage : « Le petit livre de Lefebvre-Guterman, les *Morceaux choisis* de Hegel, dut certainement [*sic*] être familier à Sartre. Mais quand il cite Hegel dans *L'Être et le Néant*, il le fait avec une certaine désinvolture » (213). Commenter des commentaires et travailler sur des morceaux choisis ? Si l'on en croit les sartrologues, Sartre semble mal placé pour donner une leçon à Camus.

Une Providence repeinte

Première critique. Camus critique l'idée de Hegel selon laquelle le réel est rationnel et le rationnel réel. Pareille thèse, en effet, vaut bénédiction de tout ce qui arrive du simple fait qu'il arrive. Cette religion du fait accompli ne laisse place à rien d'autre qu'au consentement à ce qui est. Si l'on adhère au vocabulaire de l'Idéalisme allemand, un abîme conceptuel s'ouvre sous les pas du lecteur ;

si l'on n'y souscrit pas, on découvre une idée banale sous un arsenal théorique intimidant : la Providence chrétienne. Car, si l'on saisit une série d'équivalences hégéliennes, tout devient clair.

Voici cette série : Réel = Idée = Concept = Raison = Logos = Esprit = Vrai = Monde = Dieu. Dès lors, la pensée de Hegel manifeste une tautologie : ce qui est est divin, rationnel, réel, idéal, vrai. Quand on lit que la Raison ou l'Esprit se manifeste dans l'Histoire, il faut comprendre que Dieu se manifeste dans l'Histoire. Ainsi, les choses paraissent plus claires. Ce que confirme cette citation de *La Raison dans l'histoire* : « Dieu gouverne le monde ; le contenu de son gouvernement, l'accomplissement de son plan est l'histoire universelle. Saisir ce plan, voilà la tâche de la philosophie de l'histoire, et celle-ci présuppose que l'Idéal se réalise, que seul ce qui est conforme à l'Idée est réel » (100). Dès lors, sous ses aspects modernes et contemporains, déguisés dans les beaux habits de l'idéalisme allemand, les propos de Hegel réactivent banalement le catéchisme chrétien de la manifestation de la Providence dans l'Histoire. Augustin, Bossuet, Hegel mènent un même combat.

Deuxième critique. Camus déplore la conception hégélienne de la dialectique. Cet artifice de papier fut en effet l'occasion de légitimer concrètement la négativité comme moment nécessaire à l'avènement d'une positivité : cette idée a tué. Car la négativité nomme l'État policier, la militarisation de la société, les camps de concentration, la tenue de procès fantoches, les pelotons d'exécution, la construction de prisons, et autres attributs du totalitarisme, sous prétexte *aujourd'hui* de produire *demain* un monde sans État, sans police, sans militaires, sans camps, sans procès, sans peine de mort, sans prison ! Hegel permettait le mal ici et maintenant dans la perspective d'un bien à venir, d'un futur pacifié, d'une humanité réconciliée avec elle-même. Quelques pages de la *Science de la logique* lues par Marx lui-même, commentées par Lénine, débouchent sur la justification de la dictature militaire bolchevique. Précisons qu'une même lecture d'un tel texte peut également servir de caution philosophique au régime national-socialiste.

Troisième critique. Le passage de la *Phénoménologie de l'esprit* concernant la dialectique maître/esclave a beaucoup servi dans la pensée du XXe siècle. De Bataille à Lacan, en passant par Sartre et Camus, sans compter les auditeurs du cours de Kojève, la seconde vague hégélienne française, après celle de Victor Cousin, s'est beaucoup construite sur le commentaire du commentaire kojévien de ce passage du gros livre de l'odyssée de la conscience universelle rédigé par Hegel.

La dialectique joue aussi un rôle dans ce moment classique de l'histoire de la philosophie européenne. Des universitaires débattent sur l'opportunité de la traduction kojévienne du texte hégélien et proposent de remplacer le couple *maître/esclave* par *maîtrise/valétude*, un couple plus proche du texte original que Kojève aurait gauchi en le marxisant. On comprend dès lors que la lecture de ces quelques pages de Hegel avec le prisme d'une traduction kojévienne marxisante ait politisé l'auteur réactionnaire, conservateur et théiste des *Principes de la philosophie du droit*.

Camus commente un commentaire de Hegel ; mais comme la plupart des philosophes de cette époque. Le texte permet une multiplicité de projections. La lutte pour la reconnaissance de soi oppose donc deux êtres dont l'un vainc, l'autre est vaincu : le second ne l'est qu'après avoir été épargné par le premier auquel il a demandé grâce et qui a accédé à sa demande. Tant qu'il n'y a pas demande de l'un et consentement de l'autre, il n'y a ni maître ni esclave.

Mais le maître ne saurait obtenir une reconnaissance de son être de maître par un esclave, il lui faut l'assentiment d'un semblable ; d'où la poursuite des luttes entre semblables pour que se déterminent de nouveaux couples de forces. L'esclave, quant à lui, parvient à la libération en investissant dans le travail qui est conditionné par l'angoisse de la mort et qui permet la transformation du monde. La Révolution française marque le terme de cette libération, elle permet à l'esclave de devenir d'abord un bourgeois prérévolutionnaire, ensuite le citoyen napoléonien incarnant l'universel.

Le degré de complexité de l'exposé hégélien permet de longues et savantes exégèses – contradictoires. Camus a donné la sienne. Comme toujours avec un philosophe, elle renseigne moins sur celui qu'il lit que sur celui qui lit. Camus reproche à cette théorie de l'intersubjectivité d'inscrire toutes les relations humaines dans des rapports de force dans lesquels il n'y a d'issue que dans la victoire du maître ou la défaite de l'esclave. Cette lecture du monde économise la psychologie, car toute relation ne se construit pas forcément sur le désir de mettre à mort ! L'œuvre complète de Kierkegaard, par exemple, témoigne en faveur de l'inverse.

Cette lecture sombre et désespérante, tout entière dirigée vers la mort et la mise à mort, légitime une politique de la brutalité chez les hégéliens de gauche. Puisqu'il faut échapper à la servitude, la maîtrise doit être obtenue, quel qu'en soit le coût. Ainsi, la négativité tenant le rôle épiphanique du réel que l'on sait, elle trouve toujours sa justification, puisqu'il s'agit de réaliser la Liberté qui ne saurait être autre chose que la Providence d'un Dieu qui se dit aussi Idée ou Raison. Le cercle reste la grande figure du système hégélien qui est tautologique : dès lors, on comprend le sens de cet idéalisme.

Camus sait qu'il existe des intersubjectivités qui échappent à la description hégélienne. Souvenons nous, dans *La Peste*, du bain de minuit entre Rieux et Tarrou (II. 212), deux *résistants* à la peste : dans un air saturé par le parfum d'algues et d'iode, les deux hommes entrent dans l'eau huileuse de la lune et noire de la nuit, la mer semble respirer comme un animal primitif, les vagues montent et descendent sur les rochers, l'eau tiède enveloppe les corps, la nage crée des bouillons écumants, les étoiles scintillent, l'un et l'autre fendent l'eau dans un même rythme, semblables en vigueur. Revenus sur la plage, ils gardent le silence – mais savent avoir vécu un bonheur sans maîtrise et sans esclavage, en égaux.

Cette fraternité existentielle, cette expérience commune, ce plaisir partagé, ces combats menés ensemble, le roman les rapporte parce que la vie les lui a appris : la participation de Camus à la Résistance prouve par les faits que la théorie hégélienne est fausse et dangereuse. L'intersubjectivité ne se réduit pas à la guerre de tous contre tous, tout le temps ; elle est aussi fraternité, complicité, amitié, amour et autres passions gaies. La sympathie, l'empathie, la pitié, la compassion existent également. Comment rendre justice à ces modalités de l'intersubjectivité qui contredit l'hypothèse que chacun vise toujours la mise à mort d'autrui pour être lui-même et accéder à sa liberté ?

Quatrième critique. Camus reproche à Hegel d'avoir supprimé toute transcendance, dès lors d'avoir empêché tout principe, donc toute valeur. Sa philosophie invite à obéir aux faits et à nous contenter d'eux. S'il l'on cherche des directions pour agir, on les trouve dans l'obéissance aux lois et coutumes de son pays. La tautologie hégélienne oblige à affirmer que ce monde est, et que, tel qu'il est, il ne peut être autrement. Les *Principes de la philosophie du droit* racontent en effet comment l'individu trouve son sens et sa vérité en obéissant aux valeurs traditionnelles, Travail, Famille, Patrie, et en se soumettant à l'État, jusqu'au sacrifice si ce dernier l'exige. Hegel écrit : « Il faut donc vénérer l'État comme un être divin-terrestre » (§ 272 add). On sait ce que pareille invite produit chez Lénine, grand lecteur de Hegel – ou chez Hitler.

Cinquième critique. Hegel a eu tort ; mieux : il a même eu tort de son vivant. On sait que la fin de l'histoire constitue une grande thématique hégélienne. Le philosophe allemand pensait que

Napoléon achevait l'histoire, que l'Empereur avait vaincu le nihilisme : la *Phénoménologie de l'esprit* et Napoléon mettaient ensemble fin au temps ! Mais, en 1807, l'histoire continue tout de même, quoi qu'en ait dit, pensé et cru le penseur prussien. La fameuse stabilisation du temps n'a duré que sept ans – un petit septennat ridicule en regard des longues durées d'avant et d'après ! Hegel croyait à l'abolition du nihilisme ; le nihilisme a aboli Hegel. Et ses fils spirituels bâtissent des camps de concentration.

Marx contre les marxistes

L'hégélianisme se réalise dans le marxisme. Camus joue Marx contre les marxistes, du moins un certain Marx. L'analyste des mécanismes du capitalisme et des modalités de l'aliénation mérite, à ses yeux, un salut spécial car l'auteur de *L'Idéologie allemande* fut, dit-il, « un déniaiseur incomparable » (III. 233). La pensée de Marx s'inscrit dans un mouvement, elle évolue avec le temps, le travail, les soubresauts de l'histoire, l'affinage de sa propre force de frappe intellectuelle. À sa mort, il laisse un chantier considérable composé de notes destinées à la construction du *Capital*. Selon Camus, cette documentation témoigne en faveur d'une évolution qui aurait rendu caduques certaines thèses du *Manifeste du parti communiste*.

Les marxistes falsifient Marx. La preuve, l'édition de ses œuvres complètes en russe a été suspendue parce que certaines de ses thèses entrent en contradiction avec ce que les bolcheviques font dire à leur prétendu mentor. En 1935, l'URSS met fin à cet immense chantier de traduction alors qu'il restait plus de trente volumes à publier. Que voulaient cacher les léninistes en mettant sous les verrous la pensée dont ils se réclament ? Un certain nombre de choses, dont celle-ci, majeure : Marx expliquait la nécessité de réunir un certain nombre de conditions économiques pour envisager une révolution avec succès. Or, en regard de ces analyses, la Russie de 1917 fait partie des pays dans lesquels la révolution se trouve fatalement vouée à l'échec.

Camus sauve également un Marx éthique, celui qui, la chose est rare en philosophie, pense la condition ouvrière, se soucie de la misère prolétarienne, critique les exploiteurs, analyse le travail aliéné des salariés, décortique les mécanismes de la division du travail puis montre la corrélation avec l'humiliation et la déchéance des employés d'usine ; il soutient le Marx qui célèbre l'homme total, réconcilié avec lui-même, capable de briller dans les tâches manuelles et d'exceller en même temps dans le registre intellectuel, celui qui fait l'éloge du loisir et de la création, des vraies richesses qu'il souhaite rendre accessibles à tous les travailleurs.

Ce Marx-là, habituellement connu comme le Marx des *Manuscrits de 1844*, peut être revendiqué par les libertaires. Il n'est pas le Marx de la dictature du prolétariat, de la violence des expropriations, de la guerre civile, des solutions violentes et brutales. Ce Marx humaniste peut servir contre le Marx momifié des Soviétiques. Ces pages en défense de Marx prouvent que *L'Homme révolté* n'est pas un livre antimarxiste, mais antibolchevique ; qu'il n'est pas un livre opposé au socialisme, mais à sa formule autoritaire à laquelle Camus préfère l'option libertaire.

La religion marxiste

L'URSS a soviétisé Marx. La révolution bolchevique s'est construite sur ce qu'il y a de plus dangereux chez l'auteur du *Manifeste du parti communiste* : le millénarisme apocalyptique, le messianisme révolutionnaire, la religion de l'histoire, la théologie du progrès. Elle a transformé cette pensée politique en pensée religieuse. Dès lors, la raison ne peut plus être utilisée là où triomphent foi et croyance, soumission au dogme et renoncement à l'esprit critique. Dans cet ordre d'idée, Camus établit une relation entre le contre-révolutionnaire catholique Joseph de Maistre et le révolutionnaire athée Karl Marx : tous les deux revendiquent le réalisme politique, célèbrent l'usage de la discipline, préconisent le recours à la force, manifestent un réel goût pour l'autorité, défendent l'usage de la peine de mort, séparent le monde en orthodoxes et hétérodoxes.

Marx et de Maistre partagent une conception linéaire du temps qui leur permet de recourir à un même schéma pour présenter leur vision du monde : dans le passé, il y eut un paradis, avant le péché originel pour l'un, avant la propriété pour l'autre ; puis advint la faute, la consommation du fruit défendu de l'arbre de la connaissance chez le catholique, l'appropriation privée des richesses et des biens chez le révolutionnaire ; dès lors, pour résoudre le problème du mal, il faut une volonté : ici, croire, prier et préparer la parousie du Christ ici-bas, là, faire la révolution et permettre le règne du prolétariat ; en conséquence, le futur s'envisage sous le signe du paradis : la cité de Dieu peuplée de corps glorieux, la cité des hommes rayonnant d'individus réconciliés avec eux-mêmes.

Camus inscrit Marx dans l'Histoire. Il sépare le bon grain Marx de l'ivraie marxiste. Puis il sort cet homme de l'extraterritorialité historique dans laquelle le confinent, un comble, les tenants du tout histoire. Un philosophe qui écrit et pense, qui plus est l'économie et la politique au XIXᵉ siècle, ne saurait être pertinent sur tous les sujets dans une époque où deux bombes atomiques ont été larguées du ciel par des bombardiers américains. Il est normal qu'une partie de sa réflexion soit tombée en désuétude – mais pas pour les Soviétiques qui ont construit un corpus à la façon d'un catéchisme qu'il suffirait d'apprendre par cœur et de réciter. La grandeur d'un certain Marx n'empêche pas l'échec d'un certain marxisme.

Droit d'inventaire

Parce qu'il n'est pas un dévot de Marx, ni de qui que ce soit, Camus établit une liste de ce qui, dans l'idéologie marxiste, pose problème et génère des catastrophes sur le terrain politique concret : l'économie ne saurait être le fin mot de tout ; la dialectique est une sophistique fautive et dangereuse ; la révolution ne s'inscrit pas mécaniquement dans le processus historique ; le capitalisme n'engendre pas naturellement sa disparition. Thèses déjà présentes chez Jean Grenier.

Camus signale également des erreurs de jugement chez Marx. Il s'est trompé sur un certain nombre de points : le capital ne s'est pas concentré, il a profité à de petits possédants, dès lors, la loi de paupérisation qui voudrait que les pauvres soient de plus en plus nombreux et de plus en plus pauvres, en même temps que les riches de moins en moins nombreux et de plus en plus riches, est une idée fausse : le développement des classes moyennes en témoigne ; les nations n'ont pas disparu au nom de l'internationalisme prolétarien, elles se sont renforcées et elles ont généré leurs pathologies avec le nationalisme à l'origine de plusieurs guerres depuis Marx ; le syndicalisme et le réformisme ont amélioré les conditions d'existence des classes laborieuses, elles ont été positives concrètement et, en même temps, elles amoindrissaient la négativité dont Marx pensait qu'elle ne serait combattue qu'avec la révolution ; la fin de la spécialisation des tâches n'a pas eu lieu, au contraire, le taylorisme s'est développé et jamais les ouvriers n'ont été autant asservis à des tâches spécifiques, ce qui nourrit fortement le mécanisme de l'aliénation ; la conscientisation de classe du prolétariat est restée lettre morte, on a vu en effet nombre d'ouvriers partir la fleur au fusil pour combattre en Allemagne un peuple diabolisé.

Autres raisons de désespérer : le socialisme industriel tel qu'il sévit en URSS et dans les pays de l'Est n'a pas amélioré le statut de la classe ouvrière ; il n'a pas permis aux travailleurs de recouvrer une dignité et une humanité dont le capitalisme les avait spoliés ; il n'a pas aboli l'exploitation consubstantielle au travail aliéné ; l'homme total n'a pas remplacé l'homme mutilé ; le prolétaire reste prisonnier de son labeur tout aussi dégradant que sous le régime capitaliste ; en accélérant le processus d'industrialisation, le socialisme soviétique a même généralisé l'esclavage.

Ces erreurs de jugement avérées, ces prédictions fausses, ce prophétisme condamné par les faits, montrent cruellement que la doctrine de Marx n'est pas un socialisme scientifique, au contraire de ce que le philosophe allemand affirmait pour opposer son utopie à celle des autres qu'il stigmatisait justement en la déclarant utopique. À rebours également de ce que professent l'Union soviétique et les marxistes de part et d'autre du Rhin, l'idéologie marxiste ne repose sur rien d'autre que sur des conjectures idéalistes, des propositions conceptuelles gratuites. Marx est un philosophe qui rêve ; les marxistes, des idéologues qui exterminent symboliquement ou réellement quiconque ne souscrit pas à ces rêves.

Le passage de Marx au marxisme s'effectue par un homme qui fut lecteur de Hegel, admirateur de la Révolution française en général, et de Robespierre en particulier, stratège militaire, dictateur cynique auquel on doit la militarisation de la société russe : Lénine. On lui doit l'instrumentalisation de la révolution et de ses idéaux généreux au profit d'un « système concentrationnaire » (III. 266). On peut légitimement se demander si

Marx aurait consenti à cet usage de ses thèses. Marx fut dégradé en marxisme, le marxisme le fut plus encore en léninisme.

Et Nietzsche dans tout ça ?

Nietzsche fait partie des philosophes convoqués au tribunal de *L'Homme révolté*. On se souvient du nietzschéisme de Tipasa et de l'époque du grand « oui » à la vie. Mais c'était le temps du royaume méditerranéen, l'époque de la mer et du soleil, de l'écume des vagues et du parfum des asphodèles, des ruines romaines et des eaux lustrales païennes, un temps révolu depuis que Camus a franchi la mer pour s'installer à Paris où, en moins de dix ans, il a vécu les fascismes européens, la guerre, l'Occupation, la Résistance, la Libération, l'Épuration et découvert l'existence du goulag.

Nietzsche n'a cessé d'accompagner Camus. Mais la théorie de l'*amor fati*, ou celle du surhomme, sinon le point de doctrine de la volonté de puissance, ne se pensent pas de la même manière dans les années insouciantes de l'Algérie solaire et dans les années noires de l'Europe des totalitarismes. Lire un philosophe dont les nazis se sont réclamés, même indûment, oblige à revoir ses positions. Gandhi, par exemple, n'était pas susceptible de dévoiement, ni La Boétie ou Thoreau. Diogène ou Aristippe non plus. Un penseur n'est pas coupable de ce qu'on lui fait dire, surtout quand il a dit le contraire, mais il entre un peu de sa responsabilité, écrit Camus, à ne pas avoir écrit ce qui aurait empêché une récupération.

Je n'entrerai pas dans le détail qui prouverait l'existence dans l'œuvre de pages entières qui empêchent la revendication de Nietzsche par le national-socialisme : sa critique de l'État, son philosémitisme doublé d'un virulent mépris des antisémites, son combat perpétuel contre les nations géographiques et la défense d'une Europe spirituelle, et non guerrière ou militaire, sa déconsidération de la politique au sens habituel du terme, voilà qui interdisait au Reich nationaliste et antisémite, belliciste et politique, de présenter Nietzsche comme un précurseur de leur idéologie.

Selon Camus, la pensée nietzschéenne de l'innocence du devenir est malheureusement compatible avec l'entreprise nazie : en invitant à dire « oui » à tout ce qui est, Nietzsche interdit la révolte, la rébellion, la résistance. Pour le dire en d'autres termes, la philosophie d'*Ainsi parlait Zarathoustra* ne permet pas de Gaulle ou Jean Moulin. Pour un nietzschéen de stricte obédience, la résistance et la collaboration, Londres et Berlin, la croix de Lorraine et la croix gammée, l'appel du 18 Juin et la construction d'Auschwitz, relèvent d'une même nécessité ontologique : tout ce qui a lieu arrive nécessairement, pas besoin d'inviter à plus de ceci ou moins de cela car il y aura ceci et cela en quantités impossibles à vouloir librement pour les hommes, puisque, dans tous les cas de figure, il s'agit de manifestations de la volonté de puissance qui s'incarnent en vertu d'un ordre cosmique et non d'un ordre des raisons choisies. La volonté de puissance produit aussi bien Brasillach que Camus, ni l'un ni l'autre n'ont choisi d'être ce qu'ils sont, car ils sont voulus plus qu'ils ne veulent.

Camus n'est pas un nietzschéen de stricte observance – et l'on peut parier que Nietzsche aurait aimé qu'on fût nietzschéen de cette manière : en rebelle, en révolté, en homme libre. La lecture croisée de ses *Carnets* et de sa correspondance en témoigne, il reste ambivalent sur Nietzsche. En 1951, il note : « L'acceptation de ce qui est, signe de force ? Non, la servitude s'y trouve. Mais l'acceptation de ce qui a été. Dans le présent, la lutte » (IV. 1107). Puis, dans une lettre à Maria Casarès, fin février 1950, il écrit sur Nietzsche : « C'est le seul homme dont les écrits aient exercé, autrefois, une influence sur moi. Et puis je m'en étais détaché. En ce moment il tombe à pic. Il apprend à aimer ce qui est, à se faire un appui de tout, et de la douleur d'abord » (Todd, 510). Le présent : l'aimer ? Lutter contre lui ? L'aimer parce qu'on ne parvient pas à lutter contre lui avec assez de force ? Lutter contre lui parce qu'on ne peut l'aimer assez ? Les livres ignorent le doute ; le lecteur en connaît la morsure.

Pour donner raison à Nietzsche, et pas tort à Camus, disons que l'exigence ontologique du philosophe allemand est élevée : la révolte de Camus ne serait pas pour lui un effet de sa volonté libre, de sa décision délibérée, mais un effet de sa volonté de puissance ; de même que la collaboration de Rebatet ne relèverait pas du choix découlant de l'usage d'un libre arbitre mais la résultante de son idiosyncrasie. Dans son *Essai sur le libre arbitre*, Schopenhauer a étudié le mécanisme des motifs involontaires présidant aux décisions que l'on croit volontaires : personne ne choisit, tout le monde est choisi. Maître et esclaves sont les jouets d'une force cosmique contre laquelle on ne peut rien. Avant même qu'il y ait lutte des consciences de soi opposées, pour le dire dans le vocabulaire hégélien, le résultat est déjà connu. Nietzsche réactive la prédestination intégrale, mais en physicien et en poète, pas en théologien. Camus dit, pense et croit qu'il choisit la révolte contre la soumission ; Nietzsche lui dirait qu'il est choisi révolté ou soumis par plus fort que lui, la volonté de puissance, et qu'il aura beau faire, il ne pourra rien contre ce destin – sinon l'aimer ; j'ajouterai : pour ne pas en pleurer !

En nietzschéen de gauche, Camus a lu attentivement l'analyse que le philosophe allemand propose du socialisme comme matrice d'un totalitarisme à venir. Et il souscrit à cette prévision d'une grande lucidité. Puis il ajoute également cette idée originale : « Le marxisme-léninisme a pris réellement en charge la volonté de Nietzsche, moyennent l'ignorance de quelques vertus nietzschéennes » (III. 129). Autrement dit, Nietzsche a produit des effets de totalitarisme dans le national-socialisme et dans le marxisme-léninisme, soit dans les deux modalités du totalitarisme du XXe siècle, même s'il a fallu, pour parvenir à ce résulter, violenter la pensée du philosophe.

Nietzsche proposait de dire oui à la vie, donc à *ce qui est* ; Marx invite aussi à une même approbation, mais avec *ce qui devient*. Il s'agit donc, pour les marxistes qui corrigent Nietzsche, non pas de dire oui à tout, mais oui à l'Histoire. Cet étrange attelage de Hegel, Marx et Nietzsche produit le siècle que nous savons et que Camus définit comme celui de la servitude. De la servitude, mais aussi du nihilisme et des camps. Dire « oui » conduit dans des impasses politiques considérables : oui à la négativité sauvée par la dialectique, oui à l'Histoire pensée comme parousie de l'Idée et de la vérité, oui à la volonté de puissance, mécomprise dans sa nature ontologique et faussée par des contaminations biologiques et politiques, éthologiques et sociologiques, la philosophie allemande nourrit les camps de concentration nazis et soviétiques. Cette philosophie nocturne, sombre, noire, mérite sa critique et son dépassement au profit d'une pensée solaire, diurne et lumineuse. Ce sera le sens de la pensée de midi opposée à cette pensée de minuit.

Une esquisse libertaire de 1789

L'idéologie allemande est donc coupable, certes, mais elle ajoute à tout un pan de la pensée et de l'Histoire tout aussi condamnable : l'idéologie française, et plus particulièrement celle de la Révolution française constellée de figures noires : Saint-Just et la Terreur, Marat et la Guillotine, Robespierre et son Être suprême garantissant la vertu par l'échafaud. L'historiographie dominante, en matière de Révolution française, fut longtemps communiste, marxiste, léniniste, donc robespierriste. Au temps de Camus, c'est le cas. Les lectures libertaires de la Révolution française sont rares, celle de Daniel Guérin, *La Lutte des classes sous la Première République. Bourgeois et « bras-nus » (1793-1797)* demeure inégalée à ce jour, mais elle reste très anarcho-communiste. Camus propose une esquisse d'histoire libertaire de la Révolution française.

Esquisse parce qu'il faut chercher dans le texte des indications ponctuelles, comme de petites taches dans une toile impressionniste, voire pointilliste. Ainsi, Camus cite avec respect Varlet, l'un des Enragés – mais en passant. On comprend que le philosophe libertaire d'un quartier pauvre d'Alger s'emballe pour l'orateur des faubourgs, le tribun de la plèbe, juché sur un petit escabeau portatif, l'auteur du *Projet d'un mandat spécial et impératif* rappelant aux députés qu'ils ne le sont que par le renoncement à la souveraineté individuelle des électeurs, mais dans la stricte mesure où ils représentent ceux qui les mandatent. Le député dispose d'un mandat que l'on peut lui retirer dès la preuve donnée qu'il n'incarne pas la volonté du peuple (par laquelle et pour laquelle il est là), et se contente de jouir des avantages de la sinécure. La souveraineté ne peut ni se déléguer ni se représenter. Si le peuple n'exerce pas un droit de regard et un droit de censure sur le représentant qui ne représente pas, peu, ou qui représente mal, alors le député oublie qu'il siège par délégation.

Le Varlet de Camus, c'est probablement aussi celui qui invite à lutter contre les agioteurs, les accapareurs, les monopolistes, les spoliateurs qui accumulent des fortunes considérables en volant le bien public ; l'homme qui veut une éducation nationale et la fin de l'enseignement privé avec précepteurs particuliers ; le citoyen qui pense autrement la déclaration des droits de l'homme et la Constitution avec pour objectif l'abolition des chefs ; le radical qui exige qu'on permette au peuple d'exercer un authentique contrôle de ses mandataires avec pouvoir de les destituer et de les punir en cas de forfaiture ; l'ultra qui souhaite que le peuple nomme et élise directement aux fonctions publiques ; le personnage qui interdit le cumul des mandats ; le laïc qui refuse de salarier les prêtres, mais souhaite pour eux une retraite décente ; celui qui veut le bonheur du peuple ; ou bien encore le contribuable exigeant avant de le payer que l'on justifie la nécessité de l'impôt. En 1793, Varlet rédige une *Déclaration solennelle des droits de l'homme dans l'État social* : il y défend l'existence et l'usage de la propriété privée. Précisons en passant que, dans ce texte, Varlet se réclame à plusieurs reprises de « la France libre » ! Et dans *L'Explosion*, datée du 10 Vendémiaire An III (1794), Varlet s'écrie : « Pour tout être qui raisonne, gouvernement et révolution sont incompatibles, à moins que le peuple ne veuille constituer ses fondés de pouvoir en permanence d'insurrection contre lui-même, ce qu'il est absurde de croire ». C'est cette idée de l'incompatibilité entre gouvernement et révolution que reprend Camus dans *L'Homme révolté*.

On nommait « Enragés » le groupe composé de Joseph Châlier, Jacques Roux, un curé rouge, Théophile Leclerc, mais aussi les femmes de la Société des citoyennes républicaines révolutionnaires, Pauline Léon et Claire Lacombe et Jean

Varlet. Ils souhaitaient la taxation des denrées et des mesures économiques et sociales en faveur des plus pauvres. Camus n'aurait sûrement pas aimé leur défense de la peine de mort pour les agioteurs, les accapareurs et autres prévaricateurs – mais voilà du moins des crimes et délits faciles à éviter pour ne pas finir sous le couperet de la guillotine ! Pour eux, la liberté est un vain mot si l'on ne mange pas à sa faim et qu'une classe d'hommes peut en affamer une autre selon son bon vouloir, le tout en pleine impunité. L'égalité est une fiction, la fraternité aussi, quand les riches mettent à mort les pauvres en les affamant. Les Enragés reprochent à la Convention de faire des lois par les riches et pour les riches. On ne s'étonnera pas que Robespierre, le héros de Lénine et des marxistes, les fasse arrêter dès septembre 1793.

Le programme des sans-culottes pouvait également séduire Camus : économie dirigée, démocratie directe, « égalité des jouissances », nationalisation ou municipalisation du commerce de subsistance, protection de la petite propriété et limitation de la grande, critique de la grande entreprise, défense de la petite production indépendante et taxation des riches, droit à l'instruction, souveraineté populaire, contrôle d'élus révocables, mandat impératif, contrôle du peuple, droit de pétition collective, tutoiement fraternel, promotion de l'union libre, défense des enfants naturels, solidarités populaires, cette politique voulue par une base de boutiquiers et d'artisans, de compagnons et de journaliers, de gens de peu, sans les culottes des bourgeois portées par

Robespierre et les siens, ne pouvait que réjouir Albert Camus, fidèle au petit peuple de son enfance à Belcourt.

Dans *L'Homme révolté*, Varlet se trouve associé à Proudhon. Rien que de très normal, car Proudhon le fédéraliste a été très critique à l'endroit de cette Révolution française ayant permis l'avènement de droits formels et réalisé le passage de la féodalité à la bourgeoisie : la vie quotidienne des travailleurs, des ouvriers, des paysans n'a pas du tout changé. De même, cette révolution contre le pouvoir d'un seul, le roi, a généré le pouvoir d'un seul, l'État. Le jacobinisme a triomphé, et, avec lui, l'État centralisé, le pouvoir de Paris, la relégation des provinces en périphérie. La formule autoritaire, hiérarchisée, pyramidale du régime féodal a été conservée, sinon durcie, renforcée. Robespierre a triomphé ; pas Varlet, ni les Enragés ou les sansculottes. Encore moins les Girondins.

« Les éternels Girondins »

Dans une conférence donnée en novembre 1948 à un meeting international d'écrivains, Camus parle des « éternels Girondins » opposés aux « Montagnards en manchettes de lustrine » (II. 495), ces derniers qualifiant les artistes et les intellectuels qui refusent l'endoctrinement, l'embrigadement aux côtés des bourreaux marxistes-léninistes qui veulent le statut de fonctionnaire et la reconnaissance de l'État pour l'accomplissement de leurs forfaits. Les véritables artistes se trouvent du côté de la vie, de la posi-

478

tivité, de l'affirmation, ils tournent le dos aux tristes figures qui légitiment et justifient la mort au nom des idées. Le Girondin, ici, est l'individu qui refuse le pouvoir centralisé – dans l'esprit de Camus, celui de Moscou. Les Girondins historiques, on le sait, s'opposaient à la peine de mort pour Louis XVI, refusaient le principe d'un Tribunal révolutionnaire. La province leur était majoritairement acquise parce qu'elle récusait la dictature centralisée de la Montagne parisienne. Cette sensibilité fédérale et libertaire était celle de Camus.

Leur convergence s'effectue sur la question de la décapitation du roi. Les défenseurs de la peine de mort s'appuient sur Rousseau, qui la préconise dans son *Contrat social*, et Saint-Just. Par un effet de sophistique, il s'agit de remplacer une transcendance par une autre : du côté du roi, on imagine sa personne inviolable, donc le procès illégitime ; du côté des ennemis de la monarchie, on croit inviolable la souveraineté du peuple, donc le roi peut être jugé comme un usurpateur. Pour Saint-Just, le peuple étant vérité éternelle, il faut bien que la royauté soit crime éternel. Être roi, c'est donc *par nature* être coupable.

Le roi, parce qu'il se trouve hors contrat social, ne saurait bénéficier de la garantie assurée par le pacte. Dans la *Doctrine du droit*, Kant lui aussi justifie l'impossibilité de la protection légale et juridique à un enfant né hors mariage ou à une victime du duel, parce que le nourrisson adultérin et le duelliste mortellement blessé évoluent dans une extraterritorialité juridique qui les prive de la protection du droit. Pour Saint-Just, il suffit donc de transformer le Roi en une personne sans existence juridique afin de justifier sa décapitation.

Les Girondins en appelaient au peuple pour juger le roi ; Saint-Just le rousseauiste arguë de la différence entre volonté générale et volonté de tous pour légitimer le régicide : la première est décision de tous dans la perspective de l'intérêt de tous, le bien public ; la seconde, somme anarchique des suffrages individuels, personnels et subjectifs. Si la volonté de tous décidait d'épargner Louis Capet, la volonté générale ne le pourrait pas. Et Camus de commenter cette sophisterie révolutionnaire en prenant à témoin Jacques Roux, le compagnon de Jean Varlet, un Enragé lui aussi, et Brissot, le Girondin emblématique.

L'abolitionniste forcené qu'est Camus ne peut souscrire au meurtre du roi : « Certes, c'est un répugnant scandale d'avoir présenté comme un grand moment de notre histoire l'assassinat public d'un homme faible et bon. Cet échafaud ne marque pas un sommet, il s'en faut. Il reste au moins que, par ses attendus et ses conséquences, le jugement du roi est à la charnière de notre histoire contemporaine » (III. 163). En effet, avec ce crime, la mort du roi qui incarnait le pouvoir de Dieu sur terre coïncide avec la mort de Dieu : la politique cesse de puiser dans le ciel des idées chrétiennes pour monter de la terre d'un peuple pensé comme une divinité. Les révolutionnaires portent un coup fatal au christianisme.

Fidèle à sa méthode pragmatique qui consiste à se méfier des idées pures et des concepts pour leur préférer une description détaillée, ce que je nomme une phénoménologie non philosophique,

Camus décrit les derniers moments de Louis XVI :
dans sa prison, le roi lit l'*Imitation*, il efface peu
à peu le monde extérieur, insoucieux des bruits
qui lui parviennent, il se soucie de ses derniers
moments et les souhaite chrétiens, non pas sur le
papier, mais dans sa vie personnelle, il vit le christianisme de façon existentielle, s'appuie sur son
confesseur. Au dernier moment, il connaît une
défaillance, le prêtre lui rappelle son devoir de
vivre cette Passion comme le Christ ; il se ressaisit,
« puis il se laisse aller, frémissant, aux mains
ignobles du bourreau » (III. 164). On tue le Roi.

La suite est connue. La mort du Roi et l'abolition de la théocratie ouvrent une ère nouvelle mar-
quée par la naissance du Peuple-Roi soutenu par
la théocratie de la Raison pure. Dieu laisse place
à l'Être suprême ; les églises, aux Temples de la
Raison. La Terreur devient le moyen d'instaurer
sur terre, du moins selon Robespierre, Saint-Just,
Marat et leurs amis, la vertu, la morale, le pouvoir
du peuple elle se fait l'instrument de la volonté
générale, elle dit le vrai, le bon, le bien, le juste.
Elle est la république que les révolutionnaires
interdisent de critiquer ; ils ne veulent même pas
que l'on y soit indifférent ; ils commandent la
génuflexion – sinon la mort. Cette Révolution
devient la matrice des autres révolutions.

Camus montre de façon impressionniste quelle
Révolution française est la sienne : le souci du
peuple et du bien public ; le bonheur comme souverain bien ; le compagnonnage discret avec les
Enragés ou les sans-culottes ; l'égalité des jouissances ; la méfiance à l'endroit de la représentation ; le fédéralisme contre l'étatisme ; le refus de

la peine de mort ; le pouvoir contrôleur ; la récusation de la mystique révolutionnaire ; le combat contre le centralisme jacobin et le caractère violent des Montagnards – et autres options libertaires à contre-courant de l'historiographie robespierriste dominante dans les années 1950 : la possibilité d'une révolution non violente, d'une gauche non autoritaire, d'un socialisme populaire non césarien, voilà les pistes libertaires repérables dans *L'Homme révolté*.

Une explication
avec l'individualisme anarchiste

La composition de *L'Homme révolté* peut dérouter. Elle obéit à la vitalité dionysienne et ne se soucie pas des usages classiques, des exposés apolliniens comme on apprend à les construire à l'École normale supérieure. Elle est moins jardin à la française que jardin à l'anglaise ; on n'y trouve pas d'allées tracées selon l'ordre des raisons cartésiennes, mais des massifs, des taillis, des efflorescences, des buissons, des plantes dispersées, des maquis parfois.

Ce grand ouvrage libertaire n'est malheureusement pas présenté comme tel. Ses adversaires, sinon ses ennemis, insistent beaucoup sur la partie critique et laissent croire qu'il se résume au pamphlet anticommuniste d'un homme de droite, ou d'un social-démocrate ce qui, pour un communiste des années 1950, signifie la même chose. Un livre contre Marx, contre la Révolution, contre l'URSS, contre les camps, contre le surréalisme, contre Hegel, contre l'hégélianisme et les hégéliens, finalement, un livre sans aucune positivité.

Or, cette positivité existe, mais elle se trouve elle aussi éparpillée. Il nous faut la ramasser, la réunir et la présenter dans une forme plus visible à ceux qui n'ont pas lu, lisent mal ou ne veulent pas lire. Car ce livre propose une alternative au socialisme autoritaire et césarien, un antidote à la révolution violente et sanglante, un contrepoison à la terreur et aux guillotines de gauche, avec la promotion d'un socialisme libertaire et fédéraliste, d'une révolution non violente spirituelle et d'une politique du peuple selon le principe de la délibération contractuelle.

On se prend à penser que, plutôt que de perdre un temps précieux à répondre point par point aux critiques malveillantes de *L'Homme révolté*, Camus aurait pu consacrer son énergie à composer un ouvrage qui célèbre l'*anarchie positive* pour utiliser à nouveau l'expression de Proudhon. Que de temps perdu à prendre la plume pour se justifier auprès des défenseurs des camps de concentration soviétiques et des régimes bolcheviques ! Que d'heures gâchées à batailler dans les revues pour faire prévaloir ses thèses qu'on gauchissait, caricaturait, ridiculisait sans vergogne ! Que de forces perdues à tâcher de persuader des journalistes convaincus que leurs erreurs du jour étaient des vérités de toujours !

Les mentions de Varlet et Proudhon, puis des Girondins, se doublent d'une lecture critique de Stirner et de Bakounine que l'historiographie anarchiste présente la plupart du temps comme les penseurs emblématiques, pour le premier, de l'individualisme anarchiste, pour le second, de l'anarchisme communiste. Camus n'aime pas la radicalité égotiste de l'un, ni la méthode violente de l'autre. J'ai déjà défini le libertaire comme celui qui était anarchiste, même et surtout avec les grandes figures de l'anarchisme – Camus excelle dans ce genre d'exercice libertaire.

Il y aurait beaucoup à dire sur ceux qui adoubent le nihilisme de Stirner comme une modalité de l'anarchisme. Car cet hégélien de gauche qui veut mettre le monde à feu et à sang, qui souhaite détruire tout ce qui lui résiste dans l'univers pour assurer la manifestation violente et brutale, immorale et cynique, de sa puissance, de son ego, de sa subjectivité, n'a aucun souci d'une société dans laquelle la condition ouvrière serait radicalement transfigurée. Stirner insulte l'ouvrier incapable de s'approprier par la force ce qui lui appartiendrait sinon.

Certes, *L'Unique et sa propriété*, l'unique livre d'un auteur unique, souscrit à la formule « Ni Dieu, ni Maître », mais il fait du socialisme, de l'anarchisme, du proudhonisme, du socialisme, des cibles au même titre que le libéralisme ou le capitalisme. Tout ce qui fait la joie de l'habituel massacre anarchiste se trouve conchié sous sa plume : la police, l'armée, les impôts, l'Église, le christianisme, le pape, l'État, la patrie, la nation, les fonctionnaires, les juges, la hiérarchie, Dieu, le sacré, la foi, les prêtres, le péché, la religion, le travail, la famille, le mariage, l'argent, l'éducation, l'autorité, la société, la monogamie, la fidélité, le devoir, l'amitié, l'amour, l'héritage, le devoir, l'honneur, le bien, la vertu, la raison.

Pour quelle positivité ? Lui, Max Stirner ! Lui et sa force, lui et sa puissance, lui et son égoïsme, lui et sa capacité à être et à nuire ! Il justifie le criminel et affirme que l'important n'est pas le crime, mais la ruse qui permet d'échapper à la justice et signe *de facto* la justesse du crime. Il défend l'inceste. Il tient l'existence d'autrui pour nulle et non avenue. Il célèbre le mensonge, le parjure, la violation de la parole donnée. Certes, il prône l'association, mais uniquement pour augmenter la force de frappe des forfaits de l'unique. Stirner écrit : « Je le veux, donc c'est juste. » Il manifeste ainsi le fonds immature toujours présent chez une certaine variété d'anarchiste : « Moi Je, dût le monde en périr » !

Que pense Camus de Stirner ? Qu'il est un nihiliste satisfait auquel répugne la révolution. Que ce jeune hégélien de gauche qui part en guerre contre les Idées, célèbre, justifie et légitime le crime. Que, de ce fait, il se trouve à l'origine d'une tradition révolutionnaire anarchiste, celle du terrorisme, de la propagande par le fait, de la reprise individuelle et de tout un illégalisme que Camus ne fait pas sien – l'anarchisme des Ravachol ou de la bande à Bonnot (ce que mon ami Michel Perraudeau, l'auteur d'un *Dictionnaire de l'individualisme libertaire*, appelle les *ravacholades* et les *bonnoteries*) et, un temps, de Kropotkine qui, dans *Le Révolté* de décembre 1880, définissait ainsi la propagande par le fait : « Révolte permanente par la parole, par l'écrit, par le poignard, par le fusil, par la dynamite. Tout est bon pour nous, qui n'est pas la légalité ». Huit ans plus tard, il écrira : « Un édifice fondé sur des siècles d'histoire ne se détruit pas avec quelques kilos d'explosifs ».

Stirner nourrit les nihilistes russes, et une partie de la réflexion de Dostoïevski. Le nihilisme russe fournit une contribution idéologique à la révolution bolchevique. Cette jeunesse diplômée, cultivée, désemparée, désorientée, sans travail, nourrie à l'idéologie allemande en général, et à Hegel et Schelling en particulier, voue un culte à la science et à la raison, mais aussi au peuple. Nombre d'entre eux ont été emprisonnés, déportés, exécutés, certains ont même sombré dans la folie. Camus précise qu'en Russie, la pensée allemande s'impose parce que rien ne l'empêche, alors qu'en France, cette même idéologie doit composer, « lutter et s'équilibrer avec le socialisme libertaire » (III. 189).

Sur la violence révolutionnaire anarchiste

L'anarchisme de Stirner ne saurait convenir à Camus parce que *L'Unique et sa propriété* est plus qu'un manifeste nihiliste que d'un écrit libertaire. Ce texte d'une rare brutalité, qui fut, dit-on, le livre de chevet de Lénine et de Mussolini, fonde le terrorisme auquel Camus ne donnera jamais son assentiment. Qu'en est-il de l'anarchisme communiste de Bakounine ? Autre Russe, lui aussi converti à la révolution par Hegel qui fut un temps en Russie une passion furieuse au point qu'un hurluberlu mit en vers la *Science de la logique*.

Michel Bakounine fut un ogre en tout. Sa révolution se propose la même fin que celle de Marx, mais elle diffère par les moyens : le Russe ne croit pas à la dictature du prolétariat dont il prévoyait qu'elle serait, et elle le sera, la dictature d'une partie du prolétariat sur une autre ; il ne veut pas d'un centralisme autoritaire qui ne parviendrait jamais à l'abolition de l'État, mais contribuerait au contraire à son renforcement ; il récuse l'idée d'une avant-garde scientifiquement éclairée habilitée à conduire la révolution et lui préfère la mobilisation des gueux, des réprouvés, des prisonniers et de toutes les victimes du knout tsariste.

Camus ne se propose pas un livre sur Bakounine, ni sur les modalités de l'anarchisme du personnage, encore moins sur la société fédéraliste à laquelle il aspire (comme Proudhon), mais il prélève dans l'œuvre de quoi critiquer son goût pour la violence, sa passion pour la destruction, sa lecture de la négativité négatrice comme une positivité constructrice. Il cite donc correctement des passages justes qui respectent la pensée de son auteur, afin de soutenir, étayer et illustrer sa thèse : Bakounine fut en effet le défenseur d'« un fort pouvoir dictatorial » (III. 197). Gaston Leval lui reproche avec violence de n'avoir pas beaucoup lu Bakounine, de s'être contenté d'extraits, de n'avoir pas placé l'anarchiste russe dans le contexte qui lui faisait justifier ponctuellement la violence.

Pour défendre Camus, on aurait pu répondre à Gaston Leval que l'éloge de la violence se trouve partout dans l'œuvre de Bakounine : en 1851, dans sa *Confession*, il raconte quelle révolution il fomente et ajoute : « tout devait être soumis à un pouvoir dictatorial » (149) ; en 1870-1871, il affirme dans *L'Empire knouto-germanique* que la

Révolution ne peut se faire qu'avec du désordre, que la guerre civile sera indispensable (*Œuvres complètes, VIII.* 32), qu'elle seule permet l'émancipation des peuples, qu'il y aura des troubles publics, que la violence est inévitable (77), qu'il faut recourir à la guerre pour mettre le diable au corps de la classe ouvrière (57) ; en 1870, dans *Les Ours de Berne et l'Ours de Saint-Pétersbourg*, Bakounine écrit : « Les révolutions ne sont pas un jeu d'enfants [...]. La révolution c'est la guerre et qui dit guerre dit destruction des hommes et des choses. Il est sans doute fâcheux pour l'humanité qu'elle n'ait pas encore inventé un moyen plus pacifique de progrès mais jusqu'à présent, tout pas nouveau dans l'histoire n'a été réellement accompli qu'après avoir reçu le baptême du sang [...]. Il est donc impossible d'être soit un révolutionnaire soit un réactionnaire véritable sans commettre des actes qui, au point de vue des codes criminels et civils, constituent incontestablement des délits ou même des crimes, mais qui au point de vue de la pratique réelle et sérieuse, soit de la réaction, soit de la révolution, apparaissent comme des malheurs véritables » (V. 55) ; en 1870, dans *La Science et la Question vitale de la révolution*, il persiste et célèbre « la passion de la destruction » (VI. 298) ; en 1870, dans les *Lettres à un Français sur la crise actuelle*, Bakounine estime nécessaire le moment de guerre civile (VII. 121), il aspire à « organiser partout la puissance populaire par le déchaînement des passions révolutionnaires » (VII. 129) ; en 1873, dans *Étatisme et anarchie*, il écrit : « Il n'y a pas de révolution sans destruction profonde et passionnée, destruction salvatrice et féconde parce que précisément d'elle, et seulement par elle, se créent et s'enfantent des mondes nouveaux » (IV. 223).

De 1850 à 1873, soit pendant vingt-trois années, Bakounine défend dans la théorie et sur le papier la guerre civile, la violence, la destruction des hommes et des choses, le baptême du sang, les délits et les crimes comme d'inévitables malheurs nécessaires à l'avènement de la société heureuse qu'il annonce. Il soutient ces mêmes idées sur toutes les barricades européennes, de 1843, date de sa conversion à la révolution par Weitling à l'âge de vingt-neuf ans en Suisse, jusqu'à sa mort en 1876. Gaston Leval a donc tort de reprocher à Camus d'avoir prélevé dans l'œuvre l'éloge fait une fois par Bakounine de Satan et de la jouissance de détruire : l'anarchiste russe fut toute sa vie défenseur de la violence sous le prétexte hégélien qu'elle était un moment de négativité nécessaire dans l'avènement d'une positivité qui ne manquerait pas de venir un jour.

Un anarchisme solaire

Camus ne choisit pas plus l'individualisme anarchiste que l'anarchisme communiste qui, tous deux, justifient la violence et la mise à mort d'autrui. Est-ce suffisant pour conclure que Camus tourne le dos à la pensée anarchiste parce qu'il n'en défend pas la modalité individualiste ou collectiviste ? Non, bien sûr. Car la pensée anarchiste est forte de beaucoup d'autres possibilités libertaires. On pourrait écrire une histoire de cette pensée en opposant moins des hommes que des tempéraments : Stirner défend l'individu, certes, et Bakounine la communauté, bien sûr, ils se séparent donc sur ce sujet, mais se retrouvent en hégéliens consommés pour justifier et légitimer le recours à la violence. Cette idéologie allemande est contaminée par la pensée de l'auteur de *La Science de la logique*.

Mais il existe une autre pensée anarchiste. Elle n'est plus hégélienne, nocturne, sanglante, allemande, germanique, prussienne, slave, mais française, latine, solaire – il s'en faudrait de peu que Camus n'ajoute méditerranéenne. On chercherait en vain chez les théoriciens français de l'anarchie (voire les théoriciens de l'anarchie française) que sont Pierre-Joseph Proudhon, Anselme Bellegarrigue, Sébastien Faure, Élisée Reclus, Ernest Armand, Han Ryner, une justification à des violences révolutionnaires assimilables à des guerres civiles – même si, parfois, ils peuvent comprendre leur caractère réactif. En France, on croit que l'économie, le mutualisme, la coopération, la solidarité, l'éducation, l'instruction, la pédagogie, constituent des moyens qui ne contredisent pas les fins visées par un anarchiste qui veut pacifiquement la paix, intelligemment le socialisme, humainement la fraternité. Camus s'inscrit dans ce lignage libertaire français, tellement différent du lignage allemand.

Le nom du personnage important sur lequel peut se construire ce socialisme libertaire apparaît dans *L'Homme révolté* : Fernand Pelloutier. Qui est Fernand Pelloutier (1867-1901) dont Camus désespère qu'il disparaisse sous Marx ? Un journaliste républicain originaire de Saint-Nazaire qui adhère au socialisme de Guesde et croit à la possibilité d'une grève universelle légale et pacifique capable de satisfaire les revendications du Parti ouvrier. Son compagnonnage avec Guesde dure un temps, mais Pelloutier s'oriente vers la pensée anarchiste en fréquentant des libertaires, tout en résistant aux faits et méfaits de Ravachol, au verbiage révolutionnaire, à la gesticulation irresponsable et à la propagande par le fait. Il a le souci pragmatique d'effets concrets et se détourne d'une solution qui passerait par l'État : les ouvriers doivent eux-mêmes réaliser leur libération. L'anarchisme peut dès lors éviter de recourir à la dynamite et aux machines infernales. Dès 1895, Pelloutier affirme l'identité du syndicalisme et de l'anarchisme.

Le syndicat active une microsociété libertaire contractuelle dans laquelle il n'y a pas de chef, juste un secrétaire et un trésorier révocables. Les syndicalistes débattent eux-mêmes de leurs problèmes et décident de leurs actions. Le débat produit une décision à laquelle la majorité souscrit – ou non. Chaque séance suppose un délégué, un président et un préposé à l'ordre, mais pour la forme. Le syndicalisme lutte contre l'influence des politiciens collectivistes et étatistes. Par ailleurs, si la révolution arrivait, les syndicats constitueraient déjà des instances susceptibles de prendre en main les affaires de la gestion commune. Pelloutier, atteint d'un lupus tuberculeux qui le fera horriblement souffrir, disparaît en 1901 à l'âge de trente-quatre ans.

La pensée de Pelloutier se nourrit de l'œuvre de Proudhon. Il le cite plusieurs fois dans son ouvrage sur l'*Histoire des Bourses du travail*. Il a lu et médité *Du principe fédératif* et *Théorie de l'impôt*. Dans un texte de jeunesse, *De la révolution par la grève générale*, Pelloutier cite *De la capacité politique des classes ouvrières*, l'ouvrage de Proudhon le plus à même de nourrir une réflexion sur l'anarcho-syndicalisme. Dans *La Revue socialiste*, il publie avec un ami un *Proudhon philosophe* citant les ouvrages majeurs du penseur qu'ils étudient sans ménager les critiques.

Pelloutier et Proudhon se ressemblent à plus d'un titre : l'un et l'autre sont originaires d'un milieu populaire ; tous les deux sont anti-autoritaires ; ensemble, ils défendent la nécessité de l'action directe et font de la théorie un levier pour la pratique, et non une fin en soi idéaliste et idéalisée ; les deux individus croient que l'éducation et l'instruction construisent des hommes n'ayant pas besoin de gouvernement parce que capables de se gouverner eux-mêmes ; de part et d'autre, on croit que la classe ouvrière doit développer sa singularité sans aspirer aux valeurs des petits-bourgeois ; pour l'un comme pour l'autre, l'atelier fera disparaître le gouvernement, et non la dictature du prolétariat ou l'État jacobin centralisateur ; le syndicaliste et le philosophe défendent une même société avec fédération et mutualisation d'institution de production.

Certes, il existe des différences entre les deux hommes. Mais retenons que le Pelloutier de Camus incarne un socialisme libertaire dont les moyens concrets passent par les Bourses du travail, ancêtres des syndicats contemporains. Dans une *Lettre aux anarchistes* datée du

12 décembre 1899, Pelloutier définit le rôle du syndicat dans l'éducation et la promotion de la révolution. Nous sommes aux antipodes de l'idéologie allemande qui légitime la brutalité par la dialectique, il est question de « l'œuvre d'éducation morale, administrative et technique nécessaire pour rendre viable une société d'hommes libres ».

À la question « qui êtes vous ? », l'auteur de l'article répond : « Des révoltés de toutes les heures, des hommes vraiment sans dieu, sans maître et sans patrie, les ennemis irréconciliables de tout despotisme moral ou matériel, individuel ou collectif, c'est-à-dire des lois et des dictatures (y compris celles du prolétariat) et les amants passionnés de la culture de soi-même. » Puis, quelques lignes plus loin, il invite à « prêcher aux quatre coins de l'horizon le gouvernement de soi par soi-même ». Il livre aussi sa méthode : « Semer dans la société capitaliste le germe de groupes libres de producteurs par qui semble devoir se réaliser notre conception communiste et anarchiste. » Son but ? « L'affranchissement des esprits et des corps. »

Éducation morale, propagande par l'instruction, culture de soi, gouvernement de soi, pragmatisme de l'essaimage libertaire, affranchissement spirituel, libération corporelle : ce programme anarcho-syndicaliste, ou syndicaliste révolutionnaire, constitue une plate-forme libertaire que Camus souhaite voir revenir sur le devant de la scène occupée par le socialisme autoritaire hégélien et soviétique. C'est le sens de l'article publié dans *L'Express* du 25 novembre 1955 qui invite les syndicats français à se préparer intellectuellement et spirituellement à la gestion de la société pour les travailleurs dans le sens de l'abolition du salariat, et ce « en cessant d'écraser Pelloutier sous Marx » (III. 1051).

Éloge de la Commune

Dans l'esprit de Camus, la grande révolution est moins la Révolution française que la Commune. À ce moment de l'histoire ouvrière, on ne trouve ni tribunal révolutionnaire, ni procès politiques instrumentalisés par la gauche, ni potence, ni échafaud, ni guillotine au service de la cause. Les intellectuels n'y jouent aucune part, on chercherait en vain les Traités, les Manifestes, les Adresses et autres professions de foi révolutionnaire comme il y en eut en 1789. La Commune est en grande partie proudhonienne, c'est-à-dire pratique et pragmatique, concrète et réaliste – même si elle rassemble aussi des blanquistes, des fouriéristes, de simples républicains. Proudhon, hélas, était mort depuis six années ; Marx n'aima pas beaucoup la Commune qui n'était pas marxiste !

Que fut la Commune de Paris ? Une brève insurrection populaire qui dura deux mois, entre le 18 mars et le 28 mai 1871. Pendant ces dix semaines, les communards réalisent un nombre incroyable de gestes révolutionnaires : remise des loyers non payés ; suppression des ventes du Mont-de-Piété ; abandon des poursuites pour loyers non payés ; allongement des délais pour le paiement des dettes ; attribution de pensions pour les blessés, les veuves, les orphelins, les gardes nationaux tués au combat ; réquisition des logements inhabités ; création d'orphelinats ; ventes publiques d'aliments aux prix coûtants ; distribution de repas ; instauration du mandat impératif ; affirmation du droit sacré à l'insurrection ; proclamation de la République universelle pour réaliser dans les faits l'abolition de l'esclavage votée en 1848 ; incendie de la guillotine place Voltaire, suppression de la peine de mort ; attribution des ateliers abandonnés aux coopératives ouvrières après indemnités aux propriétaires ; réduction du temps de travail à dix heures par jour ; encadrement ouvrier dans les usines et les ateliers ; interdiction du travail de nuit pour les enfants ; égalité des salaires entre hommes et femmes ; création d'un salaire minimum ; reconnaissance de l'union libre ; mariages par consentement mutuel ; gratuité des actes notariaux ; séparation de l'Église et de l'État ; rupture avec le Concordat ; suppression du budget des cultes ; sécularisation des biens du clergé ; école gratuite et laïque ; laïcisation des hôpitaux ; liberté de la presse ; reconnaissance de droit des enfants illégitimes ; instauration d'une inspection des prisons ; création d'écoles professionnelles.

En soixante-douze jours, le mutualisme, la fédération, la coopération, et autres techniques révolutionnaires proudhoniennes, produisirent plus d'effets que jamais. On sait que la répression des versaillais fit vingt mille morts exécutés sans jugements – trente mille selon l'*Histoire de la Commune* de Lissagaray. Si le sang fut versé par les communards, ce fut dans l'engrenage de la guerre civile déclenchée par Thiers et les siens. Ce qui donne raison à Camus luttant de toutes ses forces contre tout ce qui sépare et déchire à mort les habitants d'une même communauté – y compris, et surtout, en Algérie.

Camus fait très tôt l'éloge de la Commune. À vingt-six ans, pour *Alger républicain* dans lequel il tient la rubrique d'un « Cabinet de lecture », il rend compte du livre d'Albert Ollivier, *La Commune*. Bien sûr, il ne peut imaginer que cet auteur écrira plus tard à ses côtés des éditoriaux à *Combat* ! Pour l'heure, il est lecteur à la NRF et secrétaire de Gaston Gallimard. Camus chronique le livre sous le titre *La Pensée engagée*, dans une chronique partagée avec le *Scandale de la vérité* de Bernanos et les *Nouveaux Cahiers* des éditions de la rue Sébastien-Bottin.

Le Compte rendu paru le 4 juillet 1939 souligne que, pendant la Commune, le pouvoir a été pris par des gens impréparés : pas question de révolutionnaires professionnels, d'activistes politisés, de doctrinaires bardés de certitudes intellectuelles, le petit peuple prend en charge son destin avec seulement une envie de justice et de liberté, de dignité et de fraternité. La question de la Commune est bien celle de l'articulation entre une pensée de la révolution et une pratique de l'insurrection, un corpus idéologique et une action concrète. Dans ces quelques semaines lumineuses, puis sanglantes, il y eut des doctrinaires inactifs (on songe aux marxistes) et des actifs sans doctrine (Proudhon reposant sous terre, les proudhoniens avançaient sans cap franc).

Le sang a coulé parce que la révolution n'était pas préparée. Or la préparation d'une révolution s'effectue avec calme et patience, dans un amont discret et silencieux, loin des feux de la rampe. Le révolutionnaire manifestera donc de l'humilité. Cette réflexion n'est pas intempestive : elle paraît alors que les hostilités grondent en Europe. Deux mois après son article sur la Commune, le 3 septembre, la Grande-Bretagne et la France déclarent la guerre à l'Allemagne, Camus n'est plus au parti communiste, mais il aspire toujours à un nouvel ordre social à gauche. La Commune indique des directions possibles pour une gauche de combat non marxiste et libertaire. Camus conclut son texte sur la répression : « C'est ainsi que la première expérience de fédéralisme vrai a été aussi sa dernière et que cette idée féconde qui eût pu être celle de l'avenir s'est desséchée sous les caillots de sang » (II. 846).

Plus tard, dans un article de *Combat* daté du 3 avril 1945, Camus chronique l'attribution de la croix de la Libération à la Ville de Paris. Il y eut un défilé militaire et le général de Gaulle a prononcé un discours à l'Hôtel de Ville. Cette fête est celle d'un peuple libéré, d'une ville qui a recouvré la liberté, d'une promesse de politique nouvelle, celle de la rencontre d'une Nation, de son armée et de son peuple, celle d'une cité ayant fourni les soldats du front et les rebelles de l'insurrection, celle de « la conjonction de l'esprit national et de l'esprit révolutionnaire qui était, et qui reste notre plus grande, notre seule espérance, et c'était elle qu'il fallait relever » (II. 606) : Camus salue ici la Nation des Soldats de l'An II, de Valmy, de la Révolution française du peuple et non de ses élites, l'armée de Lazare Carnot, la nation qui est l'autre nom du peuple, celle de la cocarde, celle du temps où l'on ignorait encore le nationalisme.

Le général de Gaulle a donc donné un discours, mais ce ne fut pas celui de la nation – juste celui d'une faction, d'un fragment de la nation : sainte Geneviève et Jeanne d'Arc, Henri IV et le clergé, la noblesse et le tiers état. Mais le Résistant du 18 juin 1940 a oublié une autre partie de la France : celle de 1830, de 1848 et de la Commune (II. 606), cette France des barricades pour la liberté qui fut propédeutique à celles de la libération de Paris. La grandeur du peuple réside dans son génie colérique, dans sa capacité d'indignation, dans sa force de nouveauté, dans sa vertu révolutionnaire. Quatre années de résistance française auraient dû convaincre le premier des Résistants à penser la France comme la nation de Notre-Dame de Paris *et* du mur des Fédérés, celle des flèches des cathédrales gothiques *et* du pavé de Paris. La Commune reste un point de repère camusien, un modèle de révolution non marxiste.

Camus rédige un troisième éloge de la Commune. La première fois le 4 juillet dans *Alger républicain*, la deuxième le 3 avril 1945 dans *Combat*, la troisième le 18 octobre 1951, date de la parution de *L'Homme révolté*. Le philosophe propose une explication des causes pour lesquelles la tradition du socialisme libertaire français a disparu sous celle du socialisme autoritaire germanique, pourquoi Fernand Pelloutier plie sous le joug de Karl Marx, ou pour quelles raisons le communisme stalinien emporte les suffrages dans une époque où le nom de Proudhon n'est jamais cité.

Outre les intrigues violentes et pernicieuses de Marx et des marxistes qui ont lâché les chiens contre Bakounine et les proudhoniens lors de la Première Internationale, il précise : « La capacité révolutionnaire des masses ouvrières a été freinée par la décapitation de la révolution libertaire, pendant et après la Commune » (III. 246). Camus d'ajouter : « Cette épuration automatique de la révolution s'est poursuivie, par les soins des États policiers, jusqu'à nos jours » (*ibid.*). Les versaillais ont en effet massacré, exécuté, emprisonné, condamné aux travaux forcés, déporté les communards, dans des wagons à bestiaux, puis par bateaux, ils en ont exilé presque cinq mille en Nouvelle-Calédonie. On imagine que les trente mille morts, les cinq mille déportés, la condamnation à mort de presque une centaine d'entre eux, ont vidé de son sang le corps révolutionnaire du peuple de Paris qui voulait, sans la violence, instaurer un ordre social plus juste.

En 1870, dans un texte pour l'Association internationale des travailleurs, Marx recommandait au peuple de Paris de ne surtout pas s'insurger après la défaite française face aux Prussiens. Il invitait à ne pas renverser le gouvernement et à travailler dans la république afin de se renforcer et de préparer la Révolution (marxiste) à venir. Plus tard, le 22 février 1881, l'auteur de *La Guerre civile en France* écrit à Nieuwenhuis que la Commune ne fut pas socialiste ! Il ajoute ce qu'elle aurait dû faire à l'époque : « Avec une petite dose de bon sens, elle aurait pu pourtant obtenir de Versailles un compromis avantageux pour toute la masse du peuple : c'est tout ce que l'on pouvait alors atteindre ». Autrement dit : négocier avec Thiers.

Marx ne voyait de révolution que par lui et les siens, en rapport avec sa seule doctrine. Insoucieux du peuple et des travailleurs, méprisant à l'endroit des déportés politiques ou de la mémoire des combattants morts sur les barricades communardes, abattus par le plomb de Thiers, plutôt du côté des versaillais que des communards pour des raisons de stratégies et de tactiques opportunistes (l'heure de la révolution marxiste n'étant pas arrivée, l'heure d'aucune révolution ne devait être arrivée), allant même jusqu'à nier que la Commune fut socialiste parce qu'elle fut beaucoup proudhonienne et surtout pas marxiste, il en profita pour décréter qu'avec l'appareillage prétendument scientifique de son socialisme, les choses ne se seraient pas passées ainsi. La France de Camus et de Sartre est toujours celle de Proudhon et de Marx, de la Commune de Paris et de 1917, du drapeau noir et du drapeau rouge, du peuple et des élites révolutionnaires, de l'atelier et de la dictature du prolétariat, de l'autogestion et de l'État jacobin – autrement dit : de la liberté socialiste et des camps bolcheviques.

Le malentendu
d'un Camus social-démocrate

J'ai plusieurs fois fait savoir dans ce livre que la question politique chez Camus avait été peu traitée, et, quand elle l'avait été, mal traitée. Quelques brochures anarchistes militantes font de

Camus un compagnon de route des libertaires, mais l'argumentation reste en surface : il a connu Rirette Maîtrejean qui était anarchiste, elle lui a présenté des militants de la cause ; il a publié dans un certain nombre de revues anarchistes ; ici ou là, dans l'œuvre, il dit du bien de Bakounine, même si le gardien du temple Gaston Leval a corrigé sa copie, il a finalement fait amende honorable à l'endroit du rédacteur en chef du *Libertaire*, ce qui compte pour adhésion virtuelle ; il a soutenu sans coup férir la CNT, le syndicat anarchiste espagnol, et il a manifesté publiquement des dizaines de fois sa solidarité avec les républicains espagnols ; il aurait même été anarchiste parce que amateur de football, nous dit sérieusement un libertaire qui, dans une intervention aux journées de l'association « Rencontres méditerranéennes Albert Camus » publiées dans *Le Don de la liberté : les relations d'Albert Camus avec les libertaires*, parle du « football comme outil d'éducation populaire aux pratiques libertaires » (77) !

D'autres, et parmi les camusiens les plus honorables (Herbert R. Lottman et Olivier Todd dans leurs biographies respectives, Jeanyves Guérin dans son *Camus*. *Portrait de l'artiste en citoyen* et dans la direction du monumental *Dictionnaire Albert Camus*), soulignent, bien sûr, sa fibre libertaire, mais pour en faire dans le fond un social-démocrate réaliste. Va pour le réalisme ; mais pas pour le social-démocrate. Réaliste, il l'est en effet et sait que les élections au suffrage universel ne suffisent pas pour réaliser la révolution libertaire et non violente à laquelle il aspire.

Le penseur qui affirme dans ses *Lettres sur la révolte* en mai 1952 : « Bakounine est vivant en moi » (III. 410) et ajoute que les conclusions de son livre sont bakouninistes par leurs références aux Fédérations françaises, jurassiennes et espagnoles, puis à la Première internationale ; le Camus qui écrit de Bakounine qu'il est persuadé que « sa pensée peut utilement féconder une pensée libertaire rénovée et s'incarner *dès maintenant* dans un mouvement dont les militants de la CNT et du syndicalisme libre, en France et en Italie, attestent en même temps la permanence et la vigueur » (III. 410) – le *dès maintenant* est souligné par lui ; le philosophe qui ajoute dans les textes expliquant son *Homme révolté* qu'il pense, avec ce livre, avoir « contribué, malgré ses défauts, à rendre plus efficace cette pensée [libertaire] » (III. 411) ; le fils d'une mère espagnole qui parle en 1954 du « génie libertaire espagnol » (III. 924) nourri de la Commune de Paris qui nous étonnera dans les années à venir ; l'homme qui, le 25 novembre 1955, dans un article de *L'Express* intitulé *Les Déracinés*, souhaite « l'abolition du salariat » (III. 1051) ; le Prix Nobel âgé de quarante-six ans qui va mourir quelques jours plus tard et donne à la revue argentine *Reconstruir* en décembre 1959 un texte (qui paraît en mai 1960 dans ce support anarchiste auquel il avait cédé gracieusement les droits d'auteur de *Ni victimes, ni bourreaux*) pour un ultime entretien dans lequel il affirme : « Le pouvoir rend fou celui qui le détient » (IV. 660), profession de foi on ne peut plus anarchiste ; cet Albert Camus-là ne saurait être qualifié de social-démocrate.

Alors pourquoi ce malentendu ? Par prélèvement et exacerbation dans l'œuvre complète d'une prise de position isolée de son contexte et utilisée par les marxistes, Sartre en tête, pour faire de Camus ce social-démocrate qu'il n'est pas. Quel est ce texte ? Un article publié dans *L'Express* à l'occasion d'accords entre les ouvriers de Renault et leur direction, accords ayant généré des améliorations obtenues sans grève. Camus se réjouit de cette situation, car la grève, peu de gens savent combien elle coûte à la classe ouvrière qui, miséreuse, se voit privée des salaires perdus pendant les jours de lutte. D'aucuns refusent les réformes sous prétexte qu'elles retarderaient la révolution. Il veulent tout : la révolution, ou rien – la plupart du temps, ils n'ont rien. Et la condition ouvrière en attendant ? Dans l'espérance du grand soir, elle continue de souffrir.

Camus ne veut pas qu'un inaccessible et improbable paradis demain empêche ou interdise de véritables conditions de vie meilleures ici et maintenant. Il écrit : « Nous ne devons ni mépriser les réformes, au nom d'une société encore lointaine, ni, à l'occasion des réformes, oublier le but dernier qui est la réintégration de la classe ouvrière dans tous ses droits par l'abolition du salariat. Tôt ou tard, la résistance des privilèges devra céder devant l'intérêt général. Mais ce sera plus tôt que plus tard si nous envisageons dès maintenant que les syndicats doivent participer à la gestion du revenu national » (III. 1051). Or Camus ne veut pas que, dans l'attente de l'abolition du salariat à laquelle il aspire, rien ne soit tenté ou fait, et que les réformes soient refusées sous prétexte qu'elles ajournent la révolution.

Le réformisme n'est donc pas l'idéal de Camus qui reste révolutionnaire, mais l'occasion d'un gain pragmatique ici et maintenant, un gain que méprisent les intellectuels tout à leur idéologie révolutionnariste, mais auquel ne rechignent pas les familles ouvrières pour lesquelles une augmentation du pouvoir d'achat, une amélioration des conditions de vie, un abaissement du temps de travail hebdomadaire, un départ plus tôt à la retraite, une sécurité sociale plus efficace, une éducation gratuite pour leurs enfants *ou rien*, cela ne signifie pas la même chose. Dans cet article Camus souhaite que Pelloutier ne disparaisse pas sous Marx afin que le syndicalisme devienne le bras armé d'une révolution concrète.

C'est dans le même esprit que, dans une *Conférence faite en Angleterre* en 1951, il fit l'éloge du réformisme. Mais il faut être de mauvaise foi pour évacuer les circonstances de cette allocution, le contexte et le préambule donné par Camus lui-même à cet éloge du travaillisme anglais, ou du socialisme scandinave, qu'il défend dans la perspective d'une Europe socialiste susceptible de faire avancer son projet d'une Europe fédérale libertaire. Voici ce liminaire anarcho-syndicaliste : « Avant toute chose, je trouverais malhonnête de cacher mes préférences. Bien que je ne sois pas réellement socialiste, ma forme de sympathie allant aux formes libertaires du syndicalisme, j'ai souhaité que les travaillistes fussent vainqueur de ces élections » (III. 1100). Les choses sont claires : Camus n'étant point doctrinaire, il a pour objectif l'abolition du salariat et ne récuse aucune des voies qui conduisent au progrès vers cette fin, ici le syndicalisme, là le militantisme, ailleurs le réformisme. Pragmatique, il a le souci de l'amélioration de la condition ouvrière ; en revanche, les idéologues du genre Sartre n'ont cure des prolétaires et se soucient uniquement de la pureté idéale de leur doctrine et des jeux rhétoriques et sophistiques qu'elle autorise.

Quel était le contexte de cette défense du travaillisme anglais et du socialisme scandinave ? Camus pense que la misère, la pauvreté, l'exploitation, le chômage constituent autant de causes qui conduisent les travailleurs vers le communisme. Si l'on veut lutter contre lui, puisque sa formule européenne marxiste-léniniste passe par le goulag, il faut tarir la source des mécontentements. Ce communisme européen concret exploite et trompe la classe ouvrière, il parle en son nom, mais remplit les prisons, déporte, exécute. On ne peut défendre ce socialisme des barbelés alors qu'un socialisme libertaire est possible.

Lorsque Camus vante les mérites du travaillisme anglais et du socialisme scandinave, ça n'est pas comme une fin en soi, on s'en doute. L'homme qui, à cette époque, aspire à l'abolition du salariat, ne peut imaginer que la social-démocratie suffirait à réaliser son projet. Il constate que ces deux régimes sont parvenus à « réaliser, un peu à tâtons, un minimum de justice dans un maximum de liberté politique » (III. 1097). Qui pourrait penser, en toute bonne foi, que Camus puisse se contenter d'un *minimum de justice* et d'une méthodologie de l'*à tâtons*, lui qui affirme porter Bakounine en lui et le lire pour réactiver et actualiser un socialisme libertaire pour nos temps de servitude ?

Camus propose de gagner la guerre froide, autrement dit de ne pas faire triompher le capitalisme américain ou le bolchevisme soviétique, mais un socialisme libertaire pragmatique qui passe par une realpolitik concrète de soutien à la social-démocratie européenne comme instrument capable de désarmer les troupes bolcheviques en les privant de la négativité dont elles se nourrissent. Ce combat est motivé par un souci très terre à terre : il faut éviter la Troisième Guerre mondiale qui menace, un conflit dans lequel l'arme atomique jouerait un rôle dévastateur.

Abstention, piège à cons

Ce même souci de paix, de pragmatisme, cette semblable envie de conjurer et congédier la violence, l'idéologie, les totalitarismes nationalistes, marxistes ou tiers-mondistes, le feront voter pour Mendès France et soutenir les candidats du front républicain lors des législatives du 2 janvier 1956 – autrement dit toutes les gauches, moins le Parti communiste français, la courroie de transmission de l'idéologie soviétique en France. Est-ce suffisant pour faire de Camus un mendésiste ? Sûrement pas. Il publie dans *L'Express* un article intitulé « Explication de vote » dans lequel il donne ses raisons de voter PMF.

Camus avoue d'abord sa méfiance pour le traditionnel jeu électoral démocratique mais repousse cette méfiance instinctive au nom d'un réalisme responsable : il vote. Lisons : « Voici d'abord pourquoi je ne m'abstiendrai pas. On peut estimer, et c'est le cas des vrais libertaires par exemple, que cette société est inacceptable dans son entier et qu'il faut se garder de toute complicité avec elle, tâchant seulement de développer, par l'agitation, le sens social de chaque individu. Il me semble même que je pourrais défendre ce point de vue avec de bons arguments. Le fait est cependant que ces arguments n'ont pas emporté ma conviction » (III. 1069). Une fois de plus, Camus se méfie de la pureté intellectuelle consubstantielle à l'idéologie et se moque du réel au profit des seules idées.

Certes, pour parodier Péguy parlant de Kant et des kantiens, le *vrai libertaire* a les mains propres, mais il n'a pas de mains. Chez le libertaire emblématique, le catéchumène anarchiste, l'idéal est beau, certes, les principes excellents, bien sûr, la rigueur parfaite, évidemment, la pureté au rendez-vous, incontestablement, mais le réel qu'ils critiquent sans s'y colleter concrètement demeure intact. Avec leur abstentionnisme, la négativité continue, et ils en font un spectacle, ce sont des esthètes de la politique, tout à leur monde d'idées, souhaitant presque que rien ne change afin de pouvoir continuer de sacrifier aux dogmes de leur religion et de parler dans le vide sidéral qu'ils nourrissent.

Ne pas voter, c'est voter pour le statu quo ; ne pas vouloir changer, c'est vouloir l'immobilité ; ne pas élire un homme, c'est laisser en élire un autre. Camus n'a pas la religion du vote, il n'est pas social-démocrate, il associe toujours sa défense de la social-démocratie à un préliminaire signalant qu'il n'est pas lui-même social-démocrate, mais libertaire, et qu'il défend l'anarcho-syndicalisme. Pour lui, voter n'est pas l'horizon indépassable de la politique, mais le moindre mal dans un monde qui va très mal.

Dans cette même *Explication de vote*, il précise une fois de plus les choses : dans la perspective d'une Europe fédérale, post-nationale, il faut que la nation soit d'abord. Non pas pour le nationalisme, mais pour préparer le dépassement des nations. Lisons : « Naturellement, on peut estimer qu'il est sans intérêt que la France en tant que nation survive ou non. Ce n'est pas mon avis. Mais même ceux qui désirent que le cadre national soit dépassé, et je suis de ceux-là, ne doivent pas ignorer qu'on ne peut se dépasser sans être. Il n'y aura ni Europe, ni Fédération française, sans une France consciente de ce qu'elle est. L'unité est d'abord une harmonie de différences » (III. 1069-1070). Si l'on accepte de sortir des perspectives idéales pour éviter concrètement les catastrophes, on ne peut voter pour la droite complice du capital, ni pour la gauche complice des goulags, reste alors, *ponctuellement*, dans le cadre de *cette* consultation électorale, le soutien par un vote d'un « travaillisme français » (III. 1071) – ce qui n'empêche pas, *idéalement*, de continuer le combat libertaire.

Pendant les élections,
le combat continue

Albert Camus rédige donc cet éloge pragmatique et concret du travaillisme à la française en décembre 1955. À cette époque, il signe des articles dans *La Révolution prolétarienne* – ce qui témoigne concrètement que son idéal libertaire sait compter et composer avec la réalité électorale indépendamment de tout double jeu. Quand il meurt en 1960, cette revue publie une notice nécrologique et précise combien Camus était des leurs : « L'artiste, le penseur, le moraliste Albert Camus, quand il prenait sa place dans l'action, c'était vers le syndicalisme révolutionnaire qu'il se tournait. Sa raison et son cœur l'y conduisaient ». L'auteur de l'article rapporte une anecdote : après avoir obtenu le prix Nobel qui, en plus de la haine, lui valait des invitations planétaires, Camus avait accepté celle du Cercle d'études syndicales des correcteurs à la Bourse du travail. Devant un public d'environ deux cents personnes, il improvise ses réponses. L'un des participants lui demande une ligne directrice pour l'action. Il répond : « Je refuse énergiquement d'être considéré comme un guide de la classe ouvrière. C'est un honneur que je décline. Je suis toujours dans l'incertitude et j'ai constamment besoin d'être éclairé. Il est trop facile vraiment de décider d'un cabinet de travail ce que doit faire le salarié » (*La Révolution prolétarienne*, n° 447, février 1960, « Albert Camus et nous », R. Guilloré). À la fin de cet article, l'auteur signale en note : « Camus a toujours compté parmi les abonnés de soutien de *La Révolution prolétarienne*. » Social-démocrate le compagnon de route des anarchistes de cette revue qui le reconnaissent comme l'un des leurs ?

Dans ses *Lettres sur la révolte*, en 1952, Camus répond à la critique d'avoir donné bonne conscience à l'humanisme bourgeois avec *L'Homme révolté* – une allégation de Pauwels et de Sartre réunis dans une même communauté de vue. Il répond qu'il a critiqué la morale bourgeoise dans ce livre et que, ni la droite du *Figaro*, ni la gauche de *L'Humanité*, n'ont voulu le voir, mais qu'il a l'habitude des dissimulations, des travestissements et des mensonges de la corporation journalistique. Puis il ajoute : « C'est mentir aussi que de passer sous silence, comme tout le monde d'ailleurs, ma référence explicite au syndicalisme libre. Car il existe heureusement une autre tradition révolutionnaire que celle de mon examinateur. C'est elle qui a inspiré mon essai et elle n'est pas encore morte puisqu'elle lutte toujours, pour ne donner qu'un exemple, dans les colonnes d'une revue qui s'appelle : *La Révolution prolétarienne*. Bien des gens dont vous avez parlé, et dont je comprends qu'ils se sentent seuls à la lecture de la presse parisienne, reprendraient un peu de confiance s'ils la connaissaient cette courageuse revue ouvrière » (III. 399).

Qu'était cette revue – qui existe toujours ? « Une revue syndicaliste révolutionnaire » dont voici le programme : « L'émancipation des travailleurs ne sera l'œuvre que des travailleurs eux-mêmes », qui ne réfère à une formule de la Première Internationale. Elle publie des enquêtes sur Simone Weil, l'URSS, les pays de l'Est, la révolution et le prolétariat. Franchement libertaire, elle fait l'éloge de l'anarcho-syndicalisme. En août 1933, très tôt donc, elle établit un parallèle entre l'État stalinien et l'État fasciste. Camus signe une dizaine de contributions dans cette revue pour y défendre les combats de l'Espagne républicaine, la liberté en général et celle de la presse en particulier, il y critique la répression ouvrière en Hongrie en 1956 ou le sang versé en Algérie en 1957. Preuve qu'il pouvait voter factuellement Mendès France pour éviter le pire et travailler au meilleur en défendant la cause libertaire et la technique anarcho-syndicaliste.

Célébration
de l'anarcho-syndicalisme

Le torrent de boue critique ayant recouvert en son temps *L'Homme révolté*, on a peu dit quelle positivité portait « La pensée de midi ». Et comme on l'a peu dit dans les années 1950, on le dit encore moins ensuite, donc on le sait peu aujourd'hui. La pensée de midi renvoie clairement au Nietzsche d'*Ainsi parlait Zarathoustra* et plus particulièrement au chant intitulé *De la rapetissante vertu* qui invite « au grand Midi ». Qu'est-ce que l'heure de midi ? Le moment du zénith, l'instant sans ombre, celui de la plus grande lumière dans sa plus grande intensité. C'est également l'heure qui dit minuit, son inverse, et enseigne l'éternel retour du Même, donc la figure de Zarathoustra.

Camus rapproche la pensée de midi et l'anarcho-syndicalisme. Le syndicalisme révolutionnaire s'oppose en tout au socialisme césarien : *d'un côté* de la barricade, un souci concret et pragmatique du réel, une tradition latine et française, une prodigieuse amélioration de la condition ouvrière, une autogestion partant de la base pour y revenir, un goût pour la vie ; *de l'autre*, une religion doctrinaire, idéaliste et conceptuelle, un lignage germanique et slave, des formes nouvelles d'asservissement du peuple, un pouvoir pyramidal, centralisé, décidant du sommet vers le prolétariat, une passion pour la mort. Dans l'esprit du petit garçon de Belcourt devenu grand : un socialisme libertaire et nietzschéen de Tipasa ou bien un socialisme autoritaire et hégélien européen.

Cette opposition architecture deux visions du monde. *Côté royaume méditerranéen* : les anarchistes français, italiens et espagnols ; les forces lumineuses de la vie ; les mystères païens de la nature ; la bonne mesure de la commune ; le souci de la société concrète ; l'exercice de la liberté réfléchie ; « l'individualisme altruiste » (III. 317) ; l'expérience de la rue ; le goût et le plaisir du jour ; l'homme de chair d'aujourd'hui. *Côté exil européen* : les nihilistes et les bolcheviques russes ; les terroristes slaves ; la lumière noire de la mort ; les grandes villes désespérantes ; les dogmes du monothéisme judéochrétien ; la monstruosité de l'État ; la société idéale forgée à coups de concepts hégéliens ; la liberté abstraite et de papier ; l'égoïsme nihiliste ; la religion des fictions cérébrales ; l'homme idéalisé de demain.

Autrement dit : Tipasa contre Berlin, Plotin contre Sade, Proudhon contre Marx, Pelloutier contre Lénine, la Commune de Paris contre le Goulag de Sibérie, 1871 contre 1917, Jean Varlet contre Saint-Just, les sans-culottes contre Robespierre. Ou, en d'autres termes : la clarté stylistique de *L'Homme révolté* qui propose une généalogie du totalitarisme contemporain et s'y oppose, contre la nébuleuse *Critique de la raison dialectique* rédigée avec des doses massives d'amphétamines qui légitime le totalitarisme, pourvu qu'il soit de gauche, et justifie la « violence d'extermination » (454) comme fraternité !

En traversant la Méditerranée, en quittant Alger pour Paris, Camus modifie sa pensée. Ce qui, du côté africain, était génie méditerranéen devient, une fois passé le port de Marseille, génie libertaire. Une correction de manuscrit en témoigne. Printemps 1954, il publie dans *Témoins* (une autre revue anarchiste suisse dans laquelle, à cette époque, il figure au comité de rédaction, il en devient le correspondant l'année suivante) un texte qui rassemble deux interventions : la première a été donnée en 1951, sous les auspices de la Maison de la Catalogne qui célébrait le triste anniversaire du coup d'État de Franco ; la seconde a été prononcée le 30 juin 1953 à la Mutualité pour protester contre la répression des ouvriers de Berlin-Est par la police marxiste-léniniste. Un premier texte avait été publié dans *Solidaridad obrera*, le support de la CNT, le syndicat anarchiste espagnol, avec pour titre *Pour l'Europe et pour nous, souvent sans le savoir, vous avez été et vous êtes des maîtres de liberté* – une citation de Camus. Quand il corrige ce texte pour une parution dans *Témoins*, il arrange deux ou trois choses. Dans la version 1951, le texte parle de « génie méditerranéen » ; la version 1953 remplace cette formule par « génie libertaire » (III. 1427). Social-démocrate, Albert Camus ?

4

La guerre civile d'un Africain

Qu'est-ce qu'une éthique de responsabilité ?

> « Étant africain du Nord, et non pas européen... »
>
> (Camus, III. 1006-1007)

Berlin contamine Tipasa

Comment un homme qui, très tôt, a dénoncé sévèrement la misère du peuple kabyle alors que les intellectuels européens ignoraient même pour la plupart qu'il y eût une Kabylie, comment un philosophe radicalement opposé à toute forme de peine de mort, comment un journaliste algérien soucieux de démonter l'iniquité du système colonial depuis qu'il signe des articles dans la presse, comment un socialiste libertaire anticolonialiste, comment un nietzschéen de gauche amoureux fou de l'Algérie, comment un philosophe artiste ayant fait de Tipasa un concept poétique et politique, comment un anarcho-syndicaliste extrêmement méfiant à l'endroit des idéologies, comment un fils de pauvre élevé dans le quartier miséreux de Belcourt à Alger, comment un résistant qui sort de la guerre radicalement convaincu de la nécessité de penser désormais la politique de façon postnationale et internationaliste, comment un boursier de l'école républicaine du collège de la rue Aumerat devenu prix Nobel de littérature, comment un révolté se disant habité par Bakounine, comment Albert Camus, donc, a-t-il pensé et vécu cette guerre civile désormais baptisée « guerre d'Algérie » ?

Souvenons-nous : dans ses jeunes années, Camus souhaitait, que l'Algérie et le bassin méditerranéen jouent un rôle civilisateur dans l'Europe devenue nihiliste. C'était l'époque du Théâtre de l'œuvre, puis du Théâtre du travail, le temps de la Maison de la culture et de l'Université populaire, celle de la conférence intitulée *La Culture indigène*. *La Nouvelle Culture méditerranéenne* et des engagements dans le Parti communiste algérien d'avant guerre, autrement dit du PC de l'anticolonialisme internationaliste. Le nageur des plages brûlantes de Tipasa souhaitait que les lumières païennes de la Méditerranée éclairent l'Europe des périls et des totalitarismes, de la guerre et des camps. C'étaient les années où il préconisait Plotin l'Égyptien et Augustin le Berbère comme antidotes à Hegel le Prussien et Marx le Berlinois. Quel Algérien a mieux aimé l'Algérie que lui ?

Rappelons-nous également : à la libération de Paris, lui qui, par deux fois, voulut s'engager dans les troupes françaises pour lutter contre l'occupation nationale-socialiste et fut refusé pour raisons de santé, lui qui excella en résistant impeccable n'ayant jamais exhibé ses états de service, lui qui crut à l'épuration par idéal moral avant de comprendre que la méchanceté des hommes interdisait qu'on envisage plus longuement ce légitime exercice manqué, injuste, ce Camus-là, donc, invite après guerre à une révolution sociale dans l'esprit de la Résistance avec pour objectif de mettre fin à la misère capitaliste. Pour ce faire, il confirme les hypothèses de ses *Lettres à un ami allemand* : finissons-en avec les nations et les nationalismes. Il veut des États-unis d'Europe, puis des États-unis du monde : il aspire à la fin des nationalismes.

Comment pourrait-il dès lors se réjouir de voir l'Algérie à laquelle il a confié une mission civilisatrice (à l'Algérie, précisons-le, et non à la métropole) emprunter le chemin d'une nation supplémentaire, d'un nationalisme nouveau ? Camus n'aime ni les drapeaux ni les hymnes, ni les frontières ni les États, ni les armées ni les violences politiques – et ce pays ne souhaite pas donner l'exemple méditerranéen de la mesure solaire à la France continentale, à l'Europe judéo-chrétienne et au reste du monde, puisqu'il aspire à ce qui entretient le nihilisme : un nouveau drapeau, un nouvel hymne, une nouvelle frontière, un nouvel État, une nouvelle armée, de nouvelles médailles, une nouvelle police, de nouvelles violences politiques. En 1937, Tipasa devait terrasser Berlin ; en 1954, Berlin a contaminé Tipasa.

Salir pour ne pas lire

Sur cette question, comme sur toutes les autres, Camus a pensé le réel et non les idées. Il a tourné le dos à l'idéologie parce qu'il connaissait concrètement l'Algérie et les problèmes du mécanisme colonial. Le journaliste d'*Alger républicain* et du *Soir républicain* n'a cessé de mettre à jour les rouages du système inique que les « Arabes », comme il dit dans un mot neutre pour lui, subissaient au quotidien. Sa pensée sur la question algérienne s'est trouvée une fois encore noyée dans les commentaires factuels. Pour extraire la ligne de force anticolonialiste et libertaire, il faut lire l'ensemble de son œuvre afin de constater combien elle demeure tendue, cohérente, juste.

Sur la question algérienne[1], la paresse française et la malveillance parisienne ont vite fait de transformer Camus en petit Blanc penseur de son milieu. Mais de quel milieu ? L'orphelin de père mort à la guerre ? Le pupille de la nation ? Le fils d'une mère femme de ménage illettrée ? Le boursier de l'Éducation nationale ? Le jeune homme de treize ans dont les vacances sont consacrées à travailler pour rapporter de l'argent à la maison ? L'adolescent tuberculeux envoyé en pension chez son oncle boucher car, dans cette maison, il pourra manger de la viande ? Le jeune homme qui découvre le monde dans la bibliothèque municipale de prêt parce que chaque sou est compté au foyer et qu'acheter un livre s'avère une dépense inenvisageable ? Voilà le petit Blanc à l'esprit colonial dont les donneurs de leçons parisiens nous entretiennent ?

Salir permet de ne pas lire. De Jean-Paul Sartre à Albert Memmi (qui obtint une préface de Camus pour *La Statue de sel* en 1953, avant d'en récupérer

---

1. Sur la « justice » terroriste en Algérie, voir cahier photos, p. 8.

une de Sartre pour son *Portrait du colonisé* en 1957) en passant par Beauvoir et l'équipe des *Temps modernes*, ou bien Raymond Aron (qui, dans *L'Algérie et la république*, parle en pensant à lui de « l'attitude de colonisateur de bonne volonté ») ou, plus tard, Edward Saïd (Camus, c'est « le colon écrivant pour un public français », écrit-il dans *Albert Camus, ou l'inconscient colonial*), et quelques autres plumitifs moins connus du genre Brochier (pour Camus, « les Arabes ne sont acceptables que dans la mesure où ils sont stupides et exploitables », écrit-il dans *Camus, philosophe pour classes terminales*), Camus défendrait le colonialisme dont il se contenterait de proposer l'aménagement ! Il aurait été le philosophe des Pieds-noirs, le penseur des colons, la caution intellectuelle des Français d'Algérie ! Puis, en glissant d'infamie en infamie, l'idéologue de l'OAS – créée après sa mort !

La guerre froide dispose d'une méthode : la criminalisation de l'adversaire, le refus de prendre en considération ce qu'il écrit ou dit réellement, l'insinuation malveillante, le procès d'intention, la condamnation avant l'examen du dossier, le recours à l'insulte, la déformation des thèses, la lecture binaire du monde où le bien et le mal se séparent comme deux moitiés d'orange, l'attaque *ad hominem*. Cette méthode fut celle de Sartre – elle reste celle de ses thuriféraires, souvent aguerris au PCF des années 1950, un parti soviétophile dont ils furent les idiots utiles pendant des années.

Si d'aventure ces belles âmes avaient lu *Actuelles III. Chroniques algériennes (1939-1958)*, elles auraient pu débattre, argumenter, confronter les points de vue, échanger, même vivement, mais la méthode de la guerre froide prend des leçons chez l'affûteur des lames de guillotine. Un genre de fatalité mauvaise accompagne les trois séries d'*Actuelles* jamais véritablement lues : le *premier volume* montre un Camus révolutionnaire à gauche, partisan de nationalisations en économie accompagnées par des libertés réelles dans la société, il permet de découvrir un Camus résistant, mais sans le marxisme soviétique, un philosophe post-national qui souhaite en finir avec les frontières pour réaliser les États-unis d'Europe, puis les États-unis du monde, un héritier de la Gironde révolutionnaire défendant le parlement international comme instrument d'une politique libertaire immanente ; le *deuxième volume* défend la tradition de gauche non marxiste et propose un éloge de l'anarcho-syndicalisme, une critique radicale des totalitarismes de droite et de gauche, une réhabilitation de l'esprit libertaire constitutif d'une alternative crédible et pacifique à la religion de l'histoire messianique marxiste, une défense du lignage anarchiste, des Enragés de la Révolution française, aux libertaires de la CNT espagnole, en passant par une invitation à lire ou relire Proudhon et Bakounine ; le *troisième volume* concerne l'Algérie, on y découvre un Camus critiquant la politique coloniale de la métropole vingt ans avant le début du conflit, un philosophe refusant toutes les formes de violence et de terreur dans l'histoire, celle du pouvoir d'État et celle des terroristes nationalistes, un penseur qui n'est pas pour un camp contre l'autre, mais pour les deux belligérants vivant en paix dans un même pays, un libertaire opposé à tout nationalisme, à tout culte de l'État, un écrivain qui persiste dans l'anarchie positive chère au cœur de Proudhon en proposant des solutions : avant guerre le communalisme des douars, après guerre une France fédérale postnationale – et tant d'autres idées riches qui méritaient autre chose que le mépris de Saint-Germain-des-Prés bien décidé, avec l'Algérie, à ne pas passer à côté de l'Histoire, comme ce fut le cas pendant l'Occupation, en surjouant l'engagement de papier comme une occasion rêvée de faire enfin la guerre qu'ils n'avaient pas faite, mais en beaucoup moins risqué, dans les cafés de Saint-Germain-des-Prés.

La réception d'*Actuelles III. Chroniques algériennes (1939-1958)* fut nulle. Camus venait de recevoir le prix Nobel quand parut l'ouvrage. On imagine mal quelle haine s'est ensuivie chez les envieux, les jaloux, les ratés, les gens de ressentiment, une importante corporation à Paris. La distinction suédoise, la renommée du philosophe et la gravité du sujet algérien justifiaient un traitement intellectuel digne de ce nom avec couvertures de presse, pages débats, articles substantiels, sollicitations de plumes capables de débattre sans mépriser. Au lieu de cela, le livre est oublié, négligé, sinon traité avec légèreté. La presse libertaire n'insulte pas, c'est déjà beaucoup. Deux ou trois signatures le défendent, dont la grande Germaine Tillion, résistante dès 1940, déportée à Ravensbrück, ethnologue anticolonialiste, totalement sur la même ligne qu'Albert Camus sur la question du terrorisme des militants nationalistes algériens. Concernant cette troisième livraison d'*Actuelles*, la regrettée Jacqueline Lévi-Valensi parle d'un « volume que l'intelligentsia et la presse ont superbement ignoré » (IV. 1421). À propos de ce livre, Robert Gallimard fit savoir à Claudie et Jacques Broyelle que « la distribution fut ici et là sabotée par les syndicats – particulièrement en Algérie » (*Les Illusions retrouvées*, 192).

Des pépites politiques

Pour ce volume, comme pour les deux autres, les lignes de forces théoriques se trouvent camouflées, dissimulées dans la broussaille dionysienne des idées, des thèses, des exemples. Le principe de l'ouvrage exclut la composition du livre au profit d'une juxtaposition d'articles regroupés chronologiquement. Ces textes parus sur plusieurs années subissent parfois des infléchissements avec le temps : l'actualité les suscite, mais le détail du prétexte disparaît avec le temps. Le sujet qui faisait sens pour les lecteurs du journal du moment laisse parfois dans l'expectative celui qui les découvre des années plus tard dans un livre qui rapporte la lettre fidèlement, mais sans l'esprit du moment.

On retrouve dans cette troisième intempestive camusienne le peu de passion qu'il a pour sophistiquer ses plans ou la composition de ses ouvrages : il écrit comme poussent les plantes tout à leur quête de lumière. Le reportage sur la misère en Kabylie côtoie les articles parus dans *L'Express*, puis un texte sous forme de lettre envoyé à un journal algérien. Quelques autres feuillets de circonstance (pour intervenir en faveur d'un indépendantiste emprisonné) précèdent deux livraisons au *Monde*. Une introduction et une poignée de pages en guise de conclusion révèlent des choses majeures, mais en deux phrases, trois mots, une belle formule. Les pépites se dissimulent dans les taillis qu'il faut aborder à la machette, comme dans une jungle.

Ces paillettes d'or qui scintillent sont les idées libertaires de Camus – comme toujours : un anticolonialisme viscéral, vécu, et non cérébral ou idéologique ; un sens aigu de la justice que ne saurait entraver la passion doctrinale, abstraite, théorique ; un désir d'« anarchie positive » moins clinquante que le théorétique normalien, mais soucieux, lui, d'effets concrets dans la réalité ; un souci de ne jamais séparer la pensée et l'action, l'éthique de conviction et l'éthique de responsabilité – Camus agit en homme de pensée, pense en homme d'action, moins attentif au concept et aux idées pures qu'aux principes à maintenir dans la réalité ; une réflexion sur la réalité du monde colonial et non sur l'idée de ce monde ; une série de propositions concrètes inspirées par la tradition libertaire : le communalisme et le fédéralisme comme occasions concrètes d'économiser le pouvoir transcendant de l'État parisien ; la passion pour une terre, l'Algérie, et sa connaissance de terrain – autant d'idées aux antipodes des clichés sartriens d'un Camus penseur pied-noir, d'un philosophe pour petits Blancs, d'un doctrinaire naïf du régime colonial, sinon d'un sujet œdipien mal dégrossi préférant sa mère à la justice.

Un maurrassisme de gauche

Ses premiers articles publiés en témoignent, Camus fut opposé au système colonial depuis le début de sa réflexion sur le monde. Dès 1937, quand il aborde la question de l'identité algérienne, il ne la pense pas en relation avec la métropole, mais avec la Méditerranée. Pas question pour lui d'en appeler au ridicule « nos ancêtres les Gaulois » pour comprendre cette terre qu'il aime par-dessus tout : l'Algérie. Dès cette époque, il fustige le nationalisme en général et celui de Maurras en particulier. Comment aurait-il pu, pendant la guerre d'Algérie, soutenir une position maurrassienne, comme l'était celle du Front de libération nationale ?

Le combat entre la Méditerranée et l'Europe oppose la Vie et l'abstraction, autrement dit l'Algérie et la France, les parfums de l'Orient et les concepts de l'Occident, le grouillement vivant et dionysiaque d'Alger et l'ordre mortifère et apollinien de Rome. Quand Camus, âgé de vingt-trois ans, réfléchit sur *La Culture indigène* et sous-titre son intervention *La Nouvelle Culture méditerranéenne*, il pense *déjà* dans le cadre internationaliste, autrement dit postnational ; quand il analyse la « guerre d'Algérie », il la pense comme une guerre civile en Afrique, et non comme un mouvement de libération nationale. Les partisans du FLN et les poseurs de bombes étaient des nationalistes. Comment Camus, libertaire et anarchiste positif, internationaliste et non violent, postnational et pacifiste, pourrait-il souscrire au programme du FLN qu'un Maurras n'aurait pas désavoué ? Le nationalisme intégral ; le rôle politique de la religion instrumentalisée à des fins de cohésion sociale identitaire ; le refus des valeurs de la Révolution française – Liberté, Égalité, Fraternité ; le culte de la tradition ; le goût pour un régime d'ordre et d'autorité ; la préférence de la violence au dialogue ; l'opposition du pays réel de la tribu, du local, de la famille, du métier, au pays légal des institutions républicaines métropolitaines ; la théocratie contre la démocratie.

Rappelons les attendus de l'« Appel au peuple algérien » édicté par le secrétariat national du FLN le 1er novembre 1954 : il en appelle au pays réel, fort « de l'histoire, de la géographie, de la langue, de la religion et des mœurs du peuple algérien » qu'incarnent les « militants de la cause nationale » ; il revendique pour lui seul la légitimité contre le pays légal réduit à « l'impérialisme et ses agents administratifs et autres politicailleurs véreux » ; il se réclame de l'« intérêt national », sollicite les « patriotes algériens » et vise « la restauration de l'État algérien souverain », un État qui n'a jamais existé en tant que tel ; il inscrit son combat « dans le cadre des principes islamiques » dont on sait qu'il font peu de cas des acquis de la Révolution française, Liberté, Égalité, Fraternité, et du lignage libertaire français afférent : Laïcité, Féminisme, Abolitionnisme en matière de peine de mort ; usant de métaphores hygiénistes, le FLN propose l'« assainissement politique » et l'« anéantissement de tous les vestiges de corruption et de réformisme » et parle des « énergies saines du peuple algérien » ; il légitime « la lutte par tous les moyens » pour parvenir à la libération nationale.

Le 8 février 1937, dans la conférence prononcée par Camus le jour de l'inauguration de la Maison de la culture (il est alors adhérent au Parti communiste algérien), le jeune philosophe précise le programme de cette maison de gauche : « contribuer à l'édification, dans le cadre régional, d'une culture dont l'existence et la grandeur ne sont plus à démontrer. À cet égard, ajoute-t-il, il y a peut-être quelque chose de détonnant dans le fait que des intellectuels de gauche puissent se mettre au service d'une culture qui semble n'intéresser en rien la cause qui est la leur, et même, en certain cas, a pu être accaparée (comme pour Maurras) par des doctrinaires de droite » (I. 565). Pas question, donc, de souscrire à un quelconque maurrassisme de droite ou de gauche. L'Algérie n'est pas une idée, mais une sensation. On tue pour des idées ; jamais pour une sensation.

Contre le colonialisme italien

Camus souhaite mettre cette Maison de la culture au service d'une renaissance de la culture méditerranéenne activée par l'Algérie afin d'injecter à la vieille Europe un sang dionysiaque. Dans son texte inaugural, il critique l'impérialisme et le colonialisme de Benito Mussolini. À l'heure où Camus attaque clairement l'Italie mussolinienne, un certain Jean-Paul Sartre âgé de trente-deux ans envoie une lettre à Simone de Beauvoir dans laquelle il écrit : « ma mère me donne mes dix francs chaque matin » (septembre 1937). L'année précédente, le vieux garçon célibataire vivant chez sa mère était allé en vacances en Italie avec son épouse de papier. L'un et l'autre avaient obtenu des billets de train à prix réduit en se rendant à l'ambassade de l'Italie mussolinienne qui faisait alors des promotions touristiques de propagandes.

Beauvoir précise les choses dans *La Force de l'âge* : « Cette année-là, Mussolini avait organisé à Rome une "exposition fasciste" et, pour y attirer les touristes étrangers, les chemins de fer italiens leur consentaient une réduction de 70 %. Nous en profitâmes sans scrupules. » (160). Puis, page suivante : « Pour faire valider nos billets à prix réduits, il nous fallut nous présenter à l'exposition fasciste. Nous jetâmes un coup d'œil sur les vitrines où étaient exposés les revolvers et les matraques des "martyrs fascistes". – Beauvoir ne trouve pas qu'il y ait matière à commenter ce genre d'information. Elle passe donc ensuite à des considérations sur la fresque de Signorelli à Orvieto, puis sur Venise, enfin sur la *Crucifixion* du Tintoret.

De son côté, Sartre écrit une très longue lettre à Olga (vingt-sept pages dans le volume édité par Gallimard, sans compter les feuillets manquants) dans laquelle il file la métaphore de la saleté napolitaine, de la crasse, des poux, des infirmités, il décrit les visages rongés par l'eczéma, la gale, les yeux crevés, les dents pourries, les verrues, les moignons, le derrière nu des enfants dans la rue, il compare ce peuple italien aux singes dans un zoo, à des animaux malades, souffreteux, il raconte les petits garçons qui se tripotent le sexe, les petites filles qui se grattent l'entrejambe sous leurs jupes, il rapporte en toute innocence la mendicité et le vol, il décrit ce peuple comme manquant d'intelligence, paresseux, mou.

Concernant le fascisme italien, on note tout juste deux mentions de Sartre, une pour signaler que Mussolini détruira un quartier malfamé pour y construire de « grands immeubles sains à dix étages » (73), une autre pour signaler que le fascisme « a mis bon ordre » (87) à la prostitution puisqu'on ne voit plus de bordels dans Naples. Mussolini est au pouvoir depuis presque quinze ans, mais, trentenaire, le savant auteur de *La Transcendance de l'ego* n'en a cure : il est en vacances et rédige d'interminables cartes postales.

Au contraire de Sartre, Camus a l'œil politique. Quelques mois plus tard, entre l'été 1936 des vacances sartriennes, et la conférence donnée à l'inauguration de la Maison de la culture, le 8 février 1937, il critique la politique coloniale et impérialiste de Mussolini en Éthiopie. Sartre a trente-deux ans et ne voit rien à redire à Mussolini et à son régime lors de ses vacances napolitaines ; Camus a vingt-trois ans et critique le Duce qui, comme un César de la Rome impériale, sacrifie « la vérité et la grandeur à la violence sans âme » (I. 569). Puis il attaque les intellectuels qui défendent la politique du dictateur fasciste dans la corne est de l'Afrique et déplore l'exaltation d'une prétendue « œuvre civilisatrice de l'Italie dans l'Éthiopie barbare » (I. 568). Cette idée se trouve dans le « Manifeste des intellectuels français pour la défense de l'Occident » publié dans *Le Temps* du 4 octobre 1935. Parmi plus de huit cents signatures soutenant ce texte, on relevait les noms de Thierry Maulnier, Pierre Gaxotte, Marcel Aymé, Pierre Drieu la Rochelle, Pierre Mac-Orlan, Henri Massis, Abel Bonnard, Léon Daudet, Henri Béraud et Charles Maurras.

En faveur de Viollette

Dans et avec la Maison de la culture, Camus s'engage en faveur d'un projet politique issu du Front populaire socialiste, radical et communiste. Sous l'égide de cette machine de guerre anticolonialiste qu'est la Maison, un « Manifeste des intellectuels d'Algérie en faveur du projet Viollette » paraît dans le bulletin *Jeune Méditerranée* en mai 1937. Que veut ce manifeste ? « Restituer aux masses musulmanes leur dignité » (I. 573). En gramscistes, Camus et les signataires s'installent sur le terrain de la culture pour aborder le continent politique.

Que dit ce manifeste ? Il établit un constat : en Algérie, la culture s'avère impossible parce que la dignité est bafouée ; la civilisation ne peut prospérer dans un régime promulguant des lois qui l'écrasent ; la privation d'écoles et la misère infligée au peuple interdisent toute culture ; Camus et les siens dénoncent « des lois d'exception et des codes inhumains » (I. 573) ; il associe le bien de la culture et des masses populaires au sort de la culture musulmane. Puis il propose une solution dans l'esprit du Front populaire : soutenir le projet Viollette qui veut donner la voix aux musulmans, cette partie du pays exploitée par une autre, et permettre l'émancipation parlementaire intégrale des musulmans. Les signataires inscrivent ce projet dans le cadre des devoirs de la France. Contre la politique menée par la métropole sur la terre algérienne, contre les résistances capitalistes et libérales, dans la logique d'une nouvelle France, celle de Léon Blum et de ses partenaires, Camus s'engage pour ce projet concret. Il a vingt-trois ans.

Que fut ce projet Viollette ? Maurice Viollette était chargé des affaires algériennes dans le gouvernement du Front populaire. La coalition de gauche a le projet d'améliorer la condition des peuples d'Algérie. Faut-il préciser qu'à l'époque ni la SFIO de Léon Blum ni le Parti radical-socialiste d'Édouard Herriot, ni le PCF de Maurice Thorez n'envisagent l'indépendance de l'Algérie ? Cette année-là, Ferhat Abbas en personne, future éminence du FLN, souscrit au projet Viollette. Pareillement pour le Parti communiste algérien. Les oulémas ne s'y opposent pas. Seul Messali Hadj, sympathisant communiste, défend l'indépendance depuis début 1927.

Ce projet de loi propose la citoyenneté française et l'exercice des mêmes droits politiques que les Français de la métropole à vingt et un mille Algériens choisis parmi l'élite indigène musulmane en regard des services rendus à la France continentale pendant la Première Guerre mondiale, à des décorés de guerre, des fonctionnaires de l'État français, des responsables syndicaux – pourvu qu'ils renoncent au statut coranique, autrement dit qu'ils souscrivent au droit positif laïc et cessent de se référer au droit religieux dont les recommandations et les interdits sont puisés dans le *Coran* ou les hadiths du Prophète, les prescriptions religieuses incompatibles avec les valeurs laïques de la République.

Ce projet propose également un vaste programme économique et social : faciliter l'accès au crédit, approvisionner en eau un maximum de villages, édicter de radicales mesures d'hygiène publique, lancer une politique massive de scolarisation des enfants. Franc-maçon, laïc, socialiste, membre de la Ligue des droits de l'homme, partisan de l'assimilation républicaine, Maurice Viollette souhaite l'approbation de ce projet par l'Assemblée nationale afin de tenir à égale distance les revendications brutales des colons et les aspirations indépendantistes. Les deux forces, *déjà*, font barrage : les colons et les indépendantistes, comme plus tard l'OAS et le FLN, jouent la carte du pire, nourrissant de part et d'autre ce qui deviendra une guerre civile. Sous la double pression, Léon Blum retire le projet.

Avec les indigènes de la République

Ce « Manifeste des intellectuels en faveur du projet Viollette » paraît donc en mai 1937. Rappelons, pour mémoire, qu'Albert Camus quitte le parti communiste en août-septembre de la même année parce que ce parti, tout aux ordres de Moscou, a renié son engagement internationaliste en faveur des peuples colonisés – car Staline a décidé que l'ordre du jour n'était plus celui-là, mais l'union contre le fascisme européen. À cette époque tricolore du PCF, les dirigeants du parti saluent le drapeau français, renoncent à l'anticolonialisme, invitent à se soucier bien plutôt de la lutte antifasciste que de la libération des peuples.

Camus fait alors partie du Comité Amsterdam-Pleyel, un mouvement procommuniste qui lutte pour la paix. Le philosophe a pris sa carte au parti mi-1935 et le quitte en 1937 parce qu'il ne supporte pas d'avoir à tourner le dos à des amis musulmans que le PC lui avait demandé de rallier et qu'il faudrait dès lors récuser par discipline de parti. À cette époque, les communistes algériens dénoncent le Parti du peuple algérien de Messali Hadj comme agent du fascisme international. Entre le PCF qui renonce à la lutte contre le colonialisme, et Messali Hadj qui souhaite avec son PPA un parlement algérien, la terre aux fellahs, des écoles arabes, le respect de l'islam, Camus choisit de soutenir les indigènes (Todd, 150).

Il prend parti pour les indigènes dès qu'il le peut dans les colonnes d'*Alger républicain* en 1938 et dans le *Soir républicain* en 1939. Dans un avertissement aux lecteurs daté du 6 octobre 1938, le journal *Alger républicain* donne le mode d'emploi du nouveau journal : foncièrement républicain, il défend l'intérêt public et travaille au rassemblement populaire. Dans cette logique, il sait qu'il aura pour ennemis les capitalistes, les fascistes, les patrons, les banquiers, les propriétaires terriens, les colons, et s'en réjouit. Il veut lutter contre l'antisémitisme, les privilèges des familles de colons, le conservatisme social et tout ce qui « entend maintenir nos amis indigènes sur un plan d'infériorité » (I. 853). Puis cette phrase programmatique : « Pour *Alger républicain*, il ne saurait y avoir deux sortes de Français, mais une seule et qui englobe également le Parisien indigène de Paris, le Marseillais, indigène de Marseille, et l'Arabe, indigène d'Algérie. C'est pourquoi nous réclamons l'égalité sociale immédiate de tous les Français, quelles que soient leur origine, leur confession ou leur philosophie. C'est pourquoi nous réclamons le bénéfice, pour les populations de l'Afrique du Nord, des lois sociales et des mesures d'assistance et d'hygiène dont bénéficient les habitants de la métropole » (I. 854).

Dans ce même journal, trois signataires publient « À nos frères musulmans », un texte dans lequel ils se réjouissent de l'existence d'un support qui va permettre chaque jour de traiter les affaires régionales dans un souci d'égalité et de mutuelle fraternité entre Européens et Algériens. Dans un esprit gramscien, les trois journalistes se proposent d'éduquer les masses populaires algériennes et de travailler « inlassablement au rapprochement ethnique de ce pays, à la fusion totale des cœurs et des esprits dans cette France d'outre-mer » (I. 854). Camus devient le rédacteur en chef de ce journal.

Voyage en Kabylie

Alger républicain publie entre le 5 et le 15 juin 1939 un reportage de Camus intitulé *Misère dans la Kabylie*. Ces onze articles constituent un réquisitoire clair et net contre ce que la métropole a fait, du moins, *n'a pas fait*, dans cet endroit d'Algérie.

On peut imaginer que Camus, grand amateur de Gide qui devient son ami à Paris et lui loue un appartement sur le même palier, a peut-être pensé au *Voyage au Congo* publié en 1927 ou au *Retour du Tchad* paru l'année suivante, deux textes implacables qui dénoncent la misère et ceux qui la rendent possible.

Mais Gide n'était pas congolais ou tchadien, alors que Camus est algérien, donc français. Dès lors, il ne saurait s'amputer d'une part de lui-même au profit d'une autre. Il ne pense pas en termes de Français de France ou d'Algérien d'Algérie, puisqu'il est né sur cette terre algérienne devenue française depuis un siècle. Qui reprocherait aujourd'hui à un jeune Français de vingt ans né en France de parents venus d'Algérie il y a un demi-siècle de n'être pas français ? Sinon des racistes. Pas plus que la nation, la nationalité n'est affaire d'idée et de papier, de sang ou de quartiers de noblesse, mais une affaire de sentiment, de désir, de passion pour une terre à partager fraternellement.

Dans son reportage en Kabylie, Camus dénonce donc ce que certains Français font à d'autres Français, et non pas ce que des colons de France feraient à des colonisés d'Algérie. Dans une partie intitulée « Le dénuement », le philosophe-journaliste analyse les multiples raisons de cette misère. Pas question, dans cette enquête sociologique et politique, de se contenter d'une pensée courte qui élirait un bouc émissaire bien utile pour en finir avec la complexité des difficultés avec un mot simplissime recouvrant une cause unique – *le* colonialisme par exemple.

La Kabylie souffre de deux maux : le surpeuplement d'une terre et le fait qu'elle consomme plus qu'elle ne produit, voilà la source de toutes les difficultés. Le peuple kabyle, affamé, quitte sa terre. Ceux qui restent au village arrachent de rares racines pour les manger. La famine sévit. Les enfants à demi nus et couverts de poux, rongés par la vermine, fouillent les tas d'ordures dans l'espoir de trouver quelque chose à avaler. Les chiens se battent avec eux et s'arrachent un détritus à engloutir. Les enfants meurent jour après jour. Quelques-uns périssent après avoir dévoré des plantes vénéneuses. Pauvrissimes, les paysans restent plusieurs jours sans manger. Parfois, ils ajoutent des aiguilles de pin à leur maigre pitance. Les autorités les poursuivent pour vol de bois s'ils ramassent quelques branches sèches pour faire du charbon ou allumer leurs feux l'hiver et se protéger du gel. Ils cueillent des orties et s'en nourrissent. Bien sûr, dans ce régime de pauvreté extrême, les Kabyles ont des dettes et l'État français prélève des arriérés d'impôts sur leurs revenus ridicules. Enfin, quand la neige recouvre tout, la catastrophe empire : les déplacements deviennent impossibles et la pitance arrachée aux pierres ne peut même plus être prélevée. Camus, qui ne connaît pas encore totalement la facilité avec laquelle une partie des intellectuels parisiens de gauche se servent de la pauvreté pour philosopher dans les salons, écrit : « La misère ici n'est pas une formule ni un thème de méditation » (IV. 311).

À défaut d'une politique sociale digne de ce nom, et surtout digne de la France qui se prétend patrie des droits de l'homme et de la Révolution française, les officiels organisent la charité qui, on le sait, est très exactement le contraire de la justice. Les dames patronnesses, les bourgeois bien-pensants, les belles âmes qui vaticinent dans les préfectures, récupèrent de quoi se faire aimer par leurs victimes. La distribution de nourritures s'effectue selon le principe du clientélisme : on gratifie d'abord ceux qui votent ou voteront pour les donateurs. Les caïds et les conseillers municipaux, autrement dit des musulmans complices de Blancs dans l'exercice d'un même pouvoir, organisent la combine. Les infirmes coûtent trop cher et ne sont pas rentables d'un point de vue électoral. Ils ne sont donc pas soignés.

À côté des paysans pauvres, des chômeurs utiles pour faire baisser le prix de la main-d'œuvre, des enfants décharnés et cachectiques, des infirmes délaissés, quelques Kabyles travaillent. Mais des salaires indécents ne leur permettent pas de subvenir à leurs besoins élémentaires. Le temps de travail de ce côté de la Méditerranée se révèle être le double de la durée légale pour un salaire bien moindre. Certains doivent parcourir dix kilomètres de leur domicile à leur lieu de travail. Ils partent à trois heures du matin et rentrent à dix heures du soir. Sans nourriture, ils sont sans force ; sans force, on les paie moins ; moins payés, ils mangent moins ; moins nourris, ils perdent encore de leur force, etc. « Le régime du travail en Kabylie est un régime d'esclavage » (IV. 316), écrit Camus qui connaît le poids des mots – un *régime d'esclavage*.

Les enfants, bien sûr, sont très peu scolarisés. Or les Kabyles savent que la culture permet l'émancipation, y compris et surtout pour les filles. Certes, il existe une politique de construction de grandes écoles somptuaires et pharaoniques avec leur débauche de mosaïques, mais dans les grandes villes et les sites touristiques. Camus invite à abolir cette politique qui reproduit le schéma centralisateur et jacobin du gouvernement de l'État français et à multiplier les petites écoles dans les villages de campagne. De même, la métropole sépare les enseignements avec, d'un côté, une école pour les Européens, de l'autre, une école pour les Kabyles ! Comment envisager l'assimilation, l'intégration, la fusion des communautés dans une même République avec ce régime d'apartheid communautariste ?

La faute coloniale

On a reproché à Camus de n'avoir pas dénoncé le colonialisme responsable, selon les commentateurs, de l'état de fait si précisément décrit. « Colonisateur de bonne volonté », écrira même Albert Memmi dans une formule assassine et définitive, sartrienne à souhait, qui reste accolée à la réputation du philosophe et se trouve utilisée *ad nauseam* par des auteurs paresseux. Mais dénoncer le régime colonial, chercher un bouc émissaire, l'élire, et s'acharner sur lui était-il de meilleur rendement intellectuel ?

Vouloir l'indépendance algérienne en juin 1939, était-ce *la* solution qui, d'un coup de baguette

magique, aurait permis le paradis sur la terre algérienne en général, et dans la Kabylie en particulier ? En appeler à la disparition des colons, sous
quelque forme qu'on envisage cette éviction,
constituait-il une solution viable, efficace, pragmatique ? Pour souscrire à pareille vision, il fallait
croire de façon binaire que le colonialisme est
l'unique cause de *tous* les problèmes, quels qu'ils
soient, et l'indépendance la garantie de *toutes* les
solutions. L'Algérie indépendante d'après 1962 a-
t-elle éradiqué toute la misère en Kabylie ? Et
dans le restant de l'Algérie ? Un demi-siècle plus
tard, le temps est venu d'en appeler au jugement
de l'Histoire.

Si Camus n'a pas fait de son reportage une
charge anticolonialiste explicite et militante, il a
écrit l'essentiel pour qui sait lire, a lu, et veut bien
retenir ce qu'il y a à lire : Camus dénonce, on l'a
vu, le « régime d'esclavage » (IV. 316) imposé par
la métropole en Algérie ; il fustige « le mépris
généralisé où le colon tient le malheureux peuple
de ce pays. Et ce mépris, à mes yeux, écrit-il, juge
ceux qui le professent » (IV. 319) ; il sait qu'on ne
peut rien attendre des colons et qu'on ne saurait
compter sur eux pour améliorer les conditions de
travail et de vie en Kabylie ; il rage que la colonie
décerne des médailles aux anciens combattants
qui manquent de pain et préféreraient un travail
et de meilleures conditions à ces pitoyables bre-
loques ; il écrit également : « Si la conquête coloniale pouvait jamais trouver une excuse, c'est dans
la mesure où elle aide des peuples conquis à garder leur personnalité » (IV. 336) – autrement dit,
la conquête de l'Algérie par les Français en 1830

n'est excusable que si elle sait conserver au pays conquis sa personnalité. Et qu'est-ce qu'on *excuse* ? Sinon une faute. Fallait-il componction plus bruyante ? Camus aurait-il dû, pour plaire aux juges pénitents de Paris, organiser un théâtre de contrition, de repentance et de résipiscence avec coulpe battue à grands bruits ?

Une forme politique kabyle

Vérité de La Palisse, on ne peut faire que ce qui a été n'ait pas eu lieu. Cette faute coloniale a plus d'un siècle d'existence. Il eût mieux valu, en effet, au regard des critères d'aujourd'hui, que l'armée française ne foule pas le sol algérien en 1830. Mais voilà, l'Histoire a eu lieu et les deux communautés vivent ensemble depuis plus de cent ans. Le colonialisme est indéfendable, tout autant que ceux qui le constituent dans les faits : les régimes politiques qui promulguent des lois iniques et discriminantes, l'administration française qui veille au respect de cette législation injuste, l'État centralisateur et jacobin qui recourt à la loi et à la force pour maintenir l'ordre républicain de Jules Ferry, les gros propriétaires spoliateurs de la dignité et de l'humanité des Arabes qu'ils exploitent.

Mais faut-il faire de tout Blanc un coupable, responsable lui aussi de cette misère, du simple fait qu'il soit sur cette terre non pas par sa propre volonté, mais par celle d'un ancêtre venu trois ou quatre générations avant lui, en vertu d'un hasard de naissance ? Est-on coupable d'une faute, reconnue comme telle par Camus, commise par un lointain parent venu poussé par la faim et la misère et non par l'idéologie ? De la même façon qu'il y aurait des victimes de naissance qui ne pourraient rien faire pour éviter ce statut du fait qu'elles seraient marquées de façon indélébile par le sang transmis, faudrait-il parler d'un Blanc des années 1950 comme d'un sabreur de tête de l'armée française qui s'installe en Algérie en 1830 ? Les Européens d'Algérie seraient-ils tous coupables d'être nés ?

Y aurait-il, comme avec le péché originel des chrétiens, une transmission ontologique de la faute chez les innocents ? Camus ne le croit pas. Les deux communautés sont là, et les coupables ne se trouvent pas dans un camp, les victimes dans l'autre : le caïd musulman complice du sous-préfet qui impose la loi inique est responsable et coupable, mais pas le père de Camus, ouvrier agricole, ou sa mère, femme de ménage, qui n'exploitent personne, ne volent personne, ne spolient personne, ne font de tort à personne en louant leur force de travail à de plus riches Blancs qu'eux. Camus souhaite que les deux communautés continuent de vivre en paix et qu'ensemble elles en finissent avec le régime d'exploitation colonial.

Misère dans la Kabylie ne se contente pas de décrire la misère. On trouve en effet dans ces pages une positivité politique ignorée par tous tant elle rompt avec les schémas binaires de la pensée classique : puisque Camus n'a pas pris parti pour le FLN, il faut bien qu'il ait été partisan de l'Algérie française au sens que l'OAS contribue à lui donner après son accident de voiture mortel, autrement dit qu'il ait objectivement soutenu le régime colonial français ! Cette thèse (sartrienne) fréquemment répandue fait fi de la proposition concrète du philosophe.

Dans sa logique libertaire insoucieuse des catégories jacobines, centralisatrices, étatiques, robespierristes, indifférente à la pensée binaire selon laquelle qui n'est pas avec moi est contre moi, Camus demande à l'Algérie de donner des leçons à la France. Le voilà dans le rôle du Méditerranéen qui propose des solutions solaires, nietzschéennes, radieuses, indexées sur la pulsion de vie, aux antipodes du tropisme français et européen, nocturne, hégélien et marxiste, indexé sur la pulsion de mort. Le nationalisme algérien est encore un nationalisme, autrement dit un schéma d'importation occidentale. Quid, en effet, de la forme *État* dans l'Afrique des années d'avant les colonisations ? L'État est un mal venu d'Europe. Camus propose en antidote à cette peste étatique un bien autochtone, un produit politique formel né du sol kabyle. Qui l'a souligné ?

Le communalisme libertaire

Camus n'a probablement pas lu le *Testament* de l'abbé Meslier, mais, sans le savoir, il propose une politique libertaire déjà défendue par ce curé inventeur français de l'athéisme, du matérialisme, de l'hédonisme, du sensualisme et, comme tel, beaucoup pillé, très lu au siècle des Lumières, rarement cité, massacré par Voltaire, exploité par les penseurs matérialistes du XVIIIe siècle, et, bien sûr, passé à la trappe de l'historiographie dominante. Par capillarité intellectuelle, *via* les manuscrits clandestins, les Varlet et Proudhon, les Pelloutier et Bakounine célébrés dans *L'Homme révolté* étaient eux aussi, sans le savoir, des fils spirituels de ce philosophe défenseur du communalisme libertaire.

Jean Meslier fait de la famille la cellule de base des villages qui contractent afin de réaliser des occasions concrètes de paix et de prospérité sociale. Le but ? Une société dans laquelle chacun travaille, mange à sa faim, habite une maison saine, propre et chauffée, s'habille de vêtements qui le protègent des intempéries, une organisation rurale, agricole, campagnarde mutualisée et coopérative qui permette de se soigner, d'envoyer ses enfants à l'école. Ce communalisme local sous Louis XIV étendu à l'universel suppose l'internationalisation. Meslier écrit qu'il s'adresse à tous les peuples de la terre : avant l'heure, il pense local pour le global, il part de la petite commune de campagne pour parvenir à la planète. Le village est la matrice du monde, son résumé, son laboratoire.

Cette idée du communalisme libertaire a ses adeptes dans l'histoire de la pensée libertaire, du *Testament* de Jean Meslier (1629) jusqu'à *Pour un municipalisme libertaire* de Murray Bookchin (né en 1921), en passant par un certain nombre de développements de Kropotkine dans *La Conquête du pain* (1892) ou *L'Entraide* (1902), sinon le phalanstère (une commune *a posteriori*) cher au cœur de Fourier dans son *Nouveau monde industriel et sociétaire* (1829), sans parler de la brochure de Georges Palante, *Du nouveau en politique* (1919) ; l'idée que la *Commune* constitue une cellule de base capable d'initier la transformation sociale de façon capillaire constitue une potentialité écrasée par le rouleau compresseur révolutionnaire insurrectionnel dominant dans l'historiographie anarchiste officielle beaucoup plus marxisante qu'elle ne le croit.

L'idée communaliste libertaire a réellement fonctionné à plusieurs reprises dans l'Histoire avec plus ou moins de bonheur : les communes médiévales chères au cœur des Frères et Sœurs du Libre Esprit ; la Commune de Paris, bien sûr, et l'on sait combien elle joue un rôle architectonique dans la pensée politique de Camus, plus que la Révolution française ; les communautés dites utopiques américaines au XIXe ; les expériences des Milieux libres dans les premières années du XXe siècle, à la période dite de la Belle Époque ; la commune libre de Kronstadt de 1917 ; les communes de la révolution libertaire espagnole en 1936 ; les communautés post-soixante-huitardes. Cette ligne de force très peu spectaculaire, intellectuellement moins flamboyante, mais efficace et concrète, pragmatique et réaliste, se trouve négligée, voire caricaturée, par la tradition anarchiste révolutionnaire insurrectionnelle, violente, brutale, paramilitaire, pour tout dire contaminée par le marxisme.

La pensée de Camus sur la question algérienne en 1939 prend sa place dans ce continent du communalisme ou du municipalisme libertaire. Les solutions camusiennes, comme toujours, tournent le dos à la révolution transcendantale, fût-elle anarchiste ; elles refusent et récusent l'idéalisme, la croyance à l'idéologie comme à une religion ; elles s'installent aux antipodes des formules doctrinaires, intellectuelles et conceptuelles ; elles ne partent pas d'un programme préétabli avec obligation de faire entrer le réel dans les schémas et, en cas de résistance du réel, décision de le détruire plutôt que de renoncer aux schémas ; elles relèvent d'une éthique de la responsabilité à l'endroit des peuples exploités qui ne sacrifie pas les convictions libertaires à l'exercice concret de la politique.

Camus part du réel – l'idée n'a qu'à bien se tenir, et suivre, si elle veut, mais pas précéder. Cette anarchie positive est empirique, un mot disqualifié par la tradition idéaliste obnubilée par le transcendantal. Elle envisage de révolutionner le réel en partant du réel, à la base, de façon radicalement immanente, en créant de nouveaux agencements, des réseaux horizontaux inédits. Pour Camus, l'action libertaire crée de nouvelles idées, au contraire de l'habitude anarchiste qui jongle avec de belles idées, certes, mais qui avortent depuis deux siècles à cause de leur impraticabilité. Pour Camus, le réel a plus d'imagination que les idées.

Le « douar-commune »

Camus souhaite que les Kabyles s'emparent de leur destin. En fidèle de La Boétie, le philosophe pense que le pouvoir ne se conquiert pas par la violence et la brutalité, l'insurrection militaire ou le coup d'État sanglant, mais, tout simplement, par le refus de consentir au pouvoir qu'on ne veut plus, puis par la volonté de créer la forme de sa libération et celle de sa liberté. Nul besoin d'égorger les colons, il suffit de ne plus consentir au colonialisme en développant cette alternative pacifique et libertaire du « douar-commune » (IV. 324).

Qu'est-ce qu'un *douar-commune* ? Le douar-commune remonte au XIXe siècle. Créé à partir de la tribu, il se constitue à partir d'un groupe de tentes et de familles. Géré par une assemblée (*djemaa*), le douar dispose à sa tête d'un adjoint indigène (*caïd*). Le douar-commune administre les biens qui lui appartiennent, il décide des travaux publics de voirie, il gère ses finances, il délimite et modifie ses territoires, il répartit les biens communaux, il contingente et distribue les denrées. Le douar kabyle est élu par les Kabyles, pour les Kabyles.

L'amateur de pouvoir direct qui cite Varlet, l'anarcho-syndicaliste qui renvoie à Pelloutier, le libertaire qui parle de Proudhon, l'anarchiste qui dit son goût pour Bakounine, ne pouvait que se réjouir du douar-commune qui permet d'élire ses représentants et de s'en défaire dans le cas où le mandat ne se trouve pas honoré selon les modalités du contrat électif représentatif. Contre le scrutin de liste, Camus préfère l'élection directe des individus à la proportionnelle.

Les douars-communes sont destinés à se mutualiser, à coopérer, à se fédérer. Formule kabyle d'un proudhonisme concret. Cette logique d'unions multiples à des degrés divers constitue un fédéralisme libertaire – c'est, en 1939, la formule anarchiste que propose à nouveau le philosophe lors de la guerre civile dans son pays. Dans l'un des articles qui compose *Misère dans la Kabylie* intitulé « L'avenir politique », Camus écrit : « Ainsi se trouverait réalisée au cœur du pays kabyle une sorte de petite république fédérative inspirée des principes d'une démocratie vraiment profonde » (IV. 326).

Voici comment, d'une part, les Kabyles peuvent résoudre leurs problèmes en Kabylie, en dehors de tout soulèvement sanglant et de toute guerre civile coûteuse en vies humaines ; voilà comment, d'autre part, concrètement, l'Algérie pourrait, au nom de sa tradition méditerranéenne, de son antique culture berbère préislamique, donner des leçons à la France métropolitaine, puis à l'Europe, donc au reste du monde. Si d'aventure les lecteurs métropolitains de Camus n'avaient eu le tropisme européocentriste, ils auraient pu faire du douar-commune une formule parente de la *démocratie athénienne* – si bien portée dans l'intelligentsia. Mais le Paris de Sartre veut bien prendre des leçons d'Athènes ou de Berlin, sûrement pas de Tipasa et d'Alger.

Camus ne souhaite pas une indépendance de la Nation algérienne (qui, selon lui, n'existe pas, parce que cette terre porte une multitude de communautés et de peuples, des Kabyles et des Berbères, des Mozabites et des Touaregs, des Européens et des Méditerranéens, mais aussi des religions différentes, des juifs et des musulmans, des animistes et des chrétiens, sans parler de la trentaine de langues), mais une indépendance des douars-communes : non pas un nouvel État avec son drapeau et ses hymnes, conquis par les armes et le sang, mais des communes libres, autogérées, des mutualisations, des coopérations, réalisées par la parole donnée, le contrat, l'échange, la communauté pacifique. Quelle formule semble la mieux à même d'en finir avec la misère en Kabylie ? Un État centralisé, transcendantal, jacobin, robespierriste ? Ou une fédération de communautés, immanente, concrète, effective, pratique et pragmatique ?

L'Histoire, dont on dit souvent fautivement qu'en Algérie elle a donné tort à Camus, n'a donné d'occasion de vérification qu'à la première formule. Qui sait si celle de Camus n'aurait pas plus et mieux donné raison, non pas à la religion du fait accompli qui transforme *ce qui est* en vrai, en bien, en juste et en bon, vieux tropisme hégélien, mais à la sagesse pratique d'une expérience libertaire moins séduisante pour les amateurs de concepts et d'idées pures, certes, mais plus efficace pour les gens désireux de manger à leur faim et de vivre en paix, dans la justice et la liberté, l'honneur et la dignité ?

Une micrologie politique

En dehors de cette formule libertaire théorique, Camus propose des solutions encore plus concrètes pour sortir la Kabylie de sa misère : augmenter le pouvoir d'achat, réduire le décalage entre les importations et les exportations, revaloriser le travail et la production, résorber le chômage, payer des salaires dignes, supprimer la concurrence sur le marché du travail, rétablir le contrôle des prix, instaurer une inspection du travail, mener une politique étatique d'embauche avec création de grands chantiers, comme en 1848, généraliser l'enseignement professionnel, organiser l'émigration, revaloriser la production, l'accroître en quantité, l'améliorer en qualité, stabiliser les prix à la vente, faciliter la location d'un logement ou l'acquisition d'un habitat.

De la même manière que le dernier Proudhon écrivait dans *Théorie de la propriété* que l'État pouvait exister dans un régime anarchiste dans la mesure où il cessait d'être un instrument de domination entre les mains du capital pour devenir un outil de régulation entre les instances fédérées, l'État, chez Camus, se chargerait de cette politique de gauche qui déborde le douar-commune en tant que tel mais concerne leur fédération. Dans *Théorie de l'impôt*, Proudhon écrit : « L'État surveille l'exécution des lois ; il est le gardien de la foi publique et le garant de l'observation des contrats » (66). Dans la pensée du dernier Proudhon, l'État offre à chacun la garantie que la loi le protège des mauvais usages de la liberté d'autrui, il garantit le respect des libertés individuelles dans le cadre de l'intérêt général et du bien public dont il assure la caution.

C'est dans cet esprit qu'en plus des douars-communes fédérés Camus attend de l'État français qu'il réalise la justice. Pas question, à l'heure de conclure son enquête sur la misère en Kabylie, de désigner des coupables. Le philosophe confesse manquer de talent pour le métier d'accusateur. Le problème n'est pas ce qui n'a pas été fait, aurait dû être fait, mais ce qu'il faut faire, ce qui reste à faire. Camus précise que le colonialisme est « une œuvre dont aujourd'hui nous ne sommes pas fiers » (IV. 336). Fallait-il acte de contrition plus tonitruant ? Devait-il battre sa coulpe sur la poitrine des autres ? Aurait-il dû inviter à jeter les colons dans un bûcher ?

L'auteur de *Noces* et le militant de la Maison de la culture a très tôt proposé que la Méditerranée donne des leçons d'humanité et de vitalité à l'Europe qui inventait les camps du totalitarisme et communiait dans des orgies de pulsion de mort. La misère en Kabylie est un effet de la France métropolitaine, donc de l'Europe judéo-chrétienne. La Kabylie ancestrale, préislamique, arabe, porte des valeurs capables de mettre à mal cette négativité : l'organisation politique immanente du douar-commune, par exemple, propose une formule solaire, immanente et libertaire là où l'État jacobin se montre nocturne, transcendantal et autoritaire. Camus propose une micrologie politique dans un monde habitué aux grosses machines idéologiques et à leurs dispositifs doctrinaux monstrueux. Dans les années 1930, en Kabylie, puis en Algérie, le philosophe joue le *Discours de la servitude volontaire* de La Boétie contre *Le Prince* de Machiavel. Ce pari sur l'intelligence libertaire restera le sien jusqu'à son dernier souffle.

Un journaliste qui pense

Anticolonialiste de la première heure, engagé contre la politique de Mussolini en Éthiopie, désireux de substituer la formule libertaire des douars-communes fédérés à la logique autoritaire colonialiste de l'État métropolitain, Camus a également manifesté son soutien aux populations arabes victimes de l'injustice coloniale dans ses activités de chroniqueur judiciaire à *Alger républicain*. Le journalisme est le plus beau des métiers du monde – quand il n'est pas le pire : le plus beau s'il prend le parti de la vérité et de la justice, s'il défend la veuve et l'orphelin, s'il enquête et dénonce les scandales – le pire s'il se met aux ordres d'une idéologie, d'un système, des puissants, ou s'il donne à l'homme du ressentiment les pleins pouvoirs et l'impunité de son support.

Camus fit du journalisme une éthique, un combat politique, un engagement philosophique. Dans ce support de gauche, il dénonce les mœurs de la classe politique, les politiciens corrompus, la logique clientéliste ; il pointe la démagogie des élus locaux ; il part en guerre contre les fonctionnaires de l'État métropolitain qui relaient la politique coloniale parisienne ; il salue les combattants des Brigades internationales espagnoles ; il pourfend la politique impérialiste et coloniale italienne ; il critique les conditions d'inhumanité réservées aux bagnards qui embarquent sur le port d'Alger ; il récuse toute réponse militaire aux questions politiques – nous sommes avant guerre ; il soutient le droit de grève des travailleurs remis en cause de part et d'autre de l'échiquier politique ; il dénonce les élections truquées dans la ville qu'il habite et dans laquelle il travaille ; il critique l'usage de la torture ; il défend l'objection de conscience ; il promeut les thèses pacifistes ; il défend le droit à l'avortement – le 2 août 1939 ! Étonnons-nous qu'avec une cinquantaine d'articles de cet acabit, Camus ait des ennuis avec les autorités, qu'il accumule les blâmes et subisse une suspension temporaire.

Ajoutons à cela que Camus prend parti pour des causes indigènes : il dénonce les disparités de salaire entre l'ouvrier européen et son semblable algérien ; il s'indigne qu'aucun élu musulman ne siège au conseil municipal d'Alger ; il prend fait et cause pour les travailleurs immigrés algériens exploités en métropole ; il dénonce les assureurs qui spolient le Kabyle venu travailler en France en le privant d'une couverture sociale digne de ce nom, malgré sa cotisation ; il s'insurge contre la condition sanitaire pitoyable des travailleurs algériens exposés dans les banlieues françaises à la tuberculose et à la syphilis ; il analyse dans le détail la misère et l'esclavage de cette population exploitée et humiliée.

Camus défend également des causes qui lui permettent de prendre parti pour les Arabes contre les Européens quand l'injustice coloniale frappe tel ou tel musulman dans des affaires pénales en Algérie. S'il ne dénonce pas le colonialisme transcendantal, il en dénonce dans le détail les modalités empiriques : par exemple, lors de l'affaire Michel Hodent, puis celle dite des « incendiaires » d'Auribeau, enfin concernant le cheikh El-Okbi, trois causes qui lui permettent de démonter les mécanismes du colonialisme dans les faits, et non de façon idéologique, doctrinale ou théorique.

« Dieu est trop vieux, il faut en changer »

Le dimanche 2 août 1936, le muphti Kahoul succombe à un attentat dans les rues d'Alger. On accuse El-Okbi, un cheikh responsable du Congrès musulman, la figure emblématique d'un islam débarrassé de ses superstitions – le maraboutisme, le charlatanisme. Il luttait également contre l'analphabétisme. Avec sa délégation, El-Okbi avait défendu les positions du Congrès près du gouvernement Blum : rattachement de l'Algérie à la France avec un collège unique, maintien du statut coranique personnel, redistribution de la terre inexploitée aux paysans, promotion du bilinguisme. Reçue par Léon Blum à Paris, la délégation entreprend, dès son retour à Alger, de rendre compte publiquement de sa mission dans le stade municipal.

Le muphti Kahoul récuse la légitimité de cette délégation. Il attaque quelques-uns de ses membres et dénonce leur manque de piété : ils ne vivraient pas selon les principes du *Coran*, ils auraient adopté le mode de vie occidental, ils ne mettraient jamais les pieds à la mosquée. Cet homme plaide pour le maintien du statut quo en Algérie et vante les mérites de l'administration française, il accuse El-Okbi de menées subversives. Quand Kahoul tombe, assassiné dans la foule qui se rend au stade, le coupable semble tout de suite trouvé : le cheikh El-Okbi.

L'affaire est compliquée : instruction mal menée ; interrogatoires bâclés ; preuves effacées ; témoins subornés ; prostitués et voyous instrumentalisés ; utilisation de la torture ; aveux extorqués ; calomnies et mensonges en quantité ; rétractations en chaîne. Camus rapporte tout cela dans un style vif. À un moment, il rapporte une scène plus tard intégrée dans *L'Étranger* : le juge d'instruction montre un crucifix à l'accusé et dit : « Si tu es religieux, nous pouvons nous comprendre, je suis un chrétien » (I. 701). Camus n'utilisera pas la suite qui, pourtant, ne manque pas de piquant : au juge qui lui demande s'il croit en Dieu, l'accusé répond : « Non, j'ai dit, je ne crois pas en Dieu. Il est trop vieux. Il faut le changer [*sic*] ». Le « *sic* » est de Camus.

Le philosophe prend position pour El-Okbi. La partie civile a attaqué les oulémas ; la défense prend leur parti ; Camus souscrit aux arguments de la défense. Les milieux coloniaux voient en El-Okbi un personnage dangereux ; Camus en fait un personnage honorable ayant lutté contre le racisme et l'hitlérisme, il va même jusqu'à écrire qu'il « rappelle Socrate et Galilée ». El-Okbi est acquitté ; des inculpés secondaires sont condamnés aux travaux forcés à perpétuité. Olivier Todd écrit à propos de la couverture de ce procès par Camus qu'il « se laisse emporter par son mépris de l'administration coloniale » (Todd, 190). Bien après la mort de Camus, en 1970, on saura le fin mot de cette affaire : un militant du FLN fit savoir en effet que le cheikh El-Okbi était bel et bien derrière ce crime. La partie civile qui avait dit : « Allah est grand et Machiavel est son prophète » (I. 727) n'avait donc pas tout à fait tort.

Contre la justice des colons

Camus s'engage également en faveur de Michel Hodent qui travaille à la Société indigène de prévoyance (SIP), une instance issue du Front populaire qui régule le commerce des grains. La SIP achète et entrepose les récoltes, gère les stocks afin d'éviter la spéculation des gros propriétaires et des intermédiaires qui amassent des fortunes en passant. Hodent subit des pressions des colons pour ne pas faire de zèle et coopérer à leurs combines. Il refuse, donc il se retrouve emprisonné le 23 août 1938 avec un employé et six indigènes.

On l'accuse dès lors d'avoir fait pour lui ce qu'il n'a pas voulu faire pour les autres : détourner du blé et le vendre pour son compte. La vérification des stocks les révèle excédentaires, il n'a donc pas commis l'acte qu'on lui reproche. Qu'à cela ne tienne : la mafia des colons trouve un autre motif pour l'accabler : il aurait falsifié des bordereaux pour détourner les bénéfices d'indigènes venus vendre leur blé à la coopérative. Michel Hodent rentre donc en prison avec Mas, le magasinier de la société, et six clients indigènes suspectés de complicité.

(Cette précision, en passant : Sylvie Gomez, petite fille du magasinier Mas, soutiendra une thèse sur Albert Camus à Bordeaux en 2009 – *La Polyphonie dans l'œuvre de Camus*. Elle écrit en note : « Je rends un hommage particulier à ce journaliste audacieux car c'est grâce à son intervention que mon grand-père a été innocenté, que ma grand-mère et ma mère ont pu retrouver la dignité que la pauvreté ne leur interdisait pas. J'ai donc eu connaissance de cet épisode comme par hasard, par cette confidence à la fois fière et encore teintée d'opprobre ancienne de ma mère qui n'avait jusque-là pas osé évoquer ce temps où l'emprisonnement d'un père équivalait à un mépris déjà imposé par la précarité et l'indigence. Sans cette intervention de Camus, le cours des événements aurait été changé et je n'aurais certainement pas été là pour en témoigner. Cette confidence quasi accidentelle et la mort prématurée de ma mère m'ont ouvert ce long chemin de la thèse qui est pour moi à la fois remerciement, réconciliation, hommage (9). »

En prison, Michel Hodent écrit une lettre et l'envoie à Camus – qui entame une enquête et rédige quatorze articles pour le défendre. Il va voir les familles, rencontre les témoins, visite les protagonistes. Puis il publie. À l'approche du procès Camus écrit : « C'est aussi les méthodes d'une certaine administration qui seront jugées. Cependant, nous n'arrêterons pas là nos efforts pour la vérité » (I. 621). La cour décide d'acquitter tous les prévenus – et, comme promis, Camus, journaliste et philosophe, militant et anticolonialiste, continue le combat en faveur de plus de justice et plus d'humanité.

Ainsi avec les « incendiaires » d'Auribeau – les guillemets sont de Camus car, dans cette affaire, il prend le parti de douze ouvriers agricoles qui avaient réclamé des salaires décents et refusé l'embauche en début de saison pour faire pression sur les employeurs. Les colons plient et consentent à une augmentation. Mais, comme par hasard, le soir même, un feu embrase des gourbis inhabités.

Les propriétaires ont tôt fait de désigner des coupables : les ouvriers sont arrêtés, torturés, condamnés à de lourdes peines de travaux forcés ; ils se pourvoient en cassation ; refus de la cour. La presse se range aux côtés des colons et de leur justice.

Alger républicain, seul, résiste et prend le parti des ouvriers condamnés. Camus démonte comment cette prétendue justice fabrique des charges, insinue, invente, détourne des sens, utilise des langages retors et recourt à des subtilités dialectiques pour transformer des innocents en coupables et, en même temps, couvrir les véritables coupables : les colons. Le journal prend le parti de ces ouvriers ; la cour, celle des colons ; les ouvriers sont condamnés au bagne : ils totalisent soixante années d'incarcération. Camus songe à un procès en révision, il n'aura pas lieu.

La guerre des Algériens

Alger républicain fut interdit de publication le 10 janvier 1940. Le conseil d'administration du journal rend Camus responsable d'avoir sabordé le journal avec ses provocations *anarchisantes* (Lottman 231,232) qui ont régulièrement attiré la censure. La guerre se déclare. Camus, on le sait, souhaite s'engager, l'administration le refuse à deux reprises à cause de sa tuberculose. Il écrit, publie. Puis entre dans la Résistance, devient journaliste à *Combat*, dénonce l'occupation, invite à la résistance, raconte la libération, réfléchit sur l'épuration, pense l'après-guerre en post-nationaliste fédéraliste, puis s'engage dans le combat antitotalitaire contre l'Espagne franquiste et la Russie soviétique. Quid de l'Algérie ?

Les troupes dites coloniales ont payé un lourd tribut à la Seconde Guerre mondiale : l'Afrique du Nord a fourni un contingent de huit cent mille soldats dont les deux tiers d'indigènes. Ces hommes qui n'avaient connu que leur terre découvrent la métropole parce qu'elle leur demande de faire la guerre pour elle. Cette instrumentalisation, on le comprend, modifie les consciences : quand il s'agit de leur assurer une vie dans la dignité, la France se soucie comme d'une guigne des Algériens ; quand elle a besoin d'eux pour se défendre, elle se souvient qu'elle dispose avec eux de troupes taillables et corvéables à merci. Nombre des futurs combattants nationalistes algériens eurent d'abord à supporter le nationalisme métropolitain dans ses conséquences les plus dramatiques.

À l'heure de la Libération, Camus aborde la question du colonialisme. Dans un article de *Combat* publié le 13 octobre 1944, il commente le propos de René Pleven, résistant depuis juillet 1940, ancien des Forces françaises libres. Ce ministre des Colonies du gouvernement provisoire de la République française souhaite que la fidélité des populations indigènes soit payée par une autre politique plus en leur faveur. Pleven veut donner aux colonies le maximum de personnalité politique. Camus souscrit, mais pose la question : comment faire dans un pays où se mêlent, certes, plusieurs populations, mais au moins deux : les indigènes et les Français ?

Bien sûr, le philosophe souhaite l'accélération du processus d'« affranchissement politique » (II. 544). En mars 1944, le général de Gaulle abolit toutes les mesures d'exception applicables aux musulmans, il permet à tous l'accès aux emplois civils et militaires, il élargit leur représentation aux assemblées locales. Camus veut plus, mais il n'oublie pas que la population d'origine française en Algérie a massivement soutenu le régime de Vichy qui revenait sur la politique libérale du Front populaire en matière de rapports avec les pays de l'Empire. Vichy en effet prenait radicalement le parti des colons contre les velléités indépendantistes des indigènes entendues par le gouvernement Blum. « L'esprit colon, écrit Camus, s'est toujours dressé contre toute innovation, même demandée par la justice la plus élémentaire » (II. 544). Ajoutons sur le mode syllogistique : or Camus a toujours souhaité les innovations, donc il ne soutient pas l'esprit colon.

La défaite de juin 1940 a pu légitimement donner des idées aux indigènes : le peuple arabe, fier, scrupuleux sur l'honneur, soucieux de virilité, écrit Camus, pourrait avoir envie de se séparer d'une nation vaincue. De l'autre côté, cette même débâcle peut donner idée aux colons d'en rajouter dans la force pour compenser le prestige perdu à cette époque. Refusant les risques de surenchère indépendantiste et colonialiste, Camus souhaite préserver la paix entre les deux peuples. Pour ce faire, il en appelle à plus de justice, à de la générosité, mais aussi, et surtout, à l'égalité entre les deux communautés. Mais l'Histoire va s'emballer.

Généalogie de la catastrophe

La Libération fut une joie dans les rues de Paris, mais également dans le moindre village de France. Ce fut aussi une occasion d'allégresse en Afrique du Nord. En Algérie, les indigènes se séparaient *déjà* en deux camps : les partisans d'une autonomie accompagnée d'un partenariat avec la France et les nationalistes intransigeants désireux d'obtenir l'indépendance par l'insurrection avec l'appui de la Ligue arabe récemment créée. Les premiers souhaitent pour « l'Algérie une république autonome fédérée à une république française rénovée » ; les seconds, une Algérie algérienne coupant le cordon ombilical avec la France.

Pour fêter la Libération et la capitulation allemande, les nationalistes modérés sont autorisés par le gouvernement général à manifester dans la rue, à la condition de ne pas arborer de drapeau algérien, de ne pas scander de slogans anti-français, de ne pas être armés. Le 8 mai 1945, le défilé a lieu dans les différentes villes d'Algérie – mais avec des drapeaux et des slogans politiques comme à Sétif où, dans la foule, on voit le drapeau algérien et l'on peut lire sur des calicots « Vive l'Algérie libre et indépendante ». Un commissaire veut s'emparer du drapeau ; la police et quelques manifestants en viennent aux mains ; des coups de feu partent. On déplore des morts parmi les manifestants ; une vingtaine d'Européens sont massacrés dans les rues. Certains de ces meurtres d'Européens semblent avoir été prémédités. À cette heure, avec ce premier tir, on peut dater le début de cette terrible guerre civile que l'Histoire a baptisé « guerre d'Algérie ».

Des émeutes éclatent dans la petite Kabylie. Les manifestants en appellent au djihad. Des fermes et des maisons forestières occupées par des Blancs sont attaquées, les habitants sont massacrés, des femmes violées, des bâtiments pillés. À Guelma, les mêmes actes de barbarie se répètent, on tranche les deux mains du secrétaire du parti communiste ; des émeutiers encerclent des villages ; les populations européennes se retranchent dans des forteresses de fortune avec barbelés électrifiés, meurtrières, herses renversées. Le nombre de victimes est considérable.

Le 11 mai 1945, le général de Gaulle, alors chef du gouvernement français provisoire, ordonne la répression. Elle sera terrible. Il donne la troupe, mobilise l'armée. Rien n'est épargné aux indigènes dans cette brutalité insigne : l'artillerie de la marine avec un croiseur et un contre-torpilleur, les bombes de l'aviation qui rase des villages, l'infanterie avec les légionnaires, les spahis, les tirailleurs sénégalais, des soldats algériens, les balles et les obus des automitrailleuses et des blindés. Le sous-préfet arme une milice qui se déchaîne. Des corps d'indigènes sont jetés dans une fosse commune ou brûlés dans des fours à chaux.

Le nombre de victimes reste problématique. Suivant qu'on se réfère à la police ou aux nationalistes, on s'en doute, le bilan de toutes les exactions de cette guerre civile majore ou minore. L'histoire peut difficilement s'écrire en dehors des passions militantes, doctrinales, idéologiques : le chiffre fonctionne comme un argument de propagande. Il en va de l'image et de la légende qui se construisent en diabolisant l'adversaire. Il faut un coupable barbare ; il faut une victime innocente et sacrificielle. Or, dans cette aventure tragique, *il y eut barbarie dans les deux camps*.

La répression gaulliste du massacre de Sétif fut sans conteste une barbarie d'État. Dans ses *Mémoires de guerre. Le salut*, le général de Gaulle consacre une seule ligne à Sétif : « En Algérie, un commencement d'insurrection survenu dans le Constantinois et synchronisé avec les émeutes syriennes du mois de mai a été étouffé par le gouverneur général Chataigneau » (809-810). Le fameux étouffement fit en effet des milliers de victimes : entre 8 000 et 15 000 morts du côté indigène (1 165 selon le gouverneur, 45 000 selon l'État algérien), 103 du côté français. Les incarcérations furent nombreuses, dont Ferhat Abbas qui récuse alors l'usage de toute violence et, à cette heure, inscrit encore son combat dans le cadre de la légalité.

À l'époque, le Parti communiste français fustige non pas la répression gaulliste, mais l'insurrection algérienne ! La lecture des numéros du journal *L'Humanité* est extrêmement édifiante ! Comme d'habitude quand on lit vraiment, elle met à mal toute la légende communiste qui célèbre son engagement aux côtés des peuples en lutte et en faveur de la libération des populations colonisées. Le PCF votera les pouvoirs spéciaux du gouvernement français pour mater la rébellion algérienne le 12 mars 1956 : 455 voix, dont 146 communistes, donnent en effet au socialiste Guy Mollet la possibilité de faire ce que bon lui semble, sans en référer à l'Assemblée nationale, pour entamer ce qui devient la guerre d'Algérie. Soixante-seize députés ont voté contre – mais aucun communiste.

Pour Sétif, *L'Humanité* écrivit dans son édition du 19 mai 1945 : « Ce qu'il faut, c'est punir comme ils le méritent les tueurs hitlériens [*sic*] ayant participé aux événements du 8 mai et les chefs pseudo-nationalistes qui ont sciemment essayé de tromper les masses musulmanes, faisant ainsi le jeu des cent seigneurs dans leur tentative de rupture entre les populations algériennes et le peuple de France. » Précisions, pour la bonne intelligence de ce texte, que les « tueurs hitlériens » sont les nationalistes algériens, et non la troupe envoyée par de Gaulle qui, le temps venu, aura lui aussi le droit à l'épithète infamante.

Sétif, « un massacre algérien »

Que fait Albert Camus entre le 8 mai 1945 et le 22 mai, date officielle de la fin des opérations militaires ? – Les exactions commises par la soldatesque métropolitaine continuent cependant sporadiquement après cette date. Camus, on s'en souvient, vit à Paris et couvre la libération de la capitale pour *Combat*. Il publie six articles entre le 13 et le 23 mai. Précisons que la censure gaulliste fait son travail : ce qui s'est passé de l'autre côté de la Méditerranée ne fait pas les gros titres de la presse française, les véritables informations manquent, les données fiables font défaut, la propagande s'active de part et d'autre. *Le Figaro* parle de la disette comme cause principale du début de l'insurrection ; *L'Humanité*, on l'a vu, d'un « attentat fasciste » ; *France-Soir*, d'un complot venu de l'étranger orchestré par Ferhat Abbas ; *La Dépêche algérienne*, d'« émeutes sanglantes » ; *Alger républicain* s'élève contre les massacres, mais ces deux journaux ne sont pas accessibles à Paris où il vit. L'auteur de *Misère dans la Kabylie* souscrit, *dans un premier temps*, à la thèse de la misère comme cause des soulèvements.

Les articles parus dans *Combat* procèdent d'un voyage effectué par Camus en Algérie pendant trois semaines, le mois qui a précédé les événements. Leur lecture dans le journal à la date du 13-14 mai ne doit donc pas faire illusion : quand ces papiers sont rédigés, Sétif n'a pas eu lieu ; quand ils paraissent, si. Entre les deux, peu informé, mal informé, Camus mentionne tout de même l'événement dans quelques lignes de préambule. Ignorant alors tout du détail de Sétif, il refuse d'en parler comme d'une situation « tragique » et préfère l'épithète « sérieuse ».

Le texte propose ensuite l'analyse de Camus à son retour de voyage. On y lit ses habituelles positions : ni pour les colons ni pour les nationalistes, mais pour une Algérie partagée, fraternelle, dans laquelle il faut envisager un changement de comportement des colons pour obtenir une autre logique chez les nationalistes. Camus déplore l'ignorance métropolitaine du peuple arabe et sa dévalorisation : « Il s'agit au contraire d'un peuple de grandes traditions et dont les vertus, pour peu qu'on veuille l'approcher sans préjugés, sont parmi les premières. Ce peuple n'est pas inférieur, sinon par la condition de vie où il se trouve, et nous avons des leçons à prendre chez lui, dans la mesure même où il peut en prendre chez nous » (IV. 338). Réitération des thèses défendues depuis la Maison de la culture en 1937 : grandeur et génie méditerranéen du peuple algérien, leçons à prendre en Occident de ses traditions et de ses vertus, existence dans le peloton de tête de son excellence éthique, dénonciation de ses conditions d'existence sociales, mais aussi, affirmation d'une réciprocité éthique : Arabes et Européens ont *mutuellement* des leçons à prendre. Qui, de bonne foi, peut lire dans ces lignes de mai 45 (qui reprennent les thèses du discours d'inauguration de la Maison de la culture le 8 février 1937) des thèses colonialistes, une pensée de petit Blanc, l'idéologie des futurs jusqu'au-boutistes de l'OAS ?

Dans la note ajoutée dans un post-scriptum d'une dizaine de lignes et qui intègre une réflexion sur ce qu'il est convenu désormais d'appeler fort à propos les « massacres de Sétif », Camus déplore que, sur la foi de renseignements imprécis et d'informations invérifiées, le journal *France-Soir* ait tort, concernant les « troubles d'Algérie » (IV. 339), de rendre Ferhat Abbas responsable en associant son nom aux « riches familles doriotistes [...] à la solde d'éléments étrangers » (IV. 1436). Quelles que soient les réserves possibles sur ce militant nationaliste et son mouvement des « Amis du manifeste », Camus conclut : « On ne réglera pas un si grave problème par des appels inconsidérés à une répression aveugle » (IV. 339).

Dans le préliminaire à l'article du 13-14 mai 1945, Camus parle de Sétif comme d'une situation « sérieuse » mais, dans le post-scriptum, d'un « grave problème » et de « troubles d'Algérie » – puis il déplore la « répression aveugle » de ces manifestations. *Dans un deuxième temps*, Camus change de vocabulaire : le 15 juin 1945, soit trente-neuf jours plus tard, plus informé, mieux informé, il parle alors du « massacre algérien » (IV. 350) – non pas d'un massacre *en* Algérie, mais d'un massacre *algérien*, autrement dit : entre Algériens. Camus disculpe Messali Hadj tout autant que les oulémas qui sont des réformistes acquis à la politique d'assimilation jusqu'en 1938.

Si responsabilité il y a, cherchons-la dans ce que n'ont pas fait les gouvernements respectifs sur la question algérienne. La thèse de Camus est simple, il la soutient avant guerre le 28 août 1939 dans sa défense de militants du Parti populaire algérien arrêtés par le pouvoir le 14 juillet de cette même année : « La montée du nationalisme algérien s'accomplit sur les persécutions dont on le poursuit. Et je puis dire sans paradoxe que l'immense et profond crédit que ce parti rencontre aujourd'hui auprès des masses est tout entier l'œuvre des hauts fonctionnaires de ce pays [...]. La seule façon d'enrayer le nationalisme algérien, c'est de supprimer l'injustice dont il est né » (I. 751-752). Après les massacres de Sétif, Camus campe sur ces positions.

Mais il sent bien que les chances de continuer à défendre cette thèse pacifiste, non violente, raisonnable, rationnelle, en dehors de tout contexte passionnel, s'amenuise de jour en jour, car Sétif joue un rôle maléfique dans ce contexte : la haine prend le pas sur une politique d'apaisement. Camus écrit : « Les massacres de Guelma et de Sétif ont provoqué chez les Français d'Algérie un ressentiment profond et indigné. La répression qui a suivi a développé dans les masses arabes un sentiment de crainte et d'hostilité. Dans ce climat, une action politique qui serait à la fois ferme et démocratique voit diminuer ses chances de succès » (IV. 351). En 1945, Camus y croit encore.

La Toussaint rouge

Neuf ans plus tard, le 1er novembre 1954, les nationalistes déclenchent une vague d'attentats en Algérie : une trentaine d'attentats connus aujourd'hui comme constituant la « Toussaint rouge » marquent le début de la guerre d'Algérie. Le Mouvement pour le triomphe des libertés démocratiques (MTLD) de Messali Hadj et l'Union démocratique du Manifeste algérien (UDMA) de Ferhat Abbas, forment au printemps 1954 un Comité révolutionnaire d'union et d'action (CRUA), l'embryon du futur Front de libération nationale (FLN) fondé en octobre 1954. Le CRUA décide de cette date symbolique, *le jour des morts* selon les chrétiens, pour déclencher un bain de sang.

Parmi les morts se trouve un instituteur, Guy Monnerot, un jeune homme venu avec son épouse pour instruire les enfants dans les villages les plus reculés des Aurès. Sa femme et lui sont fauchés par une rafale de mitrailleuse, après avoir été descendus du bus conduit par un complice des meurtriers. L'expédition visait le caïd Hadj Sadok. Le tir automatique n'épargne pas ceux qui accompagnent l'homme que Sartre et Beauvoir transforment en « collaborateur » des Français, un sous-homme ayant donc bien mérité la rafale qui le supprime.

Le chauffeur demande que le corps du caïd soit remis dans le car et conduit à la ville la plus proche – car il s'agit d'un musulman. En revanche, lui et les siens abandonnent l'instituteur français et sa femme, chrétiens, donc infidèles, sur le bas-côté de la route, baignant dans leur sang. Monnerot meurt de ses blessures ; sa femme survit. La Toussaint rouge fait sept morts – dont deux musulmans. En direct du Caire, l'émission de radio « La voix des Arabes » commente ainsi l'événement : « Aujourd'hui, cinquième jour du mois de rabbi, correspondant au 1er novembre 1954, à une heure du matin, l'Algérie a commencé à vivre une vie digne et honorable. Aujourd'hui une puissante élite d'enfants libres de l'Algérie a déclenché l'insurrection de la liberté algérienne contre l'impérialisme français en Afrique du Nord. » Ben Bella fait partie de l'état-major insurrectionnel basé en Égypte. La guerre d'Algérie a commencé. Dans la dignité et dans l'honneur ?

Condamnés à vivre ensemble

Le FLN, qui redoute le succès manifeste de la politique française en matière de désarmement des membres de l'Armée de libération nationale

(ALN), la branche armée du FLN, organise les massacres de Philippeville les 20 et 21 août 1955. Le FLN parie sur une stratégie de non-retour et opte pour le massacre de civils innocents afin de radicaliser la situation. Pour ce faire, il a mobilisé plusieurs milliers de paysans armés de haches, de pioches, d'armes blanches, pour les lancer à l'attaque d'une trentaine de villes et de villages afin de semer la terreur dans le Constantinois d'abord, puis dans toute l'Algérie. Des Pieds-noirs, des musulmans fidèles à la métropole, des notables algériens modérés ayant signé un appel condamnant « toute violence d'où qu'elle vienne », sont assassinés, massacrés, martyrisés. Une enfant de quatre jours gît dans son sang, égorgée et mutilée. Dignité et honneur ?

Avec la mort de cent soixante et onze européens, le FLN entend engager la France dans une logique de guerre. Le massacre d'innocents doit séparer définitivement les deux communautés. La répression française est impitoyable ; rafles de milliers de personnes, enfermement dans un stade municipal transformé en camp de prisonniers, massacre à la mitrailleuse, enterrement au bulldozer dans des fosses communes. En dehors des villes et villages, les militaires français abattent des Algériens au hasard, brûlent des hameaux, détruisent le bétail. Dignité et honneur ?

Camus réagit à ce massacre dans sa *Lettre à un militant algérien* : quoi qu'il en soit, envers et contre tout défenseur de la raison et de l'intelligence, il refuse d'entrer dans le jeu voulu par le FLN qui, pour des raisons idéologiques, militantes, guerrières, construit la légende d'une Algérie uniquement composée de deux clans : les riches colons blancs occidentaux contre les pauvres arabes musulmans, seuls ayant droit au titre d'Algériens. Or il existe de riches propriétaires musulmans et nombre d'Européens modestes, sinon pauvres.

Camus écrit : « Quatre-vingt pour cent des Français d'Algérie ne sont pas des colons, mais des salariés ou des commerçants » (IV. 359). Puis il ajoute que ces Blancs sont *aussi* exploités par la métropole, que leurs statuts ne sont pas les mêmes, leurs droits non plus, ni leurs avantages sociaux. Sont-ils les profiteurs de la colonisation ? Sûrement pas. Dès lors, pas question que cette majorité de petites gens soit massacrée pour une minorité de colons condamnables. Rappelons que Camus parle dans *L'Express* du 21 octobre 1955 du « juste procès fait enfin chez nous à la politique de colonisation » (IV. 359).

Les coupables ? Selon Camus, ce sont moins les Français comme tels que les gouvernements français qui, depuis des années, n'entendent pas les souffrances algériennes pourtant dénoncées par ses soins depuis vingt années qu'il publie dans la presse : la France est coupable d'avoir sabordé le projet Blum-Viollette ; la France est coupable d'avoir fait la sourde oreille aux cris de misère et de pauvreté venus d'Algérie ; la France est coupable de la répression de Sétif ; la France est coupable d'avoir censuré la presse sur ces massacres dans le Constantinois ; la France est coupable d'avoir profité économiquement de l'économie de ces territoires d'outre-mer ; la France est coupable d'avoir entretenu un régime à deux vitesses de citoyenneté en Algérie ; la France est coupable de n'avoir pas investi dans des écoles dans les endroits les plus inaccessibles de l'Algérie ; la France est coupable d'avoir considéré comme des esclaves les ouvriers immigrés venus si souvent de Kabylie ; la France est coupable d'avoir fait fonctionner une justice de classe sur la terre algérienne ; la France est coupable d'avoir oublié que, à trois reprises en trente années, les Algériens ont combattu aux côtés des soldats de la métropole – 14-18, 39-45 et Indochine –, voilà pourquoi « une grande, une éclatante réparation doit être faite, selon moi, écrit-il, au peuple arabe. Mais par la France tout entière et non avec le sang des Français d'Algérie » (IV. 361).

Pourtant, malgré tout ces chefs d'accusation portés par le philosophe, Camus l'écrit, le pense, le croit, et l'affirme jusqu'au bout : « Nous sommes condamnés à vivre ensemble » (IV. 353), écrit-il à son interlocuteur Kessous. Sur dix millions d'habitants, la population algérienne se compose d'un million de personnes issues de miséreux venus d'Europe il y a plus d'un siècle. Les neuf millions d'Arabes et le million d'Européens ont les uns et les autres droit à vivre sur leur terre. Le sang n'est pas une solution. Camus veut le dialogue, encore le dialogue, toujours le dialogue : chacun doit défendre le calme dans son propre camp. Tout recours à la violence entraîne immanquablement une réponse violente : ne pas faire cesser l'engrenage des violences, c'est aller vers toujours plus de violence, jusqu'à la destruction des deux camps et l'épuisement des peuples de cette terre algérienne.

Le philosophe en appelle à l'État : on ne répond pas au terrorisme nationaliste algérien par le terrorisme légal de l'État français. La terreur n'est pas le remède à la terreur, mais sa nourriture. Camus renvoie dos à dos les deux belligérants responsables à parts égales de l'état de fait. La lame du couteau du militant du FLN et les obus de la soldatesque métropolitaine ne résolvent rien. Le terrorisme nationaliste algérien fait des victimes civiles, il tue des enfants, des innocents, il augmente le racisme des colons radicaux, puis des Blancs qui se rallient progressivement à leur combat, il empêche les libéraux français de défendre la cause algérienne identifiée à la brutalité sanguinaire, il fait douter de la maturité politique de ceux qui n'envisagent pas autre chose que le sang, la violence, la brutalité, le massacre – la barbarie. Quant au terrorisme étatique métropolitain, il entretient cette logique du pire.

Retour à Alger

L'assimilation a échoué – d'abord parce que rien n'a été fait pour elle. Arabes et Français disposent de deux personnalités séparées, il n'est plus question, désormais, de détruire l'une ou l'autre. Il faut reconnaître la personnalité arabe, éradiquer la misère arabe, supprimer la discrimination des Arabes, arrêter le déracinement des Arabes, mais, en même temps, assurer le droit à la sécurité des Français d'Algérie. Camus en appelle à une droite intelligente capable de lutter contre l'injustice et l'inhumanité des traitements réservés par le régime colonial aux musulmans ; en même temps, il souhaite une gauche intelligente qui cesse de justifier la violence. En attendant ce jour hypothétique où les deux sensibilités politiques renonceraient au pire qui les caractérise, Camus en appelle à l'humanité la plus élémentaire et souhaite que, de part et d'autre, on épargne les populations civiles.

Partant du principe que, quoi qu'il arrive, cette guerre se terminera un jour, on ne peut imaginer que ce conflit débouche sur la destruction de la totalité des communautés algériennes ou l'anéantissement de la population européenne, sinon l'exil d'un million d'Européens vers un pays n'ayant jamais été le leur. Sans présumer des détails de la fin de cette guerre civile, Camus ne veut pas insulter l'avenir, il songe *déjà* à l'après. Le 10 janvier 1956, il demande donc une trêve pour les civils afin que les combats nationalistes et leur répression par l'État français épargnent les femmes, les enfants, les vieillards, les innocents, et tous ceux qui n'ont rien fait pour être égorgés par une lame FLN ou abattus par les munitions d'une arme lourde métropolitaine.

Cet *Appel pour une trêve civile en Algérie* est donc un moment propédeutique à l'Histoire car, ce qu'il faut viser, c'est la négociation : la rencontre des parties prenantes, la discussion, l'échange, la parole pour remplacer les armes. Camus fait cette proposition de trêve à Alger le 22 janvier 1956. Des amis l'invitent à une conférence, il préfère un bref exposé suivi d'un débat. La réunion ne peut être ouverte au public, Camus a reçu des lettres de menaces, il risque l'agression, l'enlèvement ou la mort. Le Comité pour l'Appel à la trêve civile qui organise la soirée opte pour une réunion privée sur invitation. Mais de faux tickets d'entrée circulent.

Lors des réunions préparatoires à cette soirée, Camus s'enfonce dans le pessimisme : il lui semble que son pays atteint un point de non-retour. Les uns et les autres ne voient plus que par la violence : la violence coloniale, présentée comme responsable de la violence de la libération nationale ; le terrorisme indépendantiste, légitimé comme riposte au terrorisme étatique. Le sang versé par le FLN se dit revanche du sang répandu par l'État français. À quoi bon parler encore ? Quel sens revêt cette soirée qui appelle à la trêve alors que chacun hausse le ton et que Camus risque d'être physiquement attaqué par les ultras du nationalisme algérien et les extrémistes du colonialisme métropolitain ?

Les organisateurs de cette réunion pour la trêve affichent donc en surface leur volonté de faire entendre le discours de paix d'Albert Camus, mais les musulmans à ses côtés dans les coulisses sont en fait des militants du FLN. Le service d'ordre qui protège Camus est celui du FLN, il s'en aperçoit en entrevoyant l'écusson d'un combattant sous le vêtement de l'un d'entre eux. Passé le premier mouvement d'étonnement, le philosophe se réjouit de pouvoir rencontrer des militants du nationalisme algérien afin de pouvoir leur parler franchement. Mais pourquoi ceux qui organisent clandestinement ces attentats qui tuent délibérément des victimes civiles et des enfants peuvent-ils *en même temps* vouloir cette réunion avec

Camus qui appelle à une trêve dès lors destinée aux poubelles de l'Histoire ? Car, pendant qu'ils participent au Comité pour la trêve, les militants du FLN publient un communiqué qui désavoue l'initiative de cette même trêve. Pourquoi ? Sinon pour masquer la vérité clandestine de ceux qui, quoi qu'il arrive, ont décidé d'aller jusqu'au bout des massacres d'enfants et de victimes innocentes.

Les ultras de droite promettant de rendre cette réunion impossible, le FLN a mobilisé plus de mille militants discrètement armés pour sécuriser les alentours de la maison où le philosophe intervient, avec ordre d'éviter les incidents. Dehors, certains colons font le salut fasciste et crient « À mort Camus ! ». La place est noire de monde. Dans la salle, le cheik El-Okbi jadis défendu par Camus, bien que malade, a tenu à venir sur une civière. Le philosophe le rejoint au fond de la salle et s'accroupit pour l'embrasser. Ferhat Abbas arrive en retard. Camus parle, il s'arrête, se lève, et étreint le militant nationaliste. Émotion dans la salle.

Que dit-il dans cette intervention à haut risque ? Ce qu'il affirme depuis le début de cette guerre civile : refus de toute violence ; appel au dialogue ; respect de toutes les convictions ; appel à une trêve pour les civils ; désir d'épargner des souffrances à tous les habitants d'Algérie ; revendication apolitique ; inscription de son intervention dans la pure et simple logique de la cause humanitaire ; invitation à ce que chacun se mette à la place de son adversaire pour examiner sincèrement ses raisons ; condamnation de toute guerre ; célébration de l'usage de la raison ; refus des surenchères de part et d'autre. Comment un être sain d'esprit peut-il refuser pareil programme ?

Il fut refusé par tous, la droite, la gauche, les nationalistes algériens, les colons européens. Quinze jours plus tard, le socialiste Guy Mollet, nouveau président du Conseil, arrive à Alger. Ce 6 février 1956, les ultras de droite le criblent de tomates. Alors qu'il voulait nommer un gouverneur libéral, il change d'avis et se décide pour un dur. Dans la foulée, il refuse de donner suite aux demandes du Comité pour la trêve civile. Son ministre de la Justice, un certain François Mitterrand, refuse quatre-vingt pour cent des recours en grâce qu'on lui propose : pendant les seize mois qui suivent, il envoie à la guillotine quarante-cinq nationalistes algériens. Évidemment, les attentas continuent.

Faire son métier de philosophe

Avant la Seconde Guerre mondiale (dès 1937), dans les années qui suivent Sétif (de 1945 à 1954), mais également après la Toussaint rouge (1954) et les massacres de Philippeville (1955), Camus croit toujours que la métropole doit mettre en œuvre une autre politique envers les Algériens, mais ne surtout pas entrer dans l'engrenage de la violence, encore moins l'entretenir. Il appelle toujours à des valeurs dont se moquent aussi bien les colons propriétaires que les nationalistes, les uns voulant préserver leurs acquis, leurs biens, leurs fortunes, leurs revenus, sans aucun souci des autres qui souhaitent une Algérie dirigée par leurs soins après un baptême dans des flots de sang humain. Ces deux communautés minoritaires se haïssent, mais elles ne sont pas toute l'Algérie. Or Camus parle pour toute l'Algérie en appelant les colons à une mesure qui, si elle devait faire défaut, pourrait précipiter la radicalisation des hommes de bonne volonté.

Dès lors, parler de justice, d'humanité, de paix, de tolérance, de dignité, de fraternité, d'honneur, de vertu, de morale, alors que les uns n'entendent que le langage des banquiers, des boutiquiers, des marchands, des commerçants, des militaires, des policiers, des gouverneurs, des sous-préfets, et que les autres revendiquent de façon obstinée et naïve l'indépendance d'une terre comme seul et unique sésame susceptible de régler tous leurs problèmes, c'est aller au-devant des déconvenues.

Mais c'est aussi faire son métier de philosophe dans un monde qui inaugure, avec Sartre, une nouvelle fonction pour le vieux métier de sage ou de penseur : celui de renoncer à l'intelligence et à la raison pour appeler à la vengeance et à la haine, puis d'inviter à la guerre civile pour régler les problèmes avec les armes – mais dans la tranquillité de son bureau parisien. Saint-Germain-des-Prés comme quartier général d'opérations militaires à partir duquel on décide d'envoyer les autres à la boucherie pour défendre son idéologie concoctée dans le confort bourgeois de cénacles, sinon pour construire son image, entretenir sa légende, voilà ce à quoi Camus l'Algérien ne se résoudra jamais. Il ne se fera jamais généreux avec le sang d'autrui.

Dans ses *Carnets* de 1952 on lit : « Parvenus de l'esprit révolutionnaire nouveaux riches et pharisiens de la justice. Sartre, l'homme et l'esprit, *déloyal* » (IV. 1146). Quelques mois après la mort de Camus, le même Sartre écrit dans sa préface aux *Damnés de la terre* de Frantz Fanon cette terrible et célèbre phrase : « Il faut tuer : abattre un Européen c'est faire d'une pierre deux coups, supprimer en même temps un oppresseur et un opprimé : restent un homme mort et un homme libre ; le survivant, pour la première fois, sent un sol *national* sous la plante de ses pieds » (*Situations V*, 183). Appeler au meurtre au nom de la nation, quelle étrange posture pour un philosophe se voulant progressiste ! Dès qu'il parle sous un portrait de Marx ou de Lénine, Sartre est, au XXᵉ siècle, l'autre nom de Déroulède.

Une autre citation montre qu'en septembre 1961 Sartre s'en prend encore à Camus, bien que mort, en moquant « le strip-tease de notre humanisme. Le voici tout nu, pas beau : ce n'était qu'une idéologie menteuse, l'exquise justification du pillage ; ses tendresses et sa préciosité cautionnaient nos agressions. Ils ont bonne mine, les non-violents : ni victimes ni bourreaux ! Allons ! Si vous n'êtes pas victimes, quand le gouvernement que vous avez plébiscité, quand l'Armée où vos jeunes frères ont servi, sans hésitation ni remords, ont entrepris un "génocide", vous êtes indubitablement des bourreaux » (186).

Le *Dictionnaire Sartre* nous l'apprend, en 1956 le philosophe « ne revendique pas encore [*sic*] l'indépendance pour l'Algérie. En plus, à cette époque, il se montre plutôt réservé à l'égard du Front de libération nationale (FLN) conseillant à ses collègues des *Temps modernes* de ne pas aller trop loin dans leur soutien pour cette organisation, reflétant ainsi probablement [*sic*] l'influence du Parti communiste français dont Sartre est proche à ce moment-là » (206). En juillet-août 1959, dans un entretien au journal *Vérité-Liberté* intitulé « Jeunesse et guerre d'Algérie », Sartre affirme : « La gauche française doit être solidaire avec le FLN. Leur sort est d'ailleurs lié. La victoire du FLN sera la victoire de la gauche » (*Les Écrits de Sartre*, 356). Sartre n'entre donc dans la guerre d'Algérie qu'au milieu de l'année 1959, soit vingt ans après *Misère dans la Kabylie*, quatorze ans après Sétif, cinq ans après la Toussaint rouge, trois ans après une guerre ayant duré huit ans.

La justice des assassins

Après l'affaire des tomates, Camus renonce à s'exprimer publiquement sur la question algérienne. Il confie à Jean Daniel qu'il n'écrira plus rien sur ce sujet, ni dans *L'Express*, ni ailleurs. À la date du 9 octobre 1955, le journal de Jean Grenier rapporte cette conversation avec Camus à propos de l'Algérie : « Le soir, on sort armé dans la rue. Ma mère est terrifiée parce que, dans son quartier de Belcourt l'autre soir, un commerçant arabe qui baissait son rideau de fer a été poignardé » (167). En juillet 1957, il confie, toujours au même, que sa mère reste cloîtrée chez elle, qu'elle ne sort plus par peur de mourir égorgée ou tuée par un engin explosif (235).

En mars 1956, Emmanuel Roblès rend visite au philosophe qui lui révèle une pensée appelée à commettre d'importants dégâts une fois exploitée par les ennemis de Camus. Roblès note dès son retour : « Si un terroriste jette une grenade au marché de Belcourt que fréquente ma mère et qu'il la tue, je serais responsable dans le cas où, pour défendre la justice, j'aurais également défendu le terrorisme. J'aime la justice, mais j'aime aussi ma mère » (Lottman, 586). Voilà, on le comprend, le brouillon de la fameuse phrase prononcée à Stockholm le 14 décembre 1957.

Entre le silence décidé en mars 1956 et la phrase du Nobel de 1957, la guerre civile continue de plus belle. Notamment avec les attentats d'Alger en septembre 1956 et le « massacre de Melouza » le 28 mai 1957. Dans la préface à *Actuelles III. Chroniques algériennes* (rédigée en mars-avril 1958), Camus dénonce « le terrorisme appliqué par le FLN aux civils français comme, d'ailleurs, et dans une proportion plus grande, aux civils arabes » (IV. 299-300). Cette phrase renvoie explicitement aux moments de terreur de Melouza et Alger. C'est de cette « justice » terroriste, prétendue justice, bien sûr, dont il est question dans la phrase qui concerne la justice et sa mère : entre la justice des assassins qui posent des bombes et sa mère qui pourrait succomber à cause de ces explosifs disséminés dans Alger, Camus choisit sa mère – au nom de la justice, la vraie, celle qui ne suppose pas l'injustice pour sa réalisation.

Melouza, 28 mai 1957 : les combattants du FLN entrent dans le village qui abrite des partisans du Mouvement national algérien (MNA) messaliste. Dans sa propagande, le FLN se prétend la seule, l'unique instance de libération nationale. De même, il prétend disposer du soutien de la totalité du peuple algérien. Or il existe plusieurs tendances chez les nationalistes, et une grande partie des Algériens n'a cure de l'indépendance nationale et souhaiterait tout simplement de meilleures conditions de vie.

Le FLN condamne un certain nombre de pratiques et les punit : fumer : nez coupé ; aller au cinéma : œil crevé ; payer ses impôts à l'administration française : main coupée. Il interdit les jeux de hasard, d'avoir des chiens, de porter des vêtements européens, d'accepter des soins de médecins chrétiens, de travailler chez un Européen. Quiconque transgresse ces lois tribales et musulmanes est abattu : les nationalistes égorgent leurs compatriotes algériens et fendent leur visage d'une oreille l'autre pour obtenir ce qu'ils nomment le « grand sourire ». Parfois, ils se contentent de mutiler en coupant le nez, les lèvres ou les mains. Il faudra sept années de cette barbarie pour terroriser suffisamment la population afin qu'elle se range derrière le seul FLN. Pendant les presque trois premières années de la guerre civile, entre la Toussaint rouge de novembre 1954 et les massacres de Melouza de mai 1957, les rebelles tuent 1 035 Européens. *Et 6 352 musulmans* (Pierre Laffont, 424).

Melouza fait partie de ce dispositif visant à assurer l'hégémonie du FLN : le FLN encercle le village, rassemble la population sur la place. Ces Algériens coupables de sympathies envers le MNA sont conduits par les Algériens du FLN dans un hameau à proximité et sont massacrés à coups de pioche, de couteau, de hache et autres armes blanches. Ce jour-là, 303 habitants sont massacrés. En Algérie et en France, *les seuls affrontements entre membres du MNA et du FLN feront 10 000 morts* et 23 000 blessés (Benjamin Stora, 115).

Amateur de dignité et d'honneur, on s'en souvient, le FLN rédige un communiqué pour attribuer ce massacre aux autorités françaises. Dans le texte du tract, le Front de libération nationale parle d'une population « sauvagement assassinée ». Il affirme également : « Si ce carnage s'inscrit normalement dans la longue liste des crimes collectifs organisés avec préméditation et exécutés froidement par l'armée française dite *de pacification*, il dépasse de beaucoup ce qu'un esprit sain peut imaginer » – en effet. Le FLN conclut son tract en s'adressant « solennellement à la conscience universelle pour proclamer à la face du monde civilisé son indignation devant la sauvagerie de cette tuerie dont seule l'armée française assume l'entière responsabilité ». En septembre 1991, dans *Les Années algériennes*, un documentaire de Benjamin Stora, le colonel Mohamed Saïd reconnaît avoir donné l'ordre d'exécuter les villageois de Melouza. Justice ? Justice, disent les assassins ; justice, disent les sartriens.

La justice sélective

Camus récuse toute idée de justice sélective : il constate que d'aucuns critiquent l'usage effectué par les militaires français de la torture en Algérie mais, en même temps, il constate qu'ils « ont très bien digéré Melouza » (IV. 300) et se taisent sur le sujet. On songe en effet aux débats qui accueillent la parution de *La Question* d'Henri Alleg en mars 1958, au moment où Camus rédige sa préface à *Actuelles III*. Certes, il faut dénoncer la torture de l'armée française, mais comment peut-on en même temps justifier les massacres nationalistes algériens – comme le font Alleg, Jeanson, Sartre et les sartriens, puis les porteurs de valises ?

Albert Camus critique les deux terreurs : celle du tortionnaire français, celle du poseur de bombe algérien. Les malveillants qui lui ont reproché son silence sur la torture montrent qu'ils ne l'ont pas lu. Dans *Actuelles III* il écrit en effet sur ce sujet : « Celle-ci a peut-être permis de retrouver trente bombes, au prix d'un certain honneur, mais elle a suscité du même coup cinquante terroristes nouveaux qui, opérant autrement et ailleurs, feront mourir plus d'innocents encore » (IV. 299). Peut-on être plus clair dans sa condamnation ?

Les attentats du FLN et la « Question » de l'armée française constituent l'avers et le revers d'une même médaille nihiliste – et Camus, on le sait, refuse le nihilisme. Il ne croit pas possible de lutter contre le nihilisme avec des armes nihilistes. Voilà pourquoi les cent cinquante attentats qui ensanglantent Alger entre juin et août 1956 ;

voilà pourquoi les bombes posées par des femmes le 26 janvier 1957 au « Milk Bar » (deux morts, une soixantaine de blessés, douze personnes amputées, dont des enfants, un de huit ans, trois de douze ans, un de treize ans), au « Coq hardi » (cinq morts, soixante blessés), à « L'Otomatic » ou au « Mauretania » où la charge n'a pas explosé ; voilà pourquoi la bombe posée au stade municipal qui tue dix personnes et en blesse des centaines d'autres le 10 février 1957 ; et tous ces actes terroristes qui occasionnent la mort de 20 000 civils européens et algériens et blessent 21 000 innocents ne sauraient recevoir la bénédiction de Camus, pas plus que l'usage de la gégène, le supplice de l'eau, les brûlures de cigarettes, les sévices sexuels commis par l'armée française.

L'Histoire retient le nom du mathématicien communiste Maurice Audin, victime emblématique des tortures de l'armée française, et c'est heureux ; mais qui peut donner à brûle-pourpoint le patronyme d'une seule des victimes innocentes des attentats du FLN ? Personne n'ignore les noms de Massu, Bigeard ou Aussaresses ; mais qui se souvient de Daniele Minne, Zahia Kerfallah, Zoubida Fadila, Djamila Bouazza qui déposèrent les bombes dans les cafés d'Alger ? Camus ne défend ni les uns ni les autres, il ne pratique pas la justice sélective et ne souscrit pas à la *justice française* de la torture ou à la *justice nationaliste* des massacres. Dès lors, il aura contre lui les tueurs et leurs amis des deux bords qui n'imaginent pas qu'on puisse revendiquer une *justice juste*.

Penser le terrorisme

Avec *Les Justes*, Camus a pensé le terrorisme dès 1950. En février, lors de la parution du texte, le bandeau annonçait, déjà, « Terreur et justice ». Après guerre, Camus écrivait : « La violence est à la fois inévitable et injustifiable. Je crois qu'il faut lui garder son caractère exceptionnel et la resserrer dans les limites qu'on peut » (II. 547). Parce qu'il a été résistant, le philosophe sait impossible de camper sur des positions strictement irénistes et décréter mauvaises toutes les violences, d'où qu'elles viennent. Nombre de pacifistes radicaux rescapés de la Première Guerre mondiale avaient dit « Plus jamais ça ». Puis ils s'étaient retrouvés devant de graves dilemmes face à la montée des périls en Europe, l'arrivée de Hitler au pouvoir et la déclaration d'une Seconde Guerre mondiale. D'aucuns se sont jetés dans les bras du maréchal Pétain, d'autres ont franchement collaboré. Dans son journal inédit, Alain souhaite la défaite du général de Gaulle et la victoire de Hitler – sous prétexte que ce dernier aime son peuple. Certains anarchistes pacifistes comme Louis Lecoin, futur ami de Camus, passent la durée des hostilités en prison. Pendant que tels ou tels, peintre comme Léger, poète comme Breton, artiste comme Duchamp, philosophe comme Maritain, professeur de philosophie comme Koyré, ethnologue comme Lévi-Strauss, écrivain comme Julien Green, musicien comme Milhaud, s'installent à New York.

Camus propose donc une diététique de la violence. *L'Homme révolté* permet de savoir ce que

Camus pense du terrorisme d'État ; *Les Justes*, du terrorisme individuel. Le philosophe a documenté sa pièce de théâtre avec l'anarchiste Nicolas Lazarevitch, un collaborateur de la publication libertaire *La Revue prolétarienne*. Il crée avec lui les Groupes de liaison internationale afin de venir en aide aux victimes des totalitarismes. Lazarevitch a colligé les textes d'une anthologie sur les nihilistes russes publiée sous le titre *Tu peux tuer cet homme* – chez Gallimard, dans la collection « Espoir » dirigée par Camus.

La pièce de théâtre tourne autour d'un personnage ayant vraiment existé dans la Russie de 1905 et qui incarne *le* terroriste – dans la pièce : Stepan Fedorov, un ancien bagnard. Cet homme ne s'aime pas et n'aime pas les autres auxquels il préfère son idéal révolutionnaire. Poseur de bombes, il dit : « Je n'aime pas la vie, mais la justice qui est au-dessus de la vie » (III. 11). C'est, sans avoir eu le temps de le préciser dans sa réponse, cette *justice au-dessus de la vie* que Camus refuse à Stockholm : cette justice injuste de ceux qui, ce jour réel, tuent et massacrent en son nom sous prétexte d'abolir, un jour très hypothétique, toute injustice. Quand il tue un homme, il prétend ne pas tuer un homme, mais supprimer le despotisme qui est en lui. Il croit dur comme fer qu'il faut frapper le peuple pour le bien du peuple. Il ignore les limites : rien n'est interdit de ce qui sert la cause. Il défend le meurtre des enfants en affirmant qu'un enfant tué, ici, c'est cent enfants épargnés, ailleurs, enfants qui, de toute façon, seraient morts de faim si l'on n'avait pas supprimé l'un d'entre eux.

Le terroriste russe donne la mort, tue, massacre, pose des bombes, fait des victimes, mais refuse qu'on le prenne pour un criminel : il se veut un combattant révolutionnaire. Rappelons-nous la rencontre d'Ali la Pointe et de Yaasef Saadi, les patrons du FLN algérois, des Stepan Fedorov dans leur genre, avec Germaine Tillion, un dialogue rapporté par Camus dans ses *Carnets*. Les nationalistes algériens disent à leur interlocutrice : « Mais vous nous prenez pour des assassins. » Réponse de Germaine Tillion : « Mais vous êtes des assassins » (IV. 1265). Le terroriste ne veut pas partager sa cellule avec des prisonniers de droit commun, il exige le statut de prisonnier politique, puisqu'il tue pour le bien du peuple et l'avènement de la justice sur terre.

Un autre terroriste propose une autre vision de la cause révolutionnaire et de l'usage de la terreur. Camus ne cache pas sa préférence et sa sympathie pour celui-là – Ivan Kaliayev dans la pièce. Ivan croit aux limites : on ne peut pas tout pour la cause. Ainsi, la mort d'un enfant ne se justifie pas, on ne saurait sacrifier un innocent sans devenir soi-même coupable et sans salir son projet d'une tache indélébile. Ivan aime la vie, il chérit une femme, Dora. Il refuse qu'on commette une injustice pour réaliser la justice, qu'on tue pour réaliser un monde dans lequel on ne tuerait plus, qu'on massacre pour faire advenir un monde qui ignorerait pour toujours le massacre. Ivan veut aimer les hommes ici et maintenant et non ceux qui viendront dans trois ou quatre générations. Massacrer les enfants, c'est renoncer à l'honneur, et l'honneur, c'est « la dernière richesse du pauvre » (III. 23) – or la révolution ne peut faire l'économie de l'honneur.

Dans un *Ajout au prière d'insérer pour la comédie de l'Est* rédigé en 1955, autrement dit un an après le début de la guerre d'Algérie, Camus présente cette pièce et écrit : « La justice d'aujourd'hui sert d'alibi aux assassins de toute justice » (III. 58). Cette phrase réapparaît dans la préface à l'édition américaine de *Caligula et trois autres pièces*. Là aussi, là encore, on comprend que, pour lui, la *justice révolutionnaire* n'est pas la justice et qu'à cette parodie de justice il préfère *sa mère* qui incarne l'innocence. Dans les rues d'Alger, et pour le bien de la vieille femme, Stepan tuerait la mère de Camus ; Kaliayev, non. Faut-il insister ? Le couple Stepan Fedorov / Ivan Kaliayev au théâtre se nomme Jean-Paul Sartre / Albert Camus à la ville.

L'art de ne pas lire

Sur la question algérienne, Camus a été sali, souillé, maculé, ignoré, vilipendé, critiqué, caricaturé, ridiculisé, méprisé. Mais il existe une autre façon de détruire une pensée qu'on ne veut pas entendre, discuter, examiner : l'ignorer. Camus a été ignoré à chacune de ses propositions positives auxquelles on a préféré les analyses critiques ou négatives. En 1950, dans *Actuelles. Chroniques 1944-1948*, un livre qui, pour une grande part, rassemble les chroniques de *Combat*, on a vu le journaliste commentant la Libération ou l'épuration ; mais on ne s'est pas arrêté sur le libertaire défenseur d'une révolution postnationale de gauche dans le cadre d'une fédération européenne, puis d'un gouvernement mondial avec élections planétaires. En 1951, dans *L'Homme révolté*, on a mis en exergue la critique du totalitarisme soviétique, de la religion marxiste, du messianisme et du prophétisme révolutionnaire ; mais on a ignoré sa proposition d'une positivité anarcho-syndicaliste pour les combats contemporains et à venir. En 1953, dans *Actuelles II. Chroniques 1948-1953*, on a souligné le combat anticommuniste, on a moqué le plaidoyer pro domo d'un homme condamné par l'intelligentsia parisienne, donc française, on a glosé sur une prétendue naïveté de boy-scout parce qu'il parlait morale dans un petit monde qui s'en moquait ; mais on a passé sous silence la revendication du lignage bakouninien et l'inscription de sa pensée et de son action dans le cadre d'un socialisme anti-autoritaire. En 1958, avec *Actuelles III. Chroniques algériennes (1939-1958)*, on a stigmatisé son refus de s'engager pour la cause nationaliste, on a moqué sa critique du terrorisme comme l'effet d'un moraliste naïf et d'une belle âme, on a ri de son appel à la trêve présenté comme preuve de son incapacité à comprendre l'Histoire, on a fait de sa pensée une sécrétion coloniale ; mais on n'a jamais pris soin d'examiner sa double proposition du douar-commune et d'une fédération entre les peuples habitant la terre algérienne et la terre métropolitaine – dès lors, on a tu la positivité libertaire des solutions apportées par Camus pour aller au-delà du statu quo colonialiste ou de la révolution nationale indépendantiste algérienne et musulmane. Or Camus fut subtil et grand dans une positivité systémiquement mise sous le boisseau par les intellectuels parisiens.

Une pensée postcoloniale

La préface à *Actuelles III* le dit : « Le temps des colonialismes est fini, il faut le savoir seulement et en tirer les conséquences » (IV. 302). Camus le sait, l'a vu, l'a dit et écrit depuis 1937 : si le temps colonial, c'est celui de l'exploitation des indigènes par les métropolitains, en effet, ce temps-là est révolu. Dans l'œuvre complète de Camus, y compris dans sa correspondance où se manifeste sa pensée intime, on ne trouve aucun mot pour justifier cette exploitation de l'homme par l'homme. Au contraire, il en a dénoncé les mécanismes et montré combien la paupérisation procédait des logiques du régime colonial.

En dehors des militants, la grande majorité des Algériens n'ont jamais souhaité massivement l'indépendance avant que le FLN, par son régime de terreur, ne la leur fasse vouloir. Camus faisait partie de l'Algérie d'en bas, celle qui vivait de son travail et n'exploitait personne pour gagner son pain. Ses parents travaillaient au service de propriétaires blancs : où étaient les colons ? Camus ne pense pas selon les termes de l'impérialisme en opposant colonisateurs blancs et colonisés indigènes, mais selon les catégories du socialisme libertaire. Dès lors, il n'oppose pas le chrétien, le juif et le musulman, le Blanc et le Noir, l'Arabe et l'Européen, mais celui qui a du pouvoir et celui qui n'en a pas, en s'installant toujours du côté de ceux qui subissent.

On peut le voir d'ailleurs dans ses actions discrètes en faveur des militants du FLN pour lesquels il se bat dans l'ombre afin de leur éviter la guillotine ou d'obtenir leur libération. Par exemple, le 4 décembre 1957, il intervient auprès du président de la cour d'assises de la Seine pour qu'on ne tranche pas le cou de Ben Sadok qui, le 26 mai 1957, dans les tribunes du match de foot de la Coupe de France, assassine l'ancien président de l'Assemblée algérienne coupable de vouloir maintenir le lien entre l'Algérie et la métropole. Dans sa lettre au président, Camus souhaite qu'on ne donne pas de publicité à sa démarche afin d'éviter une exploitation politique, car il agit mû par deux convictions : lutter contre toute peine de mort et travailler aux chances de la paix à venir.

Camus sait donc le colonialisme terminé et la nécessité d'envisager autre chose. À quoi ? Les nationalistes algériens pensent en termes occidentaux : un État indépendant, une nation souveraine, un hymne martial, un drapeau flambant neuf, une constitution pleine de bonnes intentions juridiques, une police zélée, une armée aux ordres, des prisons sur lesquelles flotte la nouvelle oriflamme, une guillotine nationale, des services secrets performants, un personnel politique se servant de l'État plus qu'il ne le servirait, un ordre moral soutenu par les principes de l'islam, etc. Camus libertaire peut-il se satisfaire de ce genre de prétendues solutions appelées à constituer bien plutôt de nouveaux problèmes ? Non, bien sûr.

Le FLN pense avec les catégories françaises héritées de 1789 : une révolution jacobine, centralisée, un pouvoir fort concentré dans une capitale, un mépris des solutions girondines et libertaires, décentralisées, fédéralistes, qui laissent une place aux différences et ne souhaitent pas les abolir en imposant une langue unique, une seule religion, une façon d'être et de faire, mais permettent à chacun de conserver sa spécificité linguistique, cultuelle, spirituelle, existentielle, régionale, provinciale. Louis XVI, Robespierre et le FLN, incarnent une seule et même façon de concevoir le pouvoir de l'État. La Révolution française jacobine a produit Napoléon et l'Empire ; elle génère également le projet politique du FLN.

Fidèle à son goût pour le fédéralisme girondin et les solutions libertaires proudhoniennes, Camus pense l'avenir de l'Algérie dans un cadre postnational que ne peuvent comprendre ni les militants du FLN ni ceux qui les soutiennent, parce que tous se perçoivent dans le cadre jacobin et léniniste de l'État fort et tout-puissant, avec pour bras armé l'avant-garde dite éclairée mobilisée sur le mode paramilitaire. Même les ultras de l'Algérie française, les colons blancs, les riches propriétaires, pensent selon le schéma jacobin de l'État centralisateur fort et tout-puissant, écrasant les différences au nom d'une unité nationale qui lisse la diversité – puis la détruit.

Le contrat fédéraliste

Camus ne veut pas prendre le parti des Blancs européens contre les indigènes musulmans, ou l'inverse : il veut que, et les Blancs européens, et les indigènes musulmans, partagent une même terre en vertu d'un contrat politique radicalement nouveau. En France, penser en dehors des cadres, de l'ordre binaire et des schémas dominants s'avère presque impossible. Préférer la vérité qui coûte à la légende qui sécurise n'est pas dans les habitudes de l'intelligentsia parisienne toute à sa fabrication des mythologies avec lesquelles la pensée renonce à son exercice au profit de la croyance et de la foi. Dans un monde intellectuel parisien, autoritaire, montagnard, marxiste, léniniste, Camus africain, libertaire, girondin, proudhonien, fédéraliste n'avait aucune chance de se faire entendre – voire aucune chance d'être lu, donc compris.

Pourtant, Camus a clairement proposé un plan, une solution, une issue aux impasses brutales et violentes. Dans la conclusion de l'avant-propos d'*Actuelles III*, il explique son souhait empirique et pratique, concret et pacifique, réaliste et tangible : « Une Algérie constituée par des peuplements fédérés, et reliée à la France, me paraît préférable, sans comparaison possible au regard de la simple justice, à une Algérie reliée à un empire d'Islam qui ne réaliserait à l'intention des peuples arabes qu'une addition de misères et de souffrances et qui arracherait le peuple français d'Algérie à sa patrie naturelle » (IV. 305). Nous sommes en mars-avril 1958.

Ce projet fédéraliste, laïc et pragmatique s'oppose au souhait du FLN nationaliste, religieux et idéologique. Rappelons que l'« Appel au peuple algérien » du FLN daté du 1er novembre 1954, jour du début de la guerre civile, souhaite « un État algérien souverain » inscrit « dans le cadre des principes islamiques » et « dans le cadre arabo-musulman ». Dès lors, pas question pour les nationalistes algériens d'une fédération de communautés soudée par le principe de laïcité et respectueuses de la diversité cosmopolite du pays. Libertaire, Camus ne souhaite pas un État théologique arabo-musulman, mais une confédération laïque de populations multiples.

Le Camus d'après guerre veut l'abolition des frontières en Europe ; pourquoi le Camus contemporain de la guerre civile en Algérie militerait-il pour la création de nouvelles frontières dans son pays ? Fédéraliste il est sur les ruines fumantes de l'Europe postnazie, fédéraliste il demeure sur les décombres d'une Algérie embrasée par les attentats nationalistes. Il ne saurait, sans volte-face intellectuelle, aspirer à un gouvernement mondial par les peuples et vouloir en même temps augmenter le nombre des gouvernements nationaux. Lui qui désire un parlement universel des peuples et des élections planétaires, comment pourrait-il vouloir la création de nouvelles nations en sachant tout ce que porte le nationalisme de violence, d'intolérance à ce qui n'est pas lui ? L'auteur des *Lettres à un ami allemand* a tout dit de ce qu'il pensait des nationalismes : ils sont fauteurs de guerres. En 1958, l'Algérie en feu lui donne une fois de plus raison.

Avec les anarchistes

Qui écrit ceci ? « Il serait paradoxal que les anarchistes, qui dénoncent les frontières comme des réalités haïssables, approuvent sans réserve des idéologies dont l'objet est d'en créer de nouvelles. Il serait paradoxal que les anarchistes, qui dénoncent les méfaits de l'emprise religieuse, approuvent sans réserve l'action d'hommes dont il est notoire qu'ils sont inféodés à un esprit religieux proche du fanatisme. Il serait paradoxal que les anarchistes, qui dénoncent toutes les formes de l'exploitation, approuvent sans réserve une lutte dont le résultat sera de "libérer" le prolétariat indigène de l'exploitation des Européens pour le livrer à celle de sa propre bourgeoisie. [...] Peuples nord-africains ! Vous avez raison de vous insurger contre ceux qui vous asservissent. Mais vous avez tort de le faire sous l'égide d'un nationalisme et d'un fanatisme religieux générateur de nouvelles servitudes » ? L'anarchiste Maurice Fayolle, dans un article intitulé « Les fruits de la colère » publié par *Le Monde libertaire* en décembre 1954.

Qui écrit ceci ? « On ne voit absolument pas pourquoi l'égalité absolue des droits politiques et civiques ne pourrait pas être conquise par les Algériens de souche arabo-berbère dans les cadres (provisoires) de la nationalité française, ni comment une frontière de plus – un État de plus avec le Coran pour base et l'arabe pour langue officielle – serait un progrès pour dix millions d'habitants du Maghreb, qui, pour autant qu'ils lisent et écrivent, même sur le ton du nationalisme intégral, le font aujourd'hui en français » ? L'anarchiste

André Prudhommeaux, dans *Le Monde libertaire* de novembre 1955.

Qui écrit ceci ? « L'anarchisme tend à la libération de tous les hommes, quelle que soit la classe ou la nation à laquelle ils appartiennent ; or, cette libération ne saurait avoir lieu, ni par l'intermédiaire de la classe, ni par celle de la nation. [...] Comme la guerre des nations, la guerre des classes divise perpétuellement l'humanité en vainqueurs et vaincus, les premiers jouissant de leur triomphe, les autres guettant leur revanche. [...] Il résulte de ce qui précède que l'anarchisme ne saurait s'identifier à aucune cause nationale ou classiste [...]. Par là même, l'anarchisme sera amené à rejeter les scories de la tradition garibaldienne-mazzinienne et de la tradition marxiste (c'est-à-dire d'une part le principe des nationalités et de l'autre la dialectique des classes, considérés comme facteurs révolutionnaires universels) et il leur substituera le principe de l'individualité, en lutte contre toutes les nations et toutes les classes qui l'oppriment en tant qu'elles tendent à réduire l'homme au Français ou à l'Allemand, au Capitaliste, au Prolétaire ou autres abstractions sociologiques » ? Le même anarchiste André Prudhommeaux dans le même *Monde libertaire* d'octobre 1956.

Qui écrit ceci ? « Il y a une cause fondamentale : les membres du FLN combattent au nom du nationalisme algérien. Le but fondamental du GPRA est l'établissement d'un État algérien indépendant. [...] Les cadres issus de l'insurrection et les possédants auront pour première tâche de constituer un gouvernement, une armée, une police et de se choisir un hymne, un drapeau [...] ; peut-on parler de révolution ? » ? Les anarchistes anonymes, auteurs du tract du Groupe Sébastien-Faure de Bordeaux (Sylvain Boullouque, 91) en mai 1958.

Qui écrit ceci ? « Nous sommes contre le colonialisme, contre la guerre d'Algérie [...]. Nous sommes décidés à faire tout ce que nous pouvons contre la guerre et le colonialisme, mais ne nous demandez pas de nous engager à aider l'armée algérienne » ? Le militant anarchiste Paul Lapeyre, un coiffeur auteur de *Qu'est-ce que le syndicalisme révolutionnaire ?*, un texte de 1937, qui s'exprime en congrès, une intervention reprise dans le *Bulletin intérieur de la fédération anarchiste* en juillet 1960.

Qui écrit ceci ? « La solution réside dans la coexistence fraternelle de deux collectivités et dans l'association de l'Algérie et de la France et avec le plus grand nombre possible de pays susceptibles de l'aider dans l'économie et la pratique de la liberté » ? L'anarchiste Gaston Leval qui a bataillé contre Camus lors de la parution de *L'Homme révolté* et qui s'exprime dans les *Cahiers du socialisme libertaire* en octobre 1960.

Qui écrit ceci ? : « Je suis contre la guerre, contre toutes les guerres : nationales, d'indépendance, civiles ou de libération. Je suis contre la violence organisée quelle qu'elle soit, d'où quelle vienne. Je suis pour la non-violence ; cela ne veut pas dire résistance passive mais pour une résistance active avec tout ce que cela implique dans un combat d'action non violente, contre les oppresseurs et les exploiteurs.

« Que m'importe alors le drapeau sous lequel s'organise la croisade guerrière et militaire. Sans doute certains souriront en s'imaginant les résultats inefficaces qu'un tel comportement peut impliquer. Avant de juger qu'ils relisent les écrits des principaux théoriciens anarchistes, révolutionnaires, syndicalistes. Je suis certain qu'ils trouveront chez eux tout l'enseignement qu'ils se devraient d'utiliser à bon escient. On pourrait y apporter quelques corrections de détail, vu les réalités présentes ; le pacifisme et l'action de la résistance non violente n'en sortiraient que fortifiées.

« En effet, depuis plus d'un demi-siècle, les grèves, les insurrections, les révolutions, toutes ces batailles sans lendemain, ont montré l'inanité de la violence dans l'émancipation d'une société en marche vers la liberté. La violence, c'est l'autorité, et quelle autorité. [...] Il serait trop facile d'accréditer la guerre, sous le fallacieux prétexte de guerre d'indépendance. À ce compte-là, les bellicistes auraient beau jeu ; à chaque fois, de telles guerres seraient louées et justifiables ». Puis : « Entre cette démocratie française et ce gouvernement d'indépendance nationale, mon choix est impossible, car, pour moi l'équivoque des objectifs reste constant. Alors pourquoi choisirais-je un camp plutôt que l'autre, je n'éprouve point l'envie » ? L'anarchiste Hem Day, dans *Freedom* le 7 janvier 1961.

Camus s'inscrit dans cette galerie d'anarchistes que la guerre, le terrorisme, le nationalisme, le militarisme, le patriotisme, la torture ne sauraient convaincre. Que ces logiques soient mises au service de la cause indépendantiste algérienne ou d'une autre, elles ne sont jamais défendables à ses yeux. Il croit aux révolutions qui économisent le sang, l'assassinat, la torture, l'extermination. Le combat qu'il mène contre la brutalité soviétique se poursuit dans celui qu'il conduit contre les exactions du FLN et de l'armée française.

Camus l'Africain

Prenons au sérieux cette affirmation du descendant d'une famille qui arrive en Algérie vers 1830, de l'arrière-petit-fils d'un homme né à Alger en 1850, du fils d'un père né à Ouled Fayet en 1885 et d'une mère née à Birkhadem en 1882, de l'enfant du quartier Belcourt, de l'écolier de la rue Aumerat, de l'adolescent du Grand Lycée de Bab El Oued, du jeune homme hédoniste des plages de Tipasa, de l'écrivain débutant d'Alger qui s'exprime ainsi au détour d'une conversation avec un journaliste grec : « Étant africain du Nord et non pas européen » (III. 1006-1007). Camus est africain.

Certes, la colonisation a été brutale, violente, guerrière, militaire, sanglante – et indéfendable. Mais elle a eu lieu en 1830. Quid de ceux qui descendent de ceux-là après trois ou quatre générations ? Sont-ils français, alors qu'ils n'ont jamais mis les pieds en métropole ? Ou algériens, alors que d'autres, exhibant une présence plus ancienne, leur chicanent le droit de se dire d'ici ? À partir de quand est-on d'un lieu quand les siens y habitent depuis plus d'un siècle ? À la Toussaint rouge, la famille de Camus habite, vit et travaille en Algérie depuis cent vingt-quatre ans. Est-il *encore* un étranger ?

Dans *Le Premier Homme*, à la faveur d'un chapitre intitulé « Mondovi : La colonisation et le père », Camus raconte l'arrivée en Algérie de Quarante-huitards à qui la Constituante a voté des crédits pour financer une expédition parce qu'ils crèvent de misère en France à cause du chômage. Des colons ? Des pauvres, des affamés croyant à l'Eldorado, des gens venus des banlieues crasseuses et misérables de Paris. Le gouvernement révolutionnaire promet à chacun une habitation et un peu de terre à cultiver, entre deux et dix hectares. Quinze mille hommes partent en dix-sept convois de péniches tractées par des chevaux de halage, accompagnées par la fanfare municipale, bénies par les curés. Sur le bateau, un drapeau porte le nom du village encore inexistant que vont bâtir ces pauvres hères. Cinq semaines de bateaux à roue dans les cales, avec la crasse, le vomi, le froid, la faim, l'odeur de fumier. Ils arrivent dans un pays hostile avec les moustiques et le soleil accablant, les marécages et les pluies interminables. Ensuite vient le choléra qui emporte une dizaine de personnes par jour. Les deux tiers des émigrants meurent. Plus tôt, à Paris, la monarchie louis-philipparde ramasse les enfants abandonnés, elle embarque également des chômeurs et des prostituées auxquels elle fait miroiter un futur de rêve. Les voilà ces fameux colons ! Certes, la colonisation, il eût mieux valu qu'elle n'eût pas lieu, mais elle avait eu lieu ! Fallait-il la faire payer cher cinq générations plus tard ? Oui, dit Sartre. Ou penser les choses autrement ? Bien sûr, affirme l'auteur de *Noces à Tipasa*.

Camus l'Africain pense l'Algérie du plus loin qu'elle vient et cherche ce qui pourrait constituer son identité. Est-elle exclusivement arabo-musulmane, comme l'affirment les nationalistes désireux d'un lignage monolithique ? Ou bien kaléidoscopique, multiple, cosmopolitique, comme le pense Camus ? La légende nationale a toujours besoin de se créer des ancêtres décrétés généalogiques, mais toujours au détriment de l'histoire véritable saturée d'un divers vivant et grouillant de peuplades.

Algérien ? Si l'on veut, mais aussi et surtout africain. Camus se veut, se vit, se croit et se dit africain. Dans un texte intitulé *Notre ami Roblès*, il écrit : « L'Afrique commence aux Pyrénées » (IV. 616). Car, qu'est-ce que l'Algérie, sinon un point de rencontre, un creuset, un lieu de mélanges ? Le nationaliste algérien Ferhat Abbas disait : « J'ai beau scruter, interroger les cimetières algériens, nulle part je ne trouve trace de la nation algérienne. » En effet, si l'on demande à l'histoire « qui peut être dit algérien ? », elle répond : une communauté majoritaire de musulmans, certes, mais qui descendent des Maures espagnols, de Kabylie ou de Berbérie islamisées, de l'Empire ottoman (Grèce et Turquie), mais également une communauté d'Européens, certains venus d'Alsace-Lorraine pour fuir l'occupation allemande, d'autres de Suisse, mais également des

Corses, des Maltais, des Sardes, des Apuliens (venus des Pouilles), des Andalous, des Majorquins, des Minorquins, des Ibiziens, des Palmesans (Palma), des Italiens. Des juifs également présents dans le pays depuis trois mille ans, d'autres arrivés de Livourne après la Reconquista chrétienne des territoires musulmans en Espagne et au Portugal.

Voilà pourquoi Camus peut écrire : « Si bien disposé qu'on soit envers la revendication arabe, on doit cependant reconnaître qu'en ce qui concerne l'Algérie, l'indépendance nationale est une formule passionnelle. Il n'y a jamais eu encore de nation algérienne. Les Juifs, les Turcs, les Grecs, les Italiens, les Berbères, auraient autant de droit à réclamer la direction de cette nation virtuelle. Actuellement, les Arabes ne forment pas à eux seuls toute l'Algérie. L'importance et l'ancienneté du peuplement français, en particulier, suffisent à créer un problème qui ne peut se comparer à rien dans l'Histoire. Les Français d'Algérie sont, eux aussi, et au sens fort du terme, des indigènes » (IV. 389). Où l'on retrouve le combat des Girondins défenseurs des provinces contre les Jacobins de l'État centralisateur, niveleur et destructeur d'identités régionales.

Changer d'impérialisme ?

La revendication nationaliste algérienne ne se résume pas au désir de construire une nation de plus, car, en effet, avec son succès, il faudrait compter avec un Empire de plus : celui du panarabisme. Camus sait qu'en soutenant le FLN, l'Égypte de Nasser et l'URSS jouent la carte de l'anti-occidentalisme. En effet, des armes venues de Russie soviétique et destinées à l'Armée de libération nationale algérienne sont interceptées le 24 octobre sur un cargo égyptien qui transporte soixante-dix tonnes d'armes tchèques pour les maquis algériens. La Yougoslavie de Tito, la Tchécoslovaquie et la Hongrie soviétisées soutiennent également le FLN, mais aussi la Chine de Mao, le Vietnam communiste. Ajoutons à ces compagnonnages, l'Espagne franquiste : le Caudillo soutient en effet la Ligue arabe depuis sa création en 1945 afin d'asseoir son régime dans les relations internationales. Certes, la France socialiste et coloniale de Guy Mollet pouvait bien être critiquée en matière de démocratie, de république et de droits de l'homme, mais sûrement pas par ces pays totalitaires ! L'Empire colonial français critiqué au nom d'un Empire panarabe ? Si l'on veut, mais pas au nom de la justice et de la liberté.

Camus ne souhaite pas augmenter le nombre des États, encore moins celui des empires. Sa solution se veut innovante, inédite et inhabituelle dans le paysage politique français issu du jacobinisme. Après avoir écrit « l'ère du colonialisme est terminé » (IV. 390) Camus propose autre chose : « En Afrique du Nord comme en France, nous avons à inventer de nouvelles formules et à rajeunir nos méthodes si nous voulons que l'avenir ait encore un sens pour nous » (IV. 339). Nouvelles formules, nouvelles méthodes.

Un testament politique

Fidèle aux propositions fédéralistes faites après la libération des camps pour sortir de la Seconde Guerre mondiale, Camus souhaite à nouveau donner sa chance aux peuples avec un régime de « libre association » (IV. 391) susceptible de générer « une structure fédérale française qui réalisera le véritable Commonwealth français » (IV. 393). Le mot « Commonwealth » est important. *En 1958*, choisi explicitement par Camus qui en connaît le sens et le poids, ce terme exprime une position politique très claire.

Qu'est-ce que le Commonwealth ? En anglais, il signifie *communauté*. Dans l'Histoire, il qualifie, au Royaume-Uni, l'association d'États indépendants réunissant les anciennes colonies et l'ancien royaume. La plupart des pays reconnaissent la Reine comme souveraine, elle est représentée sur place par un gouverneur au pouvoir uniquement symbolique. Le *Dictionnaire culturel en langue française* d'Alain Rey donne cette définition d'un mot entré dans le dictionnaire en 1948 : « Ensemble des États et territoires émancipés de l'ancien Empire britannique, liés entre eux par le seul serment d'allégeance à la Couronne britannique. » On aura bien lu : *territoires émancipés*.

Cette proposition constitue le testament politique d'Albert Camus. Elle se trouve dans un texte intitulé *Algérie 1958*, en conclusion à *Actuelles III*, dans trois pages ayant pour titre « L'Algérie nouvelle ». Camus propose la fédération comme seule forme permettant à différentes communautés de vivre ensemble en paix sur une même terre. Il renvoie à la Confédération helvétique, mais pour préciser les limites de cette comparaison : en Suisse, les différentes communautés vivent dans des régions séparées ; en Algérie, de multiples populations vivent imbriquées sur une même terre. Pas question de fondre et de lisser, de faire disparaître les différences à unir.

Cette fédération permettrait de respecter les particularités arabes et européennes, juives, chrétiennes et musulmanes, puis d'associer les deux plus grandes populations à la gestion de leurs intérêts. Dans un premier temps, et selon un scrutin proportionnel, deux sections seraient créées au parlement français : une métropolitaine avec des élus métropolitains et français d'outre-mer, une autre avec des musulmans de statut coranique qui débattrait des questions propres aux musulmans. Réunies, ces deux chambres délibéreraient de ce qui relève des deux communautés ; séparées, elles s'occuperaient chacune de leurs problèmes.

Dans un second temps, après le moment nécessaire à la réconciliation et le rodage du mécanisme, Camus envisage une suite inédite : « En effet, contrairement à tous nos usages, contrairement surtout aux préjugés solides hérités de la Révolution française, nous aurions consacré au sein de la république deux catégories de citoyens égales, mais distinctes. De ce point de vue, il s'agit d'une sorte de révolution contre le régime de centralisation et d'individualisme abstrait, issu de 1789, et qui, à tant d'égards, mérite à son tour le titre d'Ancien Régime » (IV. 393). Fidèle à l'esprit de la Révolution française, le philosophe applique les principes de 1789 à la Révolution française jacobine pour lui substituer l'autre Révolution française : la girondine.

Ce Commonwealth français concernerait les autres pays du Maghreb et les pays d'Afrique noire. Une assemblée régionale algérienne déciderait de l'Algérie pendant que la fédération qui comprendrait cette région disposerait du pouvoir législatif concernant l'armée et les affaires étrangères. Ce gouvernement fédéral serait élu par les ressortissants de chaque région. Bien sûr, cette association a vocation à inventer un nouveau rapport avec les institutions européennes auxquelles Camus a déjà consacré de nombreuses pages. À partir de l'Algérie, par capillarité, *via* la métropole, puis le Maghreb et l'Afrique, puis l'Europe fédérée et fédérale, Camus boucle son projet politique : un monde sans frontières nationales et nationalistes, mais avec des contrats, des fédérations, des associations, des coopérations, des mutualisations – tout l'arsenal politique proudhonien. Camus souhaite le triomphe de cette idée en Algérie afin de sauver ce qui peut encore l'être.

Le rêve qu'il poursuivait en 1937, à l'époque de l'inauguration la Maison de la culture à Alger, de faire de l'Algérie un pays solaire qui donnerait une leçon de vie à l'Europe nocturne qui, elle-même rénovée, chauffée à blanc par un soleil politique nietzschéen, irradierait la planète entière, reste d'actualité. Dans l'attente de cette aurore à venir, le philosophe conclut : « C'est le dernier avertissement que puisse formuler, avant de se taire à nouveau, un écrivain voué, depuis vingt ans, au service de l'Algérie » (IV. 394). Son appel ne fut pas entendu – *alors il se tut.*

Le 16 octobre 1957, Camus déjeune dans un restaurant où il apprend que le Nobel vient de lui être décerné. La presse couvre le philosophe d'insultes. Détails inutiles. Le prix est remis en Suède le 10 décembre. Camus échange des lettres avec son ami Roger Martin du Gard, lauréat en 1937 : il s'inquiète du protocole, la rencontre du roi et de la reine, les habits à porter lors du discours, puis, pour la soirée, les usages de l'étiquette. À cette occasion, peut-être s'est-il souvenu que sa mère, à qui il avait dit en 1951 avoir été invité à rencontrer le président Vincent Auriol, mais n'y était pas allé, lui avait répondu : « Tu as bien fait, mon fils. Ce ne sont pas des gens pour nous » (Lottman, 503). Le gamin du quartier de Belcourt reçu par le souverain suédois pour être distingué par l'Académie Nobel, voilà de quoi stresser un Camus déjà épuisé.

Dans ses *Carnets* 1957, il note : « 17 octobre. Nobel. Étrange sentiment d'accablement et de mélancolie. À vingt ans, pauvre et nu, j'ai connu la vraie gloire. Ma mère. » (IV. 1266). Comment lire et comprendre çe : « Ma mère » ? Suivent une série de notes sur des crises d'étouffement aggravées par des paniques claustrophobiques, des crises d'effroi, plusieurs minutes d'impression de folie totale, des épuisements et des tremblements, des angoisses interminables pendant la nuit, un redoublement de son anxiété. Le Nobel, sa mère, l'angoisse.

Le jeudi 12 décembre 1957, à la Maison des étudiants de Stockholm, Camus accepte une rencontre plutôt qu'une conférence. Il répond à toutes les questions, même s'il n'aime pas improviser – ses rares interventions radiodiffusées et télévisées sont soigneusement écrites, apprises, puis récitées. D'où leur manque de spontanéité. Comme un joueur de tennis contraint de reprendre à la volée, il répond à des questions sur le cinéma, l'objection de conscience, la peine de mort, la liberté d'opinion et celle de la presse, la sociologie des étudiants à l'université d'Alger.

Un jeune Algérien d'une trentaine d'années grimpe sur scène. Dans la salle, des acolytes l'accompagnent. Il tend un doigt accusateur vers le philosophe et lui dit : « Vous avez signé beaucoup de pétitions pour les pays de l'Est mais jamais, depuis trois ans, vous n'avez rien fait pour l'Algérie » (Todd, 699). Il parle, parle, parle. Son intervention n'en finit pas. Il conclut en proclamant : « L'Algérie sera libre ! », puis il redescend dans la salle et consulte sa bande.

Précisons d'abord que trois années en amont correspondent à l'année 1954. Or, pendant ces trois fois douze mois, Camus publie quatorze chroniques consacrées à l'Algérie dans *L'Express*, son « Appel pour la trêve civile » et un autre texte défendant la même thèse parus dans *Demain*, puis deux articles publiés par *Le Monde* le 30 mai 1956 et les 4-5 juin 1956. Soit un total de dix-huit papiers sur ce sujet. Sans parler des interventions discrètes ou des rendez-vous privés – Camus rencontre par exemple Mohamed Lebjaoui, le chef clandestin du FLN en métropole, il déjeune avec lui d'un couscous dans un restaurant parisien. Son interlocuteur constate qu'il avait évolué, et qu'une entente aurait été possible entre le philosophe et le FLN. En quittant la table du Hoggar, Camus lui prend le bras, lui donne son adresse et dit : « Ma maison est à vous. Vous pouvez vous y réfugier quand bon vous semblera » (Lottman, 600).

Le jeune homme revient sur scène après avoir discuté brièvement avec les siens. Il reprend la parole. Camus répond : « Je me suis tu depuis un an et huit mois, ce qui ne signifie pas que j'aie cessé d'agir. J'ai été et je suis toujours partisan d'une Algérie juste, où les deux populations doivent vivre en paix et dans l'égalité. J'ai dit et répété qu'il fallait faire justice au peuple algérien et lui accorder un régime pleinement démocratique, jusqu'à ce que la haine de part et d'autre soit devenue telle qu'il n'appartenait plus à un intellectuel d'intervenir, ses déclarations risquant d'aggraver la terreur. Il m'a semblé que mieux vaut attendre jusqu'au moment propice d'unir au lieu de diviser. Je puis vous assurer cependant que vous avez des camarades en vie aujourd'hui grâce à des actions que vous ne connaissez pas. C'est avec une certaine répugnance que je donne ainsi mes raisons en public. J'ai toujours condamné la terreur. Je dois condamner aussi un terrorisme qui s'exerce aveuglément, dans les rues d'Alger par exemple, et qui un jour peut frapper ma mère ou ma famille. Je crois à la justice, mais je défendrai ma mère avant la justice » (Todd, 700). Cette dernière phrase va tuer Camus – mais il ne le sait pas encore.

La justice, donc sa mère

Pour qui comprend le français, a lu Camus, connaît sa pensée concernant la guerre civile en Algérie, n'ignore rien de tous ses combats menés depuis 1937 en faveur de la justice et contre l'injustice, le sens de cette phrase ne fait aucun doute : il faut entendre *s'il faut choisir entre la justice des terroristes et ma mère qui pourrait mourir de cette prétendue justice, je choisis ma mère et les miens*. Mais l'occasion est trop belle d'ajuster le tir pour ses nombreux ennemis. Agressé, fatigué, fragile, épuisé, nerveux, le Camus qui improvise sur tous les sujets, répond à des questions sottes, joue le jeu, pour offrir le plaisir d'une rencontre à des étudiants, formule comme on formule à l'oral, sans trop de précautions théoriques ou oratoires, en sachant que l'auditeur saisira ce que le verbe permet de comprendre quand on le met en relation avec la pensée précise d'un philosophe l'ayant consignée par écrit – une pensée vérifiable dans ses textes et dans sa vie. Camus défenseur de la justice présenté comme un Camus se moquant de la justice, à Paris pareille aubaine ne repasserait pas !

Le journaliste exécuteur des basses œuvres travaille pour *Le Monde*. Il se précipite sur le téléphone et contacte sa rédaction. Le patron du journal, Hubert Beuve-Méry, se fait confirmer l'information. Jubilation du directeur excité par le sang : « J'étais tout à fait certain que Camus dirait des conneries » (Todd, 70) dit-il. (Précisons, pour information, que Beuve-Méry fut directeur de l'École d'Uriage dans la France pétainiste de 1940-

1941 : cette institution fournissait des cadres aux chantiers de jeunesse de Vichy. En 1941, dans un article publié par *Esprit*, la revue personnaliste chrétienne, *Révolutions nationales, révolution humaine*, Beuve-Méry écrit : « Il faut à la révolution un chef, des cadres, des troupes, une foi, ou un mythe. La révolution nationale a son chef et, grâce a lui, les grandes lignes de sa doctrine. Mais elle cherche ses cadres. » Voilà pourquoi Beuve-Méry fit don de sa personne à la cause, avant, comme beaucoup, de comprendre en 1942 qu'au regard du cours de l'Histoire, la Résistance offrait de meilleures perspectives de carrière. Il devient directeur du *Monde* le 18 décembre 1944).

Le directeur du *Monde* tient donc l'occasion de salir Camus là même où il est le plus irréprochable : son combat pour la justice. Les journaux jubilent : le voilà donc, le philosophe de la justice ! Finalement, il lui préfère sa mère et les siens – autrement dit : les Européens, les Blancs, les colons, les Pieds-noirs, les exploiteurs ! Le sang versé, les lecteurs affluent, le journal reçoit des lettres de lecteurs indignés, étonnés, suffoqués. La direction propose à Camus un entretien, un article pour une mise au point : il refuse. Probablement pour rester fidèle à son vœu de silence sur la question algérienne. Sa fidélité précipite son calvaire.

Simone de Beauvoir, qui écrit la légende de Sartre et sculpte la statue de son grand homme en sacrifiant toute vérité à leur mythologie, donne la version parisienne, donc française, donc européenne, donc mondiale, de l'événement. Elle écrit dans *La Force des choses* : « Devant un vaste public, Camus déclarera : "J'aime la justice, mais je défendrai ma mère avant la justice", ce qui revenait à se ranger du côté des Pieds-noirs. La supercherie, c'est qu'il feignait en même temps de se tenir au-dessus de la mêlée, fournissant ainsi une caution à ceux qui souhaitaient concilier cette guerre et ses méthodes avec l'humanisme bourgeois » (406).

C'est dans le même livre que la libération de Sartre de son Stalag en avril 1941, probablement grâce à l'intervention du pronazi Drieu la Rochelle, devient une évasion ; que la participation de Sartre à la revue collaborationniste *Comœdia* pendant la guerre est présentée comme une erreur commise une seule fois, en 1941 (Beauvoir, 498), alors que le philosophe participe à un jury du journal en septembre 1943 et qu'il y écrit encore le 5 février 1944 pour y faire l'éloge funèbre d'un Giraudoux ayant célébré les vertus du Reich nazi ; et autres vérités concernant la Résistance du fameux couple.

Camus paie pour sa rectitude, sa droiture, la justesse de ses combats, il paie pour son honnêteté, sa passion pour la vérité, il paie pour avoir été résistant à l'heure où beaucoup résistaient si peu, il paie pour ses succès, ses formidables ventes de livres, il paie pour son talent, il paie pour son Nobel, bien sûr, il paie pour n'être pas corruptible, il paie pour n'avoir pas eu besoin de mentir en traçant son chemin droit, il paie pour sa jeunesse, sa beauté, son succès auprès des femmes, il paie parce que sa vie philosophique était un reproche à l'existence de tant de faussaires, il paie la fidélité à son enfance, au milieu des petites gens dont il vient, il paie de n'avoir rien trahi ni vendu, il paie d'être un fils de pauvre entré par effraction dans le monde germanopratin des gens bien nés, il paie d'avoir choisi la justice, la liberté et le peuple dans un univers d'intellectuels fascinés par la violence, la brutalité et les idées, il paie d'être un autodidacte ayant réussi, il paie parce que enfant d'une mère illettrée, il n'aurait jamais dû écrire les livres que se réservaient les élus bien nés, il paie parce que le ressentiment, l'envie, la haine, la jalousie font la loi – à Paris plus qu'ailleurs puisque le pouvoir s'y trouve et que les Rastignac s'y donnent rendez-vous. C'est pourquoi, pour conjurer l'exil européen et retrouver un peu du royaume méditerranéen, il avait acheté une maison à Lourmarin en septembre 1958 pour s'y laver des miasmes de la capitale. C'est entre Lourmarin et Paris que la mort le surprend le 4 janvier 1960.

Trois post-scriptum

Premier post-scriptum : cet accident de voiture fatal l'empêcha de voir comment se termine cette guerre civile en Algérie. Il ne sut pas que l'armée française avait largué du napalm sur des villages algériens, que le terrorisme s'était généralisé et avec lui la torture des soldats disposant de l'accord tacite du général de Gaulle, que de nouveaux massacres eurent lieu en quantité. Il ignora que, le 17 octobre 1961, la police française assassina entre *deux cents et trois cents Algériens* qui manifestaient pacifiquement contre l'obligation pour eux de se soumettre au couvre-feu. Alors que la manifestation se déroulait dans le calme, le préfet de police Maurice Papon, soutenu tacitement par le général de Gaulle, fit tirer dans la foule. Des arrestations, des emprisonnements, des tortures, des disparitions eurent lieu en masse dont la Seine charria les cadavres pendant des semaines. D'aucuns furent renvoyés en Algérie.

Le philosophe n'eut pas à connaître la création de l'OAS le 11 février 1962. Cette organisation de l'armée secrète s'est illustrée dans une politique de la terre brûlée. Elle ne fut pas en reste de barbarie elle non plus. On lui doit deux attentats au domicile parisien de Jean-Paul Sartre, le 1er novembre 1961 et le 7 janvier 1962 et un autre à Bourg-la-Reine, chez Malraux, un attentat qui blessa grièvement une petite fille de quatre ans. En quelques mois, ces jusqu'au-boutistes de la haine firent *plus de deux mille morts et cinq mille victimes.* Signature de cette engeance : la destruction d'écoles et l'incendie de bibliothèques.

Camus avait envisagé que, si les nationalistes algériens du FLN l'emportaient, cela signifierait « l'indépendance de l'Algérie dirigée par les chefs militaires les plus implacables de l'insurrection, c'est-à-dire l'éviction d'un million deux cent mille Européens d'Algérie et l'humiliation de millions de Français avec les risques que cette humiliation comporte » (IV. 304). Il ne pouvait concevoir que les accords d'Évian auraient lieu, et que, donc, les nationalistes algériens auraient leur drapeau, leur hymne, leur police, leur État, leurs prisons, leurs guillotines. Il ne pouvait imaginer non plus que, contrairement aux engagements de clémence pris lors des accords d'Évian à l'endroit des harkis, d'effroyables massacres accompagnés de supplices sans nom seraient perpétrés contre ces hommes ayant choisi l'association avec la France et que de Gaulle abandonna. Cette boucherie perpétrée pendant plusieurs mois fit *entre trente mille et cent cinquante mille victimes musulmanes* : des soldats bouillis vivants dans des marmites, des vétérans de l'armée contraints à creuser leur tombe, à avaler leurs médailles, avant d'être abattus avec leurs femmes et leurs enfants, puis jetés dans des fosses communes.

Deuxième post-scriptum : José Lenzini rapporte dans *Les Derniers Jours d'Albert Camus* que, pour un autre ouvrage consacré au philosophe, *L'Algérie de Camus*, il avait retrouvé la trace du jeune homme de Stockholm. Désormais octogénaire, Saïd Kessal vivait en banlieue de la capitale suédoise. Après avoir plusieurs fois refusé une rencontre, il avait fini par consentir à un rendez-vous. L'enquêteur rapporte son propos : « En fait, les relations qui ont été faites de l'incident sont assez éloignées de la réalité » (138). Dont acte.

Le vieil homme donne sa version : il est entré par hasard dans la salle, il avait quitté l'Algérie dix ans en amont, il n'était pas militant nationaliste, il ignorait qui était vraiment Camus, il s'est énervé qu'à plusieurs reprises le philosophe lui demande son âge, puis il rapporte la fameuse phrase. Plus tard, il découvre *Misère dans la Kabylie* et les articles publiés dans *Actuelles III. Chroniques algériennes*. Sidéré par la pertinence des analyses, il lit l'œuvre complète et souhaite rencontrer le philosophe. Peu de temps après le

4 janvier 1960, il rend visite à Jules Roy – qui lui apprend l'accident de voiture fatal. Saïd Kessal descend à Lourmarin et dépose des fleurs sur la tombe de Camus.

Troisième post-scriptum : en 1972, Simone de Beauvoir fait paraître *Tout compte fait*. L'Algérie indépendante que Sartre et elle avaient voulue au prix du sang, des fleuves de sang, et de la mort, des dizaines de milliers de morts, la déçoit. Vue de Saint-Germain-des-Prés, la nation nouvelle n'a pas tenu ses promesses : le socialisme et la prospérité escomptés manquent à l'appel. Misère, chômage, pauvreté, émigration massive vers la France d'un demi million de travailleurs, renoncement des dirigeants à l'instauration du socialisme, à la collectivisation des terres, à l'autogestion dans l'industrie, toutes formules auxquelles les hiérarques du FLN ont préféré « un capitalisme d'État » (454), retour « aux valeurs arabo-islamiques » (*ibid*.), politique nataliste, déplorable condition des femmes que l'on tient éloignées des écoles et de l'éducation, port du voile, patriarcat, soumission à l'autorité des hommes, Beauvoir va jusqu'à affirmer que Fanon s'est trompé en croyant que, vu leur rôle joué dans la guerre d'indépendance, les femmes échapperaient à la domination masculine, politique intérieure nationaliste et réactionnaire – voilà le bilan d'une décennie d'indépendance algérienne. Si d'aventure Simone de Beauvoir et Sartre avaient lu Camus, ils auraient vu que l'auteur d'*Actuelles III* avait annoncé la venue de cette série de catastrophes en cas d'avènement du FLN aux commandes d'une nation indépendante. Dix années seulement auront suffi à constater ce qu'un demi-siècle plus tard Claude Lanzmann, l'un des amants de Beauvoir, lui aussi compagnon de route du FLN, confirme en 2009 dans *Le Lièvre de Patagonie*.

5

Un art de vivre en temps de catastrophe

Qu'est-ce qu'un ordre libertaire ?

> « Le monde d'aujourd'hui est composé pour les trois quarts de policiers ou d'admirateurs de policiers. »
>
> (*Carnets* VII. IV. 1176)

Requins et rémoras

Entre la libération de Paris et sa disparition accidentelle dans l'Yonne, soit pendant les quinze années qui séparent 1944 des quatre premiers jours de 1960, Camus dissémine dans ses *Carnets* intimes les notes d'un portrait psychologique. La souffrance y tient une grande part. Camus qui fut le philosophe du bonheur à Tipasa, le penseur de la joie méditerranéenne, le chantre d'un nietzschéisme solaire algérien, l'écrivain du soleil et de la mer, apparaît sous un jour tragique, en compagnon de route existentiel des douleurs vécues par Kierkegaard et Nietzsche en leur temps.

« La furieuse passion de vivre qui fait le sens de mes journées » (II. 833) avant guerre, en mars 1935 pour être précis, laisse place à une existence encombrée de passions tristes : la vie parisienne, la découverte des futilités et des mesquineries de la tribu de Saint-Germain-des-Prés, l'occupation de la France par les nazis. Les notes de cette période dans la capitale froide et fausse témoignent d'un désenchantement. La maladie des poumons, la tyrannie de la libido, les fiestas jusqu'au petit matin qui lève le couvre-feu, le panier de crabes où grouillent les gens de plume, leurs jeux intellectuels insoucieux de la vérité, mais aussi la nostalgie de l'Algérie, prennent une grande place dans ces cahiers.

L'espoir d'une belle fraternité de la Résistance poursuivie dans une immense solidarité initiée par ses frères d'armes s'effondre. Le totalitarisme national-socialiste contre lequel ses amis et lui ont lutté pendant plusieurs années se trouve remplacé par un totalitarisme soviétique, les camps de l'un valant les camps de l'autre. Le fascisme d'avant guerre n'a pas été éradiqué malgré le sacrifice de millions d'hommes : le général Franco préside toujours aux destinées de l'Espagne vidée de son sang libertaire et républicain. L'Algérie de son enfance, sur laquelle il tente depuis des années d'attirer l'attention pour en révolutionner le quotidien, baigne dans le sang de frères qui s'égorgent mutuellement. Tout cela noircit le ciel historique et politique qui pèse sur lui.

Ajoutons à cela des raisons personnelles d'assombrissement : le petit marigot parisien, mafieux à souhait, a décidé de lui rendre la vie impossible. Le milieu intellectuel d'après guerre est imbibé de communisme. Oubliées les vilenies du PCF : le pacte germano-soviétique, l'entrée très tardive dans la Résistance, la période de complicité antisémite avec l'occupant nazi auquel on demande l'autorisation de faire reparaître *L'Humanité* pendant l'Occupation. Les communistes sont parvenus à remiser l'Histoire et à imposer leur légende. Le marxisme fait désormais la loi dans le milieu intellectuel. Or, Camus ne justifie jamais les camps, quel que soit le drapeau flottant sur les miradors. La meute est lâchée. Sartre excelle dans l'art de conduire les chiens.

Lisons cette note de 1949 : « La plupart des littérateurs manqués vont au communisme. C'est la seule position qui leur permet de juger de haut les artistes. De ce point de vue, c'est le parti des vocations contrariées. Gros recrutement, on s'en doute » (IV. 1006). Dès lors, dans la logique intellectuelle de la guerre froide, l'anticommunisme de gauche de Camus est transformé par la gauche marxiste en anticommunisme de droite. Les gens bien nés, légitimes dans le monde des lettres, n'attaquent pas les thèses du philosophe, mais dénient que ce soient des thèses et qu'elles proviennent d'un philosophe : tout juste des opinions, des idées générales, des notes de lectures d'un autodidacte, des avis personnels et subjectifs transformés en vérités par un homme présenté par Beauvoir comme caractériel, ombrageux, vaniteux, suffisant, arrogant. La période de *L'Homme révolté* permet à la tribu germanopratine d'évincer l'importun qui crut pouvoir disposer d'un rond de serviette aux repas de cette coterie. Le

critique littéraire Bernard Frank écrit de lui :
« Son style soutenu, précautionneux est le style
d'un timide, d'un homme du peuple qui, les gants
à la main, le chapeau encore sur la tête, entre
pour la première fois dans un salon. Les autres
invités se détournent, savent, ils savent à qui ils
ont affaire. On va finir par s'apercevoir qu'il n'a
jamais rien écrit. » Ce journaliste fut le ventri-
loque de ce petit monde.

La guerre d'Algérie fournit un deuxième prétexte pour assassiner un homme qui ne pratique
pas les codes de la tribu parisienne, ne se soumet
pas à la religion marxiste et persiste dans les plis
du drapeau noir. De la même manière qu'il fallut
inventer des thèses introuvables dans *L'Homme
révolté* pour en triompher d'autant plus facilement
qu'elles ne s'y trouvaient pas, la corporation prête
une fois de plus à Camus des idées qu'il ne défendait pas sur cette guerre dans son pays natal. La
lecture d'*Actuelles III. Chroniques algériennes*
n'ayant jamais été faite par ces malfrats de papier,
on a transformé son auteur en maître à penser des
petits Blancs d'Algérie et des gros colons esclava-
gistes – autrement dit, des exploiteurs de sa mère.

Un troisième prétexte surgit avec l'attribution
du prix Nobel, une reconnaissance internationale
méritée qu'il ne fit rien pour obtenir, mais accepta
parce que, pour refuser, il faut une dose de vanité
et un orgueil sans mesure en croyant qu'on vaut
mieux que ça et que le prix ne nous mérite pas.
La cohorte de ces vaniteux et de ces orgueilleux,
si prompts à prêter à autrui les perversions
morales qui les conduisent et, de ce fait, qu'ils ne
peuvent s'avouer, se déchaîne dans la presse. On

comprend mieux cette note des *Carnets* : « Selon Melville, les *rémoras*, poissons des mers du Sud, nagent mal. C'est pourquoi leur seule chance d'avancer consiste à s'accrocher au dos d'un grand poisson. Ils plongent alors une sorte de tube jusque dans l'estomac d'un requin, y pompent leur nourriture, et se propagent sans rien faire en vivant de la chasse et des efforts du fauve. Ce sont les mœurs parisiennes » (IV. 1133). Elles lui pèsent plus que de raison.

Lourmarin, antidote à la pègre de Paris

Une lettre de Camus à René Char permet de savoir qu'il n'y eut pas de désamour du philosophe avec Paris, car il n'y eut jamais d'amour. Au Panelier, le 30 juin 1947, il écrit : « Puis-je maintenant vous demander un service, comme à un vieux camarade ? Voilà : je suis fatigué de Paris et de la pègre qu'on y rencontre. Mon désir profond serait de regagner mon pays, l'Algérie, qui est un pays d'hommes, un vrai pays, rude, inoubliable. Mais pour des raisons très différentes ce n'est pas possible. Or le pays de France que je préfère est le vôtre, et plus particulièrement le pied du Luberon, la montagne de Lure, Lauris, Lourmarin, etc. – Jusqu'ici la littérature ne m'avait pas enrichi. Mais *La Peste* va me rapporter un peu d'argent. Je voudrais acheter une maison dans ce pays. Pouvez-vous m'aider ? » Suivent quelques détails d'intendance : une maison simple, mais assez grande pour le confort des deux enfants, il voudrait y loger sa mère de temps en temps, il la veut écartée du monde, meublée, plus commode que confortable, devant un paysage susceptible d'être longuement regardé. Ce sera Lourmarin, mais pas avant septembre 1958.

Pourquoi douze années avant de s'offrir ce plaisir à mi-chemin du royaume de Tipasa et de l'exil parisien ? Lui qui, en 1946, avait écrit dans ses carnets : « Lourmarin. Premier soir après tant d'années. La première étoile au-dessus du Luberon, l'énorme silence, le cyprès dont l'extrémité frissonne au fond de ma fatigue. Pays solennel et austère – malgré sa beauté bouleversante » (II. 1067). Lui qui avait lu et aimé *Sagesse de Lourmarin* de son vieux maître Jean Grenier qui disait : « Quand je viens dans ce pays, pensai-je, quelque chose se délie en moi, mon inquiétude intérieure prend fin : c'est comme si l'on posait une main ferme et douce sur une blessure qui commencerait à se fermer. C'est une sensation de fraîcheur » (34). Lui qui, plus qu'un autre, savait qu'il avait besoin d'un antidote puissant aux miasmes parisiens – l'air, la lumière, les paysages, le soleil méditerranéens !

Pourquoi avoir attendu si longtemps ce cordial facile à administrer ? La santé très fragile de sa femme ? L'obligation de ne jamais être très loin pour elle des médecins nécessaires ? Le théâtre en général et telle ou telle comédienne en particulier ? Le temps qui manque ? L'argent de *La Peste* qui se trouve dépensé ? La vie qui va vite et fait remettre au lendemain ce qu'on devrait faire le jour même ? Camus écrit à René Char le 25 septembre 1958 : « J'ai acheté une maison à Lourmarin, elle est jolie, et elle est à vous. Je vous en parlerai. » Elle est simple, assez grande pour les deux enfants, commode plus que confortable, il aurait pu y loger sa mère, mais elle est dans un bourg. Quant au paysage qu'il aurait pu regarder longuement, il est celui duquel, à partir de la terrasse, on voit aujourd'hui se profiler le petit cimetière dans lequel il repose.

Autoportrait psychologique

Côté cour intime du philosophe, la décennie de l'après-guerre brille d'un noir qui absorbe tout : mélancolie, tristesse, anxiété, idées suicidaires récurrentes, insomnie, mauvais pressentiments, ennui, angoisse, cafard, envie de plonger dans un long sommeil, voire un sommeil définitif. Le 10 août 1949, dans les notes d'un voyage effectué en Amérique du Sud, il écrit : « Obligé de m'avouer que, pour la première fois de ma vie, je suis en pleine débâcle psychologique. Ce dur équilibre qui a résisté à tout s'est effondré malgré tous mes efforts. En moi, ce sont des eaux glauques, où passent des formes vagues, où se dilue mon énergie. C'est l'enfer, d'une certaine manière, que cette dépression » (IV. 1048). Or, cet homme qui avoue s'effondrer n'a pas encore pris les coups donnés lors de la parution de *L'Homme révolté*, ni ceux de la guerre d'Algérie, pas plus que ceux de l'attribution du Nobel ! Sans parler de la santé psychique de sa femme, une autre épreuve tout aussi redoutable que la somme des deux premières – sinon plus.

Si l'on poursuit la lecture des *Carnets*, on découvre régulièrement des annotations concernant cette immense souffrance existentielle. Des années plus tard, passé les salves sartriennes et les souffrances uxorales, il écrit le 8 août 1957 : « Pour la première fois après la lecture de *Crime et châtiment*, doute absolu sur ma vocation. J'examine sérieusement la possibilité de renoncer » (IV. 1261). Le Nobel n'arrange rien. Au contraire. Quelques semaines après cette consécration internationale, il s'enfonce dans la souffrance : crises d'étouffement, panique claustrophobique, épuisements, tremblements. Il recourt à des calmants. Il aborde le début de l'année 1958 avec un mieux, mais psychologiquement dévasté. Il se contente de l'anxiété qui demeure. En décembre 1959, dans les dernières lignes de son neuvième et dernier carnet, il parle de cette crise dans laquelle il se trouve et évoque une « sorte d'impuissance » (IV. 1306) – il lui reste quelques jours à vivre.

La femme de Don Juan

La légende présente Camus comme un grand séducteur, un collectionneur de femmes, un homme au charme indiscutable – grand, un mètre soixante-dix-sept, imper mastic, silhouette à la Humphrey Bogart. Sartre croit bon de préciser dans *Les Mots* que, pour sa part, il est petit, mais pas nain, ne fait pas le poids auprès des filles des cafés et des boîtes de nuit de Saint-Germain-des-Prés. L'écrivain qui, dans *La Chute*, définit le charme comme « une manière de s'entendre répondre oui sans avoir posé aucune question claire » (III. 722) sait de quoi il parle. Une analyse de la relation que Sartre entretint intellectuellement et philosophiquement avec Camus qui prendrait en compte le charme de l'un et la laideur de l'autre (de l'aveu même des *Mots*), n'expliquerait pas tout, mais ne manquerait pas d'intérêt. Elle dirait aussi beaucoup sur ce que Beauvoir, l'hagiographe de Sartre, a fait de Camus qui lui fit l'affront de repousser ses avances sexuelles pendant l'Occupation. On ne peut souscrire à la pertinence de la lecture kojévienne de la relation transcendantale maîtrise-servitude sans souscrire à sa validité empirique !

La biographie de Camus explique probablement qu'il fit de Don Juan un compagnon de route intellectuel, philosophique et spirituel de sa brève existence. Il tient le rôle de Don Juan dans *L'Invité de pierre* de Pouchkine qu'il monte au Théâtre du travail à Alger en 1937 – il a vingt-quatre ans ; il analyse les modalités du donjuanisme dans *Le Mythe de Sisyphe* dès 1939 ; il songe à mettre en scène la pièce de Molière ; à la fin de sa vie, il entame la traduction de *L'Abuseur de Séville et l'invité de pierre : Don Juan* de Tirso de Molina ; il prend des notes pour écrire une pièce qui allierait Faust et Don Juan et, fin 1954, il arrête son titre : après *Don Juan Faust*, elle devient *Don Faust*, mais reste à l'état de projet ; dans un plan de travail pour la décennie 1960, il avait prévu de créer un mythe qui aurait pris place dans un essai faisant trilogie avec une tragédie, *Don Faust*, un roman, *Le Premier Homme*, et un essai où il aurait été question d'amour.

Le portrait qu'il donne de cette figure dans *Le Mythe de Sisyphe* est un autoportrait travesti, bien sûr : le donjuanisme constitue l'une des modalités de la vie absurde. Les *Carnets* racontent à mots couverts la fatigue ontologique de qui épuise son corps et sa chair sans nourrir son âme et aspire à la chasteté comme façon de sublimer la libido dans son anéantissement afin d'éviter qu'elle ne détruise l'être qui lui obéirait. Lucide, se refusant à espérer, riant, accumulant les conquêtes, Don Juan se rebelle contre le Commandeur qui incarne la raison, l'ordre, la loi, mais sans rien obtenir d'autre qu'une collection de femmes, un chantier inutile pour entamer l'absurdité de l'existence. La liste des victimes du prédateur sexuel témoigne plutôt en faveur d'un acquiescement à l'absurde qu'à son dépassement. Le corps de Camus en aura informé son intelligence qui cisèle une conclusion avec cet aphorisme redoutable : « Pourquoi faudrait-il aimer rarement pour aimer beaucoup ? » (I. 267) – impératif catégorique du libertin.

Parodions la fin de ce premier livre de philosophie du jeune Camus qui proposait d'imaginer Sisyphe heureux et proposons ceci : il faut imaginer Don Juan marié ! Dès lors, on retrouve le cas d'Albert Camus, très tôt marié, à son époque dandy, avec une jeune et très belle héroïnomane issue des beaux quartiers d'Alger, prototype de la séductrice, intelligente et libertine, cultivée et provocatrice. Très tôt trompé, très tôt séparé, très vite malheureux – Simone Hié fut, dans sa vie, le surgissement sous forme de femme de ce qu'il sera avec les congénères de cette voluptueuse familière de la destruction de soi.

Puis il y eut Francine, la mère de ses deux enfants. Francine Faure, excellente pianiste qui adore Bach, belle Oranaise, aux antipodes de la libertine si vite quittée. Elle a suivi une formation de mathématicienne, il la rencontre à l'automne 1937. En même temps que Francine, à qui il raconte l'avancement de ses manuscrits, ses états d'âme, son commentaire de la politique internationale, il entretient une autre relation avec Christiane Galindo, une belle brune bronzée qui l'accompagnait à Tipasa quand il décida d'écrire *Noces* et à qui il confie le 25 juillet 1939 qu'il a peur de revoir Francine : « J'ai envie de la voir et je ne veux pas renouer quoi que ce soit parce que j'ai mieux à faire. Il vaut peut-être mieux laisser mourir tout ça. J'ai besoin pour mon œuvre de ma liberté d'esprit et de ma liberté tout court. » Camus part à Paris ; elle enseigne en Algérie ; elle donne peu de signes. Il rencontre une autre femme en France. Mais il épouse Francine à Lyon le 3 décembre 1940. La guerre se passe, puis la Libération. Le 5 septembre 1945 naissent les jumeaux Catherine et Jean. Voilà Don Juan marié pour la seconde fois et deux fois père de famille à l'âge de trente-deux ans.

Un séducteur amoureux

Séducteur et marié. On a beaucoup raconté le talent du philosophe pour la séduction et souvent bêtement conclut à la nature caduque de son mariage. Albert et Francine n'entrent pas dans l'histoire de la philosophie du XX\ :^{e}$ siècle grâce à la rubrique hagiographique des amours nécessaires et des amours contingentes librement contractées. Francine ne joue pas le rôle que Simone de Beauvoir endosse *malgré elle* parce que Sartre le lui demande – « Jean-Paul, comme il faut que je vous aime pour vouloir malgré tout [*sic*] jouer avec vous les jeux qui vous plaisent », lui écrit-elle le samedi 21 septembre 1929 (*Cahiers de jeunesse*, 785) après qu'elle eut accepté le contrat synallagmatique, autrement dit *sans appel*, rédigé par le seul Sartre. Le futur auteur du *Deuxième Sexe* naît femme monogame ; elle devient l'inverse en se faisant sartrienne.

Francine Camus, née Faure, fut l'épouse d'un homme qui aimait les femmes – y compris la sienne. Le schéma habituel, occidental, monogame et familialiste, suppose qu'aimer ici interdit d'aimer ailleurs. D'où la logique séduction, mariage, tromperie, divorce, puis, temps de latence, séduction, remariage, etc. Mais si aimer plusieurs femmes en même temps va bien avec son idiosyncrasie, il n'en va pas de même avec sa conscience, une humeur toxique fabriquée par plus de mille ans de civilisation : Camus a aimé sa femme, puis d'autres, et, le poids de la civilisation aidant, il a culpabilisé de ce libertinage se jouant de lui plus qu'il n'en jouait.

Albert Camus a aimé Francine Camus – ce qui ne l'a pas empêché d'aimer en dehors d'elle. Si aimer c'est souffrir de la souffrance d'un être dans une même mesure, un même rythme, une même cadence des peines et des affects ; si c'est méconnaître l'indifférence, l'insouciance, l'indolence face aux formes prises par le mal dans l'âme ou la chair de l'autre ; si c'est ressentir en soi un même sang épuisé pour deux, un même souffle court pour deux, une même chair abîmée pour deux – alors Albert Camus a aimé Francine Faure. Toutes les photos volées des autres femmes, les correspondances avec telle ou telle, les confidences tard venues sur une jolie jeunesse entrée dans les dernières années de sa vie n'y changent rien. *La Chute* fut le *Journal d'un séducteur* de ce Kierkegaard africain.

Tenir l'aiguille dans son poing

Pudique, Camus s'en ouvre seulement à l'ami. Et l'ami, c'est René Char. En janvier 1954, il confesse sa souffrance. Il se trouve aux côtés de sa femme – triste, malheureux, effondré. Francine Faure souffre d'une très grave dépression. Camus le Méditerranéen solaire est aussi Camus le judéo-chrétien nocturne formaté par mille ans de catholicisme romain. Fils de la mer de Tipasa et d'Augustin l'évêque d'Hippone berbère, il se sait un mélange de vitalité, de bonheur, de joie, de chair voluptueuse (il aime nager, jouer, boire, rire, danser, parler, fumer, séduire, caresser) et de mélancolie, de souffrance, de douleur, de culpabilité – l'exil et le royaume, l'envers et l'endroit.

Écorché, hypersensible, à vif, il ne peut s'empêcher de mettre en relation la dépression nerveuse de son épouse et son libertinage. Est-il responsable ? Coupable ? Si oui : pour quelles fautes ? De quels crimes ? Sa belle-famille le lui fait savoir :

elle pense que son donjuanisme cause la grave affliction psychique de sa femme. Mais l'ami Char dit l'inverse. Soulevé par ses mots puissants, on peut même aller jusqu'à se demander si ce tropisme libertin n'est pas l'effet de l'état dépressif de sa femme. Don Juan se trouverait donc conduit au libertinage par la nature dépressive de son épouse.

Le poète et le philosophe parlent de cette situation. Le soir du jeudi 28 janvier 1954, l'auteur de *Fureur et mystère* écrit à celui de *Noces* : « Je voulais vous dire, Albert, que Francine tenait en naissant, dans son poing, l'aiguille qui la tourmente aujourd'hui dans son âme et dans sa tête. Mais le souffle a tant de ressources, lui qui cause tant de peines ! Les êtres comme elle sont déchirés par l'air, par le sable, par la voix quotidienne, par rien. C'est le mystère de la vie au centre duquel se consume notre vérité – ou notre destin – toujours saignant, hélas ! Ne soyez pas blessé, au moins, vous, cher Grand Albert. Ne vous laissez pas abattre » (118). À la fin de ce même mois, Camus craint pour la vie de Francine, la petite vie d'un tout petit corps de quarante-cinq kilos accrochée à un fil ténu.

Cet état de grande fragilité psychique est ancien. Déjà, dans une lettre à Jean Grenier datée de décembre 1953, Camus écrit : « J'ai trouvé au contraire sa dépression aggravée en neurasthénie et compliquée de manifestations d'angoisse et d'obsession. Je suis bien inquiet et me reproche de ne pas avoir pris plus au sérieux les premiers symptômes. » Pour rester près d'elle, il annule des voyages – en Égypte, puis en Algérie. Il renonce à donner des conférences. Quand il doit se déplacer, il réduit au minimum la durée de ses séjours. Tout tourne autour d'elle ; il se réfugie dans l'écriture.

Dans la maison de santé où elle suit un traitement, elle s'assied parfois dans son lit, regarde fixement devant elle, alors que son mari se trouve à ses côtés. Chacun dans son monde. Camus ne rencontre presque personne et se consacre presque entièrement à elle. Tous les après-midi, il lui rend visite, mais mesure chaque jour son impuissance. Une psychanalyse est envisagée. Mais sans suite – en 1957, Camus écrit dans ses *Carnets* : « Freud ne se sentait aucune vocation médicale, aucun "penchant pour l'humanité souffrante" » (IV. 1262). Elle est soumise à de terribles séances d'électrochocs qui l'abîment. Il assiste à ces soins qui emportent à vif une partie de l'être que l'on imagine guérir.

Un jour, Francine saute par la fenêtre. Elle se brise le bassin. Soignée, plâtrée, elle souffre d'escarres. Les médecins la plongent dans un coma hypoglycémique. D'aucuns tergiversent sur la nature de l'acte – imprudence, accident, inconscience du danger ? Pour Camus, il ne fait aucun doute : cette *chute* est une tentative de suicide. Le père de famille confie ses enfants à la garde de tiers : Catherine à sa grand-mère Faure, Jean à des amis de Saint-Rémy-de-Provence. Ils ont huit ans.

Tout le monde culpabilise : Camus songe à sa relation publique avec Maria Casarès et à d'autres libertés ; sa belle-famille lui reproche explicitement un mode de vie directement responsable de l'état de fait – facile bouc émissaire ; Francine elle-même s'en veut de n'être ni l'épouse idéale ni la mère qu'il faudrait. La souffrance est généralisée. Camus souffre d'être privé de sa femme et de ses enfants. Il va de chambres d'hôtel en studios prêtés. Il trouve un petit appartement dans le même immeuble que l'ami Char, rue de Chanaleilles et s'y installe. Une photo de Nietzsche repose sur un rayonnage de sa bibliothèque. Une autre de sa mère. La tuberculose progresse.

Le tribunal de la raison familiale

Cette culpabilité nourrit *La Chute* écrite en 1955. Camus hésitait entre plusieurs titres qui, tous, disent un peu de lui et de la situation dans laquelle il se trouve : *Le Cri, Le Pilori, Un puritain de notre temps, Le Miroir, L'Ordre du jour, Délateur, Le Bon Apôtre*. On y retrouve la double ligne de force qui travaille ce livre et le rend difficile à comprendre parce que plurivoque – au sens étymologique : à plusieurs voix, polyphonique. D'une part, la souffrance, la douleur, le tourment, l'instrument de torture ; d'autre part, ce qui devient la thématique du juge-pénitent, le jugement, le procès, le procureur, le tribunal. Un mélange d'autoportrait, de portrait de Sartre et des sartriens, le tout dans un nœud de vipères où se dissimule également un portrait de lui tel que Camus imagine que les sartriens le brossent, notamment lors du contentieux de *L'Homme révolté*.

Une conversation avec Roger Martin du Gard, comme René Char, un ami intègre, droit, moralement impeccable, auquel il rend hommage dans une belle préface destinée à la parution de ses œuvres en Pléiade, arrête le titre : *La Chute*. Pour qui se souvient de celle qu'effectue volontairement Francine Camus par la fenêtre de l'hôpital où on la soigne pour une souffrance psychique (d'aucuns hésitent entre psychose et névrose), les sources autobiographiques du livre ne font aucun doute.

Dans une lettre envoyée par Camus à Jean Bloch-Michel, une phrase permet d'appuyer cette hypothèse : « Le livre pourrait blesser Francine » (III. 1358). Pour confirmer, ajoutons à cela la réaction de sa femme à la lecture du manuscrit : « Celui-là, tu me le dois » (Todd, 877). Elle avait également dit : « Tu es toujours en train de plaider pour la cause des uns et des autres. Mais est-ce que tu entends, toi, les cris qu'on te lance ? » (III. 1358). Le philosophe qui prend en charge la misère du monde, le penseur qui intervient pour toutes les victimes de la planète, l'intellectuel toujours aux côtés de l'humanité souffrante, le voilà mis en cause au plus intime de lui-même, accusé, traîné au tribunal de la raison familiale : il n'écouterait pas les appels au secours de son épouse.

Comment une âme normalement constituée, et Camus disposait d'un sens éthique supérieur, aurait-elle pu rester insensible, impassible, devant pareille accusation ? Il avait eu la bonne intuition, jadis, en écrivant à Christiane Galindo que l'œuvre exige le célibat, la liberté, la disponibilité, qu'elle est un sacerdoce qui remise femme et enfants au second plan. Quand il reçoit le Nobel et doit décevoir telle ou telle de ne pas l'accompagner en ces jours de réjouissance, il part avec Francine en précisant à Mi, une jeune fille de vingt-deux ans sa cadette qu'il vient de rencontrer : « Francine a été à la peine, il est normal qu'elle soit à l'honneur » (Todd, 692).

L'enfer, c'est soi

La Chute se présente comme le long monologue d'un homme à un autre qui reste mystérieusement silencieux. Sur cet *autre* qui écoute, on sait seulement ce que les artifices d'écriture permettent de savoir : Camus renseigne son portrait avec des phrases interrogatives que le lecteur doit restaurer sur le mode affirmatif ou avec des artifices de plume qui, çà et là, constituent un portrait en très petites touches. En finissant la lecture de ce *récit*, et non *roman*, on sait peu de choses sur lui : quadragénaire, bien habillé, bourgeois aux mains lisses, cultivé, il réagit à l'usage des subjonctifs de son interlocuteur ; il connaît les Écritures ; riche, il n'a jamais partagé ses richesses avec des pauvres ; il vient de Paris où il a été avocat. Cet homme sans nom ressemble au personnage principal, Jean-Baptiste Clamence, qui, lui aussi, ressemble à un certain Albert Camus – mais, sous l'angle du juge-pénitent, ce peut être aussi Jean-Paul Sartre ou n'importe quel autre intellectuel de ce siècle.

Le récit se passe à Amsterdam, l'anti-Tipasa – la ville des brumes et de l'eau croupie contre la cité du soleil méditerranéen, l'exil du Nord contre le royaume du Sud. Clamence parle des canaux comme des cercles de l'enfer chez Dante. Il semble avec son interlocuteur dans la même relation que

Dante et Virgile qui le conduit au plus profond de l'enfer et lui fait descendre les neuf cercles qui conduisent au fond de la souffrance. Cet *autre* est psychopompe, autrement dit, selon l'acception mythologique, porteur de l'âme des morts vers son séjour. Ce voyage au bout de la nuit dure cinq jours. Lors de ce trajet, le poète italien nous dit dans *La Divine Comédie* qu'on entend « les cris du désespoir » (*Enfer*, II. 115).

Camus semble donner sa méthode de composition du portrait de Jean-Baptiste Clamence en expliquant comment son héros procède pour pratiquer la confession publique : « Je mêle ce qui me concerne et ce qui regarde les autres. Je prends les traits communs, les expériences que nous avons ensemble souffertes, les faiblesses que nous partageons, le bon ton, l'homme du jour enfin, tel qu'il sévit en moi et chez les autres. Avec cela, je fabrique un portrait qui est celui de tous et de personne. Un masque en somme, assez semblable à ceux du carnaval, à la fois fidèles et simplifiés, et devant lesquels on se dit : "Tiens, je l'ai rencontré, celui-là". Quand le portrait est terminé, comme ce soir, je le montre, plein de désolation : "Voilà, hélas ! ce que je suis". Le réquisitoire est achevé. Mais, du même coup, le portrait que je tends à mes contemporains devient un miroir » (III. 761).

Masque et miroir, faiblesse et souffrance, soi et autrui, carnaval et désolation, Camus propose un *Ecce homo* du XXe siècle, mais de façon intempestive, il donne le portrait d'un homme comme un moraliste français pourrait le faire : un Chamfort sur lequel il écrivit de belles pages, un La Rochefoucauld ou un La Bruyère. Sartre, qui a aimé *La Chute*, se souvient-il de cet art du portrait quand il termine le sien dans *Les Mots* avec cette phrase célèbre en forme de bilan : que reste-t-il après cet exercice autobiographique ? « Tout un homme, fait de tous les hommes et qui les vaut tous et que vaut n'importe qui » (139), une phrase si peu sartrienne dans sa modestie et donc tellement camusienne.

Un autoportrait infernal

Comment Camus répond-il à la vieille question kantienne à laquelle le philosophe allemand réduit toute interrogation dans sa *Logique* : « Qu'est-ce que l'homme ? » À la moitié du XXe siècle, Camus n'éprouve pas le besoin de tenir pour valables la mythologie freudienne et les délires d'une psychanalyse agitant un complexe d'Œdipe, un meurtre du père, un inceste avec la mère, une horde primitive, un banquet cannibale, pour tenter de déchiffrer l'immémoriale psyché des hommes. Le lecteur de *Humain trop humain* sait qu'un philosophe du XIXe est plus contemporain qu'un autre du XXe qui écrit des sottises viennoises sur l'âme des hommes ! Dans son texte sur Chamfort, Camus souligne que le moraliste que Nietzsche prisait tant est l'auteur d'un néologisme utile pour caractériser cette méthode livrée par Clamence : « sarcasmatique » (I. 928). Le portrait camusien de l'homme du XXe siècle est sarcasmatique.

Ce voyage dans les limbes démoniaques nous permet de découvrir que l'enfer, ça n'est pas les autres, mais soi. Voici le portrait de l'homme : comédien, séducteur, vaniteux, égoïste, hanté, angoissé, sadique, masochiste, coléreux, voleur, affabulateur, coupable. Ces aveux sont de Jean-Baptiste Clamence, l'homme qui donne l'onction et clame dans le désert, qui baptise et parle aux pierres, mais c'est aussi une confession masquée d'Albert Camus qui nourrit son personnage de sa vie de quadragénaire. Si Clamence donne l'illusion de parler à quelqu'un, on verra bien vite que c'est à lui qu'il s'adresse. Cette petite voix intérieure, souvent prise pour sa conscience, est l'autre en soi qui nous juge – mais cet autre en soi, c'est encore soi. Le locuteur et l'interlocuteur constituent l'avers et le revers d'une même médaille existentielle.

Comédien : on sait le rôle tenu par le théâtre dans la vie de Camus, de sa jeunesse aux dernières heures de sa vie, en passant par l'écriture de pièces, la mise en scène, le jeu comme acteur lui-même. Il a aimé la scène et le monde des planches – et ceux qui hantent ce monde. Début 1960, Malraux, alors ministre de la Culture, lui aurait probablement confié la direction d'un théâtre. Clamence joue un rôle, il endosse le costume du défenseur de la veuve et de l'orphelin. Poli, courtois, gentil, prévenant, attentionné, altruiste, généreux, serviable, il va aux enterrements de gens qu'il connaît à peine ou n'aime pas. Il fait le bien mais, comme on le sait depuis les moralistes en général, et Nietzsche en particulier, il y a de la jouissance à faire le bien, sinon de la cruauté, car on jubile de coïncider avec l'idéal de sainteté présenté comme une perfection. On chosifie celui qu'on honore de sa bonté. On s'aime dans le rôle de celui qui place en retrait l'amour de soi sous prétexte de mettre en avant l'amour de son prochain. Mais ce qu'on aime quand on aime autrui, c'est toujours soi. Comédie.

Séducteur : là aussi, Clamence porte le masque de Camus. L'homme qui se parle avoue avoir possédé des femmes en quantité. Il livre ses stratégies de séduction et les tactiques qui font s'effondrer une forteresse féminine : ne pas aller directement au but, éviter la trivialité d'une franche proposition ; d'abord parler, beaucoup parler, le verbe agit comme la mélopée d'une flûte pour charmer le serpent ; simuler la tendresse, cacher l'ardeur violente des instincts, la puissance de la libido, et dire un désir subtil, fin ; tenir à sa proie le discours qu'elle souhaite : lui dire sa beauté, son originalité, sa singularité, son excellence, sa rareté, feindre son unicité, lui dire qu'elle n'a rien à voir avec les autres ; laisser croire qu'on avait fait son deuil de l'amour mais que tout s'effondre avec cette épiphanie d'un être sans double ; prétendre que le passé sans elle s'avère sans commune mesure avec le présent dans sa compagnie ; envisager le futur en termes d'éternité, etc. Clamence confesse qu'il jouissait moins des femmes que du plaisir narcissique de constater l'infaillibilité de son pouvoir sur elles.

Vaniteux : la vanité et l'arrogance font partie des reproches formulés par les sartriens contre Albert Camus. Il semble étrange toutefois que ce trait de caractère n'apparaisse jamais dans sa vie, ce que prouvent les deux biographies faisant autorité, ni dans la correspondance où l'on découvre même l'inverse – l'humilité, le manque de confiance en soi, la modestie. Clamence prononce une phrase devenue proverbiale : « Pour la modestie, vraiment, j'étais imbattable » (III. 718). Il se croit supérieur, se pense au-dessus de tout et de tous, au point qu'il n'aime rien tant qu'occuper les situations où il domine physiquement : les ponts, les balcons, les terrasses, les bus à impériale, et tout ce qui lui permet de surplomber. Réminiscence nietzschéenne, il avoue même une dilection particulière pour les feux allumés sur l'éminence des collines.

Philosophie de la culpabilité

Égoïste : concentré sur lui-même, Clamence n'a aucun souci d'autrui, du monde et de ce qui advient à autrui. Replié sur son ego, rien n'existe en dehors de sa personne, de son confort, de sa tranquillité. Une scène du livre constitue la clé de voûte du récit, elle donne son sens au titre, à la fin du livre et peut-être même aux raisons d'être de ce texte tout entier : à une heure du matin, dans la bruine parisienne, alors qu'il vient de quitter une amie, Clamence croise une femme penchée sur un parapet : elle fixe l'eau noire de la Seine du haut du pont Royal. Il passe. Cinquante mètres plus loin, il entend le bruit d'un corps qui tombe à l'eau. Il s'arrête. Il ne se retourne pas. Il entend un cri. Suivi d'autres cris. Puis plus rien. Le silence recouvre tout. Il a envie de courir, mais ne bouge pas. Il tremble. Se dit qu'il faut agir et n'agit pas. Il reprend son chemin sans rien dire à personne. Égoïste, égotiste, autiste même, il reste à soi, en soi, incapable de sortir de lui pour aller vers l'autre. Son interlocuteur lui parle, autrement dit la petite voix de sa conscience l'interroge. « Quoi ? Cette femme ? Ah ! Je ne sais pas vraiment, je ne sais pas. Ni le lendemain, ni les jours qui suivirent, je n'ai lu les journaux » (III. 729) – comme si le réel n'existait qu'une fois dit par les journaux.

Bien sûr, le retour à son domicile, dans la nuit, après avoir passé la soirée avec une probable maîtresse, cette femme qui chute pour se donner la mort, son état de désespéré sur le pont, l'indifférence manifestée par Clamence, le cri, les cris, la noyade, le dédain de ces appels au secours, la désinvolture du témoin qui n'a rien vu, rien entendu, rien dit, rien fait, l'insouciance de cet homme qui ne croit du réel que ce que les journaux lui disent, mais aussi les moments de doute, se retourner ou non, y aller ou pas, porter secours ou s'en abstenir, puis, à la façon de Meursault, consentir à ce qui advient dans l'impassibilité la plus radicale, voilà de quoi blesser Francine – voilà également ce qui permet à l'épouse de dire à son mari que ce livre, il le lui doit. Cet égoïsme d'un homme qui, jadis, fit le bien, devient le péché originel de sa culpabilité. Il paiera cher de n'avoir pas agi – cette chute l'entraînera lui aussi.

Hanté : la culpabilité prend la forme de rires ou de cris. Deux ou trois ans après cette chute, lorsqu'il longe la Seine, Clamence entend des rires dans son dos. Une autre fois, sur le pont supérieur d'un transatlantique, il avise un bateau au loin et croit qu'une personne tombe à la mer et se noie. Il ne supporte pas la vue de cette noyade, détourne le regard, mais revient à la scène puis découvre qu'il ne s'agit pas d'un homme, mais d'un débris largué par les marins. « Je compris alors, sans révolte, comme on se résigne à une idée dont on connaît depuis longtemps la vérité, que ce cri qui, des années auparavant, avait retenti sur la Seine, derrière moi, n'avait pas cessé, porté par le fleuve vers les eaux de la Manche, de cheminer dans un monde, à travers l'étendue illimitée de l'océan, et qu'il m'avait attendu jusqu'à ce jour où je l'avais rencontré. Je compris aussi qu'il continuerait de m'attendre sur les mers et les fleuves, partout enfin où se trouverait l'eau amère de mon baptême » (III. 746-747). Pour Camus, la faute n'est pas héritée du péché originel judéo-chrétien, mais, païenne, constituée par notre égoïsme de naissance contre lequel il faut toujours lutter. L'impératif consiste toujours à s'empêcher.

Angoissé : Clamence a peur de la mort. Non qu'il ait toujours été tenaillé par cette souffrance ontologique, mais parce qu'elle surgit un jour bien particulier. Il se met à compter le temps qui lui reste à vivre, cherche dans l'histoire des figures déjà mortes à son âge, ressent des bouffées d'inquiétude à l'idée de ne pouvoir mener à bien un travail entamé, se demande si ce qu'il fait mérite d'être continué ou s'il ne doit pas plutôt cesser ce qui s'avère une vanité parmi les vanités. De plus, il a peur de mourir sans avoir avoué tous ses mensonges : les livrer, c'est s'en délivrer, non pas à Dieu, mais aux hommes, à un ami ou à une femme aimée (Francine ?), qui rendrait possible l'effacement de ce qui devient définitif pour n'avoir jamais été avoué. L'angoisse, la mort, le mensonge, la culpabilité, l'aveu – l'âme de Clamence souffre.

Sadique : comme toujours avec celui qui jouit de faire mal, nul ne veut volontairement la méchanceté, puisqu'il est voulu par plus fort que lui. Cette angoisse constitue une force susceptible d'être dirigée sur autrui ou retournée contre soi. Sadique quand elle se trouve projetée sur un tiers ; masochiste quand elle reste en nous. Ce saint laïc doué pour le bien connaît les affres de la pulsion sadique. Il confesse avoir envie de bousculer les aveugles dans la rue, de crever les pneus des fauteuils roulants des handicapés, d'insulter les pauvres qui gagnent leur pitance sur les chantiers, de gifler les nourrissons dans le métro. Il rêve de tout cela, mais n'en fait rien.

Masochiste : retournées contre lui-même, les pulsions agressives commettent des dégâts. L'égoïste s'inflige des souffrances. L'homme qui boit, s'attarde dans les cafés jusqu'au petit matin, fréquente les boîtes de nuit, assiste aux spectacles de transformistes, consomme des prostituées, leur fait concurrence dans la quantité de corps entassés, celui qui se bat dans les rues, reste planté debout au comptoir et se perd dans d'interminables monologues en présence de plus ivres ou de plus détruits que lui, cet homme, donc, se fait le bourreau et la victime de lui-même. *Héautontimorouménos*, écrivait Baudelaire.

Portrait, suite

Coléreux : on ne cache pas que la colère fut un trait de caractère d'Albert Camus. Il avait des indignations, des colères de papier, mais pas de celles qui se terminent par des coups. Lorsque Camus se fâche avec Sartre et Beauvoir, à l'issue d'une soirée trop arrosée chez les Vian, mi-novembre 1946, parce qu'il estime *fort justement* que, soutenu par Sartre, Merleau-Ponty justifie les camps soviétiques dans un article intitulé *Le Yogi et le Commissaire*, il se lève, sort, claque la porte derrière lui, et, poursuivi par Sartre et Vian, refuse de revenir – mais rien qui ressemble à une habitude. *La Chute* se contente de raconter une altercation avec un motard dont l'engin récalcitrant empêche la circulation à un feu rouge : Clamence demande sans animosité au conducteur de la moto qu'il déplace son engin. En peu de temps, le bref échange verbal s'achève avec un coup donné par l'homme qui s'enfuit sur son engin pétaradant. Clamence rumine sa vengeance, scénographie sa vendetta, bout dans le ressentiment, et s'imagine rossant le rosseur.

Voleur : même remarque avec ce deuxième trait de caractère qui paraît plus encore un rôle de composition. Clamence recèle une toile de Van Eyck subtilisée dans la cathédrale Saint-Bavon à Gand, *L'Agneau mystique*, et plus particulièrement l'un des panneaux de ce polyptique *Les Juges intègres*. Un soir de beuverie, elle a été achetée par le patron du bar au voleur imbibé. L'œuvre a été exposée dans le bistrot un temps, avant d'être récupérée par Clamence qui la garde dans un placard et jouit de ce mauvais tour joué aux visiteurs de l'Église qui se pâment devant une copie, lui seul pouvant se délecter du spectacle des véritables juges pénitents !

Affabulateur : fiévreux, avouant lui-même que, peut-être, il s'est contenté de rêver ce qu'il raconte, Clamence nourrit son autoportrait d'informations exotiques : pape dans un camp de prisonnier (Sartre au Stalag XII ?), mobilisé à la guerre mais n'ayant jamais vu le feu (Sartre encore ?), tenté par la résistance mais sans plus (Sartre à nouveau ?), passage par l'Algérie, désir velléitaire de rejoindre Londres, voyage en Tunisie pour suivre une amie, arrestation par les Allemands, incarcération dans un camp à Tripoli (plus Sartre du tout).

Pensées pour lui-même

Coupable : le trait de caractère de Clamence correspondant le plus à Camus c'est donc la culpabilité. Au point qu'il estime, et Camus aussi dans d'autres textes, songeons aux très sérieuses *Réflexions sur la guillotine*, que personne, jamais, n'est totalement indemne de culpabilité. « Nous avons tous fait du mal dans notre vie, même si ce mal, sans tomber sous le coup des lois, allait jusqu'au crime inconnu. Il n'y a pas de justes, mais seulement des cœurs plus ou moins pauvres en justice » (IV. 158), écrit-il dans son plaidoyer abolitionniste.

Clamence invite chacun à reconnaître sa culpabilité. Il affirme que s'il a parlé pendant cinq jours, c'est pour « faire taire les rires » (III. 757), autrement dit en finir avec la culpabilité, la mauvaise conscience, étouffer en lui cette petite voix qui fait entendre son jugement, celle qui prend la parole dans le creux même de l'être. Car *La Chute* est un monologue dans le même esprit que les *Pensées pour moi-même* de Marc-Aurèle. Le regretté Pierre Hadot proposait une autre traduction de ce texte sans titre (le manuscrit de *La Chute* porte ce titre, mais rédigé par une main qui n'est pas celle de Camus) : *À moi-même*. C'est un autre *à moi-même* que ce récit effectué par Camus à son intention – Clamence partage trop de traits communs avec cet interlocuteur pour qu'il lui soit extérieur.

Ce texte est une *Confession* dans l'esprit du saint Augustin lu et travaillé par Camus pour son diplôme universitaire. On le sait, le docteur de l'Église construit son livre sur la culpabilité lui aussi – le vol de poires quand il a seize ans, pour le seul plaisir de jouir de la transgression. Puis la vie dissolue, *absurde*, qui fut la sienne avant sa conversion au christianisme. *La Chute* s'inscrit dans ce sillage de la *confessio* d'une faute. Mais à qui s'en ouvrir dans un monde sans dieu, sans grâce, sans pardon, sans possibilité de résipiscence ? *La Chute* initie une course vers un abîme sans fond : être coupable sans possibilité d'obtenir un pardon – d'où ? De qui ?

Cette confession faite à soi-même révèle un savant mélange d'examen de conscience païen et de culpabilité chrétienne, un mixte singulier de stoïcisme et de catholicisme, une fusion entre l'empereur romain Marc-Aurèle et l'évêque berbère saint Augustin. La confession auriculaire initiée par le quatrième concile de Latran exigeait un pénitent et son juge, deux personnes séparées, l'une qui confesse ses péchés, ses fautes, l'autre qui, rituellement, et en vertu des pouvoirs conférés par l'Église, fixe les modalités de l'absolution, bénit et absout. Mais dans l'impossibilité d'une pareille configuration pour qui ne souscrit pas à l'Église catholique, apostolique et romaine, quelle issue ? Aucune.

À lui-même, Clamence (se) dit : « Alors racontez-moi, je vous prie, ce qui vous est arrivé un soir sur les quais de la Seine et comment vous avez réussi à ne jamais risquer votre vie. Prononcez-vous même les mots qui, depuis des années, n'ont cessé de retentir dans mes nuits, et que je dirai enfin par votre bouche : "ô jeune fille, jette toi encore dans l'eau pour que j'aie une seconde fois la chance de nous sauver tous les deux !" » (III. 765). Mais voilà, ce qui a eu lieu une fois ne revient jamais et ne peut pas ne pas avoir eu lieu. Clamence ne pourra jouer à nouveau ce qui se joue une fois seulement. Leçon donnée par le fleuve d'Héraclite : Francine n'enjambera pas une seconde fois sa fenêtre pour donner une occasion d'être héroïque. Ne l'avoir pas été quand il l'aurait fallu une fois suffit à la condamnation. Pas de pardon.

Le principe du malconfort

La faute sans possibilité de grâce et de rémission, de pardon et de rachat, voilà l'une des conséquences de la mort de Dieu et du nihilisme qui s'ensuit. Camus ne le déplore pas, il ne tient pas un discours ontologiquement réactionnaire sur ce sujet, mais il constate que la Grèce ignorait la faute, le péché, que le christianisme a inventé la culpabilité et que la mort de Dieu nous laisse avec ce malaise existentiel sans le remède qui l'accompagnait jadis. La faute demeure, mais sans la grâce qui l'effaçait. Voilà l'ontologie du siècle d'après la mort de Dieu.

Camus philosophe respecte la langue française, comme quiconque doit l'apprendre dans son enfance à la façon d'une langue étrangère parce qu'elle n'est pas donnée et s'obtient de haute lutte. Il écrit un français clair, simple, il ne s'interdit pas d'être lyrique ou poétique, mais jamais au détriment du sens. On chercherait donc en vain chez lui des néologismes ou des concepts forgés le regard tourné vers les chaires universitaires de la philosophie allemande. Voilà pourquoi il peut ironiser dans ses *Carnets* et écrire, un œil sur Sartre probablement : « Ceux qui écrivent obscurément ont bien de la chance : ils auront des commentateurs. Les autres n'auront que des lecteurs, ce qui, paraît-il, est méprisable » (IV. 1087).

À défaut de création de concepts, la manie philosophante du XXᵉ siècle théorisée par Deleuze, Camus recourt à un ancien mot pour lui donner une force ontologique : le malconfort. Aucun dictionnaire ne le mentionne. Le mot apparaît sept fois dans *La Chute* et nulle part ailleurs. Camus en donne une définition précise à son *interlocuteur* : « C'est vrai, vous ne connaissez pas cette cellule de basse-fosse qu'au Moyen Âge on appelait le malconfort. En général, on vous y oubliait pour la vie. Cette cellule se distinguait des autres par d'ingénieuses dimensions. Elle n'était pas assez haute pour qu'on s'y tînt debout, mais pas assez large pour qu'on pût s'y coucher. Il fallait prendre le genre empêché, vivre en diagonale ; le sommeil était une chute, la veille un accroupissement » (III. 747). La chute ? Un assoupissement dans le malconfort.

Cette machine à punir, en compagne de la herse dans *La Colonie pénitentiaire* de Kafka, fonctionne comme une preuve de la culpabilité : la preuve de la faute, c'est sa punition. Se trouver dans ce cul-de-basse-fosse jusqu'à ce que les gardiens sortent un jour un squelette, c'est témoigner de la culpabilité. Chacun vit dans le malconfort, il n'y a pas d'innocents, car l'innocence est impossible à établir, au contraire de la culpabilité facile à démontrer. Clamence affirme : « Chaque homme témoigne du crime de tous les autres » (III. 747). Tous coupables, donc.

La cellule des crachats

Camus décrit un autre supplice : la cellule des crachats. Elle fait face ontologiquement à celle du malconfort : l'une dit la condition humaine solipsiste, l'autre la condition humaine politique. Quid de cette cellule ? « Une boîte maçonnée où le prisonnier se tient debout, mais ne peut pas bouger. La solide porte qui le boucle dans sa coquille de ciment s'arrête à la hauteur du menton. On ne voit donc que son visage sur lequel chaque gardien qui passe crache abondamment. Le prisonnier, coincé dans la cellule, ne peut s'essuyer, bien qu'il lui soit permis, il est vrai, de fermer les yeux » (III. 748). Cette boîte existe-t-elle ? Oui, puisque Camus y fut enfermé – entre autres au moment de la parution de *L'Homme révolté*. Les cracheurs les plus célèbres avaient pour nom Jean-Paul Sartre et Simone de Beauvoir, Francis Jeanson et Maurice Merleau-Ponty, avec un tas d'autres plumitifs de l'époque. Pas besoin d'attendre le Jugement dernier et la parole de Dieu, le jugement des hommes suffit, il invente des raffinements sans nom dans le mal.

Donc, Camus confesse avoir connu le mal-confort et la cellule des crachats. La première, à cause de culpabilités psychologiques anciennes, dont la plus récente est probablement la souffrance psychique de son épouse imputée à son insouciance, à son égoïsme et à son libertinage – mais on pourrait solliciter des périodes plus anciennes dans la psyché du philosophe et qui constituent autant de tensions, de nouages de l'être à même de tendre l'arc jusqu'à un point menaçant rupture : procéder d'un père mort à la guerre et se vouloir un fils digne ; à dix-sept ans, se trouver condamné à vivre une vie absurde et brève avec la mort dans les poumons ; quitter son milieu de naissance en tâchant de lui rester fidèle ; entrer par effraction dans le monde des lettres verrouillé par les héritiers et y exceller sans l'aide des tribus parisiennes ; survivre aux combats de la Résistance alors que des amis y ont laissé leur vie ; devoir son succès à des livres que sa mère ne peut pas lire ; défendre le socialisme dans une Europe qui l'associe aux barbelés ; tenir à une Algérie solaire à l'heure où l'on y égorge sans retenue ; recevoir le Nobel et s'en juger indigne parce qu'on se croit illégitime – voilà beaucoup pour un seul homme.

La cellule des crachats fut sartrienne. Clamence dit à son *interlocuteur* : « Vous parliez du Jugement dernier. Permettez-moi d'en rire respectueusement. Je l'attends de pied ferme : j'ai connu ce qu'il y a de pire, qui est le jugement des hommes. Pour eux, pas de circonstances atténuantes, même la bonne intention est imputée à crime » (III. 747-748). Camus nous donne les clés de cette cellule en effectuant le portrait des juges-pénitents qui pullulent aujourd'hui. Qui sont-ils ?

Jadis, on l'a vu, le juge examinait le cas d'un coupable qui devenait pénitent. Avec l'annonce nietzschéenne de la mort de Dieu, une nouvelle époque s'ouvre, celle du nihilisme. Le juge ne se distingue plus du pénitent. Il concentre en lui les deux fonctions : d'abord, il s'accable, mais pour mieux accabler autrui. Sa logique est autocritique dans un premier temps, puis critique dans un second. Par exemple, il dénonce les méfaits du capitalisme et fait de la bourgeoisie la victime émissaire de tous les maux du monde ; il attend d'elle qu'elle se convertisse à la révolution qui assurera sa disparition comme classe, mais aussi comme somme d'individus ; en cas de refus d'obtempérer, il monte des murs, construit des miradors, ouvre des camps, déroule des barbelés. Juges-pénitents du capitalisme.

Le même schéma fonctionne pour la guerre civile en Algérie : le juge-pénitent commence par jouir d'un mea culpa sonore et public ; à genoux, il proclame sa faute qu'il élargit à celle de l'Occident tout entier ; après avoir confessé ses péchés de Blanc, de chrétien, d'Occidental, de colonisateur, d'exploiteur, il s'estime assez pur pour contraindre autrui à avouer ses fautes ; si l'aveu tarde, il recourt illico à la violence contre le récalcitrant ; bien vite, il justifie le massacre, les bombes, l'assassinat. Juges-pénitents du colonialisme.

Les juges-pénitents germanopratins

Dans ses *Carnets*, Camus écrit à la date du 14 décembre 1954 : « Existentialisme. Quand ils s'accusent on peut être sûr que c'est toujours pour accabler les autres. Des juges-pénitents » (IV. 1212) Veut-on un exemple du fonctionnement des juges-pénitents et de leurs logiques ? Lisons la préface aux *Damnés de la terre* donnée par Sartre à Frantz Fanon en 1961 et reprise dans *Situations V*. Ces pages sont publiées un an après la mort de Camus, mais Sartre dialogue encore avec lui (disons plus justement : monologue contre lui) et lui reproche d'avoir pensé la guerre civile en Algérie en non-violent – autrement que comme lui qui le fit en incendiaire en invitant à jeter de l'huile philosophique sur le feu de la haine des hommes.

D'abord, l'exercice du mea culpa : Sartre dénonce « nos crimes fameux, Sétif, Hanoi, Madagascar » (170) et décrit la relation du Blanc au Noir comme toujours violente, toujours brutale, toujours agressive, toujours de domination et de servitude, sinon de ruse, la fin étant systématiquement l'assujettissement en masse d'un peuple opprimé. Le philosophe ultra-bolchevique, pour reprendre le mot de Merleau-Ponty, lance une imprécation à son lecteur : « vous savez bien que nous sommes des exploiteurs [...] puisque nous avons *tous* profité de l'exploitation » (187) . *Tous* ? oui, tous – l'italique est de Sartre.

Ensuite, l'invitation au repentir : le philosophe marxiste pose comme une évidence que « la vraie culture c'est la révolution » (172). Puis il ajoute : « Européens, ouvrez ce livre, entrez-y » (173). Et encore : « Ayez le courage de le lire : par cette raison qu'il vous fera honte et que la honte, comme a dit Marx, est un sentiment révolutionnaire » (175). Lire Frantz Fanon, c'est, pour les Blancs, découvrir le mécanisme de leur aliénation, de leur culpabilité. Convenons en passant que la honte comme sentiment révolutionnaire constitue une avant-première éthique !

Puis, le rendu du jugement : si, après avoir lu le texte de Fanon, un lecteur manifeste son désaccord en affirmant que, pour sa part, il vit dans la métropole et réprouve les excès du colonialisme, Sartre lui rétorque : « Il est vrai : vous n'êtes pas des colons, mais vous ne valez pas mieux » (174). Ainsi, la logique du « tous coupables » fonctionne à plein. Il n'existe pas d'innocents ; l'innocence est une fiction. « Si ce n'est toi, c'est donc ton frère », dira l'égorgeur au Blanc qu'il décapite puisque Sartre l'y invite en justifiant son geste avec force contorsions philosophantes : dialectique, sens et fatalité de l'Histoire, fraternité révolutionnaire dans la terreur. Au nom du progrès, la *Critique de la raison dialectique* justifie avec le brio normalien cette régression philosophique vers la vengeance, la barbarie, le ressentiment.

Enfin, la condamnation à la punition : en vertu d'une dialectique menée jusqu'à son terme et selon le principe posé comme une vérité incontestable que la violence est accoucheuse de l'Histoire, il faut qu'« on extirpe par une opération sanglante [*sic*] le colon qui est en chacun de nous » (186) – Sartre, on le sait, invite à « abattre » (183) les Européens, à utiliser « *tous* les moyens » (182) (l'italique est de lui) pour en finir avec eux, il célèbre même la « patience du couteau » (173) – autrement dit : les égorgements. Le sang, l'abattage, les couteaux, voilà l'arsenal conceptuel sartrien.

Camus prévoit donc avec justesse la civilisation dans laquelle nous vivons depuis le demi-siècle qui nous sépare de sa mort : une époque de la haine de soi, de la culpabilité, du mea culpa généralisé, le temps des juges-pénitents qui, bien qu'athées, moralisent avec les catégories chrétiennes. Jamais ce siècle de la mort de Dieu et de la fin de la religion catholique n'a autant eu recours aux dispositifs chrétiens pour se penser – et s'interdire d'agir : la confession, l'aveu, la contrition, la culpabilité, la repentance, la pénitence, l'expiation, la résipiscence, la réparation, l'absolution contaminent et gangrènent ce monde de pure immanence. En quoi nous sommes encore chrétiens. *La Chute* propose une phénoménologie non philosophique des temps qui suivent la mort de Dieu. Le juge-pénitent triomphe en prophète des temps nihilistes.

Les fleuves d'un asséché

La Chute obéit aux injonctions du jeune Camus qui pensait que, pour bien faire de la philosophie, il faut écrire des romans. Il exprime de façon littéraire deux souffrances existentielles : la culpabilité d'un homme qui ne vient pas au secours d'une femme se jetant à l'eau pour se suicider ; la mortification d'une personne condamnée par des juges-pénitents au malconfort et à la cellule des crachats – autrement dit : le double tourment d'un Camus confronté à la tentative de suicide de sa femme et au déchaînement de l'intelligentsia parisienne contre lui. Douleur privée ; douleur publique.

Bien que soumis à ce double assaut, Camus ne sombre pas dans le néant et l'accablement total. Certes, il confie ici ou là qu'il est fini, fichu, qu'il ne peut plus écrire, qu'il est à sec, bon à rien. Dans ses lettres à René Char, le 7 août 1954, il confie : « je ne sais plus écrire » ; le 17 septembre 1957, il parle au même de « stérilité » ; à Jean Grenier, il dit le 12 septembre 1957 « même une lettre me paraît difficile à écrire » ; le vendredi 8 mai 1959, il confesse avoir perdu « le chemin du travail personnel ».

Mais il faut relativiser, l'homme blessé qui pense ainsi enchaîne les travaux et les publications : écriture de *Retour à Tipasa* en janvier 1953 ; publication d'*Actuelles II* en défense à *L'Homme révolté* en juin de la même année ; à cette époque, il commence *Le Premier Homme* ; printemps 1954, rédaction de *L'Été* ; prise de notes pour un mythe de Faust qui ne verra pas le jour ;

achèvement de *L'Exil et le Royaume* en 1955 ; publication de *La Chute* en 1956 et de *Réflexions sur la guillotine* en 1957 ; parution de son *Discours de Suède* en 1958 et du troisième volume d'*Actuelles* consacré à la guerre d'Algérie ; toute l'année 1959, il travaille au chantier du *Premier homme*. Nombre d'auteurs se contenteraient d'un tel assèchement intellectuel !

Contre la Veuve

Dans les dernières années de sa vie, les *Réflexions sur la guillotine* semblent un bref texte perdu dans l'œuvre complète, or c'est un manifeste politique considérable en même temps qu'un exercice de piété filiale : il ramasse le contenu de ses interventions contre la peine de mort éparpillées dans l'œuvre dans un court texte militant et définitif. *Manifeste politique*, car la lutte contre toutes les peines de mort constitue à soi seul un programme politique : quel philosophe, souscrivant à un tel projet, pourrait justifier le terrorisme d'une poignée de militants ou la répression étatique lancée contre cette terreur ? Impossible de régler un différend entre deux pays en justifiant l'envoi de troupes, l'occupation militaire, le largage de bombes, la logique des blindés ! Avec la thèse camusienne, la diplomatie, le dialogue, les pourparlers, les traités de paix, la négociation, et tout l'arsenal de l'intelligence prend le pas sur celui de la violence.

Exercice de piété filiale, car, quelques semaines avant l'attribution du prix Nobel, Albert Camus se montre un fils fidèle à son père dont on se souvient qu'assister à une exécution capitale fit de lui un homme écœuré. Cette transmission en biais, en travers, *via* la grand-mère qui rapporte ce diamant paternel brut à son petit-fils en ignorant combien et comment il en fera une des plus belles pierres précieuses philosophiques, architecture son ordre libertaire.

Tous les combats libertaires des dix dernières années de sa vie s'enracinent dans ce terreau : la liberté préservée dans le fédéralisme contre la brutalité jacobine étatique ; la préférence de la non-violence pour régler les problèmes entre les hommes à la barbarie du recours à la brutalité légitimée par le discours hégélien ; le pacifisme désireux de diplomatie dans un monde qui fait exploser ses deux premières bombes atomiques ; l'internationalisme comme garantie d'une vie post-nationale, le nationalisme se trouvant toujours à l'origine des guerres ; l'antifascisme quelles que soient les couleurs du totalitarisme, brun ou rouge, nazi, franquiste ou soviétique ; la défense de figures politiques alternatives à la politique politicienne autoritaire : la force de Gandhi capable de venir à bout d'un régime colonial brutal, le combat de Garry Davis pour abolir les frontières, la détermination de Louis Lecoin pour obtenir un statut juridique à l'objection de conscience – toutes ces luttes partent du principe qu'il vaut mieux la paix que la guerre, la vie que la mort, la liberté que l'autorité, le verbe plutôt que la guillotine.

Ce bref texte ramasse tous les arguments d'un abolitionniste : la peine de mort n'empêche pas que fût ce qui a eu lieu ; elle n'ajoute pas ordre et paix à la société, mais vengeance et ressentiment ; elle ne montre pas l'exemple de la justice, mais celui de la barbarie ; elle ajoute de la violence à la violence, tout en prétendant condamner la violence ; elle ne répare pas le crime ; elle ajoute la souillure à la souillure ; elle table sur les passions tristes (l'envie, la jalousie, la méchanceté, le sadisme, le ressentiment) là où il faudrait célébrer les forces positives (la raison, l'intelligence, l'esprit, le jugement) ; elle déclenche la gloriole chez le condamné et nourrit la cruauté du bourreau ; elle entretient le dérèglement mental de l'exécuteur des basses œuvres ; elle fait souffrir des innocents – la famille et les amis de l'accusé ; elle laisse croire que la société n'est pour rien dans le crime, pourtant généré par la misère, la pauvreté, le chômage, l'alcool, une négativité sinon entretenue, du moins tolérée par l'État ; elle s'appuie sur une erreur ontologique : croire que les hommes disposent d'un libre arbitre, qu'ils choisissent librement, qu'ils peuvent donc être dits responsables, coupables, donc punissables ; elle prend le risque de supprimer la vie d'un innocent victime d'une erreur judiciaire ; elle interdit toute possibilité de rachat ; elle croit qu'il existe d'une part des coupables, d'autre part, des victimes – les choses n'étant pas si simples ; elle est défendue par l'Église qui enseigne pourtant « tu ne tueras point », alors que Jésus ne l'aurait jamais légitimée ; elle peut concerner n'importe quel innocent depuis que l'on tue au nom du progrès, du bonheur, du prolétariat ou de la race ; elle pourrait tout aussi bien concerner le lecteur de ces lignes coupable de n'importe quel crime si un gouvernement le décidait en vertu d'un caprice inédit.

Camus attaque l'État et inscrit donc son combat dans la grande tradition libertaire. Dès lors, il faut « donner un coup d'arrêt spectaculaire et proclamer, dans les principes et dans les institutions, que la personne humaine est au-dessus de l'État » (IV. 164). Lutter contre la peine de mort, c'est également lutter contre les pelotons d'exécutions de l'occupant national-socialiste en France ; lutter contre les tirs dans le cœur des collaborateurs lors de l'épuration ; lutter contre les pendaisons publiques dans la Russie soviétique ; lutter contre « le sang algérien » (IV. 164) si généreusement répandu par le FLN et l'armée métropolitaine ; lutter contre les échafauds marxistes-léninistes dans les pays de l'Est.

Le sang sur les mains de Sartre

Pour mémoire, le combat abolitionniste ne fut pas celui de Sartre, on le sait. Michel-Antoine Burnier, journaliste à *Actuel*, lui pose cette question en février 1972 : « Sans parler de combats de rue ou d'action à force ouverte, vous restez personnellement un partisan de la peine de mort politique ? » Réponse de Sartre : « Oui. Dans un pays révolutionnaire où la bourgeoisie aurait été chassée du pouvoir, les bourgeois qui fomenteraient une émeute ou un complot mériteraient la peine de mort. Non que j'aurais la moindre colère contre eux. Il est naturel que les réactionnaires agissent dans leur propre intérêt. Mais un régime révolutionnaire doit se débarrasser d'un certain nombre d'individus qui le menacent, et je ne vois pas là d'autre moyen que la mort. On peut toujours sortir d'une prison. Les révolutionnaires de 1793 n'ont probablement pas assez tué et ainsi inconsciemment servi un retour à l'ordre, puis la Restauration. »

Puis, dans le même entretien, il ajoute, concernant l'Algérie : « La révolution implique la violence et l'existence d'un parti plus radical qui s'impose au détriment d'autres groupes plus conciliants. Conçoit-on l'indépendance de l'Algérie sans l'élimination du MNA par le FLN ? Et comment reprocher sa violence au FLN, quotidiennement confronté pendant des années à la répression de l'armée française, à ses tortures et à ses massacres ? Il est inévitable que le parti révolutionnaire en vienne à frapper également certains de ses membres. Je crois qu'il y a là une nécessité historique à laquelle nous ne pouvons rien. »

On aura bien lu : justification sartrienne des massacres de plus de trois cents innocents, femmes et enfants compris dans le village de Melouza, une sorte d'Oradour-sur-Glane algérien ; justification des dix mille morts que firent les affrontements entre musulmans du Mouvement national algérien et du Front de libération nationale (Stora, 115) et des vingt-trois mille blessés et mutilés perpétrés par le FLN ! Le combat contre la peine de mort constitue une véritable ligne de partage entre le socialisme libertaire (de Camus) et le socialisme césarien (de Sartre).

Avec les communistes

La prise de position théorique de Camus se double d'une action militante discrète. Il utilise son nom et sa réputation pour obtenir des droits de grâce au profit de ses adversaires politiques. Après la Libération, on l'a vu, le Résistant qu'il fut souhaita que Brasillach et Rebatet échappent à l'exécution. Il n'est pas suspect de sympathie pour la cause des deux collaborationnistes, au contraire de quelques autres signataires, mais il en fait une question de principe.

Voilà pourquoi l'anticommuniste de gauche qu'il fut a également pris le parti de communistes qui risquaient leur vie. En décembre 1952, Camus soutient les époux Rosenberg accusés d'avoir transmis aux Soviétiques des documents extrêmement précieux concernant la bombe atomique américaine. Il demande qu'on épargne leurs vies. Juifs new-yorkais, communistes, ils sont soutenus en France par une pléiade d'artistes, d'intellectuels, d'écrivains. Julius et Ethel Rosenberg sont exécutés à la chaise électrique dans la prison de Sing Sing le 19 juin 1953. Pour information : l'ouverture des archives soviétiques ainsi que de nombreux témoignages d'agents russes permettent de savoir aujourd'hui que les époux étaient bien des espions à la solde de l'URSS et que leurs renseignements contribuaient au programme nucléaire soviétique destiné à l'extermination de millions d'innocents par le feu nucléaire.

Dans *Le Monde* daté du 17 novembre 1954, Camus intervient auprès de l'ambassadeur d'Iran en France pour obtenir la grâce de communistes iraniens condamnés à mort par le Shah. Le gouvernement a exécuté vingt-trois personnes et s'apprête à en tuer une quarantaine d'autres. Camus écrit : « Quelles que soient les raisons juridiques ou nationales qu'on invoque, on ne nous empêchera pas de penser qu'une telle boucherie, car c'en est une, n'a qu'un rapport lointain avec la justice et la dignité nationale qu'on prétend préserver en cette affaire » (III. 945). Jamais aucune boucherie ne peut se prétendre justice – variation sur le thème de la justice et de sa mère.

Il prend soin de signaler dans cette lettre que, dans les pays où sévit le communisme, la peine de mort est quotidienne, mais qu'il fait un principe de s'y opposer. Au contraire de nombre d'idéologues aux indignations sélectives, qui, comme Sartre, trouvent barbare et indéfendable l'usage de la gégène française, mais dialectique, hégélien, nécessaire, légitime, et même moral, l'extermination d'un village par le FLN coupable d'héberger des militants du Mouvement national algérien, Camus trouve barbare et indéfendable *et* la gégène *et* le massacre d'innocents.

Défense des communistes new-yorkais, défense des communistes iraniens, défense des communistes soviétiques : Camus ne veut pas distinguer, il les défend tous dès que leur vie se trouve en danger. Dans la Russie marxiste-léniniste, les procès staliniens envoient directement au poteau d'exécution. Le régime de terreur marxiste-léniniste fera plus de cent millions de morts – ce grand massacre est possible parce qu'on défend la terreur qui transforme la peine de mort en arme de gouvernement.

Aux côtés du FLN

Camus l'anticommuniste de gauche libertaire se bat pour sauver la tête des communistes partisans de la peine de mort ; Camus l'Algérien anticolonialiste qui veut sauver le pays qu'il aime avec le fédéralisme intervient pour qu'on n'envoie pas à la guillotine des poseurs de bombes qui tuent des enfants, des tortionnaires qui supplicient ou égorgent des musulmans pour les rallier à leur cause. L'idéologie, qui dispense de penser, ne l'aveugle pas. Certes, il défend clairement ses idées – opposition aux totalitarismes, à l'usage de la violence, à la peine de mort –, mais, cohérent, il défend aussi ceux qui ne pensent pas comme lui et se font, contre lui, les partisans des régimes totalitaires de droite (Rebatet et Brasillach), de gauche (Julius et Ethel Rosenberg), les acteurs des attentats nationalistes algériens (Ben Sadok et des dizaines d'autres). On peut aisément imaginer que, dans la situation d'épargner Camus, ceux pour lesquels il intervient n'auraient pas hésité une seconde à le (faire) tuer. Il le sait.

En 1954, sept Tunisiens sont condamnés à mort pour l'assassinat de trois policiers. Camus écrit une lettre au président René Coty pour obtenir leur grâce. Dans son carnet, il rapporte le détail de cette histoire : « Sur la demande de Massignon, j'écris au président de la République pour demander la grâce des condamnés à mort de Mokhine. Quelques jours après je trouve la réponse dans les journaux : trois des condamnés à mort ont été fusillés. *Quinze jours après l'exécution*, le directeur du cabinet m'informe que ma lettre a "retenu l'attention" du Président et a été transmise au Conseil supérieur de la magistrature. Rêveuse bureaucratie » (IV. 1185).

Pour la seule année 1957, Camus intervient en permanence. Pour ce que l'on sait : en janvier, sur la demande de Maurice Clavel, il défend le cas de Debbache Moktar ; le 26, il écrit au président de la République et met son poids dans la balance pour épargner la vie à plus d'une dizaine de condamnés ; le 28 octobre, il envoie un courrier à Guy Mollet pour s'insurger de la reprise des exécutions qui obère les chances d'un avenir de paix en Algérie après la guerre ; le 4 décembre 1957, il intervient pour sauver Ben Sadok.

Olivier Todd écrit : « Selon Jean Daniel et Germaine Tillion, Camus intervient dans plus de cent cinquante affaires » (Todd, 685). Jamais Camus ne s'en fait gloire. Il demande même qu'on taise ses interventions et souhaite militer discrètement. Germaine Tillion confie à Roger Quilliot, le responsable de la première édition d'Albert Camus en Pléiade : « J'avais ses divers numéros de téléphone pour pouvoir le joindre immédiatement. Il m'avait dit qu'il ferait ce que je lui demanderai – et il l'a fait » (Essais, 1845). Imagine-t-on Sartre intervenant pour sauver du poteau d'exécution Massu ou Aussaresses s'ils avaient été séquestrés et condamnés à mort par le FLN ?

Songeons à un historien contemporain qui se soucierait de ce travail de l'ombre effectué par Camus : s'il consacrait quelques pages seulement à chacun de ces cent cinquante cas, il rédigerait un fort volume où l'on verrait le philosophe défendre la peau de poseurs de bombes, de terroristes sans pitié, d'assassins de femmes et d'enfants couvrant leurs forfaits avec une phraséologie militante. Cet historien pourrait également mettre en exergue une phrase de Camus qui condamne *aussi* la torture pratiquée par l'armée métropolitaine sur le territoire algérien et les exécutions sommaires perpétrées par les parachutistes.

En défense des minorités

Camus écrit : « La démocratie, ce n'est pas la loi de la majorité mais la protection de la minorité » (IV. 1292). Au contraire du socialisme césarien, antidémocrate par essence, le socialisme libertaire est radicalement démocratique. On le verra donc, démocrate à souhait, défendre Israël, menacée dès sa naissance, minoritaire, déjà exécrée, combattue par les Anglais, les pays arabes, et nombre d'autres nations. Été 47, soit deux années après la libération des camps d'extermination nazis, *Exodus 1947* transporte à son bord quatre mille cinq cents juifs qui émigrent clandestinement d'Europe vers la Palestine alors sous mandat britannique – premier bateau d'un long convoi de clandestins qui traversent la Méditerranée depuis des décennies pour un avenir meilleur. Clandestins, privés de papiers d'identité détruits dans le feu de la guerre, ils font face au pouvoir anglais qui refuse cette arrivée d'émigrants sur son sol, remplit trois bateaux de ces juifs indésirables, organise leur reflux et les renvoie en Allemagne.

Sur le trajet du retour, la France offre l'hospitalité : soixante-quinze personnes acceptent, les autres persistent dans leur souhait d'aller en Palestine. Dans le port d'Elbe, l'Angleterre envoie les troupes pour vider les embarcations à quai. Une bombe à retardement est placée par les Anglais dans l'un des trois bateaux, elle doit exploser dans l'après-midi. Les juifs sont entassés dans des trains qui partent vers des camps allemands. Émotion internationale. Plusieurs mois après, la plupart des émigrants entrent en Terre sainte. L'affaire de l'*Exodus* jouera un grand rôle dans la décision de créer un État d'Israël sur le sol palestinien – alors anglais.

Une autre tragédie a eu lieu avec un autre bateau américain, *Le Ben-Hecht*, du nom d'un écrivain juif scénariste d'Hollywood. Ce navire apportait six cents réfugiés juifs auxquels fut également refusée l'entrée en Palestine. Là encore, les juifs sont interceptés, enfermés dans des bateaux et dirigés vers Chypre. Un journaliste, Jacques Méry, souhaite rendre compte de cet événement dans son journal – qui refuse de passer intégralement le reportage. Il se propose alors d'écrire un livre qui devient *Laissez passer mon peuple*. Camus préface l'ouvrage de quelques feuillets qu'il titre *Persécutés-Persécuteurs*. Ce texte se trouve dans *Actuelles II*.

Camus recourt à l'ironie. Le persécuteur est devenu une figure majeure de notre société nihiliste, il va falloir s'y faire et se dire, peut-être pour s'y habituer, qu'on pourra aussi le devenir ! Notre

665

époque trouve que les persécutés en font trop, qu'on les voit trop, qu'on les entend trop, qu'ils nous accablent trop ! En un mot : qu'ils exagèrent. Elle croit, perfidement, qu'on n'est jamais vraiment persécuté si on n'a rien fait pour le mériter car, somme toute, il n'y a jamais de fumée sans feu : on ne fait pas l'objet d'une telle vindicte sans de vraies bonnes raisons ! Dès lors, si l'on persécute les juifs, c'est qu'ils ont probablement commis ce qui justifie qu'ils le soient ! « Le monde a horreur de ces victimes inlassables. Ce sont elles qui pourrissent tout et c'est bien leur faute si l'humanité n'a pas bonne odeur » (III. 384), pensent encore des hommes après l'ouverture des camps.

Le livre de Méry montre que, peut-être, l'heure est venue pour les juifs de signifier qu'ils en ont assez d'être des éternelles victimes. Que le temps va venir où la culpabilité et la persécution cesseront d'accabler ce peuple transformé en sempiternelle victime émissaire. Écoutons donc ce qu'il a à nous dire. L'Histoire étant ce qu'elle est en 1948, Camus écrit, toujours avec le ton primesautier et ironique choisi pour rédiger ces pages : « Pensez donc, s'ils avaient compris la leçon et si, un jour, ils devenaient persécuteurs ? Ils reviendraient ainsi dans la communauté, au milieu du soulagement général. Tout serait en ordre, enfin. Ce serait chez nous le festin du prodigue, le jour de l'allégresse. Il faudrait alors tuer le veau gras. Encore tuer ! diront les délicats. » (III. 385).

Plus de dix ans après, le 21 février 1957, Camus participe à un numéro collectif de *France-*

Observateur consacré à Israël. Une poignée d'intellectuels donnent leur avis sur les événements du moment : nationalisation du canal de Suez par Nasser, blocus du port d'Eliath, occupation du canal par les troupes anglaises et françaises, intervention d'Israël dans le conflit qui l'oppose à l'Égypte, occupation de Gaza et de Charm el-Cheikh. Camus répond brièvement mais très clairement : « Je suis, et sans réserve, pour la survie et la liberté de l'État d'Israël, né du martyre de millions d'hommes, et dont l'effort économique et social en fait un modèle pour les nations du Moyen-Orient, comme pour les autres » (IV. 555).

On songe qu'écrivant ceci en 1957, il doit penser un peu à la guerre d'Algérie. Voilà pourquoi il propose Israël comme un modèle de développement pour les autres pays arabes dont les peuples ne demandent pas des canons et des guerres (à l'heure où il écrit : fournies par Nasser au FLN), des assassinats de masse et des crimes, mais des oliviers – au double sens symbolique, la paix, et agronomique, des richesses nationales susceptibles de nourrir les peuples. Les Européens, comptables de la Shoah, doivent mener une politique de coopération avec Israël.

Le génie libertaire espagnol

Dans ces années 1950, les opprimés, ce sont également les républicains et les libertaires espagnols. On connaît la passion de Camus pour l'Espagne : ses grands-parents maternels venus de

Minorque ; sa célébration de la révolte en Asturies dans une pièce de théâtre écrite avant guerre ; un réel goût pour les valeurs espagnoles – ombrageux, séducteur, scrupuleux sur le sens de l'honneur et de la fierté ; désespérément compagnon de route de Don Quichotte ; persuadé qu'en Europe l'Afrique qu'il aime tant commence sur la terre de Cervantès ; lecteur d'un Unamuno ayant bien saisi *Le Sentiment tragique de la vie*, il se dit autant espagnol qu'algérien, puisque africain. Malgré tout cela, Camus n'a jamais posé les pieds sur le sol espagnol tant que Franco était au pouvoir – et comme le dictateur meurt quinze ans après lui, il n'aura jamais eu le loisir de s'y rendre. Titre de gloire : ses livres étaient interdits dans l'Espagne franquiste.

L'Espagne, pour Camus, s'enveloppe dans le drapeau noir de l'anarchie. Quand il reçoit le chèque du Nobel, une partie va aux réfugiés politiques espagnols en France. Au printemps 1954, il publie un *Calendrier de la liberté* dans la revue anarchiste *Témoins*. Il y célèbre le génie libertaire espagnol et fustige la compromission de l'Église catholique, apostolique et romaine avec le fascisme de Franco. Puis, cette magnifique promesse intellectuelle, philosophique et politique : « Gardons-nous de croire que la cause républicaine vacille ! Gardons-nous de croire que l'Europe agonise ! Ce qui agonise, de l'Est à l'Ouest, ce sont ses idéologies. Et l'Europe peut-être, dont l'Espagne est solidaire, n'est si misérable que parce qu'elle s'est détournée tout entière, et jusque dans sa pensée révolutionnaire, d'une source de vie généreuse, d'une pensée où la justice et la liberté se rencontraient dans une unité charnelle, également éloignée des philosophies bourgeoises et du socialisme césarien. Les peuples d'Espagne, d'Italie et de France gardent le secret de cette pensée, et le garderont encore pour qu'il serve au moment de la renaissance. Alors le 19 juillet 1936 sera aussi l'une des dates de la deuxième révolution du siècle, celle qui prend sa source dans la Commune de Paris, qui chemine toujours sous les apparences de la défaite, mais qui n'a pas encore fini de secouer le monde et qui pour finir portera l'homme plus loin que n'a pu le faire la révolution de 17. Nourrie par l'Espagne et, en général, par le génie libertaire, elle nous rendra un jour une Espagne et une Europe, et avec elles de nouvelles tâches et des combats enfin à ciel ouvert. Ceci du moins fait notre espoir et nos raisons de lutter » (III. 924). Combien se trompent ceux qui persistent à faire d'Albert Camus un social-démocrate !

En 1954, Camus signale donc clairement ses préférences politiques : une république incarnant le socialisme libertaire ; une forme de pouvoir capable de permettre en même temps la justice et la liberté, alors que la première sans la seconde est tyrannie, la seconde sans la première, anarchie, au sens trivial du terme ; une gauche qui récuse aussi bien la pensée bourgeoise (d'un Raymond Aron) que le marxisme césarien (d'un Sartre) ; une révolution, il ne récuse pas le mot, inspirée par les communards ; une promesse de renaissance élargie à l'Europe tout entière ; une nouvelle leçon du nietzschéisme solaire au continent hégélien nocturne.

L'ordre des anarchistes

Camus propose un *ordre libertaire*. Dans *L'Europe de la fidélité* (1951) il utilise délibérément le mot *ordre*. Mais, dans un monde où l'anarchie passe pour l'autre nom du désordre, il faut l'expliquer. L'Espagne lui sert d'exemple : « Quand n'importe qui peut arrêter n'importe qui, quand la délation est encouragée, quand les femmes enceintes dans les prisons sont généreusement dispensées de travail, mais au neuvième mois seulement, alors nous sommes dans le désordre, et Franco prouve au monde entier qu'il est un bien plus dangereux anarchiste que nos amis de la CNT qui, eux, veulent un ordre » (III. 874). Ce chiasme entre le désordre de ceux qui prétendent faire respecter l'ordre, les gens de pouvoir, et l'ordre de ceux qu'ils présentent comme des fauteurs de troubles qui voudraient le désordre, les anarchistes, permet de comprendre que l'on puisse parler d'un ordre libertaire. L'ordre anarchiste, c'est le désordre des bien-pensants ; l'ordre des bien-pensants, c'est le désordre des anarchistes.

Les imprécations de l'anarchiste individualiste Max Stirner à détruire tout ce qui ne permet pas son affirmation, ses justifications du crime, du meurtre, de l'inceste ; les invitations de Bakounine, compagnon de rédaction du *Catéchisme révolutionnaire* de Netchaïev, à recourir à la violence pour réaliser le socialisme ; les bombes envoyées dans l'Assemblée nationale par Auguste Vaillant ; les crimes perpétrés par les engins explosifs de Ravachol ; les assassinats de la bande à Bonnot, sous couvert d'anarchie, toutes ces exactions transcendantales et empiriques ont beaucoup contribué à la dépréciation du terme.

Cette logique du pire jette le discrédit sur l'ensemble de l'anarchie positive : la première formulation de l'idéal libertaire donnée par Joseph Déjacque – qui invente le mot, à défaut de la chose ; la construction de la première formule de l'individualisme anarchiste par Anselme Bellegarrigue ; l'anarchie concrète *via* la coopération, le mutualisme, le fédéralisme et le pragmatisme moral de Pierre-Joseph Proudhon ; l'écologie politique libertaire du géographe Élisée Reclus ; la pédagogie anti-autoritaire activée avec succès dans « La Ruche », son école alternative, par Sébastien Faure ; le mouvement des universités populaires initié par le proudhonien Georges Deherme ; la révolution sexuelle et naturiste concrète des Milieux libres d'E. Armand ; le combat pacifiste et antimilitariste en faveur de l'objection de conscience de Louis Lecoin, qui fut d'ailleurs un compagnon de Camus – toute une longue et belle tradition libertaire qui se moque comme d'une guigne du concept et du catéchisme, fussent-ils anarchistes, et souhaite avant tout le changement existentiel et politique ici et maintenant – *une autre formule de la radicalité*. La révolution espagnole fut le moment historique de cette anarchie en acte.

Intermède au drapeau noir

Quels sont les anarchistes pour lesquels le souci de la construction d'un nouvel ordre social présente plus d'importance que celui de sa destruction ? Peu ou prou les mêmes qui ne souscrivent pas aux marmites bourrées de clous et d'explosifs lancées dans un restaurant, aux revolvérisations d'un procureur pour accélérer le cours de l'histoire, à l'assassinat d'un rentier afin de hâter l'extinction du paupérisme, aux égorgements de propriétaires sous prétexte de remplir l'assiette des enfants de pauvres, autrement dit à tous ceux pour lesquels l'anarchie n'est pas le produit du ressentiment mais la tension éthique vers la justice sociale et sa réalisation au plus vite dans les faits.

En 1840, dans son fameux *Qu'est-ce que la propriété ?*, Proudhon écrit : « L'anarchie, c'est l'ordre, moins le pouvoir. » *En 1848*, dans *La Solution du problème social* : « La plus haute perfection de la société se trouve dans l'union de l'ordre et de l'anarchie. » *En 1850*, Anselme Bellegarrigue fonde un journal dont le titre est *L'Anarchie. Journal de l'ordre*. Cet anarchiste individualiste affirme : « L'anarchie, c'est l'ordre et le gouvernement, la guerre civile. » Dans son immense *Encyclopédie anarchiste*, Sébastien Faure consacre une longue analyse au mot « ordre » dans lequel il synthétise les thèses d'un article de Kropotkine paru dans *Le Révolté* entre 1880 et 1882, « L'ordre », qui oppose l'ordre bourgeois et le désordre des anarchistes. Du côté de l'ordre bourgeois : l'exploitation, le capitalisme, la misère, la guerre, la prostitution, le travail des enfants, la fumisterie parlementaire, la servitude, l'asservissement des consciences et des intelligences ; du côté du désordre des anarchistes : la libération des peuples, la fin de l'esclavage, la science mise au service de l'humanité, l'insurrection contre le capital, l'évincement du clergé, l'abolition des privilèges, la parole des chaumières contre les châteaux. Chacun le comprend : l'ordre bourgeois est un désordre, le prétendu désordre anarchiste, l'ordre véritable. Après ce long détour, Sébastien Faure conclut : si l'ordre ne procède pas de l'autorité, s'il ne vient pas d'en haut, s'il ne découle pas de la hiérarchie, s'il ne s'appuie pas sur la force, s'il ne vit pas de contraintes, alors l'ordre est juste et bon : « S'il a pour base la Raison et l'Entente, c'est à dire la Liberté, il trouve son point d'appui sur l'acquiescement volontaire et conscient de tous, sur la répartition égalitaire des produits du travail commun, sur le respect mutuel des droits et des devoirs de chacun, sur l'équilibre qui résulte auto-matiquement de la satisfaction des besoins ressentis. Mère de la Justice et de l'Égalité, la Liberté donne à l'Ordre une étonnante stabilité. L'Ordre ne peut exister qu'au sein d'une société composée d'êtres libres, égaux et solidaires » (III. 1867). Les majuscules sont de Faure. *En 1895*, lors du dis-cours de la séance solennelle de rentrée à l'uni-versité libre de Bruxelles, Élisée Reclus effectue des variations sur le thème développé par ses pré-décesseurs. Le titre de cette conférence ? *L'anarchie est la plus haute expression de l'ordre.*

Les pouvoirs en place ont intérêt à présenter l'anarchie comme un désordre, et, pour ce faire, d'insister sur le lignage violent, brutal, agressif, sanglant de la tradition illégaliste dans l'histoire de l'anarchie. Mais il existe une ligne de partage très claire entre les partisans du sang et ceux de l'intel-ligence : les premiers défendent toujours, sinon en théorie, du moins dans les faits, l'usage de la peine de mort. Ils vouent un culte à la violence. Totalement à rebours de ce lignage vandale, Camus s'inscrit dans la tradition des défenseurs de l'anarchie positive. Son œuvre entière porte pour le XXᵉ siècle (et après) le projet d'un ordre libertaire.

D'où son intérêt pour Gandhi. Voilà en effet un homme qui, sans jamais recourir à la violence et sans faire couler le sang d'un seul homme, obtient la libération d'un peuple de quatre cent millions d'âmes – preuve de la possibilité, en tablant sur la raison, l'intelligence, la persuasion, la détermination, de faire des révolutions et d'infléchir le cours de l'histoire. Pulsion de vie orientale contre pulsion de mort occidentale, formidable puissance de la *Baghavad-Gîta* pour générer des résultats solaires en mobilisant des forces vitales contre sinistre influence du *Capital* qui produit des miradors et des camps barbelés dans un monde obscurci. Gandhi « enseignait que la parole est un acte, et qu'elle peut façonner l'histoire, à la seule condition qu'on lui conforme sa vie, jusqu'à la mort » (III. 1049).

L'heure espagnole

S'il existe donc bel et bien un lignage libertaire théorique, quid de la pratique ? Car, belle sur le papier, à quoi ressemble l'anarchie dans les actes ? La réponse oblige à revenir en Espagne dont Camus nous fait savoir qu'elle a des choses à nous apprendre pour l'avenir. Cette Espagne qui est déjà l'Afrique fournit une seconde fois, après l'Algérie de Tipasa, une leçon politique : l'Europe nocturne doit s'abreuver aux sources de vie offertes par l'Algérie et la péninsule Ibérique. Les plages de la Méditerranée invitent à un nietzschéisme lumineux, les Quichottes libertaires incitent à une Renaissance de l'Europe.

Pour comprendre la nature concrète d'un *ordre libertaire*, lisons le livre de Gaston Leval, *Espagne libertaire (1936-1939)*, une volumineuse enquête sur cette révolution anarchiste incarnée dans ces régions rudes. Camus n'a pu lire ce livre paru onze ans après sa mort, car son auteur a longuement et patiemment enquêté sur place, il a réuni des témoignages, visité des acteurs, compulsé un nombre incroyable de documents de ce moment historique unique dans l'histoire de l'humanité : une révolution libertaire réussie – avant son assassinat par Franco. Gaston Leval, on s'en souvient, c'est l'homme avec lequel Camus polémique lors de la parution de *L'Homme révolté*. Le directeur du *Libertaire* reprochait en effet au philosophe d'ignorer la totalité de la pensée de Bakounine en extrapolant sur deux ou trois textes et des sources fautives une passion du révolutionnaire russe pour le nihilisme et la violence – dans ce débat, pourtant, Camus avait raison. Les deux hommes devaient sortir amis de cet affrontement sans haine et sans mépris.

Qui était Gaston Leval (1895-1978) ? Fils de communard, ouvrier d'usine, insoumis lors de la Première Guerre mondiale, Pierre Piller de son nom véritable, passe en Espagne et milite dans les rangs anarchistes. La CNT l'envoie en mission en URSS en 1921. Il y reste plusieurs mois et découvre la vraie nature du régime communiste qui emprisonne et pourchasse les partisans de

Bakounine ou de Kropotkine. Lénine le reçoit, il demande la libération des anarchistes en grève de la faim. Silence du dictateur. Il part en Argentine en 1924, puis rentre en Espagne en 1934 où il milite à la CNT. Insoumis à nouveau, arrêté, emprisonné, évadé en août 1940, il entre avec le pacifiste Louis Lecoin dans les restaurants populaires du Secours national pétainiste. À cause de ce faux pas, la Fédération anarchiste l'écarte temporairement à la libération. Pendant des années, en même temps que sa profession de correcteur typographe, il mène une vie de militant, crée des organisations, fonde des journaux, écrit dans des bulletins – et rédige un *Manifeste-Programme du mouvement socialiste libertaire (ou de civilisation libertaire)* – aujourd'hui conservé dans les archives Camus à Aix-en-Provence !

Son *Espagne libertaire* s'ouvre sur un constat : en seulement trois années, cette révolution anarchiste espagnole a réalisé l'idéal proposé par Marx et Engels, Proudhon, Bakounine et Kropotkine – une société sans classes, un homme nouveau, une fraternité concrète, une solidarité effective, des relations inédites, un mode de production et de distribution postcapitaliste. De 1933 à 1936, elle a obtenu ce qu'en plus d'un demi-siècle la révolution russe n'a pas conquis, car, désormais, l'URSS tourne le dos aux idéaux socialistes. En regard de l'Histoire, la Commune de Paris semble un événement mineur. Pourtant, cette dernière a généré une quantité incroyable de travaux, alors que rien n'existe sur la Révolution libertaire espagnole qui, *elle*, a réalisé le communisme libertaire.

Qu'est-ce que le communisme libertaire ? « 1° L'organisation d'une société sans classes ; 2° le fonctionnement de cette société sur la base du fédéralisme, et de la libre et nécessaire association » (11). Leval précise en effet que les deux tiers des terres ont été cultivés sans patrons, sans propriétaires, sans administrateurs, sans se soucier d'argent, sans objectif de concurrence, sans cadres, sans chefs. Dans l'industrie, les usines, les fabriques, les ateliers, les services publics, et sans l'État, sans les capitalistes, les ouvriers, *via* leurs syndicats et les comités d'entreprise, ont assuré la production et l'ont même améliorée.

L'égalité a été réalisée. Chacun a reçu en fonction de ses besoins. Dans nombre de régions, les collectivités agraires et les entreprises industrielles ont fonctionné sur le principe des associations libres, des coopératives, des mutualisations. Les rendements ont été augmentés, des nouvelles richesses créées. La démocratie directe a fonctionné, elle a évité la représentation, le mandat et la délégation : les gens concernés ont eux-mêmes décidé de leur avenir. L'entraide (de Kropotkine) a remplacé la lutte (de Darwin), la solidarité (anarchiste) a pris la place de la rivalité (capitaliste). Les théories libertaires fonctionnent donc quand on les met en œuvre concrètement, elles n'ont pas besoin de se nourrir du sang des bourgeois, elle vit d'une positivité qui, seule, mérite intérêt. L'Espagne réalise l'ordre libertaire.

Gaston Leval cite Élisée Reclus pour montrer combien cette anarchie concrète, réalisée dans l'histoire, mérite qu'on s'en soucie et qu'on prenne modèle sur elle. Parlant de cette révolution, il écrit : « Son idéal, c'était le communisme libertaire, ou l'anarchie. Mais l'emploi de ce dernier mot risque fort, surtout en langue française – et en d'autres langues sans doute – de déformer dans les esprits ce que le grand savant et humaniste Élisée Reclus définissait comme « la plus haute conception de l'ordre ». D'autant plus que très souvent, et ce fut le cas en France, les anarchistes semblent s'être évertués à donner raison à leurs adversaires, et à justifier l'interprétation négative et nihiliste que l'on trouve déjà dans telle ordonnance ou tel édit de Philippe le Bel » (13) – autrement dit depuis le XIIIe/XIVe siècle.

Un long combat antifranquiste

Camus, donc, souscrit à cette Révolution libertaire espagnole, puisqu'il ne cesse de dire combien il nous faudrait, pour construire la France et l'Europe à venir, sans oublier l'Algérie, s'inspirer de ce modèle concret. Il célèbre l'Espagne de la liberté et invite à ce qu'elle nous serve de modèle. Il s'agit de lui rendre hommage, « ouvertement, avec solennité, avec le respect et la tendresse que nous lui devons, l'admiration que nous portons à ses œuvres et à son âme, la gratitude enfin que nous nourrissons pour le grand pays qui nous a donné et nous donne encore nos plus hautes leçons » (III. 439). Voilà pourquoi il n'a cessé d'agir aux côtés de l'Espagne libertaire.

Dès 1935, il a vingt-deux ans, Camus prend partie pour la révolte en Asturies. En 1944, il dénonce les camps de réfugiés, des « camps de concentration » (II. 541), dans lesquels on parque les exilés qui fuient le gouvernement fasciste de Franco. Il regrette que la France du Front populaire n'ait pas combattu aux côtés des républicains contre l'instauration d'une dictature militaire catholique à sa frontière. À la Libération, il rend les Alliés responsables du maintien de ce régime fasciste en Europe, alors que l'Italie de Mussolini et l'Allemagne d'Hitler ont disparu.

En août 1945, il invite les démocraties européennes à reconnaître pour seul gouvernement légitime celui qui s'est exilé à Mexico – mais, même aujourd'hui, qui se souvient que, du temps de Camus, Diego Martinez Barrio fut président de cette République en exil au Mexique et incarna un genre de De Gaulle dans un Londres mexicain ? Ce gouvernement en exil décorera Albert Camus qui se moquait des médailles mais, on l'a vu, arbora celle-ci sur le revers de son queue-de-pie pour la cérémonie du Nobel à Stockholm. En revanche, il ne portait pas la rosette de la Résistance.

Quand l'UNESCO accueillit le dictateur, Camus écrivit une lettre (publiée dans *La Révolution prolétarienne* en juillet 1952) au directeur de cette institution pour refuser de collaborer à une enquête sur la culture et l'éducation, comme on le lui avait demandé. La raison ? L'UNESCO prévoit de faire entrer l'Espagne franquiste dans son sein. Camus précise que les idéaux de cette maison se trouvent aux antipodes des idées défendues par Franco ; qu'il serait totalement impossible d'organiser une Exposition sur les droits de l'homme à Madrid ; que des militants syndicalistes sont garrottés par les militaires ; que les procès politiques n'arrêtent pas. Le philosophe rend sa lettre publique. Il initie une pétition. En novembre 1952, Franco entre à l'UNESCO. Camus ne démissionne pas *comme il est écrit partout* : il avait refusé d'y être si Franco y allait, Franco s'y trouvant, Camus n'y fut jamais – il suffit de lire la lettre envoyée au directeur général : « Je voudrais vous dire pourquoi je ne puis consentir à cette collaboration aussi longtemps qu'il sera question de faire entrer l'Espagne franquiste à l'UNESCO » (III. 895).

Le 18 novembre 1955, Camus signale aussi que le régime fasciste de Franco soutient le FLN – qui le sait ? Qui le dit encore ? À l'époque où la gauche défendait encore la liberté, et la droite, l'honneur, deux vertus joyeusement sacrifiées par la première et la seconde, elles se seraient « accordées pour constater que l'amitié de M. Molotov et du colonel Nasser ne pouvait avoir d'autre effet, à longue échéance, que de donner à Franco, outre le Maroc, cette Oranie tant convoitée, où il pourra importer la misère du Maroc espagnol auprès de laquelle celle de la zone française passerait pour royale » (III. 1046). Sartre, allié objectif de Franco sur la question algérienne ? L'Histoire ne manque pas de sel.

Un manifeste libertaire

Dans une brochure militante de Marin Progreso, *La Pensée politique d'Albert Camus* (1967), on peut lire ceci : « Vers les années 1950, il lut et approuva le manifeste socialiste libertaire de

Gaston Lerval [*sic*] avec lequel il eut d'ailleurs une courte polémique après la parution de *L'Homme révolté* » (51). Bien sûr, il faut lire Leval. L'information reste très confidentielle dans les publications camusiennes. Les biographes n'exploitent pas ce renseignement majeur qui pulvérise la thèse d'un Camus social-démocrate mendésiste.

Pourtant, dans les cartons d'archives de Camus déposés à Aix-en-Provence, j'ai trouvé un paquet de feuilles sur papier pelure avec une dactylographie au carbone, son titre est : *Manifeste-programme du mouvement socialiste libertaire (ou de civilisation libertaire)*. Quelques corrections manuscrites se trouvent en marge, elles ne sont pas de la main de Camus. L'ensemble est folioté de 1 à 39, mais il manque la page 10. Toutefois, la lecture n'est pas affectée quand on passe de la page 9 à la page 11 – c'est donc une simple erreur de dactylographie, l'ensemble est complet. Voilà donc le texte de Gaston Leval dont Camus prit connaissance et auquel il souscrivit.

Très pédagogique, Leval commence par expliquer ce que sont, d'un *point de vue libertaire*, le capitalisme, l'État, la religion, les Églises, les mécanismes de production économique. Il avoue utiliser avec regret le mot « socialisme » à cause de l'usage que les pays de l'Est en font : « Il faudrait inventer un nouveau vocabulaire que les politiques et les nouveaux profiteurs corrompraient bientôt » (14). Le mot se trouve conservé tout de même, mais nouvellement défini : « L'égale possibilité de jouissance des biens sociaux pour tous les hommes, toutes les femmes, tous les enfants. »

Suit une définition du *principe libertaire*, bien que la pratique libertaire ne suive aucun principe défini « car elle a été la vie même, qui s'est développée d'après ses propres lois naturelles qui n'ont rien à voir avec celles de l'État ». Puis, plus loin : « La civilisation est essentiellement libertaire » (16) car elle se construit avec « des individualités et des élites », jamais avec l'État, ni à partir de lui. L'individu est donc le moteur du collectif – une généalogie qui n'aurait pas déplu à Nietzsche.

Le manifeste propose ensuite un développement sur les *techniques libertaires*. Contre l'État, justement, les libertaires veulent une gestion directe et responsable par les gens concernés. Les usines seront gérées directement par les ouvriers et pour eux, et non par et pour les actionnaires. L'intérêt général et le souci du bien public doivent guider les gestionnaires. L'organisation de la production s'effectue de bas en haut, à partir des communautés de bases associées, fédérées, mutualisées.

Le texte invite à une *éthique libertaire*. Contre Marx et les marxistes, les anarchistes ne croient pas au primat de l'économie : une révolution dans le mode de production des richesses ne suffit pas à produire un homme nouveau ; en revanche, un homme nouveau peut initier une révolution dans le mode de production des richesses. La révolution politique est morale avant d'être économique : d'abord de nouvelles valeurs, ensuite une humanité transfigurée, donc une autre façon inédite de produire et de répartir les richesses et les biens.

Le révolutionnaire libertaire n'a rien à voir avec le révolutionnaire marxiste qui oppose la morale bourgeoise à la morale révolutionnaire pour s'affranchir de toute éthique et mieux justifier son immoralité et ses exactions commises au nom de l'idéal socialiste. Pour Leval, il y a une « nécessité, pour ceux qui veulent créer une société nouvelle, d'être moralement supérieurs à ce qu'ils veulent détruire » (19). Le marxisme a commis un mal irréparable au socialisme, qui lui préexistait pourtant, avec son réductionnisme matérialiste, son économisme, sa religion de l'Histoire, son souverain mépris de la conscience humaine.

En matière de révolution, l'intention peut être bonne, mais « si les moyens sont immoraux, on s'embourbe dans l'immoralité, on aboutit à l'opposé de ce qu'on voulait atteindre » – car le socialisme incarne avant tout une exigence éthique. La fin ne justifie pas les moyens ; les moyens peuvent même discréditer la fin s'ils la contredisent. Dans un monde sans boussole morale, le manifeste en appelle à des vertus : justice, fraternité, honnêteté, loyauté, droiture, dignité, solidarité, vérité, altruisme. Le texte précise : « L'éthique est aussi une esthétique » (20). La solidarité est une affaire biologique, écrit le très probable lecteur de *L'Entraide* de Kropotkine, sans laquelle la liberté n'existe pas.

« Une évolution révolutionnaire »

Une partie de ce manifeste propose une *pratique libertaire*. Comment s'y prendre pour réaliser ce socialisme-là ? Contre la domination militariste soviétique et l'organisation guerrière du parti, le socialisme libertaire propose une « évolution révolutionnaire et libertaire ». Gandhi est célébré pour sa force morale et l'efficacité de sa technique politique non violente. Évolution pacifique contre révolution violente : le bel oxymore d'« évolution révolutionnaire » montre qu'on a tort d'associer *évolution et réformisme* et *révolution et radicalité* pour mieux les opposer, car il existe des radicalités sans brutalité, sans guillotines ni barbelés, sans camps de concentration ni miradors. Défendre une évolution révolutionnaire, c'est militer pour une vitesse : ni précipitation ni hâte qui génèrent toujours les catastrophes, mais justesse d'un temps radical qu'on souhaite tout de même rapide – et libertaire.

Concrètement, dans l'esprit de Proudhon, la monnaie classique laisse place à « un signe monétaire de rétribution » qui empêche le parasitisme et la spéculation. Le souvenir des Enragés de 1789 et des sans-culottes flotte dans les pages de ce texte. Le consommateur choisit selon ses besoins et son désir. La production s'indexe sur son souhait : pas question de produire plus que de raison pour réaliser des stocks et spéculer. La raréfaction donne toujours naissance à une bureaucratie dommageable. Dans l'ordre libertaire, l'économie se met au service des hommes. La solidarité, la fraternité, l'égalité, l'équité président aux redistributions effectuées dans les magasins coopératifs sur présentation du fameux signe monétaire. Les inactifs, les enfants, les malades reçoivent selon leurs besoins.

Le manifeste rejette l'État et l'exploitation de certains pays par d'autres – il propose un *interna-*

tionalisme libertaire. L'organisation des communes en coopératives, des coopératives en mutuelles, des mutuelles en fédérations, des fédérations en formes politiques de plus en plus grandes – un pays, la France, un continent, l'Europe, une planète, le monde – produit un ordre libertaire à réaliser à chacun des échelons qui conduisent du village au globe terrestre. Les syndicats et les coopérations doivent cesser de fonctionner dans le seul cadre national. Le manifeste envisage une « société socialiste libertaire », puis une « structure européenne », enfin une « organisation internationale ».

La fédération reste l'instrument de prédilection libertaire : l'agriculture fournit localement les céréales, les fruits, les légumes, les produits de première nécessité. L'industrie procède de la même manière. Les associations horizontales, immanentes, contiennent la totalité des productions et des producteurs. Cet assemblage s'effectue de façon centrifuge. La Commune constitue la cellule de base. Des délégués aux congrès fédéraux et interfédéraux représenteront l'assemblée des travailleurs qui pourront révoquer ceux qui ne les représenteraient pas comme convenu lors du mandat.

Leval parle de « Fédérations nationales organisées de la périphérie au centre », ce centre que Proudhon n'avait pas hésité à nommer « État » dans sa *Théorie de la propriété*, un livre ultime qui lui valut la haine des anarchistes accrochés à leur catéchisme anti-étatique – ils n'avaient pas vu (et, pour certains, ne voient d'ailleurs toujours pas) que l'État n'est pas une idée pure systématiquement condamnable, mais une machine pragmatique valant ce que valent les idéaux qu'il sert : quand l'État garantit le fonctionnement des fédérations, comment pourrait-il être condamnable ou condamné ? Quand il sert les intérêts du capital, en effet, il est à abattre, mais quand il se met au service de l'ordre libertaire ?

Le manifeste défend également une *culture libertaire*. Contre l'usage bourgeois qui utilise le savoir et les connaissances pour séparer les hommes et asseoir la distinction de classe, la culture doit devenir populaire. La réduction du temps de travail au strict nécessaire à la consommation de chacun, soit quatre heures par jour, dégagera un grand temps disponible pour les loisirs et ce que Pelloutier appelait la « culture de soi ». L'éducation cesse d'être autoritaire et les parents y contribuent de conserve avec les enseignants. Les libertaires font l'éloge de l'émulation créatrice et s'opposent ainsi au monolithisme intolérant de la culture officielle d'État, fût-elle socialiste.

Gaston Leval fait l'éloge de microsociétés – il défend le principe d'une micrologie politique. Il célèbre les « libres républiques italiennes », les villes de l'Empire arabe (on pense, bien sûr, au *douar-commune* cher au cœur de Camus pour construire une Algérie socialiste et libertaire), aux cités égéennes. Il faut viser, dit le texte, « une civilisation véritable et libertaire (qui) impliquerait la résurrection de la vie locale ». Comment un Parisien de la première moitié du XXᵉ siècle pouvait-il entendre ce langage girondin ?

Le manifeste se termine sur ce qu'il faut faire immédiatement : agir sans attendre ; éviter le tout ou rien ; s'engager dans des sphères limitées d'action ; pratiquer une « intense activité prosélyte » dans les associations ; multiplier les « sociétés fédérées d'entraide et de libre initiative » ; créer des régies d'État ; vendre directement pour éliminer les parasites ; déclarer la grève gestionnaire et enclencher l'autogestion directement sur les lieux de travail ; instaurer des coopératives de production et de distribution ; solliciter « les libertaires en puissance, les libertaires qui s'ignorent » pour mettre en place ce projet. Voilà à quoi Camus souscrivait politiquement dans les années 1950. Son action en faveur d'une fédération franco-algérienne montre qu'il croyait possible cet ordre libertaire. Mais voilà.

04.01.1960

Camus perd la vie à l'âge de quarante-six ans. À cet âge, et pour en rester au seul monde des philosophes, Marc-Aurèle n'a pas fini ses *Pensées*, Montaigne n'a pas écrit le livre III de ses *Essais*, Hobbes n'a pas composé ses *Éléments de loi*, son *Du citoyen*, son *De la nature humaine*, ni son *Léviathan*, Leibniz n'a pas rédigé sa *Théodicée*, son *Système de la nature*, sa *Monadologie*, Voltaire n'a rien publié de notable en dehors de ses *Lettres philosophiques*, idem pour d'Holbach, Kant n'a composé aucune de ses trois grandes critiques, Rousseau n'a pas écrit *La Nouvelle Héloïse*, *Le Contrat social*, *L'Émile*, les *Confessions*, *Les Rêveries du promeneur solitaire*, ni Montesquieu *L'Esprit des lois*, pas plus Marx son *Capital*, ou

Lévi-Strauss ses *Tristes tropiques*, Lacan n'a rédigé aucun des textes qui constituent ses *Écrits*.

Dans *Le Mythe de Sisyphe*, jeune homme, Camus écrivait : « Une mort prématurée est irréparable » (I. 277) – jeune homme, mais tuberculeux, donc se sachant à terme condamné à mort, du moins : à mourir plus vite que les autres. De fait, *Le Premier Homme* montre dans quelle direction se dirigeait Camus qui, *peut-être*, créait, avec sa maison de Lourmarin, une occasion de retrouver le royaume méditerranéen après avoir été contraint à l'exil européen. Tenir Paris à distance, se nourrir du soleil et de la lumière du Luberon, écrire loin des fâcheux, méditer sur la terrasse aux aurores qui n'ont pas encore lui, aux feux nietzschéens allumés sur les collines, aux trous d'aiguilles lumineux et scintillants faits par les étoiles dans la nuit provençale, penser au livre de philosophie qui associerait Faust et Don Juan, aux pièces de théâtre à écrire, aux romans aussi.

Si d'aventure il avait vécu octogénaire, une hypothèse loin d'être déraisonnable, Camus aurait connu : l'Algérie indépendante, les barricades de Mai 68, le rire de Cohn-Bendit narguant les CRS, le général de Gaulle évincé du pouvoir, le vieux chêne abattu sur sa table de jeu, les deux règnes conservateurs du banquier normalien agrégé de lettres, Pompidou de Montboudif, et de l'accordéoniste auvergnat, Giscard d'Estaing de Chamalières. Il aurait aussi vu accéder à la magistrature suprême un socialiste jadis décoré de la francisque, Mitterrand de Jarnac. Il aurait assisté, sûrement médusé, à la conversion de l'ancien ministre de la Justice qui envoyait les nationalistes algériens à la guillotine en conscience morale de la gauche devenue la figure emblématique de l'abolition de la peine de mort – une aubaine morale pour un homme dont la réputation était qu'il en avait si peu. Il n'aurait pas manqué de voir comment cet homme instrumentalisa l'extrême droite pour rester au pouvoir deux fois sept ans et comment il brada les idées de gauche qui l'avaient conduit à l'Élysée deux ans après son arrivée au pouvoir. Il aurait vu paraître *L'Archipel du Goulag* de Soljenitsyne et constaté qu'en compagnie de « Nouveaux Philosophes », BHL, se réclamait de lui avant de le salir gravement dans *Le Siècle de Sartre* – un plaidoyer pour la grandeur de Sartre qu'il aurait aussi pu lire à l'âge de quatre-vingt dix sept ans ! Il aurait assisté également à la mort de Franco, à celle de Mao, à celle de Sartre, à la chute du mur de Berlin, à l'effondrement des pays de l'Est – il aurait eu soixante-seize ans seulement. Quels beaux livres il nous aurait donnés ! Quelles belles parutions que la réunion des chroniques inspirées par ces mouvements de l'Histoire dans *Actuelles IV*, *Actuelles V*, etc.

Il n'aura pas vu non, plus, et c'est heureux pour lui, le grand soin que l'on mit soit à ne pas le lire, soit à lui prêter les idées les plus saugrenues pour éviter d'avoir à débattre avec lui d'une possibilité de gauche non marxiste, d'une révolution socialiste non violente, d'une pensée libertaire pragmatique et concrète, alternative à la gauche autoritaire, césarienne et brutale, qui fit la loi dans ce XXᵉ siècle. Il n'eut pas à lire non plus le pamphlet de Jean-Jacques Brochier, sartrien de seconde zone, qui fit de Camus « un philosophe pour classe terminale », une vilenie qui fait si souvent la loi dans le petit milieu intellectuel et dans le marigot philosophant – alors que, paradoxe, c'est aujourd'hui Sartre qui, avec Cournot et Auguste Comte, fait partie des auteurs au programmes du bac et bénéficie des faveurs bourgeoises des instructions officielles, pas Camus qui appartient toujours aux lecteurs libres.

Dans ses *Carnets*, en 1953, il écrivait : « Je demande une seule chose, et je la demande humblement, bien que je sache qu'elle est exorbitante : être lu avec attention » (IV. 1165). Pour honorer sa mémoire, le lire vraiment, lui rendre justice, aller au texte, à tous les textes, croiser sa pensée et son existence, saluer une vie philosophique exemplaire et impeccable, j'ai souhaité écrire ce livre *après l'avoir lu avec attention*. La suite de cette aventure de la pensée pragmatique et libertaire inventée par Albert Camus appartient désormais aux lecteurs. Eux seuls peuvent prolonger sa vie.

LA POSTÉRITÉ DU SOLEIL

Qu'est-ce qu'un post-anarchiste ?

> « Un art de vivre par temps de catas-
> trophe »
>
> (Camus, *Discours de Suède*, IV. 241).

L'éparpillement anarchiste

Quelle idée nouvelle peut-on mettre au compte de la pensée anarchiste depuis un siècle ? Les gardiens du temple libertaire seraient bien en peine de répondre à cette question. Que s'est-il passé pour que l'anarchie, formidable vivier d'une réflexion politique au XIXe siècle, se retrouve exsangue après un XXe siècle qui fut celui : des boucheries de la Première Guerre mondiale, de la barbarie de la Seconde, du génocide du peuple juif, de la libération des camps de la mort, des deux bombes atomiques larguées par les Américains à Hiroshima et Nagasaki, des furies de sang des guerres coloniales, du goulag marxiste-léniniste en Union Soviétique, du système concentrationnaire maoïste, de l'extermination de l'intelligence dans la Chine de Mao et le Cambodge de Pol-Pot, des guerres menées pour la défense des intérêts capitalistes, de la première guerre du Golfe, des massacres dans les Balkans, du génocide au Rwanda ?

De la même manière que dans le petit monde universitaire, avec les mêmes travers, une historiographie dominante fait la loi dans l'écriture des histoires de la pensée anarchiste. Le texte sacré propage la légende dorée du drapeau noir et commence avec les *précurseurs*, autrement dit l'anarchie avant l'anarchie, un chapitre consacré au tonneau de Diogène et à ses imprécations contre Alexandre qui le privait de soleil, à l'abbaye de Thélème de Rabelais qui invitait au « Fais ce que vouldras ! », à l'analyse de la servitude volontaire d'un La Boétie manifestant son génie politique à l'âge où Rimbaud écrivit son « Bateau ivre ». Mais un passage par les Enragés de la Révolution française ou les sans-culottes, ne parlons pas du fédéralisme girondin, est exclu du trajet habituellement proposé par l'agence touristique libertaire. La Gironde est de droite, la Vendée catholique et contre-révolutionnaire, les légendes ont la vie dure.

Cette historiographie consacre ensuite un développement aux *théoriciens* de l'anarchisme sans jamais se demander si les défunts couchés dans ce cimetière libertaire n'y ont pas été allongés à leurs corps défendant : Godwin s'y trouve, mais ce penseur né en 1756 fut un prédicateur protestant pour lequel, avec force sermons et en comptant sur des milliers d'années de prosélytisme, le paradis se réaliserait un jour sur terre – cet éden fut enrôlé dans l'encyclopédie des belles utopies libertaires, mais l'auteur de *Cab William* aurait peut-être été étonné d'y côtoyer Ravachol et la bande à Bonnot ! Stirner y est l'incarnation de l'individualisme anarchiste, mais l'esprit de *L'Unique et sa propriété* nous laisse croire que de cette étiquette, tout comme avec n'importe quelle autre, il aurait fait des confettis puisque seule compte l'affirmation de son moi, fût-ce au prix du crime, du viol, du meurtre. Ce forcené de l'ego aurait lui aussi été sidéré de prendre place aux côtés d'un Léon Tolstoï pour qui Jésus fut le plus grand anarchiste de tous les temps !

Ensuite, l'historien laborieux du drapeau noir décortique le *noyau dur* de la pensée anarchiste. À tout seigneur, tout honneur, il commence par Proudhon, l'inventeur du mot et de la chose, mais ne parle jamais de sa *Théorie de la propriété* qui gêne le dogme avec son éloge de l'État anarchiste ou de la propriété libertaire ; on continue avec l'ogre Bakounine souvent, mais le prince Kropotkine un peu moins. Après ces trois figures, les feux de la théorie semblent s'éteindre. Mais parce qu'on laisse en retrait le socialisme libertaire français, moins doctrinaire, moins idéologique, moins conceptuellement satisfaisant que ses rejetons hégéliens, alors qu'il produit des effets : des écoles alternatives, des ateliers autogérés, des « Milieux libres », des résistances pacifiques concrètes, des universités populaires au moment de l'affaire Dreyfus, des coopératives ouvrières, d'authentiques succès anarcho-syndicalistes obtenus de haute lutte sur le terrain, autrement dit les résultats de l'anarchie pratique emportés par des acteurs qui ne se contentent pas d'ânonner ou de scander le catéchisme anarchiste, avant-hier dans des manifestations, aujourd'hui sur des ondes radio ou sur des sites Internet, mais qui, *ici et maintenant*, réalisent l'anarchie.

Ces histoires qui colportent la légende dorée font de « Mai 68 » un grand moment libertaire, mais sans donner le détail. Après ces barricades, dont on passe sous silence qu'elles furent aussi provinciales, plus rien. Le livre se termine. Point final. Le mouvement de Mai fut en effet libertaire, mais où, quand, comment, de quelle manière, avec qui et selon quelles idées ? Le surréalisme, le situationnisme, le lettrisme, le maoïsme, le trotskisme, mais aussi la culture américaine contestataire, le rock, la bande dessinée, le cinéma, l'avant-garde littéraire, le freudo-marxisme jouent un rôle considérable dans la généalogie intellectuelle de ces événements. Preuve que l'anarchie se trouve moins dans des lieux identifiables que partout disséminée – ici chez Breton, là chez Vaneigem, ailleurs chez Marcuse ou bien Eric Fromm, mais tout autant chez les Beatles et Bob Dylan, sinon chez le Godard de *Pierrot le Fou* ou le Truffaut de *Jules et Jim*, la Brigitte Bardot de *Et Dieu créa la femme*, les poèmes d'Isidore Isou et l'urinoir de Duchamp. Cet éparpillement fait sens – il rend possible l'émergence d'un nouveau concept capable de ramasser cet éclatement polyphonique : *le postanarchisme.*

Naissance du post-anarchisme

Le post-anarchisme est conservation et dépassement de la doctrine anarchiste classique au profit d'un néo-anarchisme constitué à partir de glanes effectuées dans le champ philosophique de la « French Theory » – Foucault, Deleuze et Guattari, Lyotard, Derrida, Bourdieu, auxquels j'ajoute, *en précurseur*, l'œuvre d'Albert Camus. La notion de post-anarchisme ne signifie pas grand-chose en France. Aux États-Unis, elle dispose de quelques penseurs, mais ils ne sont pas traduits de ce côté-ci de l'Atlantique : Todd May, *La Philosophie politique de l'anarchisme post-structuraliste* (1994), Saul Newman, *De Bakounine à Lacan. L'anti-autoritarisme et la dislocation du pouvoir* (2001) et *La Politique du post-anarchisme* et de Lewis Call, *L'Anarchisme post-moderne* (2002).

L'histoire de l'anarchisme lisse souvent les diversités, elle arase la multiplicité libertaire pour la réduire et la faire entrer dans deux ou trois catégories. La logique des précurseurs, celle du noyau dur, avec, d'une part, l'individualisme anarchiste, d'autre part, le communisme libertaire, celle des marges, l'anarcho-syndicalisme, puis l'épuisement dans les événements de Mai. Or ce schéma historiographique ignore l'incroyable foisonnement contradictoire de la pensée anarchiste jusqu'à aujourd'hui. Le noir du drapeau s'obtient par fusion, sinon confusion, des chromatismes libertaires.

Car l'anarchisme est souvent tension sans résolution : l'individualisme radical de Stirner et le collectivisme de Kropotkine, l'éloge de la violence de Bakounine et le pacifisme non violent de Sébastien Faure, l'anarchisme chrétien de Tolstoï et l'anticléricalisme de Jean Grave, le millénarisme apocalyptique de Godwin et le pragmatisme de Proudhon, la pruderie du même et l'hédonisme radical de Fourier ou la camaraderie amoureuse d'Armand, les engins explosifs de Ravachol et la geste du gentleman cambrioleur de Marius Jacob, le bellicisme, la misogynie, l'antisémitisme, l'homophobie de Proudhon et le féminisme de Louise Michel, le pacifisme de Louis Lecoin, le philosémitisme de Bernard Lazare.

L'anarchisme a produit une série de dogmes. Mais, au sein de cette sensibilité, on trouve toujours un auteur anarchiste qui ne les respecte pas. Ainsi pour le premier commandement : « *L'État, c'est le mal absolu*». Mais que faire de l'incontestable anarchiste Proudhon qui, dans *Théorie de la propriété*, comprend que la formule anarchiste du fédéralisme, de l'association, de la mutualité, a finalement besoin d'une forme qui en garantisse l'être, la force, la durée et que cette forme, ce peut être un État au service de l'anarchie, donc un État anarchiste !

Deuxième dogme : « *Élections, pièges à cons ! *». Autrement dit : la Révolution, sinon rien. Cette alternative débouche immanquablement sur le même résultat : jamais la révolution, toujours rien. À l'évidence, l'élection n'est pas l'horizon indépassable de la politique, mais elle constitue un moyen de manifester une préférence dans l'inéluctable. Plutôt l'abolition de la peine de mort que son maintien, plutôt l'éducation des enfants que leur travail dans les mines, plutôt le droit de vote aux femmes que leur interdiction, plutôt la réduction du temps de travail que son augmentation, etc. Elle est un moindre mal dans un monde qui permet, heureusement, de faire de la politique autrement. Précisons que Proudhon, encore lui, fut deux fois candidat aux législatives ; que les anarcho-syndicalistes souscrivent à cette façon de dégager des majorités pour l'action ; que, communaliste libertaire, Murray Bookchin légitime l'élection comme un moyen de placer les libertaires en responsabilité d'une communauté.

Troisième dogme : « *Il faut abolir le capitalisme* ». Le capitalisme, en tant que technique de production des richesses à partir de la propriété privée, ne doit pas être considéré comme un fétiche, un totem dans lequel on pourrait enfiler des épingles pour attirer le mauvais sort contre lui. L'économie de l'homme préhistorique est déjà capitaliste parce qu'elle produit des richesses dont la valeur se constitue avec la rareté – coquillages uniques, concrétions géologiques particulières, plumes d'oiseaux insolites, pierres précieuses. Que ces valeurs, une fois obtenues, soient réparties de façon injuste renvoie moins aux modalités de leur production, la collection, qu'à celles de leur distribution.

Le phalanstère de Fourier propose un capitalisme libertaire aux antipodes du capitalisme libéral dont il se propose d'ailleurs d'être le radical antidote. De même avec les usines coopératives de Robert Owen ou le familistère de Jean-Baptiste Godin, deux néofouriéristes pragmatiques. La société proudhonienne avec son crédit populaire, sa banque du peuple, sa production associative, sa mutualisation de moyens, sa fédération des coopératives de producteurs témoigne en faveur d'un capitalisme libertaire débarrassé de l'exploitation de l'homme par l'homme. Car l'exploitation n'est pas dans le mode de production, mais dans les modalités de la répartition de la plus-value.

Quatrième dogme : « *La société anarchiste sera un éden sur terre* ». Une pensée qui se double d'un : « *L'homme y sera un dieu pour l'homme* ». Deux conceptions totalement héritées du schéma judéo-chrétien très prégnant dans la société industrielle du XIXe siècle : annonce de la parousie, croyance à l'apocalypse, foi millénariste, optimisme pour la fin des temps, paradis sur terre, fin de l'histoire. Le péché originel lavé par la rédemption chrétienne correspond à la faute de la propriété privée du capitalisme rédimée par la révolution prolétarienne. Cette logique religieuse procède du schéma protestant de Rousseau qui prêchait la bonne nature humaine corrompue par la méchante propriété. L'abolition de cette dernière assurait le salut. La révolution, nonobstant la nature humaine, accouchait d'un homme nouveau, bon, généreux, altruiste, partageur, solidaire, fraternel. Plus de prison, plus de mal, plus de méchanceté, plus de police, plus d'armée, plus de vols, plus de misère.

Camus contre les dogmes

Camus n'est pas contre l'État : il s'en moque et invite moins à agir contre lui que pour autre chose, en l'occurrence une micrologie politique qui adoube : le communalisme anarchiste, le pays postnational, l'Europe libertaire, le gouvernement planétaire, le douar-commune algérien, la fédération de régions franco-algériennes, et même une forme susceptible de garantir l'agencement girondin de ses propositions qui ressemble comme deux gouttes d'eau à l'État anarchiste du Pierre-Joseph Proudhon de la *Théorie de la propriété*.

De la même manière, quand il envisage après la Libération une politique qui fasse de la charte du Conseil national de la Résistance une plateforme politique, il souhaite des nationalisations. Qui peut nationaliser, sinon l'État ? Cet État libertaire garantit l'intérêt général, il défend le bien public, il se met au service des citoyens, il sert la politique contre l'argent, il fait passer l'idéal de gauche avant celui des riches et met l'économie au service de la politique – et non l'inverse. L'État est une machine, une machine n'est responsable et coupable de rien : en revanche, ceux qui la conduisent peuvent en faire un engin de guerre contre les pauvres ou un mécanisme agissant en leur faveur. Dans *Du principe fédératif*, Proudhon fait l'éloge d'un « État fédéré » (330) garant de l'organisation libertaire de la société.

Camus n'est pas contre les élections : il sait qu'elles ne constituent pas le fin mot de toute politique, mais, si elles ne sont pas tout, qu'elles ne sont pas rien non plus. Lorsqu'il imagine, en post-anarchiste, la fin des nations, l'abolition des frontières, la réalisation de fédérations, puis celle d'une Europe et d'une planète régies selon les principes du socialisme libertaire, quel instrument mobilise-t-il pour réaliser ces projets ? Les élections. On peut donc en effet penser que, si l'anarchie peut se réaliser de plusieurs façons, il n'existe pas que le mode insurrectionnel, révolutionnaire au sens putschiste du terme, paramilitaire et guerrier, il se trouve également une modalité populaire qui passe par la consultation électorale.

Quand, au sortir de la guerre, fin 1944, Camus propose une technique pour dépasser le cadre national et réaliser un monde sans frontières, échapper aux gouvernements nationaux et sortir de la « dictature internationale » dans laquelle nous nous trouvons, il écrit : « La seule façon d'en sortir est de mettre la loi internationale au-dessus des gouvernements, donc de faire cette loi, donc de disposer d'un parlement, donc de constituer ce parlement au moyen d'élections mondiales auxquelles participeront tous les peuples » (II. 448).

Lorsqu'il écrit dans *L'Express* (le 30 décembre 1955) qu'il va voter pour Mendès France aux législatives du 2 janvier 1956, il ne sait pas combien ce billet anodin va déterminer ensuite tout ce qui s'écrira sur sa politique ! Parce qu'il s'inscrit dans une *configuration pratique et pragmatique*, et qu'il faut choisir entre le Front républicain, la droite gaulliste ou le PCF prosoviétique et qu'il ne vote ni pour la droite, ni pour le communisme, mais pour la gauche non communiste (à savoir une coalition avec le Parti radical de Mendès, la SFIO de Guy Mollet, l'UDSR de Mitterrand, les Républicains sociaux de Chaban), on a fait de Camus un social-démocrate.

Mais le philosophe prend soin de se dire qu'il pourrait lui aussi défendre la *position idéaliste et transcendantale anarchiste* qui fait un dogme de ne jamais voter sous prétexte de ne pas collaborer et qui oppose au vote le travail militant qui, demain, assurera l'avènement d'un monde meilleur ! Cependant, à l'heure où la maison brûle (en l'occurrence, l'Algérie), on ne fait pas passer un examen de catéchisme anarchiste au libertaire soucieux de changer ponctuellement les choses, ici et maintenant, en sachant, bien sûr, qu'il ne fera pas la révolution en plaçant son bulletin de vote dans l'urne. Mais, soyons lucides, « le vrai libertaire » (III. 1069) en aura-t-il fait beaucoup plus ?

Par ailleurs : comment les anarchistes pourraient-ils récuser une technique qui permet, dans les communes espagnoles de 1936 à 1939, de cristalliser une volonté générale, d'exprimer une aspiration collective et populaire, de formuler une stratégie ou une tactique libertaire concrètes afin de produire des richesses, de les distribuer, de les partager à chacun selon ses besoins ? La consultation individuelle dans les urnes interdit que le plus hâbleur, le plus séducteur, le plus démagogue, le plus intimidant, le plus menaçant des tribuns révolutionnaires obtienne un ralliement par le plébiscite à main levée. « C'est ainsi que, par une véritable organisation du suffrage universel, tout citoyen a la main sur le gouvernement » (241), écrit Proudhon dans *Théorie de la propriété*.

Camus n'est pas contre le capitalisme : une fois de plus, ses positions semblent coïncider avec celles de Proudhon. Sa critique de la propriété dans *Qu'est-ce que la propriété ?* s'accompagne d'une analyse très précise et la plupart du temps méconnue : la propriété suppose l'aubaine, autrement dit l'appropriation par le propriétaire de la plus-value volée aux ouvriers en ne leur payant pas ce que la force de travail collective obtient, elle et elle seule. Mais quand cette propriété se trouve aux mains de ceux qui n'exploitent personne, elle n'est pas condamnable. Pour la distinguer, Proudhon parle de *possession* – l'autre nom de la propriété en régime libertaire. Critiquable quand il est capitaliste, l'*État fédéré* devient défendable une fois libertaire ; la propriété est à détruire en régime capitaliste, mais à construire et à préserver en régime anarchiste où elle devient *possession*.

Dès lors, le projet n'est pas d'abolir le capitalisme, mais de combattre sa modalité libérale et de réaliser un capitalisme libertaire dans lequel la production de richesses n'est pas indexée sur l'enrichissement des propriétaires *via* l'exploitation des prolétaires, mais sur une équitable répartition des produits et des biens nécessaires au peuple. Le problème dans le capitalisme n'est pas son être, mais son usage : il n'est pas mauvais en soi, mais seulement en fonction de ses fins. Il faut aborder le capitalisme non comme une idole, mauvaise par essence, mais comme une force positive une fois entre les mains des travailleurs.

Les leçons libertaires

Le post-anarchisme suppose une déconstruction de l'historiographie anarchiste avec l'exercice d'un droit d'inventaire. Il n'y a que dans les religions que l'on croit aux textes révélés, à la sainteté d'une parole canonique, à la vérité inscrite dans le marbre d'une parole échappant à l'Histoire parce qu'elle procéderait de la divinité d'un génie de l'anarchisme. Le véritable anarchiste l'est avec les anarchistes eux-mêmes. Pour ma part, je souscris à l'anarchie positive de Proudhon, mais cet accord donné à ses thèses sur l'organisation libertaire de la société ne m'oblige pas à souscrire au corpus proudhonien qu'il me faudrait défendre dans sa totalité : on ne me fera pas justifier, ou tolérer, ou expliquer sous prétexte de remise dans un contexte, son homophobie, sa misogynie, son antisémitisme. Il faut agir ainsi avec le long siècle de pensée anarchiste : le soumettre au libre examen.

Toute pensée procède de son contexte, elle répond aux questions posées par le temps : quand Stirner vitupère et vocifère contre tout ce qui entrave son ego, il part de sa psychologie fragile dans le contexte bohème des jeunes hégéliens de gauche ; quand Proudhon s'interroge sur le droit d'auteur en son siècle, il ne peut avoir prévu, selon le principe d'une science infuse anhistorique, les droits numériques dans le monde immatériel d'Internet ; quand Bakounine pense la révolution sur le mode insurrectionnel et table sur la vitalité spontanée des victimes du knout tsariste, il part d'une sociologie du peuple russe incomparable avec celle de nos civilisations postmodernes. Souscrire à ce qui s'avère daté dans un corpus, c'est aborder le texte comme un croyant.

En revanche, il existe des contenus qui résistent au temps et peuvent encore aujourd'hui nourrir une pensée libertaire. Dès lors, pour constituer un post-anarchisme contemporain, retenons cette série de leçons : désirer une communauté jubilatoire avec des contrats immanents – *leçon de Godwin* ; fonder le pragmatisme libertaire avec le souci d'une anarchie concrète contre l'idéalisme anarchiste platonicien ou hégélien – *leçon de Proudhon* ; construire une force par « une association d'égoïstes » et la transformer en cheval de Troie pour pénétrer la forteresse capitaliste – *leçon de Stirner* ; activer des microsociétés libertaires sous forme de phalanstères postmodernes pour contaminer la société capitaliste par des communautés exemplaires – *leçon de Fourier* ; mettre en garde contre tout pouvoir, quel qu'il soit, y compris insurrectionnel ou révolutionnaire, parce que tout pouvoir corrompt systématiquement celui qui l'exerce – *leçon de Bakounine* ; solliciter en chacun les penchants naturels à la solidarité étouffés par la société contemporaine – *leçon de Kropotkine* ; mettre la justice au centre des préoccupations militantes – *leçon de Louise Michel* ; réactiver l'impératif libertaire de La Boétie pour qui le pouvoir n'existe que parce qu'on y consent, n'y plus consentir suffit à son effondrement, la désobéissance civile est une force sans nom – *leçon de Thoreau*, entendue par Gandhi ; considérer la science et la technique non pas comme mauvaises en soi, mais relativement à leurs fins – *leçon de*

Reclus ; s'engager dans la pédagogie libertaire et créer des écoles *ad hoc* – *leçon de Sébastien Faure* ; inscrire le corps dans les logiques révolutionnaires avec une mise à l'ordre du jour d'un hédonisme post-chrétien et jubilatoire – *leçon d'E. Armand* et *des « Milieux libres »* ; travailler à la « culture de soi » – *leçon de Pelloutier* ; investir dans l'ici et maintenant de la pratique – *leçon des anarcho-syndicalistes* ; établir la discipline par le libre consentement – *leçon de Makhno* ; synthétiser les courants anarcho-syndicalistes, communistes libertaires et individualistes dans un programme commun – *leçon de Voline* ; défendre l'éthique selon laquelle une fin libertaire ne justifie pas des moyens qui la contredisent – *leçon de Malatesta* ; contre le nivelage collectiviste, faire de l'individu la mesure de l'idéal anarchiste – *leçons de Han Ryner, de Manuel Devaldès, de Georges Palante* ; compléter la vie anarchiste par une vie hédoniste et nietzschéenne – *leçon d'Emma Goldman* ; mener une vie anarchiste comme jadis, dans l'Antiquité, on menait une vie philosophique – *leçon de Louis Lecoin.*

Camus, une vie anarchiste

Qui dira que la plupart de ces idéaux ne sont pas ceux de Camus ? Il a voulu l'anarchie concrète et positive sur le terrain ; il l'a pensée pour la France, l'Algérie, l'Europe et la totalité de la planète ; il a bataillé contre l'idéalisme et la gauche transcendantale en faveur de la vie concrète ; il a mis la justice au centre de sa pensée

705

et de son action ; il s'est toujours méfié des gens de pouvoir et n'a jamais distingué le bon du mauvais pouvoir, sachant que Lénine et Mussolini, Staline et Hitler, Mao et Franco méritaient une même condamnation sans aucune circonstance atténuante ; en optimiste de la volonté, il a cru à la solidarité, à la fraternité, même si sa connaissance de la nature humaine aurait pu le conduire sur le bord inverse d'un pessimisme réactionnaire ou conservateur ; il a plus investi que quiconque dans l'idéal de la désobéissance civile en croyant que l'on pouvait obtenir plus en appelant à l'intelligence des hommes qu'en lançant des bombes ; il a cru dans les possibilités de l'éducation des peuples par le théâtre, l'université populaire, le journalisme, les conférences, le militantisme ; il a pratiqué le corps libertaire et solaire comme une revendication nietzschéenne ; il a invité à incarner l'anarchie plus qu'à la vociférer ; il a illustré dans sa vie et dans son rapport aux autres le goût pour la « culture de soi » ; il a toujours préféré réunir que diviser et pesté contre les chapelles qui confisquaient la gauche en incarnant un genre de gauche rimbaldienne capable de changer la vie sans faire couler le sang ; il n'a jamais justifié l'usage de moyens barbares pour réaliser une fin humaniste ; il a défendu l'individu dans le siècle des masses et cru dans sa potentialité de ferment libertaire ; il a sauvé la peau de tel ou tel en les plaçant au-dessus de l'idéologie qui les faisait combattre ou tuer – il a mené une vie anarchiste, ce dont témoignent les biographies, les correspondances et l'œuvre.

Après Sartre

La seconde moitié philosophique du XXe siècle a superbement ignoré Albert Camus. Elle bataillait contre un Commandeur qui avait nom Sartre. La plupart ont été subjugué par ce qu'il fut, plus que par ce qu'il écrivit, car il représentait l'intellectuel français de renom planétaire. Sartre fut un modèle estimé, admiré, donc jalousé. On voulut l'imiter afin de le remplacer. Pour ce faire, il fallut descendre la statue de son socle. Mai 68 fut l'occasion pour la jeune génération de philosophes de donner son congé à Sartre. Cohn-Bendit faisant passer un petit mot à Sartre lors d'une AG à la Sorbonne pour lui dire : « Sois bref » résume bien la situation !

Simone de Beauvoir commence *La Cérémonie des adieux* en écrivant : « Les événements de 68, auxquels il a été mêlé et qui l'ont profondément touché, furent pour lui l'occasion d'une nouvelle révision ; il se sentait contesté en tant qu'intellectuel et par là il fut amené, au cours des années qui suivirent, à réfléchir sur le rôle de l'intellectuel et à modifier la conception qu'il en avait » (15). À partir de ce moment, il joue la carte de la surenchère et se fait maoïste. Dès lors, il épouse les causes les plus sanglantes jusqu'à sa mort : minoration des massacres de la révolution culturelle chinoise, défense du terrorisme palestinien de Septembre noir, célébration du régime castriste, regret que le PCF n'ait pas pris le pouvoir en 68, légitimation du bain de sang en politique, justification des actions de la bande à Baader, défense du dictateur nord coréen Kim Il-Sung et autres confessions faites à Gerassi pour qui « Sartre n'est pas seulement le plus grand moraliste de ce siècle. C'est également son plus grand prophète » (Gerassi, 483) !

L'après-68 fut donc l'occasion d'une pensée devenue « French Theory » en traversant l'Atlantique. Elle se constitue d'un anti-sartrisme plus ou moins avoué. *Contre le marxisme monolithique* de Sartre, qu'il prenne la forme d'un soutien à Lénine, Brejnev, Castro ou Mao, Foucault annonce que le pouvoir est partout : dès lors, plus question d'une révolution classique avec appropriation des moyens de production, avant-garde éclairée du prolétariat à la tête d'un parti tout-puissant, avènement d'un Homme nouveau juste en passant d'une économie capitaliste à une économie socialiste.

Puisqu'il n'existe plus de pouvoir concentré dans ce qu'Althusser nomme les appareils idéologiques d'État, seules existent des zones éparses dans lesquelles se manifeste le pouvoir. Les micro-pouvoirs surgissent donc dans les écoles, les asiles, les prisons, les hôpitaux et autres lieux dans lesquels on contrôle les corps en les asservissant, en les dominant, en les incarcérant. Ces micro-pouvoirs fournissent l'occasion de microfascismes stoppés par des microrésistances. Foucault milite pour la multiplication de ces microrésistances. Dans le registre politique, quinze ans après la mort de Camus seulement, le livre de Foucault *Surveiller et punir* (1975) rend caduque la *Critique de la raison dialectique* (1962).

Dans *L'anti-Œdipe* (1972), puis dans *Mille plateaux* (1980), Deleuze et Guattari développent une théorie des flux, des énergies disparates, des plans d'immanence et des points de fascismes éparpillés dans le corps social. Ils invitent à des résistances ponctuelles activées dans des vies philosophiques qui célèbrent la libération libidinale des machines désirantes. Mais la lutte micrologique et l'invitation aux jubilations de ces machines désirantes se trouvent déjà chez Camus : Tipasa est le personnage conceptuel de cette théorie des corps nietzschéens – moins le style psychédélique des années 1970.

Contre l'intellectuel tout-puissant de Sartre, qui organise tout à partir de sa seule figure, Bourdieu, qui écrivit une socio-analyse de Flaubert intitulée *Les Règles de l'art* (1992) comme une occasion de batailler contre la psychanalyse existentielle de *L'Idiot de la famille* (1970-1971), propose dans *Contre-feux* (1998) un intellectuel collectif pour mener le combat antilibéral. Il souhaitait fédérer de façon européenne les énergies critiques et, sur le terrain des luttes concrètes, il aspirait à la mutualisation des syndicats des différents pays d'Europe. Camus souhaitait très exactement cet anarcho-syndicalisme européen.

Contre le grand récit marxiste sartrien susceptible de répondre à toutes les questions (ontologie, anthropologie, éthique, morale, religion, esthétique, politique bien sûr), Lyotard enseigne la fin des grands discours dans *La Condition postmoderne* (1979). Seuls demeurent de petits récits. La postmodernité chez Lyotard propose une sortie du structuralisme qui, lui aussi, activait une machine de guerre contre Sartre. Lyotard cherche dans l'art contemporain les récits capables de fédérer les intensités d'affects. Vingt ans plus tôt, Camus croyait lui aussi que l'esthétique était une éthique, donc une politique, il faisait de l'artiste une voie d'accès à la vérité politique. Son *Discours en Suède* témoigne théoriquement ; pratiquement, *La Chute* propose un petit récit qui pallie la faillite des grands récits légendaires – comme le marxisme.

L'action libertaire concrète propose également une multitude de petits récits : le douar-commune, par exemple, semble moins clinquant que le grand récit d'une révolution marxiste apocalyptique, millénariste ou que le discours apophatique de la libération des peuples opprimés au seul son des trompettes politiques du jugement dernier, mais ce petit récit, comme celui du pouvoir politique de l'université populaire d'Alger ou du Théâtre de l'œuvre et du travail dans sa jeunesse, puis du parlement international, de la fédération de pays socialistes libertaires en Europe, du communalisme, des réalisations de l'anarcho-syndicalisme, fonctionnent comme des instructions païennes.

Contre le révolutionnarisme en bloc de Sartre, Derrida initie une politique éclatée en fragments multiples : il propose une réflexion sur un Marx non marxiste, une politique de l'amitié, une théorie de l'hospitalité, une pensée de l'université, une éthique pour les animaux, un élargissement du droit à la philosophie, un combat contre les États-voyous, une méditation sur l'identité européenne qui témoignent d'une polyphonie libertaire dans l'esprit de Camus. Le tout dans le même esprit de la fin des grands récits.

Entre parenthèses, on ne dit pas beaucoup que ce même Derrida, juif pied-noir d'Algérie, souhaitait lui aussi une « Algérie franco-musulmane ». En témoigne une lettre à Pierre Nora dans laquelle il précise : « Si, comme tu le dis, les Français d'Algérie ont bien été les "artisans" de leur histoire et de leur malheur, ceci n'est vrai que si l'on précise dans le même moment que tous les gouvernements et toute l'Armée (c'est-à-dire tout le peuple français au nom duquel ils agissent) en ont toujours été les *maîtres* » (Éric Loret, « Derrida parmi les siens », *Libération*, 7 octobre 2010).

Où l'on voit que ce qui nourrit *aujourd'hui* le post-anarchisme outre-Atlantique se trouvait déjà *hier* chez Camus qui apparaît en précurseur de cette sensibilité : la récusation du schéma marxiste, l'usage du vivier libertaire, les pouvoirs de la micropolitique, la fédération européenne d'un syndicalisme antilibéral, l'activation des machines désirantes, l'adoubement des petits récits esthétiques en lieu et place des grands récits explicatifs, la polyphonie fragmentée de l'action politique, voilà, dans un vocabulaire contemporain, le matériau camusien obéré par Sartre, le sartrisme et les sartriens, un matériau qui réapparaît, comme sous l'effet d'un retour du refoulé, dans cette sensibilité contemporaine innervée du post-anarchisme.

Une post-anarchie pour aujourd'hui

Au contraire de Sartre, les penseurs de la « French Theory » boivent à la source de Nietzsche dont ils font une lecture roborative et revivifiante. Pour en finir aussi bien avec la domination marxiste-léniniste qu'avec la pensée judéo-chrétienne, le philosophe de Zarathoustra offre une formidable boîte à outils. Souvenons nous du rapport affectif et critique que Camus entretint toute sa vie avec Nietzsche : l'affirmation solaire, le compagnonnage avec Dionysos, les leçons de la Méditerranée, le diagnostic du nihilisme européen, la nécessité d'une pensée postchrétienne à même de combler le vide laissé par la mort de Dieu, la mise en garde contre le devenir césarien du socialisme, tout cela fait de Camus l'un des premiers nietzschéens de gauche conséquents. Or le nietzschéisme de gauche est une forte composante du post-anarchisme.

Le quart de siècle de silence qui accompagne la mort de Camus fut malheureusement troublé par l'usage que les Nouveaux Philosophes firent de son nom. *La Cuisinière et le Mangeur d'hommes* de Glucksmann, *La Barbarie à visage humain* de Bernard-Henri Lévy, et quelques autres livres anti-communistes d'anciens soixante-huitards passés au libéralisme, firent un usage opportuniste de Camus pour critiquer le PCF, donc l'Union de la gauche et le Programme commun initié par Mitterrand. Alors que la pensée critique française l'oubliait, tout en se nourrissant de lui, Camus devenait à son corps défendant une caution de l'anticommunisme libéral, donc un allié objectif du libéralisme de Giscard d'Estaing. Sinistre détournement ! Car si Camus n'aurait évidemment pas défendu un Parti communiste français aux ordres de Moscou, il n'aurait pas non plus souscrit à cette gauche libérale, une authentique gauche de droite, que fondaient intellectuellement les

Nouveaux Philosophes. Ce qui triomphe avec Giscard, ça n'est pas Sartre, bien sûr, mais c'est Aron, ou BHL – sûrement pas Camus.

Le post-anarchisme contemporain remet l'arsenal libertaire en état de marche pour lutter contre ce qui aurait probablement constitué les combats d'un Camus survivant à ce fatal accident. En quoi l'auteur de *La Peste* peut-il nous aider ? Le post-anarchisme aspire à une *république immanente*, horizontale, contractuelle, dans laquelle s'incarne moins la mystique robespierriste et jacobine que le contrat synallagmatique et girondin. Il refuse toute théocratie laïc et veut une démocratie pratique. Il promeut une *politique nominaliste* qui refuse de faire primer l'idée, le concept, la théorie sur le réel. Contre la gauche transcendantale qui, en politique, croit au seul commerce des concepts et invite à changer tout réel qui donne tort à leurs idées, le post-anarchisme veut qu'on pense en homme d'action et que l'on agisse en homme de pensée, que l'on mesure et tempère à leur aune mutuelle l'éthique de conviction et l'éthique de responsabilité, et vice versa. Il nourrit d'action ses idées – et retour. Le post-anarchisme active une *force de résistance*, il sait que la révolution libertaire n'est pas meurtre, assassinat, incendie, égorgement, mais refus de consentir à la domination selon le principe donné par La Boétie : « Soyez résolus de ne servir plus et vous voilà libres. » Pas de grand soir, pas de révolution providentielle, mais un « non » qui fait vaciller – pour un « oui » qui construit. Dans *Le Crépuscule des idoles*, Nietzsche écrivait : « Formule de mon bonheur :

un "Oui", un "Non", une ligne droite, un *but*. ».
Camus disait « Oui » à la vie, « Non » à ce qui
l'entrave. Si l'on commençait à entendre enfin ce
qu'il a dit ? Puis à agir en regard de cette œuvre
radicale – car c'est à vivre une vie philosophique
qu'il nous invite.

Bibliographie

1. Camus

L'œuvre complète en quatre volumes, publiée chez Gallimard, a été l'édition avec laquelle j'ai travaillé. L'appareil critique est remarquable – mis à part l'intervention d'un collaborateur de l'édition qui parle de l'« impartialité » de Pie XII (II.1265). On peut être plus inspiré sur cette question.

*
* *

On le sait, c'est ma méthode, je croise l'œuvre écrite et publiée avec les correspondances et les biographies, en évitant les gloses et autres travaux universitaires. J'ai donc écarté les ouvrages du genre : Camus et la mer, et l'absurde, et la philosophie, et l'Algérie, et le christianisme, et le théâtre, et les femmes, et la Méditerranée, et la Grèce, et la mort, et le journalisme, et l'Antiquité, et Sartre, et Oran, et la métaphysique, etc. Ils sont légion.

Les correspondances sont peu nombreuses : avec Grenier, chez Gallimard, *Correspondance 1932-1960* ; avec Jean Sénac, dans Hamid Nacer-

Khodja, *Albert Camus. Jean Sénac ou le fils rebelle*, Edif, 2000 ; avec Pascal Pia, *Correspondance 1939-1947*, Fayard/Gallimard ; avec René Char, *Correspondance 1946-1959*, Gallimard. Elles montrent un Camus fragile, hésitant, peu sûr de lui, affectueux, sensible, fidèle – le contraire du portrait désobligeant sans cesse vendu par Sartre et Beauvoir qui, sur ce sujet, et sur beaucoup d'autres, se comportent en Thénardier de la philosophie.

*
* *

La biographie de Herbert R. Lottman, *Albert Camus*, Seuil, est remarquable. Celle d'Olivier Todd, *Albert Camus. Une vie*, Gallimard, complète ici ou là celle de Lottman, notamment avec *Le Premier Homme* que le biographe prend pour une autobiographie *stricto sensu* en accordant à cette fiction romanesque le statut de témoignage historique. À quoi Todd ajoute des correspondances auxquelles Lottman semble ne pas avoir eu accès en son temps.

Concernant la biographie, en dehors de ces deux sommes, le reste des ouvrages qui abordent tel ou tel point biographique n'apporte aucune information vraiment nouvelle, sinon le témoignage et la conversion de l'étudiant qui agresse Camus à Stockholm dans : José Lenzini, *Les Derniers Jours de la vie d'Albert Camus*, Actes Sud.

*
* *

Pour rire, afin de ne pas pleurer, on lira la terrible crétinerie d'Alain Costes, *Albert Camus ou la parole manquante. Étude psychanalytique*, éditions Payot dans une collection fort drolatiquement intitulée « Bibliothèque scientifique » dirigée par le psychanalyste Gérard Mendel. On y découvre que le fil rouge de la pensée du philosophe algérois est à mettre en relation avec « la prééminence de l'imago archaïque de la Mère Phallique » (46), ce qui n'étonne pas vu la « structure psychotique » de Camus diagnostiquée par le docteur Diafoirus !

*

* *

La bibliographie anarchiste est étique : Teodosio Vertone, *L'Œuvre et l'Action d'Albert Camus dans la mouvance de la tradition libertaire*, Ateliers de création libertaire, un long titre pour un texte de trente-cinq pages. Dix-huit pages d'un *Camus et sa critique libertaire de la violence*, éditions Indigène, par Lou Marin. Cinquante-sept pages pour *La Pensée politique d'Albert Camus* par Marin Progreso, éditions des Amis de Cénit. Un colloque a été organisé les 10 et 11 octobre 2008 au château de Lourmarin par l'association « Rencontres méditerranéennes Albert Camus », les actes ont été publiés par l'association sous le titre « *Le don de la liberté. Les relations d'Albert Camus avec les libertaires* ». C'est au cours de ces deux journées qu'un libertaire intervint sur le football comme école libertaire – on peut ne pas souscrire. Lou Marin a rassemblé les textes libertaires du philosophe sous le titre *Albert Camus et les libertaires*, éditions Égrégores. On y retrouve ce qui se dit habituellement sur Camus à propos des relations du philosophe avec la constellation anarchiste. La légende d'un Camus initié à la pensée libertaire par Rirette Maîtrejean se trouve une fois de plus recyclée – Camus a connu des anarchistes au moins dix ans avant sa première rencontre avec Rirette qui, pour sa part, n'a jamais revendiqué cette initiation. Ce dont témoigne le texte édité par Lou Marin, *Camus au marbre*.

*

* *

Le Camus politique a été un sujet très peu étudié. Autant les études abondent sur des questions périphériques, autant les travaux consacrés à Camus anarchiste font défaut – sauf les opuscules militants précités qui restent à la surface de quelques faits : telle ou telle participation à une revue libertaire, une rencontre avec Rirette Maîtrejean, un entretien avec le journaliste d'un bulletin anarchiste, une analyse de Bakounine suivie d'une correspondance avec Gaston Leval, le patron du *Libertaire*.

Quand le sujet est abordé, on y trouve toujours la même thèse : Camus fut un social démocrate de sensibilité libertaire. C'est la thèse de Lottman et de Todd, c'est aussi celle de Jeanyves Guérin dans *Camus, Portrait de l'artiste en citoyen*, éditions François Bourin, un livre très documenté mais militant : Camus y est présenté en cédétiste avant l'heure (120 et 148). L'auteur ne cache pas ses préférences politiques : il critique Guesde (89) et Chevènement (104), fait l'éloge de Rocard et Delors (104), de Jacques Julliard (150), fustige la frange du parti socialiste qui regarde à gauche (121), tacle les Nouveaux Philosophes et Bernard Kouchner. Jeanyves Guérin signale la « filiation proudhonienne » (123) de Camus mais, malheureusement, ne poursuit pas dans le sens de cette juste intuition.

Le même Jeanyves Guérin a dirigé un remarquable *Dictionnaire Albert Camus* pour les éditions Robert Laffont. On peut toujours pinailler et regretter l'absence d'entrées du genre « Collège du travail », « Maison de la culture », « Décorations », « La Création corrigée ou le Système », « Guy Monnerot », « Melouza », « Malconfort » – mais le dictionnaire n'a pas vocation à être une encyclopédie. L'article « Politique » ne contient ni le mot *anarchiste*, ni le mot *libertaire*.

Jeanyves Guérin a également dirigé un colloque les 5 et 7 juin 1985 à Nanterre. Les actes ont été publiés sous le titre *Camus et la politique* aux éditions L'Harmattan. Intéressantes contributions. On apprend dans *Les Hommes politiques français lecteurs de Camus* qu'à force de récupérations, les sociodémocrates sont parvenus à gommer le Camus libertaire pour l'enrôler dans leur camp. On découvre également qu'un certain Jean-Marie Le Pen a traité Camus de « pédéraste » (27) – on n'en attendait pas moins de la part du créateur du Front national. Rocard a vu juste en faisant de Camus non pas un rocardien, mais un libertaire (23).

Sylvain Boulouque a publié un intéressant travail sur *Les Anarchistes français face aux guerres coloniales (1945-1962)* à l'Atelier de création libertaire. Il porte à la connaissance du lecteur un grand nombre de textes d'anarchistes sur cette question. Document précieux.

Après la mort de Camus, ses amis ont réalisé un très bel *Hommage à Albert Camus. 1913-1960* chez Gallimard. L'homme y apparaît dans sa majesté en ami fidèle, en compagnon complice, en Algérien fier et anxieux, en frère, en journaliste exigeant.

*

*   *

Sur le professeur de philosophie d'Albert Camus, Toby Garfitt a publié *Jean Grenier. Un écrivain et un maître. Contribution à l'histoire intellectuelle du XXe siècle* aux éditions La Part Commune. L'ouvrage est précieux, même s'il passe vite sur la politique du philosophe.

Pour en avoir une idée, lire le journal de Jean Grenier, *Sous l'Occupation*, aux Éditions Claire Paulhan. Ce texte montre un philosophe pas aussi philosophe qu'il le faudrait, du moins si l'on en juge par sa philosophie professée. L'homme traduit et préface le pyrrhonien Sextus Empiricus pour Aubier, effectue un éloge du non-agir dans ses *Entretiens sur le bon usage de la liberté*, Gallimard, célèbre les vertus du sage oriental dans *L'Esprit du tao*, Flammarion, mais il fut loin de toute cette sagesse théorique pendant l'Occupation. Lire le journal pour s'en convaincre.

Jean Grenier a également tenu des *Carnets. 1944-10 971* publiés chez Seghers. Il ne s'y montre guère plus philosophe. Le vieux maître avait, semble-t-il, du mal avec son élève brillant qui, lui, ne lui a jamais manqué publiquement. Quelques piques mal venues, notamment lors du Prix Nobel. Grenier fut aussi l'auteur de *L'Existence malheureuse*, Gallimard.

Albert Camus avait été sidéré par *Les Îles*, Gallimard, touché par *Sagesse de Lourmarin*, Folle Avoine, ou *Inspirations méditerranéennes*, Gallimard. *L'Essai sur l'esprit d'orthodoxie*, Gallimard, le grand livre de Grenier, a compté pour beaucoup dans la pensée politique de Camus. Nombre de traces de cette pensée se retrouvent dans *L'Homme révolté*.

Entre Nietzsche et Senancour, Jean Grenier a consacré un chapitre à Camus dans *Réflexions sur quelques écrivains*, Gallimard, et un livre apaisé sur son élève, après sa mort, *Albert Camus*, Gallimard.

*
*   *

Faisons un sort à part à l'insultant *Camus, philosophe pour classes terminales* de Jean-Jacques Brochier, qui contribua durablement à dévaloriser Camus. Selon l'auteur, dont la bibliographie brille plutôt dans la célébration de la chasse, l'éloge de la tabagie et la phénoménologie du sanglier ou de la bécasse, Camus aurait été un mauvais romancier, un styliste nul, un philosophe pitoyable, un dramaturge navrant, un colonialiste engagé, la caution des petits Blancs d'Algérie, un défenseur de l'Algérie française, un complice de la torture gaullienne, un précurseur ontologique du fascisme – tant d'accablements accablent surtout l'auteur.

2. SARTRE

Au moment où Brochier publie son texte, en 1970, chez Balland, l'étoile de Sartre a considérablement pâli. Mai 1968 a consacré une nouvelle génération de penseurs, Sartre est philosophiquement mort. D'où l'intérêt, chez ce porteur d'eau sartrien qui signe aussi un *Pour Sartre* en 1995, de salir Camus en pensant que cette opération suffira pour nettoyer Sartre de ses saletés.

Pour découvrir le détail de ces saletés, on lira avec stupéfaction le passionnant ouvrage de Gilbert Joseph, *Une si douce Occupation* sous titré *Simone de Beauvoir et Jean-Paul Sartre. 1940-1944*, Albin Michel. Simone de Beauvoir écrit dans ses mémoires la légende de Sartre : Sartre évadé, Sartre résistant, Sartre engagé, Sartre conscience de son temps. Gilbert Joseph nous apprend qu'il n'en fut rien : Sartre a été libéré, probablement grâce à l'intervention de Drieu la Rochelle, collaborateur notoire ; Sartre a signé le formulaire attestant qu'il n'était ni juif, ni franc-maçon ; Sartre a publié dans une revue collaborationniste jusqu'en février 1944, *Comœdia* ; Sartre a participé à un jury composé par cette revue ; via le directeur de cette revue, Sartre a pistonné Beauvoir pour un travail à Radio-Vichy ; Sartre a certifié sur l'honneur au procureur qui instruisait le dossier « *Comœdia* » après guerre qu'il n'avait jamais publié une ligne dans ce support ; etc. On comprend qu'à la parution de cet ouvrage, le petit monde de Saint-Germain-des-Prés ait lancé ses chiens dans la presse qu'elle contrôlait contre cet homme transformé en historien vichyste – Gilbert Joseph a dû prendre la plume pour expliquer qu'il était entré dans les maquis du Vercors à l'âge de dix-sept ans.

*

* *

Il manque donc une édition critique, très critique, des textes de *Mémoires* de Simone de Beauvoir. *Mémoire d'une jeune fille rangée* (1958), *La Force de l'âge* (1960), *La Force des choses* (1963), *Tout compte fait* (1972), *La Cérémonie des adieux* (1981) constituent chez Gallimard un incroyable roman légendaire tout à la gloire du couple qui avait décidé de s'emparer du pouvoir intellectuel en France et qui s'en donna les moyens après-guerre par un compagnonnage avec le PCF.

Grâce à de Gaulle qui a fermé les yeux sur les compromissions du PCF avec l'occupant au nom du pacte germano-soviétique et qui a sollicité des autorités nationales socialistes à Paris l'autorisation de faire reparaître *L'Humanité* sous prétexte d'ennemis communs (les juifs, l'argent, la démocratie parlementaire, les Anglais), le parti fut après guerre l'allié du général qui avait besoin d'alliés objectifs pour gouverner. Lire Jean-Pierre Besse et Claude Pennetier, juin 1940. *La Négociation secrète*, Les Éditions de l'Atelier pour le détail de la compromission communiste avec l'occupant nazi. La compagnie du Général ne pouvait pas faire de mal à ce parti en quête de blanchiment éthique.

Sartre et Beauvoir ont vite compris l'intérêt qu'il y avait à compagnonner avec ce parti. Les Mémoires de Beauvoir relèvent du dispositif médiatique. Ce qui est dit de Camus, bien sûr, entre dans cette logique de guerre menée par le couple.

*
* *

Les sartriens n'ont cessé d'entretenir la légende avec un mépris total de l'Histoire. Et parfois, de façon éhontée. Ainsi dans *Les Écrits de Sartre* un gros volume tout à la gloire de son sujet qui signale (82) que Sartre publie dans *Comœdia*, cette fameuse revue collaborationniste, un article le 21 juin 1941. Une note de Michel Contat et Michel Rybalka, les maîtres d'œuvre de ce volume, suit cette information qui se conclut par une citation de Beauvoir : « Premier [*sic*] article écrit par Sartre à son retour de captivité pour le nouveau [*sic*] *Comœdia* dont il avait accepté de tenir la chronique littéraire [*sic*]. Sa participation en resta là [*sic*] car « la première règle sur laquelle s'accordèrent les intellectuels résistants, c'est qu'ils ne devaient pas écrire dans les journaux de la zone occupée » (*La Force de l'âge*, p. 498) ». Pourquoi, dès lors, s'il n'y a qu'une seule participation, peut-on lire, treize pages plus loin, à la date de 1944, cette mention d'un autre article de Sartre dans le même support – un texte repris dans *Voici la France* en mars 1944 ?

Dans le même esprit légendaire, un volume intitulé *Les Écrits de Simone de Beauvoir*, publié chez Gallimard par Claude Francis et Fernande Gontier en 1979, oublie allégrement les six scénarios qu'elle écrit entre le 17 janvier 1944 et le 10 avril de la même année pour Radio-Vichy – des textes consultables au département des Arts du spectacle de la Bibliothèque nationale. Dans ce gros volume de 614 pages, l'année 1944 de Simone de Beauvoir, c'est seulement *Pyrrhus et Cinéas* et six textes sur la libération de Paris publiés dans *Combat* sur la demande. d'Albert Camus, alors directeur du journal – une information passée sous silence.

On comprend qu'après la guerre Sartre et Beauvoir aient pu faire de Camus dont le trajet fut impeccable (démarches pour s'engager dans l'armée française dès 1939, professeur clandestin pour des élèves juifs à Oran, résistance effective, publications et écrits de résistance, voir les *Lettres à un ami allemand*, direction de *Combat*), un homme à abattre. Le temps venu, l'Algérie permettra de faire de Camus un *collaborateur* et de Sartre un *résistant* – Brochier n'hésita pas à faire de *Noces* un livre à l'ontologie fasciste.

*
*   *

Cet argument d'un Camus fasciste parce que célébrant la nature se retrouve chez Bernard-Henri Lévy. En 1991, l'homme avait d'abord écrit dans *Les Aventures de la liberté* (291-294) que Camus fut un « intellectuel courageux », un écrivain jamais pris « en défaut de noblesse ou de cœur ». BHL le trouve « joyeux fêtard », « bon copain », avoue avoir le même humour que lui (!) et affirme que, s'il avait vécu, il lui aurait sûrement « apporté les épreuves de la *Barbarie* ». Il conclut, après des digressions sur sa ressemblance avec Humphrey Bogart : « J'aime Camus, donc. C'est, dans cette galerie d'ancêtres, l'un des rares dont je me sente vraiment proche. Et c'est un de mes rêves que d'écrire un jour un livre qui rendrait justice à cet ancêtre. » Puis BHL traite d'« imbéciles » ceux qui feraient de lui un défenseur de l'Algérie française, sinon un « fasciste ». Enfin ceci : « Camus et Sartre. Camus qui a eu raison contre Sartre. On ne répétera jamais assez, combien il a eu raison contre Sartre et la bande des *Temps modernes*. » Suit une longue énumération des raisons qui permettent d'étayer cette thèse.

Ce livre a été écrit, en effet. Mais pas sur Camus. Il s'appelle *Le Siècle de Sartre* et défend strictement la thèse inverse. Sa parution eut lieu fort opportunément en 2000, autrement dit pour le vingtième anniversaire de sa mort – il y a toujours un effet de souffle en librairie pour ces fêtes funestes, pourquoi s'en priver.

On peut y lire à propos du goût de Camus pour la nature, notamment dans *L'Été* : « Quand on se proclame ainsi l'ami du monde, des choses du soleil, quand on ne se reconnaît plus d'autre loi que celle de la fidélité à la sainte loi de la nature et de ses harmonies spontanées, quand on chante "assentiment ! assentiment ! la vertu des vertus est l'innocent assentiment à la beauté du monde !", quand on s'en tient, comme Nietzsche, mais un autre Nietzsche que celui de Sartre, à l'"affirmation religieuse de la vie", ou à la "grande raison du corps", ou aux "épousailles" avec la terre, le ciel ou la mer, quand on chante "cette admirable volonté de ne rien séparer ni exclure qui a toujours réconcilié et réconciliera encore le cœur douloureux des hommes et le printemps du monde", ne se condamne-t-on pas à ne rien faire ? N'y a-t-il pas là, mine de rien [*sic*], une autre matrice du pire ? n'est-elle pas, cette fois aveugle dans la nature, l'autre grande source, après l'ubris ou avant elle, du totalitarisme et, en tout cas, du meurtre ? » (240-241).

On a bien lu : Camus est bien un défenseur ontologique du totalitarisme et du crime ! On comprend que Jean-Jacques Brochier qui défend lui aussi cette thèse puisse, dans *Pour Sartre*, défendre Bernard-Henri Lévy (33 et 117) en même temps que Bernard Kouchner (139) ou André Glucksmann (33).

*
* *

Sartre n'hésita pas, lui non plus, à salir Camus. Dans différents volumes de *Situations*, on peut suivre le trajet de leur relation : le compte rendu mi-professoral mi-amical du premier roman de Camus, « Explication de *L'Étranger* » dans *Situations, I* ; la *Réponse à Albert Camus* qui fournit le canevas à Brochier pour son pamphlet futur et qui est l'assassinat de l'auteur de *L'Homme révolté* par le philosophe qui défend les camps de concentrations soviétiques, le texte est repris dans *Situations, I* ; dans le même volume, Sartre reprend son *Albert Camus*, un texte publié par ses soins à l'occasion de la mort accidentelle de l'écrivain, un chef-d'œuvre de mauvaise foi qui montre un Sartre d'autant plus généreux et magnanime que, Nizan mort à la guerre, Politzer fusillé au Mont Valérien, Camus succombant à un accident de voiture, en attendant Merleau-Ponty succombant bientôt d'un infarctus, il voit s'ouvrir un boulevard devant lui : ces esprits philosophiques brillants rayés de la carte intellectuelle, à gauche, plus personne ne lui contestera le leadership du champ philosophique – la voie est libre. Dans *Situations, V*, Sartre reprend sa préface aux *Damnés de la terre* de Frantz Fanon qui fait l'éloge de l'égorgement – sous sa plume « la patience du couteau » (173) – de l'Européen, et critique Camus sans le nommer quand il entretient des « bons esprits, libéraux et tendres – des néocolonialistes, en somme » (187) qui refusaient de régler le problème colonial par le sang.

Dans ses *Entretiens avec Sartre*, (Grasset), John Gerassi rapporte les propos désobligeants que son interlocuteur tient constamment à l'endroit de Camus. Il n'hésite pas à lui faire endosser des idées qui ne sont pas les siennes. Ainsi quand il affirme : « Camus voulait que Brasillach soit exécuté, par exemple. Mauriac ne voulait pas. Castor non plus » (286). Or, à l'inverse de ce que Sartre affirme éhontément, Camus s'est opposé à cette exécution (Todd, 374) et Beauvoir l'a souhaitée ! Concernant la pétition de demande de grâce de l'écrivain collaborateur, Olivier Todd écrit : « Sartre, Simone de Beauvoir et quelques autres refusèrent de signer. » Puis, à propos de Beauvoir, il ajoute : « Si elle levait un doigt en faveur de Brasillach, elle mériterait, dit-elle, que ses amis lui "crachent au visage" » (375). Voilà en quelle estime Sartre tient la vérité historique.

*
* *

Dans cette configuration hagiographique, saluons le *Dictionnaire Sartre*, aux éditions Honoré

Champion, et leurs maîtres d'œuvre François Noudelmann et Gilles Philippe qui, globalement, font un travail d'historiens et pas d'hagiographes. Si l'on ne retrouve rien de ce que Joseph Gilbert nous apprend, les auteurs ont l'honnêteté de dire un certain nombre de choses justes habituellement dissimulées. Ainsi, concernant Hegel par exemple, Sartre travaillait de seconde main et sur des morceaux choisis (213) – un reproche que Sartre fait à Camus lors de la polémique concernant *L'Homme révolté*. Un reproche évidemment repris tel quel par Jean-Jacques Brochier.

Index des noms propres

ABBAS, Ferhat, 530, 561, 563-564, 566, 574, 600

ABETZ, Otto, 313

ACAULT, Gustave, 74, 80, 91

AKNOUN, Ben, 287

ALAIN (Émile Chartier, dit), 349, 584

Alceste*[1], 221

ALEXANDRE LE GRAND, 253, 328, 692

ALI LA POINTE, 586

ALLEG, Henri, 582

ALQUIÉ, Ferdinand, 168

ALTHUSSER, Louis, 137, 708

ANAXARQUE d'Abdère, 253-254

ANDLER, Charles, 95

ANDREAS-SALOMÉ, Lou, 88

ANTELME, Robert, 426

APOLLINAIRE, Guillaume, 445, 448

ARAGON, Louis, 390, 430, 445

ARISTIPPE, 470

ARISTOCLÈS, 252

ARISTOTE, 202, 441

ARLAND, Marcel, 166, 168, 245

ARMAND, Ernest, 490, 671, 696, 705

ARON, Raymond, 315, 348-349, 446, 519, 669, 713

ARRIEN, 113

ARTAUD, Antonin, 344-345

ASTIER DE LA VIGERIE, Emmanuel (d'), 378, 428

AUDIN, Maurice, 583

AURIOL, Vincent, 401, 606

---

1. Les noms suivis d'un astérisque sont ceux de personnages de la littérature ou de la mythologie.

AUSSARESSES, Paul, 583, 663

AYMÉ, Marcel, 529

BACH, Jean-Sébastien, 227, 627

BACHELARD, Gaston, 13

BAKOUNINE, Michel, 199, 300, 435-437, 457, 483, 486-490, 499, 501-502, 506, 516, 520, 542, 545, 670, 675-676, 693, 696, 703-704, 718

BALTHUS, 345

BALZAC, Honoré (de), 240

BARBIE, Klaus, 392

BARDOT, Brigitte, 694

BARRAULT, Jean-Louis, 197, 344-345

BARRIO, Diego Martinez, 679

BARTHES, Roland, 245, 312, 314, 317, 323, 347

BATAILLE, Georges, 445-446, 460

BAUCHARD (pseudonyme d'Albert Camus), 355

BAUDELAIRE, Charles, 451-453, 642

BAUDRILLARD, Jean, 137

BEATLES (Les), 694

BEAUVOIR, Simone (de), 15, 26, 166-167, 197, 291-292, 294-299, 331, 355, 371, 390, 400-401, 434, 442, 445, 519, 526-527, 567, 610-611, 615-616, 619, 625, 628, 643, 649, 707, 716, 722-725, 728

BELAVAL, Yvon, 168

BELLEGARRIGUE, Anselme, 490, 671-672

BEN BELLA, Ahmed, 567

BEN SADOK, Mohamed, 590, 662-663

BÉRAUD, Henri, 529

BERDIAEV, Nicolas, 138

BERGSON, Henri, 13, 81-82

BERNANOS, Georges, 496

BERNI, Francesco, 276

BEUVE-MÉRY, Hubert, 609-610

BIGEARD, Marcel, 583

BIZET, Georges, 81, 86

BLANCHOT, Maurice, 240, 245, 445, 448

BLOCH-MICHEL, Jean, 633

BLUM, Léon, 167, 190, 352, 383, 530-531, 552, 558, 569

BOGART, Humphrey, 624, 725

BOLLIER, André, 395

BONNARD, Abel, 529

BOSSUET, Jacques-Bénigne, 459

BOST, Jacques, 298

BOUAZZA, Djamila, 583

BOULLOUQUE, Sylvain, 596

BOURDIEU, Pierre, 695, 709

BRAQUE, Georges, 197

BRASILLACH, Robert, 49, 400, 402, 471, 660, 662, 728

BRASSAÏ, 197

BRÉHIER, Émile, 160

BREJNEV, Léonid Ilitch, 708

BRETON, André, 445-446, 453-455, 584, 694

BRISSOT, Jacques Pierre, 480

BROCHARD, Victor, 251-253

BROCHIER, Jean-Jacques, 147, 295, 519, 689, 721-722, 725, 727, 729

BUBER, Martin, 431

BUBER-NEUMANN, Margaret, 431

BURCKHARDT, Jakob, 88

BURIDAN, Jean, 255

BURNIER, Michel-Antoine, 658

CAILLOIS, Roger, 315, 446

CALANOS, 253, 257

CALIGULA, 282, 305-312, 321-322

CALL, Lewis, 695

CAMUS, Catherine (mère d'Albert CAMUS), 27, 40, 44, 50-51, 56, 62-63, 65-68, 70-71, 76-77, 80, 93, 96, 103, 111, 124-125, 201, 258, 260, 443, 540, 578-579, 587, 598, 606, 622, 632

CAMUS, Francine (*voir aussi* FAURE, Francine), 68, 176, 286, 627-628, 630-631, 633-634, 640, 642, 646

CAMUS, Lucien Auguste (père d'Albert CAMUS), 27, 38, 40, 43, 49-53, 55-56, 58-60, 71, 76, 125, 173, 201, 283, 291, 318, 327, 338, 443, 540, 598, 656

CAMUS, Lucien Jean Étienne (frère aîné d'Albert CAMUS), 68, 91

CAPET, Louis, 480

CARNOT, Lazare, 497

CASARÈS, Maria, 197, 472, 631

CASTRO, Fidel, 708

CAVAILLÈS, Jean, 167

CÉLINE, Louis-Ferdinand, 400, 402-403

CELSE, 113

CERVANTÈS, Miguel (de), 207, 425, 668

CÉSAR, Jules, 209, 232, 308, 319, 528

CHABAN DELMAS, Jacques, 701

CHÂLIER, Joseph, 476

CHAMFORT, Sébastien Roch Nicolas (de), 350, 635-636

CHAR, René, 96, 102, 446-447, 621-622, 629-630, 632, 654

CHARLOT, Edmond, 123, 129, 226

CHATAIGNEAU, Yves, 561

CHEREA, Cassius, 305, 309-311, 322

CHESTOV, Léon, 79, 120, 138, 240, 243

CHIARAMONTE, Nicola, 348, 404

CICÉRON, 202

Clamence, Jean-Baptiste*, 634-646, 648, 650

CLAUDEL, Paul, 362

CLAVEL, Maurice, 349-350, 663

COCTEAU, Jean, 168

COHEN-SOLAL, Annie, 297, 299

COHN-BENDIT, Daniel, 688, 707

COLETTE, 296

COMTE, Auguste, 13, 690

CONTAT, Michel, 297, 724

CORDAY, Charlotte, 47, 365

CORMERY, Jacques, 173

COTTARD, 322, 332

COTY, René, 662

COURNOT, Antoine-Augustin, 690

COURTELINE, Georges, 227, 229, 441

COUSIN, Victor, 457, 460

CREVEL, René, 445

DAIX, Pierre, 380

DALADIER, Paul, 383

DANIEL, Jean, 168, 416, 578, 663

DANTE, 634-635

DARWIN, Charles, 677

DAUDET, Léon, 529

DAVIS, Garry, 428, 656

DAY, Hem, 597

DÉAT, Marcel, 298

DEBUSSY, Claude, 82, 91

DEFOE, Daniel, 316, 345

DEHERME, Georges, 671

DÉJACQUE, Joseph, 304, 402, 671

DELANGE, René, 294

DELEUZE, Gilles, 88, 136-137, 647, 695, 708

DELTEIL, Joseph, 79

DÉMOCRITE, 137, 253

DENYS (tyran de Syracuse), 120

DÉROULÈDE, Paul, 577

DERRIDA, Jacques, 88, 137, 287, 695, 710-711

DESANTI, Jean-Toussaint, 445

DESCARTES, René, 13

DESNOS, Robert, 445

DIDEROT, Denis, 13, 451

DIOGÈNE LAËRTE, 120, 251, 257, 328, 350-351, 353, 470, 692

DIONYSOS, 82, 203, 234, 287, 712

DJIAN, Irène, 285

Don Juan*, 273, 624-627, 630, 688

Don Quichotte*, 207-208, 353, 668

DORGELÈS, Roland, 52, 55-56, 72, 439

DORIOT, Jacques, 166

DOSTOÏEVSKI, Fiodor, 96, 240, 448, 486

DRIEU LA ROCHELLE, Pierre, 164, 168, 289, 291, 390, 394, 529, 611, 722

DUCAILAR, Yvonne, 239, 286, 290

DUCASSE, Isidore, 444

DUCHAMP, Marcel, 584, 694

DUHAMEL, Georges, 391

DURAS, Marguerite, 394

DUVIVIER, Julien, 229

DYLAN, Bob, 694

EL-OKBI (Cheikh), 551-553, 574

ÉLUARD, Paul, 390, 445

EMPÉDOCLE, 133, 141

EMPIRICUS, Sextus, 154, 160, 249, 251, 257, 265, 720

Énée*, 49-50, 52

ENGELS, Friedrich, 199, 676

ÉPAPHRODITE, 113

ÉPICTÈTE, 112-113, 116, 249

ÉPICURE, 86, 139, 202, 250

ESCHYLE, 227

ÉTIEMBLE, 158-159

FABRE-LUCE, Alfred, 166, 168

FANON, Frantz, 577, 615, 651-652, 728

FAURE, Francine (*voir aussi* CAMUS, Francine), 177, 276, 283, 285-286, 290, 627-629

FAURE, Sébastien, 304, 490, 596, 671-673, 696, 705

Faust*, 625, 654, 688

FEDOROV, Stepan, 585-587

FÉRET, 451

FERRY, Jules, 539

FESTUGIÈRES, André, 163

FEUILLÈRE, Edwige, 296

FLAUBERT, Gustave, 240, 265, 709

FONTANIER, Pierre, 316

FONTENELLE, Bernard le Bouyer (de), 441, 451

FÖRSTER, Elisabeth, 245

FOUCAULT, Michel, 137, 695, 708

FOUCHET, Max-Pol, 93

FOURIER, Charles, 74, 542, 696-697, 704

FRAIGNEAU, André, 168

FRANCO, Francisco, 205-206, 208, 226, 315, 319, 362, 369, 372, 513, 618, 668, 670, 675, 679-680, 689, 706

FRANK, Bernard, 620

FRÉMINVILLE, Claude (de), 80, 93, 177-178, 302, 416

FREUD, Sigmund, 29, 37, 228-229, 631

FROMM, Eric, 694

GAILLARD, Georges, 167

GALIEN, 181

GALILÉE, 553

GALINDO, Christiane, 627, 633

GALLIMARD, Gaston, 158, 284, 288-289, 496

GALLIMARD, Robert, 522

GANDHI, 470, 656, 674, 684, 704

GANDILLAC, Maurice (de), 165, 168

GARFITT, Toby, 158-159, 163, 165-166, 168, 720

GAULLE, Charles (de), 284, 286, 348, 354, 359, 385, 390, 400, 429, 471, 497-498, 558, 560-562, 584, 612-614, 679, 688, 723

GAXOTTE, Pierre, 529

GENET, Jean, 23

GERASSI, John, 298, 402, 708, 728

GERMAIN, Louis, 40, 51-53, 55-57, 71-72, 77, 175, 277, 282, 390

GIDE, André, 116, 203-204, 394, 534

GINOLLIN, Denise, 313

GIONO, Jean, 168

GIRAUD, Henri, 165, 385

GIRAUDOUX, Jean, 295-296, 352, 611

GISCARD d'ESTAING, Valéry, 688, 712-713

GLUCKSMANN, André, 712, 727

GODARD, Jean-Luc, 694

GODIN, Jean-Baptiste, 698

GODWIN, William, 457, 693, 696, 704

GOMEZ, Sylvie, 554

GORKI, Maxime, 227, 240

GOUHIER, Henri, 168

GRAMSCI, Antonio, 214-215, 225

GRAVE, Jean, 696

GRECO, Juliette, 15

GREEN, Julien, 584

GRENIER, Jean, 27-29, 38, 40, 55, 71-74, 78, 81-83, 89, 124, 130, 151-155, 157-171, 173-178, 180, 183-188, 190-192, 210, 215, 224, 238, 240, 245,

249, 251, 253, 265, 288, 327, 356, 391, 440, 456, 458, 468, 578, 622, 630, 654, 715, 720-721

GUATTARI, Félix, 137, 695, 708

GUÉHENNO, Jean, 162, 166

GUÉRIN, Daniel, 475

GUÉRIN, Jeanyves, 501, 718-719

GUESDE, Jules, 491, 718

GUILLORÉ, Raymond, 509

GUILLOUX, Louis, 174, 176, 327

GUITTON, Jean, 168

GUYAU, Jean-Marie, 116

HADJ Sadok, Ben, 567

HADJ, Messali, 189, 230, 530, 532, 565-566

HADOT, Pierre, 645

HALÉVY, Daniel, 409

HARDY, René, 392

HECHT, Ben, 665

HEGEL, Georg Wilhelm Friedrich, 9, 11, 14, 16, 27, 67, 83, 85, 118, 120, 128, 145, 199, 201, 210, 240, 277, 370, 438, 445-446, 455, 457-461, 463-464, 469, 474, 483, 486, 516, 729

HEIDEGGER, Martin, 56, 88, 243, 290

HELVÉTIUS, 451

HENRI IV, 498

HENRIOT, Émile, 362

HÉRACLITE, 646

HERRIOT, Édouard, 179, 530

HERVÉ, Pierre, 379-380

HIÉ, Simone, 93, 626

HIMMLER, Heinrich, 388

HITLER, Adolf, 98, 102, 165, 246, 295, 312, 315, 322, 327, 331, 337, 353-354, 369, 371, 380, 403, 406, 431, 463, 584, 679, 706

HOBBES, Thomas, 451, 687

HODENT, Michel, 551, 554-555

HOLBACH, Paul Henri Thiry (d'), 451, 687

HOMÈRE, 140, 240

HONEGGER, Arthur, 345

HYPPOLITE, Jean, 445, 458

ISOU, Isidore, 694

JACOB, Alexandre, 62

JACOB, Marius, 696

JANKÉLÉVITCH, Vladimir, 166, 394-396

JASPERS, Karl, 56, 243

JEANNE d'ARC, 498

JEANSON, Francis, 437, 446, 582, 649

JESUS-CHRIST, 99, 112, 336, 395-396, 399, 412, 467, 481, 657, 693

JONSON, Ben, 227

JOSEPH, Gilbert, 290-291, 722, 729

JOYCE, James, 74, 81, 240

JÜNGER, Ernst, 55

KAFKA, 240, 243, 288-290, 448, 648

KAHOUL, Muphti, 552

KALIAYEV, Ivan, 586-587

KANT, Emmanuel, 14, 349, 479, 507, 687

KASSNER, Rudolf, 227

KERFALLAH, Zahia, 583

KESSAL, Saïd, 614-615

KESSOUS, Mohamed El Aziz, 570

KIERKEGAARD, Søren, 9, 11, 13-14, 16, 56, 120, 124, 138, 240, 243, 268, 462, 617, *629*

KLOSSOWSKI, Pierre, 445-446, 448

KOESTLER, Arthur, 26

KOJÈVE, Alexandre, 445, 457-458, 460

KOUCHNER, Bernard, 719, 727

KOYRÉ, 718

KRAVTCHENKO, 430-431

KROPOTKINE, Pierre, 300, 322, 485, 542, 672, 676-677, 683, 693, 696, 704

LA BOÉTIE, Étienne (de), 195, 305, 310, 328, 367, 470, 544, 549, 692, 704, 713

LA BRUYÈRE, Jean (de), 636

LA FONTAINE, Jean (de), 312, 317

LA METTRIE, Julien Offray (de), 451

LA ROCHEFOUCAULD, François (de), 635

LACAN, Jacques, 137, 197, 446, 460, 688

LACENAIRE, Pierre François, 453

LACOMBE, Claire, 476

LAFFONT, Pierre, 580

LAO-TSEU, 249

LAUTRÉAMONT, 96, 444-445, 451, 453

LAVAL, Pierre, 387

LAVELLE, Louis, 168

LAZARE, Bernard, 696

LAZAREVITCH, Nicolas, 585

LE CORBUSIER, 228

LE SENNE, René, 168

LÉAUTAUD, Paul, 167-169

LEBJAOUI, Mohamed, 607

LECLERC (général), 169

LECLERC, Théophile, 476

LECOIN, Louis, 584, 656, 671, 676, 696, 705

LÉGER, Fernand, 584

Léger, Nathalie, 294
Leiris, Michel, 197, 446
Lély, Gilbert, 448
Lénine, 194, 201, 327, 361, 368-369, 431, 436, 460, 463, 469, 477, 486, 513, 577, 676, 706, 708
Lenzini, José, 614, 716
Léon, Pauline, 476
Lequier, Jules, 158-160
Leval, Gaston, 487, 489, 501, 596, 675, 677, 681, 683, 685-686
Levi, Primo, 426
Levinas, Emmanuel, 137, 446
Lévi-Strauss, Claude, 584, 688
Lévi-Valensi, Jacqueline, 522
Levy, Bernard-Henry (BHL), 689, 712-713, 725-727
Leynaud, René, 395-396, 398-400, 407
Leyris, Pierre, 289-290
Libertad, Albert, 300
Loret, Éric, 711
Lottman, Herbert R., 29, 114, 228, 303, 390, 501, 556, 579, 606, 608, 716, 718
Louis XIV, 542
Louis XVI, 479, 481, 591
Lucrèce, 202, 250
Lupin, Arsène*, 62

Luther, Martin, 232
Lyotard, 137, 695, 709

Machado, Antonio, 206
Machiavel, Nicolas, 369, 549, 553
Mac-Orlan, Pierre, 529
Maine de Biran, Pierre, 13
Maistre, Joseph (de), 325-326, 452, 466
Maîtrejean, Rirette, 300-302, 501, 718
Malan, 171-174
Maldoror, 453
Malraux, André, 223-224, 226-227, 240, 242, 284, 289-290, 613, 637
Mangin, Charles, 58
Mao Tsé-toung, 369, 602, 689, 692, 706, 708
Marat, Jean-Paul, 474, 481
Marc-Aurèle, 124, 202, 645, 687
Marcel, Gabriel, 168, 326, 347, 399
Marcuse, Herbert, 694
Marin, Lou, 300, 717-718
Maritain, Jacques, 584
Martin du Gard, Roger, 606, 632
Marx, Karl, 156, 185, 198-199, 201, 215, 325-327, 348, 370,

379, 415, 436-439, 445, 456-457, 460, 464-470, 473-474, 482, 486, 490, 494, 498-500, 504, 513, 516, 577, 652, 676, 682, 687, 710

MASSIGNON, 662

MASSIS, Henri, 529

MASSU, Jacques, 583, 663

MATHÉ, Albert, 355

MAULNIER, Thierry, 529

MAURIAC, François, 15, 362, 391, 393-395, 397, 399, 402, 728

MAURRAS, Charles, 74, 162-163, 233, 405, 417, 524, 526, 529

MAY, Todd, 695

Médée*, 209

Mélusin (Monsieur)*, 21, 23-24

MELVILLE, 240, 448, 621

MEMMI, Albert, 518, 537

MENDÈS FRANCE, Pierre, 362, 506, 511, 700-701

MEREIA, 307-308

MERLEAU-PONTY, Maurice, 26, 135, 429, 433-434, 445, 643, 649, 652, 727

Mersault*, 115-116

MÉRY, Jacques, 665-666

MESLIER, Jean (abbé), 541-542

Meursault*, 38, 115, 128, 245, 248, 251-

253, 255-257, 259-267, 275, 332, 640

MICHAUX, Henri, 197

MICHEL, Louise, 696, 704

MILHAUD, Darius, 584

MINNE, Danièle, 583

MITTERRAND, François, 394, 401, 575, 688, 701, 712

MOKTAR, Debbache, 663

MOLIÈRE, 20, 625

MOLINA, Tirso (de), 625

MOLLET, Guy, 561, 575, 602, 663, 701

MOLOTOV, Viatcheslav, 680

MONNEROT, Guy, 566-567, 719

MONTAIGNE, Michel (de), 13, 124, 138, 268, 687

MONTESQUIEU, 451, 687

MONTHERLANT, Henry (de), 238, 296

MÔQUET, Guy, 313

MOULIN, Jean, 322, 365, 392, 471

MOULOUDJI, Marcel, 197

MUSSOLINI, Benito, 98, 102, 232, 246, 315, 319, 327, 369, 372, 486, 526-528, 549, 679, 706

NADEAU, Maurice, 299, 448

NAPOLÉON, 88, 464, 591

NASSER, Gamal Abdel, 602, 667, 680
NETCHAÏEV, Serge, 670
NEWMAN, Saul, 695
NIETZSCHE, Friedrich, 7, 27, 30, 36, 41, 80-81, 85-111, 113-120, 122, 124, 126-127, 132, 134, 138-139, 147, 149, 159, 161, 183, 185, 193-195, 197, 203, 208, 223, 228, 240, 245-252, 255, 257, 262, 264-265, 268, 271, 275-276, 282, 300, 332, 334, 408-409, 425, 456-457, 470-474, 511, 617, 632, 636-637, 682, 711-713, 721, 726
NIEUWENHUIS, Ferdinand Domela, 499
NIZAN, Paul, 111, 137, 238, 727
NORA, Pierre, 711
NOZIÈRE, Violette, 454

OLLIVIER, Albert, 496
ORTEGA y GASSET, José, 138
ORWELL, Georges, 317
OVERBECK, Franz, 104
OWEN, Robert, 457, 698
Œdipe*, 18, 209, 221, 636

PALANTE, Georges, 162, 171, 327, 543, 705
PANELOUX, 331, 333-334
PANZERA, Charles, 314
PAPON, Maurice, 613
PARAIN, Brice, 165
PASCAL, 120, 124, 138, 268, 352
PAULHAN, Claire, 162, 720
PAULHAN, Jean, 289-290, 391, 446
PAUVERT, Jean-Jacques, 448
PAUWELS, Louis, 510
PÉGUY, Charles, 507
PELLOUTIER, Fernand, 302, 435, 490-494, 498, 504, 513, 542, 545, 686, 705
PÉRI, Gabriel, 38
PERRAUDEAU, Michel, 485
PERRIN, Marius, 291
PÉTAIN, Philippe, 147, 165, 168, 286, 290, 294, 299, 319, 329, 337, 354, 362, 365, 369, 377, 384, 387, 391, 393, 404, 433, 584
PHILIPPE IV le Bel, 678
PIA, Pascal, 136, 284, 286, 289-290, 302-303, 351, 353, 355-356, 394, 716
PICASSO, Pablo, 197
PIE XII, 371-373, 715

741

PILLER, Pierre, 675
PINDARE, 41, 109, 136, 140
PLATON, 19, 120, 137, 180-181, 202, 209, 213, 250
PLEVEN, René, 557
PLOTIN, 90-91, 120, 151, 179-184, 186, 209, 222, 228, 233, 239-240, 249, 259, 277, 513, 516
POL-POT, 692
POMPIDOU, Georges, 688
PORPHYRE, 180-181
POUCHKINE, 227, 625
PROGRESO, Marin, 680
Prométhée*, 186
PROUDHON, Pierre-Joseph, 30, 80, 157, 177, 193, 198-199, 300, 302-304, 364, 366-367, 406, 414-417, 435-439, 457, 478, 483, 487, 490-492, 494, 496, 498, 500, 513, 520-521, 542, 545, 548, 671-672, 676, 684-685, 693, 696-697, 699, 702-704
PROUST, Marcel, 240, 448
PUCHEU, Pierre, 385-386
PYRRHON d'Elis, 252-257, 261, 263, 265

QUENEAU, Raymond, 446
QUILLIOT, Roger, 663

RABELAIS, 328, 441, 692
RAGACHE, Gilles et Jean-Robert, 291
RANCILLAC, 165

RASTIGNAC, 283, 289, 612
RAVACHOL, 351, 485, 491, 670, 693, 696
REBATET, Lucien, 49, 291, 296, 400-401, 472, 660, 662
RECLUS, Élisée, 302, 490, 671, 673, 677-678, 705
RÉE, Paul, 105
RÉGNIER, Jacques, 302
RENAULT, Louis, 375-376
REY, Alain, 603
REYNAUD, Paul, 383
RIBBENTROP, Joachim von, 295
RICHAUD, André (de), 79-80, 124, 152, 439
RICTUS, Jehan, 81
RIEUX (docteur), 322, 333-334, 336, 339, 343, 462
RILKE, Rainer Maria, 13
RIMBAUD, Arthur, 13, 444-445, 451, 453-454, 692
ROBBE-GRILLET, Alain, 245
ROBESPIERRE, Maximilien (de), 469, 474, 477-478, 481, 591
ROBLÈS, Emmanuel, 579, 600
ROOSEVELT, Franklin D., 362
ROQUENTIN, Antoine, 243
ROSENBERG, Julius et Ethel, 660, 662
ROSENTHAL, Gérard, 429

ROUSSEAU, Jean-Jacques, 124, 369, 449, 451, 479, 687, 698

ROUSSET, David, 426-433

ROUX, Jacques, 476, 480

ROY, Jules, 176, 615

RUBEMPRÉ, Lucien (de), 132

RYNER, Han, 490, 705

SAADI, Yaasef, 586

SACCO, Nicola, 162

SADE, 96, 444-445, 448-451, 455, 513

SAÏD, Edward, 519

SAÏD, Mohammed, 581

SAINT AUGUSTIN, 91, 140, 151, 180, 183, 212, 233, 240, 250, 273, 335, 408, 459, 516, 629, 645-646

SAINT FRANÇOIS d'Assise, 232

SAINT IGNACE de LOYOLA, 335

SAINT PAUL, 99, 247, 373

SAINTE GENEVIÈVE, 498

SAINTE-BEUVE, Charles-Augustin, 126

SAINT-JUST, 474, 479-481, 513

SALACROU, Armand, 197, 290

SALLENAVE, Danièle, 297, 299

SARRAUTE, Nathalie, 245

SARTRE, Jean-Paul, 13-16, 23, 25-26, 30, 40, 72, 74, 110, 120, 134, 138, 166-167, 197-198, 238, 242-245, 267, 290-299, 314, 317, 324, 326, 331, 339, 342, 347, 355, 361, 364, 369, 371, 390, 400, 402-403, 415, 428-430, 433-437, 440-443, 445-446, 458, 460, 500, 503, 505, 510, 518-519, 526-528, 546, 567, 576-578, 582, 587, 600, 610-611, 613, 615, 619, 624-625, 628, 632, 634, 636, 643-644, 647, 649, 651-653, 658-659, 661, 663, 669, 680, 689-690, 707-711, 713, 715-716, 722-729

SCHELLING, Friedrich Wilhelm Joseph von, 486

SCHOPENHAUER, Arthur, 27, 80-81, 86, 89-91, 118-119, 240, 249, 472

SCHWEITZER, Charles, 441

SÉNÈQUE, 202

SERGE, Victor, 300, 302

SHAH (Mohammad Reza Pahlavi), 661

743

SHAKESPEARE, William, 95, 425

SILONE, Ignazio, 238

SINTÈS, Catherine, 62, 71, 80, 258

Sisyphe*, 39, 267-269, 274-275, 626

SOCRATE, 82, 86-87, 140, 209, 553

SOLARA, Vincent, 302

SOLJENITSYNE, Alexandre, 689

Sorel, Julien*, 132, 191, 240

SOUPAULT, Philippe, 445

SPARTACUS, 365, 435

SPENCER, Herbert, 322

SPENGLER, Oswald, 240

SPINOZA, Baruch, 28, 240, 443

STALINE, Joseph, 102, 312, 319, 353, 361, 368-369, 380, 406, 431, 531, 706

STENDHAL, 240, 443

STIRNER, Max, 96, 240, 300, 302, 483-486, 490, 670, 693, 696, 703-704

STORA, Benjamin, 581, 659

STRAVINSKY, Igor, 82, 91

TAINE, Hippolyte, 126

TARROU, Jean, 340, 342, 462

TCHOUANG-TSEU, 249

TÉRENCE, 441

THIBON, Gustave, 168

THIERS, Adolphe, 495, 500

THOREAU, Henry David, 268, 470, 704

THOREZ, Maurice, 530

TILLION, Germaine, 521, 586, 663

TIMON de PHLIONTE, 252-253

TITO, 602

TIXIER-VIGNANCOUR, Jean-Louis, 401

TODD, Olivier, 29, 297, 472, 501, 532, 553, 607-609, 633-634, 663, 716, 718, 728

TOLSTOÏ, Léon, 96, 98, 693, 696

TRÉAND, Maurice, 313

TROTSKI, Léon, 368-369, 427, 435

TRUFFAUT, François, 694

Ulysse*, 140

UNAMUNO, Miguel (de), 120, 138, 668

VAILLANT, Auguste, 670

VALÉRY, Paul, 74

VALOIS, Georges, 417

VAN DEN HOVEN, Adrian, 297

VAN EYCK, Jan, 643

VANEIGEM, Raoul, 694

VANZETTI, Bartolomeo, 162

VARLET, Jean, 475-478, 480, 483, 513, 542, 545

VELIN, André Bollier, dit, 395

VERLAINE, Paul, 81

VESPER, Noël, 165

VIAN, Boris, 15, 643

Vichy, 166

Vigne (Monsieur)*, 20-21, 23-25

VILAR, Jean, 222

VIOLLETTE, Maurice, 529-531

VIRGILE, 635

VITEZ, Antoine, 222

VITRAC, Roger, 445

VOILIER, Jean, 403

VOLTAIRE, 451, 495, 541, 687

WAGNER, Richard, 81, 86, 88-89

WAHL, Jean, 168, 446

WEIDMANN, Eugène, 284

WEIL, Éric, 446

WEIL, Simone, 209, 446, 510

WEITLING, Wilhelm, 489

Zarathoustra*, 17, 19, 108, 250, 282, 420, 511, 712

ZEVACO, Michel, 74

ZOLA, Émile, 303

ZOUSSMAN (juge), 296

Index thématique

Abolitionnisme, 386, 525

Absolu et choix, 160

Abstention, 506

Abstentionnisme, 507

Absurde, 18, 52, 56, 116, 160, 226-227, 270, 272-275, 285, 294, 301, 626
  esthétique l', 110
  métaphysique de l', 236
  philosophe de l', 18-19
  roman de l', 245
  théorie de l', 109
  vie, 15, 18, 245, 266, 271-272, 626, 645, 649

Absurdité, 15, 18, 21, 54, 108, 115, 243-244, 264, 271-272
  de l'État moderne, 348, 404
  de l'existence, 626
  de l'Histoire, 227

Abuseur de Séville (*L'*), 625

Action française (*L'*), 162-163, 168, 372, 378

Actuel (revue), 658

Actuelles, 240, 358, 364

Actuelles. Chroniques 1944-1948, 95, 279, 358, 361, 363-364, 587, 689

Actuelles II. Chroniques 1948-1953, 588, 665

Actuelles III. Chroniques algériennes (1939-1958), 42, 519-520, 579, 582, 588-589, 603, 614

Adéquation
  entre l'œuvre et l'existence, 29
  entre théorie et pratique, 28

Administration, 50-51, 319, 346, 556
  coloniale, 553, 555
  de l'Éducation nationale, 78, 237, 298
  de Vichy, 298

française, 539, 552, 580

Adolescence, cinq sonates pour saluer la vie, 178

Affirmation, 100, 103, 110, 119, 122, 195, 198, 255, 479, 693, 712, 726

Affranchissement
  des esprits et des corps, 493
  politique, 558

Afrique, 140, 206, 232, 408, 453, 524, 528, 541, 600, 605, 668, 674
  du Nord, 42, 147, 533, 557, 559, 567, 602

Âge des orthodoxies (L'), 166

Agneau mystique (L'), 643

Agrégation, 27, 38, 237, 456

Ainsi parlait Zarathoustra, 86, 97, 107, 119, 245, 248, 257, 268, 409, 471, 511

Ajout au prière d'insérer pour la comédie de l'Est, 587

Albert Camus, 73, 190

Albert Camus, ou l'inconscient colonial, 519

Alger, 43, 62, 81, 123, 128-130, 144, 173, 187-188, 201-203, 205, 223, 226-227, 234, 284-285, 356, 385, 513, 516, 552, 571-572, 575, 579, 582-583, 598, 605, 625

Alger étudiant, 178

Alger Républicain, 212, 238, 241, 284, 302, 350, 356, 364, 405, 496, 498, 518, 532-533, 550, 556, 563

Algérie, 17, 19, 30, 49, 58, 81, 128, 140, 144, 183, 200-202, 205-206, 208, 211, 213, 231, 233, 238, 256, 276-277, 281, 283, 286-287, 322, 351, 362, 406, 421, 427, 432, 470, 496, 511, 515, 517-524, 526, 529-530, 533-534, 538, 540, 546-547, 549, 551-552, 557, 559, 561, 563-571, 574, 576, 578, 581-582, 589-593, 596, 598-601, 603-605, 607-609, 612-615, 618, 620-621, 627, 630, 644, 649-651, 659, 663, 678, 686, 688, 701, 705
  française, 161, 168, 190, 402, 541
  franco-musulmane, 710-711

Algérie 1958, 603

Algérie de Camus (*L'*), 614

Algérie et la république (*L'*), 519

Allégorie, 316
  antifasciste, 326, 340
  antinazie, 326
  pamphlétaire, 318-320

Allemagne, 14, 128, 235, 343, 379, 388, 408, 410-414, 431, 468, 497, 665
  nazie, 358, 397, 408-410, 413, 417, 679

Amandiers (*Les*), 146

Amis du manifeste, 564

Amitié, 40, 166, 190, 201-202, 204, 206, 234, 258, 307, 322, 341, 398-399, 446, 463, 484, 680, 710

Amor fati, 88, 103, 248, 252, 333, 470

Anarchie, 61, 74, 80, 157, 161, 206, 227, 281-282, 284-286, 288-291, 293-295, 297-298, 300, 302-305, 307-310, 312, 314-316, 318-320, 322, 324, 326, 353, 360, 366, 414, 416-417, 449, 483, 488, 500-502, 507, 512-513, 521, 544, 548, 584-585, 594-597, 668-672, 675, 682, 691-692, 694, 696, 700, 703-706

Anarchie (*L'*), 300

Anarchie est la plus haute expression de l'ordre (*L'*), 673

Anarchie. Journal de l'ordre (*L'*), 672

Anarchisme post-moderne (*L'*), 695

Anarcho-syndicalisme, 206, 424, 434-435, 457, 492, 508, 511-512, 520, 695, 709-710

Années algériennes (*Les*), 581

Anniversaire, 412

Antéchrist, 261-262

Antéchrist (*L'*), 232

Anthologie de l'humour noir (*L'*), 445

Anthropologie, 325, 370, 709
  anarchiste, 281, 326

Anticléricalisme, 374, 696

Anticolonialisme, 190, 532
  Internationaliste, 516
  viscéral, 523

Anticommunisme
  de gauche, 619
  libéral, 712

Anticulture
  apollinienne, 257

Antifascisme, 148, 190, 656

communiste, 225, 227
libertaire, 225
Antifasciste, 347, 435
allégorie, 326, 340
combat, 224, 313, 532
engagement, 223
mouvement, 38
mythe, 344, 347
Antifranquisme, 226
Antihégélianisme, 334
Antinomies entre l'individu et la société (Les), 327
Anti-occidentalisme, 602
Anti-Œdipe (L'), 708
Antisémitisme, 161, 168-169, 400, 402-403, 416, 532, 696, 703
Antisoviétisme, 361
Appareils idéologiques d'état, 708
Appel du Comité pour le RDR, 429
Appel du mardi 25 juin 1940, 147
Appel pour une trêve civile en Algérie, 572, 588, 607
Arbalète (L'), 288
Archipel du Goulag (L'), 689
Armée de libération nationale (ALN), 567, 602
Armée Rouge, 368, 435
Arrière monde, 254, 263, 323

Article 330 (L'), 227
Assimilation, 537, 565, 571
Association Internationale des Travailleurs, 499
Asturies, 668, 678
Ataraxie, 181, 250, 253, 255
Athéisme, 261-262, 541
politique, 327
social, 327, 419
Athènes, 163, 202-203, 546
Attentat, 298, 552, 563, 566, 573, 582, 593, 613, 662
Attentats d'Alger, 579
Aurore, 91, 194
Auschwitz, 431, 471
Autobiographie, 35, 116, 122, 126, 159, 175, 266
ontologique *vs* factuelle, 274
Autodidacte, 29, 199, 239, 434, 437, 612, 619
Autogestion, 435, 500, 512, 615, 687
Autoportrait, 88, 128, 274, 434, 623, 626, 632, 636, 644
Avec Sartre au Stalag XII D, 291
Aventures de la liberté (Les), 725

Bagatelles pour un massacre, 402

Bande à Baader, 707

Bande à Bonnot, 301, 485, 670

Barbarie à visage humain (La), 712

Bariona, 292, 299

Bateau ivre, 136, 453, 692

Béatitude, 247-250, 410

Belcourt, 50, 72, 76, 94, 128, 130, 146, 152, 174, 226, 228, 276, 282, 370, 445, 478, 512, 516, 578-579, 598, 606

Belle Époque, 543

Belle équipe (La), 229

Ben Aknoun près d'El-Biar (lycée de), 287

Ben-Hecht (Le), 665

Bhagavad-gîtâ (La), 80

Bibliothèque nationale, 725

Biographie, 9, 18, 20, 79, 152, 303, 402, 409, 449, 501, 625, 638, 706

Bolchevique, 121, 431-432, 436, 456, 460, 464, 483, 506, 512, 652

camp, 378-379, 500

révolution, 121, 214, 361, 431, 466, 486

rhétorique, 200

Bombe atomique, 211, 214, 378-379, 467, 656, 660, 692

Bonheur, 121, 133, 138, 142, 149-150, 175, 187, 191-192, 205, 219, 234, 252, 256, 259, 264, 274-276, 306, 381, 410-411, 444, 462, 476, 629, 657, 713

comme souverain bien, 481

et vérité, 191-192

goût du, 413

philosophie du, 109, 617

Brigades Internationales, 550

Bulletin intérieur de la fédération anarchiste, 596

Café de Flore, 162

Cahier, 35, 89

Cahiers de jeunesse, 628

Cahiers de la Libération, 355

Cahiers de Libération, 406

Cahiers du socialisme libertaire, 596

Cahiers pour une morale, 458

Calendrier de la liberté, 668

Caligula, 42, 238, 240, 303, 305, 309, 317, 319, 344

Caligula et trois autres pièces, 587

Calligrammes, 445

Camp, 168, 290-292, 377-379, 382, 412, 568, 644

   de concentration, 379, 419, 426, 431

Camus et les libertaires (1948-1960), 300

Camus, philosophe pour classes terminales, 519, 721

Camus. Portrait de l'artiste en citoyen, 501

Capital (Le), 183, 199, 464, 674, 687

Capitalisme, 69, 199, 304, 326, 341, 365, 370, 377-378, 423, 428-429, 457, 464, 468-469, 484, 506, 615, 650, 672, 681, 697-698, 702

Carnets, 9, 11, 13, 61, 70, 103-104, 150, 163, 170, 176, 192-193, 197, 218, 270, 284, 309-310, 318, 324, 402, 424, 426, 472, 577, 586, 606, 617, 621, 624, 626, 631, 647, 651, 690

Carnets de la drôle de guerre, 442

Carte postale (La), 287

Cas Wagner (Le), 89

Castillanerie, 130, 205

Castor de guerre, 299, 728

Catéchisme révolutionnaire, 670

Catholicisme, 645

   européen, 232

   romain, 629

Caves du Vatican (Les), 116

Ce soir, 380

Cellule, 45, 216, 260, 262, 449, 586, 647-648

   de base, 543, 685

   des crachats, 648-650, 654

   Plateau-Saulière, 228

Censure, 351-353, 475, 556

   allemande, 288-289, 296

   gaulliste, 562

   théâtrale, 296

120 journées de Sodome (Les), 445, 450

Cercle d'Études Syndicales des Correcteurs à la Bourse du Travail, 509

Cercle Proudhon, 417

Cérémonie des adieux (La), 707, 723

Césarisme, 194, 209, 319

Chants de Maldoror (Les), 453

Charme de l'Orient (Le), 158

Chemins de la liberté (Les), 24

Choix (Le), 160

Christianisme, 11, 86, 92, 96, 98-100, 112, 128, 144, 180, 202, 232, 247, 336, 399, 456, 480-481, 484, 645, 715
judéo-, 87, 232, 265

Chute (La), 42, 624, 629, 632-634, 636, 643, 645, 647, 653-655, 710

Clairvoyance, 153-154, 184

Classe ouvrière, 69-70, 435, 437, 469, 488, 492, 503, 505, 509

Collaborateur, 49, 292-293, 336, 338, 384, 394, 396, 402, 567, 585, 658, 722, 725, 728

Collaboration, 165, 169, 214, 297, 313, 316, 322, 329-332, 338, 364-365, 371-372, 384, 397, 403-404, 471-472, 680
industrielle, 375, 377

Collaborationniste, 289, 660

Presse, 161, 166, 294, 297, 299, 390, 397, 400, 611, 722, 724

Collectivisation, 377-378, 422, 615

Collectivisme, 233, 380, 696

Collège du travail, 228, 234, 719

Colonial
empire, 602
esprit, 518
mécanisme, 351, 518
monde, 523
problème, 728
régime, 523, 537, 541, 572, 589, 656
système, 515, 524
temps, 589

Colonialisme, 348, 404, 427, 519, 532, 534, 537-539, 545, 549, 557, 590, 596, 602, 651-652
italien, 232, 526
métropolitain, 573
transcendantal, 551

Colonie pénitentiaire (La), 648

Combat, 42, 170, 350, 354-355, 358, 364, 386-387, 395, 404, 412, 420-422, 429, 496-498, 556-557, 562-563, 587, 725

Combats, le journal de la Milice, 296

Comédien, 109, 218, 220, 229, 273, 637

Comité Amsterdam-Pleyel, 38, 532

Comité central, 183

Comité national de l'édition (CNE), 390-391

Comité pour l'appel à une trêve civile, Comité pour la trêve, 573-575

Comité révolutionnaire d'union et d'action (CRUA), 566

Comités d'épuration, 393

Commission internationale contre le régime concentrationnaire (CICRC), 432

Commonwealth, 603, 605

Communalisme, 521, 523, 541-543, 699, 710

Commune, 20, 512, 542-543, 547, 685, 701

Commune (La), 495-496

Commune de Paris, 494, 496-500, 502, 543, 669, 676

Communisme, 150, 153-156, 169, 178-179, 181-183, 185, 188, 192-193, 198, 206, 216, 233, 343, 370, 373, 417, 456, 505, 619, 661

libertaire, 676-678, 695

plotinien, 200

poïétique, 201

soviétique, 429, 498

Comœdia, 166, 169-170, 294-297, 299, 390, 611, 722, 724

Concept de l'angoisse (Le), 268

Condition humaine (La), 224, 242, 284

Condition postmoderne (La), 709

Confédération nationale du travail (CNT), 435, 501-502, 513, 520, 670, 675-676

Conférence faite en Angleterre, 424, 504

Confession, 487, 645

Confessions, 179, 273, 687

Congrès de La Haye, 200

Congrès international de la paix, 420

Congrès musulman, 552

Conquérants (Les), 224

Conquête du pain (La), 542

Conseil national de la Résistance (CNR), 420, 699

Conseil supérieur de la magistrature, 663

Considérations inactuelles, 95

Considérations intempestives, 161, 334

Contrat fédéraliste, 592

Contrat social (Le), 479, 687

Contre l'intellectuel tout puissant, 709

Contre les chrétiens, 113

Contre-feux, 709

Contre-révolution, 452

Conversion, 21, 163, 232, 489, 645, 688, 716
existentielle, 82

Coran, 531, 552, 594

Corporation, 13, 218, 233, 521
journalistique, 510
philosophante, 36, 145, 269
philosophique, 47, 134, 269, 620
vocabulaire technique de la, 69

Corps, 35, 45-46, 59, 83, 90, 104, 116-117, 130, 135, 139-141, 147, 202-203, 212, 217, 238-239, 247, 257, 269, 277, 284, 331, 370, 381, 493, 626, 705-706, 708-709, 726

Correspondance, 29, 152, 177, 196, 249, 290, 355-356, 442, 449, 453, 472, 589, 629, 638, 706, 715-716, 718

Corse et Provence, 163

Cosmopolitisme, 202, 206, 212, 234, 295, 380

Création, 119, 216, 244, 329, 424, 465
vs la civilisation, 143

Création corrigée (La), 424, 432, 719

Crépuscule des idoles (Le), 276, 713

Crime, 246, 306, 320, 346, 387, 395, 419, 479, 485, 553, 644, 648, 650, 657-658, 670, 693, 727
américain, 379
de *L'Étranger*, 42-43, 115, 129, 256, 266
légal, 42, 45, 360, 436
littéraire, 447-448, 451-455
logique, 307-308
philosophique, 455

Crime et châtiment, 624

Criminalisation, 519

Critique
commentaire, 357
de l'engagement, 155
esprit, 155, 318, 466
journalisme, 357
sens, 357
théorie, 154

Critique de la raison dialectique, 119, 513, 652, 708

Critique de la raison pure, 268

Croix de bois (Les), 52-53, 72, 439

Croix de la Libération, 497

Croix de Lorraine, 354, 471

Cuisinière et le mangeur d'hommes (La), 712

Culpabilité, 49, 70, 142, 202, 265, 336, 392, 629, 632, 644-645, 647-648, 652-654, 666
  philosophie de la, 639-640, 642

Culture
  de soi, 493, 686, 705-706
  dionysienne, 257
  libertaire, 686
  Maison de la, 189-190, 229, 233, 405, 516, 526, 528-529, 549, 564, 605, 719
  méditerranéenne, 230, 405, 526

Culture indigène. La Nouvelle Culture méditerranéenne (La), 516

Cum apparuerit, 185, 210

Dachau, 382

Damnés de la terre (préface aux), 651, 728

Dandy, 81, 92-93, 95, 103, 118, 445, 452, 626

Dandysme, 93-94, 96, 452

Darwinisme, 322

De Bakounine à Lacan. L'anti-autoritarisme et la dislocation du pouvoir, 695

De l'utilité et des inconvénients de l'histoire pour la vie, 334

De la capacité politique des classes ouvrières, 492

De la Création de l'ordre dans l'Humanité ou principe d'organisation politique, 367

De la nature des choses, 250

De la rapetissante vertu, 511

De la résistance à la révolution, 350, 354, 420

De la révolution par la grève générale, 492

Débarquement, 58, 295, 356, 358, 371

Décapitation, 43, 46, 59, 479-480, 499

Déclaration Montagnarde du 24 juin 1793, 354

Déclaration solennelle des droits de l'homme dans l'état social, 476

Décombres (Les), 296, 401

Défense de l'Homme révolté, 436

Délibération contractuelle (principe de la), 483

Demain, 607

Démocratie athénienne, 546

Dépêche algérienne (La), 563

Déportés, 379, 382-383, 427, 432, 486, 499-500

Déportés d'honneur, 382

Déracinés (Les), 502

Derniers jours d'Albert Camus (Les), 614

Désert à Oran (Le), 146

Désespoir, 54, 56, 128, 206, 238, 270, 635

Désir attrapé par la queue (Le), 197

Deux étendards (Les), 401

Deux sources de la morale et de la religion (Les), 82

Deuxième *lettre à un ami allemand*, 355

Deuxième sexe (Le), 628

Dialectique, 117, 241, 307-308, 310, 342, 370, 377, 456, 460, 467, 474, 493, 653, 661
  des classes, 595
  du maître et de l'esclave, 67, 460

hégélienne, 85, 155, 438, 459

Dictature du prolétariat, 465, 487, 492, 500

Dictionnaire Albert Camus, 501, 719

Dictionnaire culturel en langue française, 303, 603

Dictionnaire de l'individualisme libertaire, 485

Dictionnaire de la langue française, 318

Dictionnaire des lettres françaises
  le xx⁰ siècle, 294

Dictionnaire Sartre, 297, 458, 577, 728

Dionysisme, 90, 128, 147, 230
  algérien, 149

Discours de la servitude volontaire, 195, 310, 328, 367, 369, 549

Discours de Suède, 56, 122, 655, 691

Divine Comédie (La), 635

Djihad, 560

Doctrine du droit, 479

Dogme, 163, 378, 466, 507, 512, 693, 696-699, 701

Don de la liberté
  les relations d'Albert Camus avec les libertaires (Le), 501

Don Faust, 625

Don Juan, 625

Donjuanisme, 625-626, 630

Donquichottisme, 207, 212, 226

Douar-commune, 544-546, 548-550, 588, 686, 699, 710

Douleur (La), 78-79, 124, 152, 439

Drapeau noir, 81, 205, 234, 500, 620, 668, 671, 692-693

Droit d'inventaire, 467, 703

Droite, 155, 166, 200, 230, 233, 315, 322, 326, 347, 364, 385, 393, 401, 406, 415, 418-419, 430, 457, 482, 508, 510, 520, 526, 571, 574-575, 619, 662, 680, 692, 700, 712
gaulliste, 700
nocturne, 230
révolutionnaire, 417

Du mensonge, 394

Du nouveau en politique, 543

Du principe fédératif, 492, 699

Du principe fédératif et *Théorie de l'impôt*, 492

Ecce homo, 89, 93, 248, 251, 635

Échafaud, 480, 494

École, 111-112, 184, 375, 537, 671, 717
laïque, 421, 495

École normale supérieure (ENS), 26, 482

Économie, 477, 520, 708
collectiviste, 359, 377
internationalisée, 422

Écrits de Sartre (Les), 578, 724

Écrits de Simone de Beauvoir (Les), 299, 724

Éducation, 216, 484, 490, 492-493, 615, 679, 706
gratuite, 504
libertaire, 223, 686, 697
morale, 493
nationale, 78, 158, 166-167, 237, 282, 475, 518
populaire, 215, 221-222, 234, 501
vs endoctrinement, 229

Égalité sociale, 533

Église catholique, 49, 99, 262, 330-331, 335, 345, 362, 371-373, 375, 377, 404, 484, 495, 646, 657, 668, 681

Égypte, 567, 602, 630, 667

Élections, 24, 501, 504, 509, 550, 696-697
  bourgeoises, 416
  directes, 545
  mondiales, 415, 699-700
  planétaires, 423, 588, 593
Éloge de la peste, 276
Empêchement, 338, 400
Empire, 209, 232, 273, 408, 449, 558, 591, 600, 602-603, 686
Empire knouto-germanique (*L'*), 487
Encyclopédie anarchiste, 304, 672
Engagement, 15, 21, 23-24, 42, 178, 184, 191, 233, 314, 376, 432, 561
  anarchiste et libertaire, 300
  antifasciste, 38, 223
  communiste, 189, 516
  concret, 154, 320
  dans la Résistance, 38, 335
  de papier, 521
  éthique, 222
  internationaliste, 531
  journalistique, 216
  philosophique, 550
  politique, 156
Énigme phénoménologique apollinienne, 135

Ennéade, 90, 179, 182-183, 209, 249
Enragés de la Révolution française, 475-478, 481, 520, 684, 692
Enseignement privé, 373-374, 404, 476
Entraide (*L'*), 322, 542, 683
Entre oui et non, 125, 128
Entretien avec Chiaramonte, 348
Entretiens sur la politique, 429
Entretiens sur le bon usage de la liberté, 160
Envers et l'Endroit (*L'*), 67, 93, 117, 123-124, 127-129, 136, 151
Épis mûrs (*Les*), 401
Épuration, 42, 316, 329, 338, 364, 384, 386, 389, 391, 393, 398, 403-404, 410, 412, 470, 499, 517, 556, 588, 658
  comités d', 393
  éclairée, 397
  littéraire, 390
Éros, 111
Escalier (*L'*), 160
Esclavage, 195-196, 462, 469, 495, 536, 538, 551, 672

Espagne, 205-208, 233, 316, 341, 343, 390, 432, 436, 457, 601, 618, 667, 674-677
franquiste, 49, 208, 331, 344, 347, 407, 557, 602, 668-670, 679-680
libertaire, 225, 678
républicaine, 511

Espagne et le donquichottisme (L'), 207

Espagne Libertaire (1936-1939), 675-676

Espoir (L'), 284

Esprit, 610

Esprit du tao (L'), 253, 720

Esprit du taoïsme (L'), 160

Esquisse d'une morale sans obligation ni sanction et de l'irréligion de l'avenir, 116

Essai sur l'esprit d'orthodoxie, 153-154, 158, 166, 169, 187, 192, 456, 721

Essai sur le libre arbitre, 472

Essais de Montaigne (*Les*), 138, 268, 687

Essentialisme, 410

Est (pays de l'), 49, 156, 315, 343, 347, 359, 439, 469, 511, 607, 658, 681, 689

Esthétique, 81, 84
comme éthique, 683, 710
de l'Absurde, 110
de l'œuvre d'art totale, 425
et politique, 223, 229
néo-platonicienne, 90

Et Dieu créa la femme, 694

État, 49, 122, 153, 157, 163, 195, 299, 305, 319, 325, 345, 348, 374-376, 404, 414, 416, 456, 460, 463, 471, 478, 484, 487, 491, 495, 512, 517, 520-521, 541, 546, 548, 561, 571, 590-591, 602, 613, 658, 681-682, 684-686
algérien, 525, 561, 593, 595
anarchiste, 693, 696, 699
centralisateur, 539, 591, 601
centralisé, 478, 547
d'Israël, 665, 667
du Vatican, 331
fasciste, 511
fédéré, 603, 699, 702
français, 42, 51, 196, 286, 316, 329, 365, 382, 530, 535, 537, 548, 571-573
jacobin, 492, 500, 549

métropolitain, 550

parisien, 523

policier, 459, 499

stalinien, 511

théologique arabo-musulman, 593-594

total, 194

voyous, 710

État de siège (*L'*), 42, 303, 344, 424

Étatisme et anarchie, 488

États-Unis (USA), 304, 361, 377-378, 414, 423, 429-430, 695

États-unis d'Europe, 415, 420, 517, 520

États-unis du monde, 415, 517, 520

Été (*L'*), 16, 33, 36, 109, 123, 126, 146, 654, 726

Été à Alger (*L'*), 144, 203

Éternel retour, 86, 100, 103, 148, 257, 275, 282, 511

Éternité, 149, 204, 256, 271, 275, 638

   sens de l', 182, 206, 212, 234

Éthique, 67, 179, 271, 309-310, 323, 336, 399, 404, 411, 455, 683, 705, 710

   chevaleresque, 212, 413-414

   comme esthétique, 683, 710

de conviction, 213, 523, 713

de l'honneur, 204

de responsabilité, 213, 515, 523, 544, 713

du journalisme, 356, 359, 550

et politique, 214, 305-306, 382

libertaire, 682

politique, 305, 376

pour politique, 368-370, 404

progrès, 387

tension, 672

Étranger (*L'*), 42, 55, 109, 117, 128, 238, 240, 243, 245, 256, 261, 266, 271, 274, 288, 314, 319, 332, 553

Être et le Néant (*L'*), 13, 15, 22, 268, 290, 458

Être et temps, 268

Europe, 86, 140, 195, 201-202, 206, 208-210, 279, 281-282, 285, 331, 341, 359-361, 408, 412-414, 417, 421-423, 439, 470-471, 497, 513, 516, 541, 546, 549, 570, 572, 584, 593, 605, 649, 664, 668-669, 678-679, 685, 705, 709-710

   centrale *vs* méditerranéenne, 127, 146,

148-149, 231, 277, 524, 526
de l'Est, 49
des Lumières, 408
États-unis d', 415, 420, 517, 520
fédérale, 504, 508, 605
judéo-chrétienne, 322, 517
libertaire, 699-700
nocturne, 605, 674
postnationale, 81
postnazie, 425, 593
socialiste, 429, 504
Europe de la fidélité (*L'*), 670
Évian (Accords d'), 613
Évolution révolution-naire, 683-684
Exécution, 38, 42-43, 58, 225, 263, 284, 320, 341-342, 346, 362, 371, 386, 402, 419, 459, 656, 728
Exil, 572, 629, 634
européen, 276-277, 304, 322, 390-391, 402, 409, 512, 612, 688
parisien, 622
Exil et le Royaume (*L'*), 42, 655
Existence malheureuse (*L'*), 154, 158, 176, 721
Existentialisme est un humanisme (*L'*), 339

Existentialiste, 18, 137-138
Existentiel, 14, 28, 36, 51-52, 56, 61, 67, 70-71, 73, 79-80, 82, 88, 104, 108, 110, 112, 115, 118, 123-124, 133, 137-139, 179-180, 185, 220, 222, 239, 244, 256, 266, 428
Exodus 1947, 664-665
« Explication de *L'Étran-ger* », 242, 727
« Explication de vote », 506, 508
Explosion (*L'*), 476
Express (*L'*), 168, 364, 406, 493, 502, 506, 522, 569, 578, 607, 700
Extrême droite, 230, 378, 385, 401, 689

Fait divers, 362-363
et philosophie, 349-350
métaphysique du, 348-349
Fascisme, 169, 232, 245, 277, 316-317, 328-330, 340, 362, 417, 434, 618, 721
espagnol, 206, 227, 371, 383, 668, 708-709
européen, 190, 214, 315, 352, 372, 404, 408, 470, 531

français, 337
international, 532
italien, 232, 528
nazi (national-socialiste), 227, 246, 383
transcendantal, 329-330
Fatalisme, 184, 450
ontologique et politique, 101
Faute, 100, 107, 142, 145, 261, 265, 308, 334, 336, 397, 450, 466, 629, 641, 645-648, 651, 698
coloniale, 537, 539
Fédéralisme, 81, 359, 406, 415-416, 481, 497, 523, 656, 662, 671, 677
girondin, 591, 692, 696
libertaire, 545
Fédération, 81, 365, 381, 437, 492, 495, 502, 547-548, 588, 593, 603-605, 685-686, 698-700, 710-711
anarchiste, 414, 676
européenne, 429, 588
française, 508
franco-algérienne, 687
Ferme des animaux (La), 317
Fidélité à la terre, 409-410, 419

Figaro, 348, 393-394, 510, 563
Figaro littéraire (Le), 430
Figures du discours (Les), 316
Fleurs du mal, 452
Force de l'âge (La), 292, 294-295, 297, 299, 527, 723-724
Force des choses (La), 297, 610, 723
Fourberies de Scapin (Les), 20, 218
France libre, 293
France-Observateur, 666
France-Soir, 564
Franc-Tireur, 429
Franquisme, 316, 347, 359
Frédéric Nietzsche à travers ses œuvres, 105
Freedom, 597
« French Theory », 695, 708, 711
Front de libération nationale (FLN), 42, 49, 524-525, 530-531, 540, 553, 566-568, 571-574, 578-583, 586, 589-591, 593, 595, 598, 602, 607-608, 613, 615-616, 658-659, 661-663, 667, 680
Front national des écrivains, 394
Front populaire, 166, 189, 191, 229, 284,

352, 376, 529-530, 554, 558, 679

Frontières, 234, 295, 359, 361, 405-407, 414-415, 420, 517, 520, 593-594, 605, 656, 700

Fruits de la colère (Les), 594

Fureur et mystère, 630

Fusées, 452

Gai savoir, 35, 37, 85, 87, 95, 103, 109, 126, 138, 282

Gallimard, 129, 154, 176, 288-289, 355, 401, 403, 433, 527, 585, 715-716, 723

Gauche, 225, 234, 315, 418, 483, 494, 497, 508, 530, 572, 575, 578, 669, 680, 689, 705-706, 713
  apollinienne, 211
  communiste, 347, 430, 510, 619
  de ressentiment, 193, 196, 206
  dialectique, 214
  dionysienne, 193, 201, 211, 214-216, 221, 226, 229, 235
  libérale, 712
  libertaire, 130, 231, 406

nietzschéenne, 153, 229
  non autoritaire, 482
  non marxiste, 150, 422, 701
  solaire et positive, 189, 230-231, 435

Gauche (La), 356, 428

Gégène, 583, 661

Gendelettres, 217, 339, 442, 444

Généalogie, 127, 130, 447, 682
  d'une philosophie, 35-36
  d'une sensibilité, 36, 39, 69-70
  de la guerre civile, 559

Gênes, 88, 103-106, 115

Genèse et structure de la Phénoménologie de l'esprit de Hegel, 445, 458

Génie, 44, 56, 239, 284, 453-454, 498, 692
  algérien, 200
  grec, 209
  libertaire, 502, 513, 667-669, 703
  méditerranéen, 256, 265, 514

Géographie, 185, 211, 231, 276, 408, 525
  affective, 201

Gerbe (La), 296, 400

Girondins, 478-480, 483, 601

Goulag, 369, 380, 430, 470, 505, 508, 513, 692

Gouvernement, 122, 206, 345-346, 367, 476, 492-493
fédéral, 605
français, 285, 352, 560-561
mondial, 81, 359, 415, 588, 593
révolutionnaire, 599

Grâce, 385, 400-403
recours en grâce, 461, 575, 660, 662, 728

Gramscisme, 214-215
méditerranéen, 189, 193, 214-216, 221-222, 230

Grèce, 41, 180, 208-212, 232-233, 343, 432, 600, 647, 715

Grèce en haillons (*La*), 212

Groupes Mobiles de Réserve (GMR), 385

Guelma, massacres de, 560, 566

Guerre, 53, 55-56
civile, 419-420, 465, 488-489, 495, 515-516, 524, 531, 546, 560, 572, 574, 576, 579-580, 593, 609, 612, 650-651, 672
d'Algérie, 49, 58, 168, 201, 231, 405, 516, 524, 560, 562, 566-567, 578, 587, 596, 620, 623, 655, 667
des classes, 595
froide, 214, 422, 506, 519-520, 619
totale, 355, 388

Guerre civile en France (*La*), 499

Guillotine, 44-48, 193, 196, 317, 320-321, 340-341, 366, 385, 448-449, 474, 477, 483, 494-495, 520, 575, 590, 613, 656, 662, 684, 689

Gymnosophistes, 253, 257

Hédonisme, 82, 117, 141, 147, 187, 213, 541, 696, 705
et politique, 148, 212
libertaire, 103, 124
ontologique, 108
primaire, 108

Hédoniste, 31, 67, 84, 108, 116, 130-131, 142-143, 179, 198, 212, 222, 241, 249, 598
enfance, 130
généalogie, 130
tension, 131
vie, 33, 705

Hégélianisme, 147, 210, 215, 457, 463, 483

Héroïsme, 21, 74, 212, 224, 226, 292, 314, 335, 338, 410

Hiroshima, 379, 692

Histoire, 15, 39, 52, 101, 130, 215, 226-227, 231, 234, 310, 313, 325, 329, 349-350, 364, 366, 376, 389, 405, 419, 423, 438, 457, 459, 466, 474, 521, 538-539, 547, 558, 560, 572, 583, 588, 601, 603, 610, 666, 680, 683

de l'anarchisme, 328, 673, 695

de la philosophie, 36, 127, 147, 266, 268, 460, 467, 543, 627, 692

fin de l', 99, 156, 456, 463-464, 698

libertaire, 475

philosophie de l', 128, 155, 199, 210, 334, 360, 456

sens de l', 147, 210, 362, 377, 652

vs légende, 29, 31, 150, 152, 172, 175, 314, 380, 619, 724

Histoire de la Commune, 495

Historicisme, 334

Historiographie, 86

anarchiste, 300, 303, 483, 703

dominante, 474, 543, 692

robespierriste, 482-483

Homme révolté (L'), 25, 30, 39, 42, 89, 96, 102, 106, 119, 124, 137, 146, 192, 200, 227, 240, 250, 327, 334, 356, 361, 364, 379, 432-433, 435-436, 439, 445-446, 465, 470, 476, 482-483, 490, 498, 502, 510-511, 513, 542, 584, 596, 619-620, 623, 632, 649, 654, 675, 681, 721, 729

Hongrie, 315, 341, 511, 602

Honneur, 61, 124, 204, 206-207, 212, 338, 376, 484, 547, 558, 567-568, 576, 581, 587, 680

« déportés d' », 382-383

légion d', 390

prêt d', 237

sens de l', 27, 207, 234, 282, 668

Honte, 47

comme sentiment révolutionnaire, 652

Huis clos, 24, 429

Humain, trop humain, 194

Humanisme, 182, 577

bourgeois, 510, 611

Humanisme et terreur, 433

Humanité, 62, 338, 572, 576, 682

Humanité (L'), 189, 216, 313, 430, 510, 561-563, 619, 723

Humiliation, 36, 39, 58, 67, 70, 167, 195, 405, 419, 613

et déchéance, 465

Hydra, 79, 174, 184, 228

Hypotyposes (Les), 249

Idéal, 29, 90, 99, 105, 121, 164, 186, 190, 192, 206-207, 213, 216, 219, 254, 309, 346, 409, 414, 459, 504, 507, 517, 637, 678

anarchiste, 705

ascétique, 86-87, 98, 142, 147, 198, 247

chrétien, 210

de gauche, 699

de la désobéissance civile, 706

éthique, 309

libertaire, 321-322, 508-509, 671

révolutionnaire, 417-419, 436, 585

socialiste, 683

Idéalisme, 219, 441, 544, 705

allemand, 13, 210, 458-459

anarchiste, 704

dialectique, 462

doctrinaire, 416

Idées générales de la Révolution au XIXe siècle, 366

Identité algérienne, 524

Idéologie, 97, 153, 155-156, 177-178, 212, 331, 342, 357, 377, 442, 456, 471, 486, 505, 516-517, 540, 544, 550, 564, 576-577, 594, 662, 668, 706

allemande, 474, 486, 490, 493

catholique, 112

du ressentiment, 86

française, 474

marxiste, 467, 469

raciste, 230

révolutionnariste, 504

soviétique, 506-507

transcendantale, 156

Idéologie allemande (L'), 464

Idiosyncrasie, 35, 37, 110, 137, 265, 392, 456, 472, 628

Idiot de la famille (L'), 440, 709

Iéna, 107, 147, 200, 445

IIIᵉ Reich, 97, 247, 295

IIIᵉ République, 179, 383

Îles (Les), 79, 81-83, 151, 158, 171, 174-175, 440, 721

Iliade ou le poème de la force (L'), 209

Illégalisme, 485

Illuminations (Les), 453

Images de l'Allemagne occupée, 411

Imitation, 481

Immanence, 44, 222, 397, 425, 442, 653, 709
radicale, 36

Immoralisme, 94, 96, 369

Impassibilité, 113, 189, 249, 252, 254, 261, 640

Impératif libertaire, 704

Impérialisme, 209, 353, 406, 429-430, 525-526, 567, 589, 601

Impromptu des philosophes (L'), 20, 218

Incendiaires (L'affaire des), 551, 555

Indépendance, 212, 229, 589, 596
de l'Algérie, 58, 530, 538, 546, 559, 578, 613, 615, 659
des douar-communes, 546

nationale, 576, 580, 597, 601

Indigènes, 168, 191, 351, 530-533, 551, 554, 557-558, 560-561, 589, 592, 594, 601

Indignation sélective, 315, 318

Individualisme, 604, 696
altruiste, 512
anarchiste, 482, 484, 489, 671, 693, 695

Injustice, 35-37, 40-41, 49, 65, 70-71, 131, 156, 222, 305, 409, 565, 571, 580, 585-586, 609
coloniale, 550-551
des climats, 131
sociale, 131, 348, 404

Innocence du devenir, 100, 103, 245, 255, 264, 277, 471

Inquisition à Cadix (L'), 347

Inspirations méditerranéennes, 79, 154, 721

Institution, 29, 49, 87-88, 111, 133, 240, 255, 267, 318, 525, 605, 658

Institutionnel, 168, 241, 267
chien de garde, 137
lieu de la pensée, 120
penseur, 118, 127
philosophe, 36, 128

Institutionnelle
  pensée, 120
  philosophie, 112, 124
Insurrection, 225, 354,
  476, 494-497, 545, 559
  algérienne, 561, 563,
    567, 595, 597, 613
  collectif, 225, 709
  de gauche, 526, 535,
    588
  français, 706
  milieu, 151, 690
  résistant, 295, 724-725
  rôle de l', 707
Intellectuel, 26, 45, 69,
  106, 213, 217, 219,
  228, 234, 277, 282,
  314, 362, 380, 402,
  418, 428-430, 436-437,
  451, 456-457, 478,
  494, 504, 515, 528,
  608, 612, 634, 660,
  667
Intelligence, 76, 112,
  135, 144, 146-147,
  153, 155-156, 174,
  180, 182, 185-186,
  229, 231, 311, 318,
  342, 367, 380, 408,
  410, 419, 447, 451,
  528, 568, 576, 626,
  655, 672-673, 692, 706
  dionysienne vs apolli-
    nienne, 146-147
  libertaire, 549
Intempestivité, 207, 212,
  235, 363

Internationale (l') [voir
  aussi Première Inter-
  nationale], 225
Internationalisation, 422
Internationalisme, 230,
  234, 405, 468, 656
  libertaire, 415, 422,
    684
Interrogation, 269, 273,
  435, 636
  existentielle vs exis-
    tentialiste, 270
Intersubjectivité, 461-
  463
Introduction à la lecture
  de Hegel, 446, 457-458
Invité de pierre (L'), 625
Invitée (L'), 299
Irréligion de l'avenir, (L'),
  116
Isolisme, 450
Israël, 664, 667
Italie, 103, 115, 132,
  144, 316, 343, 359,
  407, 426, 502, 669
  mussolinienne, 232,
    331, 526-528, 679

J'ai choisi la liberté, 430
Jacobinisme, 478, 602
Je suis partout, 400
Jeune France, 164
Jeune Méditerranée, 529
« Jeux (Les) », 146
Joie de vivre, 116, 136,
  141, 144
Jouissance de soi, 130

Journal coopératif, 356

Journal d'un séducteur, 629

Journal de l'année de la peste, 345

Journal officiel, 390

Journalisme, 356, 359, 550, 706, 715
  critique, 358
  transcendantal, 349-350

Journaliste, 16-17, 45, 149, 301, 348-350, 356-357, 363, 549-551

Jours de notre mort (Les), 427, 432-433

Judéo-christianisme, 87, 265

Juge(s)-pénitent(s), 632, 634, 650-651, 653-654

Juges intègres (Les), 643

Juin 40, 313, 383

Jules et Jim, 694

Justes (Les), 42, 240, 584-585

Justice, 47, 60, 194, 207, 226, 282, 356, 360, 362, 365, 368, 376, 385, 389, 397-398, 401, 404, 408-411, 413-414, 416, 425, 436-437, 463, 485, 496, 505-506, 523, 547-548, 550, 576-577, 585-586, 592, 602, 608-612, 644, 657, 661, 669, 683, 704-705

absolue, 413

comme patience, 389, 391

de classe, 351, 570

de Dieu, 263

des colons, 554-556, 558

humaine, 372-373

idéal de, 192

impossible, 412

injuste, 48, 585, 587

juste, 583

politique, 393, 403

révolutionnaire, 587

sélective, 582-583

sereine, 48, 386

sociale, 672

terroriste, 579, 581, 609

vs charité, 352, 393, 536

vs vengeance, 43, 46, 48, 60, 387, 391

Kabylie, 211-212, 350, 515, 522, 534-536, 538, 546-549, 560, 570, 600

Kantisme, 167

Kronstadt, 368, 435, 543

Laertiana, 251

Laissez passer mon peuple, 665

Latour-Maubourg (couvent des dominicains de), 399

Lautréamont et Sade, 448

Leçons sur La Phénoménologie de l'esprit (Les), 457

Légende, 17-18, 82, 113, 152, 154, 161, 172, 175, 245, 248, 262, 300, 312, 314, 343, 379, 445, 449, 568, 576, 592, 600, 619, 624, 692, 694, 718
   sartrienne, 292, 294, 297, 299, 610, 722, 724
   vs histoire, 29-31, 150, 152
   vs Image, 561

Légion d'honneur, 390

Légion des volontaires français, 397

Lettre à Malraux, 154

Lettre à Ménécée, 250

Lettre à Proudhon (sur l'être humain, mâle et femelle), 304

Lettre à un militant algérien, 568

Lettre aux anarchistes, 492

Lettres, 403

Lettres à un ami Allemand, 396, 406, 410, 517, 593, 725

Lettres à un Français sur la crise actuelle, 488

Lettres à un jeune poète, 13

Lettres françaises (Les), 385, 430-431

Lettres philosophiques, 687

Lettres sur la révolte, 502, 510

Leur morale et la nôtre, 368

Libéralisme, 69, 221, 377, 380, 484, 712

Libération (La), 42, 165, 284, 296, 298, 314, 332, 338-339, 343, 354-355, 364, 368, 375-377, 381-382, 384-385, 389-391, 400, 427, 557, 559, 561-562, 588, 627, 660, 679, 699

Libération de Paris, 358, 497, 516, 617

Libertaire
   action, 305, 544
   combat, 382, 508, 656
   écrit, 305, 486
   éthique, 682
   figure, 310
   gauche, 130, 406, 662
   hédonisme, 103, 124
   idéal, 321-322, 508-509, 671
   idiosyncrasie, 35
   impératif, 704
   leçon, 142, 342, 703

machine de guerre, 344

naissance, 130

pensée, 124, 300, 302, 305, 310, 501-502, 542, 689, 704

philosophe, 74-75, 120, 300, 474-475

politique, 281, 344, 347, 357, 520, 541, 671

positivité, 435, 588

pragmatisme, 704

propos, 309

sensibilité, 37, 200, 300, 718

tempérament, 39

tradition, 205, 405, 523, 658, 671

vie, 67

viscéralité, 42

Libertaire (*Le*), 304, 402

Liberté, 15, 24-25, 41, 48, 92, 100, 131, 155, 159, 161, 172, 182, 193-194, 196, 208, 211-212, 244, 265, 282, 294, 297, 303-304, 306, 310, 365, 368, 374, 377-378, 381, 383-384, 386, 402, 406, 408-409, 414, 416, 422, 425, 436, 451, 462-463, 477, 495-497, 511-512, 525, 545, 548, 567, 597, 602, 612, 633, 656, 667, 669, 673, 678, 680, 683

de la presse, 356, 495-496, 511, 607

de penser, 456-457, 627

idée de, 157

littéraire, 448

politique, 359, 505

socialiste, 500

totale, 311, 451

Liberté, 354

Libertés, 406

Libre-arbitre, 335, 449, 472, 657

Ligue arabe, 559, 602

Ligue des droits de l'homme, 531

Littérature, 28-29, 55-56, 72-74, 79-80, 112, 116, 124, 126, 132, 135, 137, 140, 152, 166, 173, 176, 238, 240-241, 256, 282, 285, 390, 397, 400, 427-428, 442-444, 448, 451, 454-455, 516, 621, 694

Livre du philosophe (*Le*), 91, 118

Logique, 156, 198, 236, 241, 311

caligulesque, 308

capitaliste, 121, 199

contractuelle, 367

du crime logique, 307-308

du péché originel, 452
libertaire, 541, 545
marxiste, 369
militante, 121
ordre, 119
Logique, 636
Londres, 286, 293, 337, 471, 644, 679
Lourmarin, 95, 164, 186, 612, 615, 621-622, 688, 717
Lubéron, 185-186, 621-622, 688
Lutte des classes sous la Première République. Bourgeois et « bras-nus » (1793-1797) [*La*], 475
Lutte sociale (*La*), 224
Lycée Carnot, 433
Lyon, 286, 288-289, 301, 337, 396, 627

Machine
de guerre, 20, 142, 344, 529, 709
désirante, 709, 711
Maghreb, 594, 605
Mai 68, 88, 688, 694, 707
Maison de la Catalogne, 513
Maison de la culture d'Alger, 189-190, 230, 233, 405, 516, 526, 528-529, 549, 564, 605, 719

Maison des étudiants de Stockolm, 606
Malconfort (principe du), 646-649, 719
Malentendu, 15-16, 500, 503
Manifeste aux hommes libres, 433
Manifeste clandestin du Front national des écrivains, 394
« Manifeste des intellectuels d'Algérie en faveur du projet Viollette », 529, 531
Manifeste des intellectuels français pour la défense de l'Occident, 528
Manifeste du Parti Communiste, 464, 466
Manifeste libertaire, 680, 682-683
Manifeste-Programme du mouvement socialiste libertaire (ou de civilisation libertaire), 676
Manifestes du surréalisme, 454
Manuel d'Épictète, 113-114, 116, 249
Manuscrits de 1844, 465
Maréchalisme, 290, 316
Maroc, 58-59, 318, 427, 680
Marseille, 533
port de, 513

Marxisme, 156, 167, 169, 179, 186, 214, 315, 423, 436, 456, 464, 467, 469-470, 520, 543, 619, 669, 683, 694, 710
-léninisme, 312, 317, 371, 377, 470, 473
Marxistes, 315, 325, 327, 370, 415, 418, 433, 439, 469, 477-478, 496, 499, 503, 506, 682
vs Marx, 326, 464
Massacres, 329, 559-560, 562, 574, 583, 586, 612, 614, 651, 659, 661, 692, 707
algériens, 582
de Guelma, 566
de Mélouza, 580
de Philippeville, 568, 575
de Sétif, 564-566, 569
Matérialisme, 155, 541
athée, 371
dialectique, 156, 214-215
marxiste, 182
Matin (Le), 301
Maurrassisme, 405, 526
de gauche, 524
Maximes, 350
Médaille de l'ordre de la Libération, 390
Méditerranée, 130, 140, 143, 183-186, 203, 210, 230-234, 266, 408, 516, 524
Méditerranéen, 147, 283, 541, 546, 629
cosmopolitisme, 212
dionysisme, 147
génie, 256, 265, 512-514, 564
gramscisme, 189, 193, 214-215, 222, 230
royaume, 33, 276-277, 470, 612, 688
socialisme, 198, 200
Méditerranéenne
culture, 230, 405, 526, 546
lumière, 87, 127, 197, 281
pensée, 216
politique, 144, 149
vie, 211
Mein Kampf, 331
Mémoires (de Beauvoir), 166, 722-723
Mémoires d'un fasciste (Les), 296
Mémoires de guerre. Le salut, 561
Mers el-Kébir, 394
Métaphysique, 36, 101, 103, 149, 449
chrétienne, 326
de l'absurde, 236
de l'art, 90
du fait divers, 348-349
occidentale, 87, 96

professionnelle, 204, 324

vs morale, 323

vs ontologie, 323

Métaphysique chrétienne et néoplatonisme, 179

Métissage, 202, 206, 233-234, 247, 295

Micrologie politique, 547, 549, 686, 699

Micropolitique, 711

Micropouvoirs, 708

Microsociété, 491, 686, 704

Milieux libres, 543, 671, 693

Militantisme, 150, 189, 223, 397, 432, 505, 706

Mille plateaux, 708

Ministère des Armées, 282

Minorités, défense des, 351, 664

Minorque, 62, 205, 668

Minotaure ou la halte d'Oran (*Le*), 146

Miracle de la rose, 23

Misère, 35-36, 61, 69-70, 74, 76, 81, 131, 183, 186, 196, 203, 212, 281, 341, 350, 352, 365, 373, 378, 465, 505, 518, 522, 529, 534-535, 538-540, 547, 549, 551, 563, 569, 571, 592, 599, 615, 633, 657, 672, 680, 698

capitaliste, 517

Misère dans la Kabylie, 533, 540, 546, 563, 578, 614

Misère de la philosophie, 438

Modestie, 27, 327, 417-418, 639

Mon Combat, 354, 371

Mon cœur mis à nu, 452

Monde (*Le*), 523, 607, 609-610, 660

Monde comme volonté et comme représentation (*Le*), 89, 249

Monde libertaire (*Le*), 207, 594-595

Montagne (la), 479

Morale, 27, 48, 60, 75, 88, 92, 98, 111, 119, 179, 204, 214, 246, 259, 271, 275, 306, 365, 368-369, 380, 390-391, 399

ascétique, 331

bourgeoise, 510

bourgeoise *vs* révolutionnaire, 368, 682-683

vs métaphysique, 323

Morceaux choisis de Hegel, 458

Mort, 38, 44, 53-56, 89, 97, 103, 110-111, 115, 117, 122-123, 136,

144, 165, 174-175, 181, 204-205, 211, 214, 224, 227, 230, 234, 236-237, 246, 250, 259, 263-264, 266, 270, 272, 274, 282, 308, 310-311, 319, 321-322, 332-334, 337, 399, 409, 461, 512, 585-586, 641-642, 649, 688

de Dieu, 96, 99, 265, 271, 479, 646-647, 650, 653, 712

infligée, 41, 43, 307

pulsion de, 193, 231, 317, 322, 327, 338, 365, 411, 423, 541, 549, 674

Mort dans l'âme (La), 127-128

Mort heureuse (La), 115, 187, 242, 323

Moscou, 201, 233, 312, 352, 380, 429, 479, 531, 712

Mots (Les), 72, 74, 440-441, 624-625, 636

Mouches (Les), 296

Mouvement de libération française, 354

Mouvement national algérien (MNA), 580-581, 659, 661

Mouvement pour le triomphe des libertés démocratiques (MTLD), 566

Moyen-Orient, 667

Munich (accords de), 383

Municipalisme, 543

Mur (Le), 244

Mur de Berlin, 689

Musique, 81, 89-91, 103, 119, 135, 164, 227, 338, 345, 443

Mutualité, 696

Mythe de Sisyphe (Le), 42, 109, 116, 137, 227, 236, 238, 240-241, 267-271, 273-275, 288-289, 395, 625-626, 688

Nagasaki, 379, 692

Naissance de la tragédie (La), 89, 118, 223

Naples, 104, 202, 528

Natation, 40, 82, 204, 271, 276

Nation algérienne, 546, 600-601

Nationalisation, 376-377, 404, 421, 477, 520, 667, 699

Nationalisme, 230-231, 348, 404-406, 468, 498, 508, 517, 521, 524, 593, 597, 656

algérien, 405, 541, 565, 573, 595

intégral, 525, 594

métropolitain, 557

National-socialisme, 97-98, 101-102, 169, 214, 231-232, 248, 312, 316, 337, 340, 360, 471, 473

Nausée (La), 241, 243, 324, 402

Nazisme, 245, 290, 372, 408, 413

Ne jugez pas, 392

Négativité, 19, 48, 67, 99-100, 122, 155, 157, 201, 218, 321, 329, 338, 377, 419, 452, 455, 459, 462, 468, 474, 487, 489, 506-507, 549, 657
  soviétique, 360

Négociation, 313, 572, 655

Ni victimes, ni bourreaux, 502

Nietzsche contre Wagner, 89

Nietzsche et la musique, 89

Nietzsche, sa vie et sa pensée, 95

Nietzschéen, 85-88, 92, 96, 102, 127, 130, 142, 179, 228, 232, 247, 257, 282, 333-334, 471-472
  de gauche, 30, 327, 473, 515

Nietzschéisme, 35, 92, 94, 97, 121-122, 146-147, 186, 221, 322, 332, 409-410, 470, 617, 669, 675
  de gauche, 103, 149, 196, 223, 712

Nihilisme, 15, 19, 86-87, 98-99, 102, 108, 121-122, 147, 201, 227, 230, 232, 272, 311, 409, 450, 455-456, 464, 474, 484, 517, 582, 646, 650, 675
  de Lautréamont, 451, 453
  de salon, 442, 444, 447
  européen, 19, 87, 149, 271, 712
  historique, 436
  radical, 251, 455
  russe, 485

Noces, 29, 41, 67, 85, 124, 132, 138, 143-145, 147, 181, 192, 210, 228, 232, 241-242, 256, 259, 269, 275, 323, 332, 454, 549, 627, 630, 725

Noces à Tipasa, 123, 132, 323, 600

Non-agir, 29, 161, 169-170, 265, 720

Non-violence, 596, 656

Normandie, 169, 356, 371

Notre ami Roblès, 600

Nouveau monde industriel et sociétaire, 542

Nouveau Testament, 99

Nouveaux Cahiers, 496

Nouveaux Philosophes (Les), 689, 712-713, 719

Nouvel Observateur (Le), 350

Nouvelle Académie (La), 252

Nouvelle Critique (La), 379

Nouvelle Revue Française (NRF) (La), 163-164, 289, 390, 394, 496

Objection de conscience, 406, 550, 607, 656, 671

Occident, 160, 211, 233, 250, 265, 524, 528, 564, 651

Occupation, 26, 102, 163, 169, 288, 290, 293-294, 299, 313-314, 316, 329, 332, 347, 365, 394, 401, 403-404, 409, 411-412, 427, 433, 470, 516, 521, 556, 618-619, 625, 655, 720

Œuvre du Marquis de Sade (L'), 448

Ontologie, 20, 65, 87, 92, 94, 97-98, 100, 102, 106, 110, 160, 244-245, 251, 321, 323-326, 331, 343-344, 362, 370, 392, 471, 626, 641, 657, 709, 725

Opium des intellectuels (L'), 315

Optimisme, 182, 326, 419, 698
rationaliste, 457
sociologique, 246
volontariste, 92

Oran, 146, 202, 286-288, 290, 317, 323, 335, 627, 680, 715, 725

Ordre, 670, 672-673
anarchiste, 670
bourgeois, 672-673
disciplinaire, 423
libertaire, 423, 617, 656, 670, 674-675, 684-685, 687
mondial, 423
moral, 590
social, 497, 499, 671

Organique
constitution, 40
expérience, 65
intolérance à l'injustice, 35, 49, 70
sentiment, 42
tropisme, 60

Organisation de l'armée secrète (OAS), 519, 531, 540, 564, 613

Orient, 233, 250, 256, 265

Orthodoxie contre l'intelligence (L'), 166

Othello, 95

Oural, 360

Ours de Berne et l'ours de Saint-Pétersbourg (Les), 488

Pacifisme, 58, 353, 379, 397, 406, 413, 417, 420, 423, 429, 490-491, 524, 551, 565, 581, 584, 597, 656, 671, 676, 696

Pacte germano-soviétique, 312-313, 361, 390, 430-431, 619, 723

Paganisme, 142, 147

Pamphlet, 137, 318-321, 326, 403, 482, 689, 727

Panarabisme, 602

Par-delà bien et mal, 37, 93, 97, 144, 245, 247, 257

Pardon, 174, 362, 394-396, 404, 645-646
  charitable, 411
  chrétien, 393, 397
  improbable, 396, 399, 412-413

Pardon (Le), 395

Pardonner ?, 395

Parerga et paralipomena, 27

Paris sous l'occupation, 293, 296, 299

Paris-Soir, 238, 284, 286, 300-301, 356

Parlement universel, 593

Parti communiste, 153-154, 158, 177-178, 182, 188, 191-192, 215, 223, 229, 233, 390, 428, 497, 531-532, 560

Parti communiste algérien (PCA), 190, 229-230, 516, 526, 530, 562, 578

Parti communiste français (PCF), 150, 189-190, 312-314, 343, 378-379, 391, 433-434, 506, 519, 530, 532, 561, 619, 700, 707, 712, 723

Parti communiste italien, 214

Parti du peuple algérien (PPA), 189-190, 532

Parti nazi, 246

Parti ouvrier internationaliste (POI), 427

Pauvreté, 36, 63-66, 68-69, 71, 76, 125, 183, 196, 365, 373, 434, 505, 535, 554, 569, 615, 657
  et lumière, 129, 132
  et soleil, 129, 281
  métaphysique, 131

sociologique, 131

Péché originel, 107, 239,
325, 331, 334-335,
373, 452, 466, 540,
640-641, 698

Peine de mort, 43-45,
47-49, 60, 71, 340-341,
360, 385-386, 400,
419, 449, 454, 460,
466, 477, 479, 482,
495, 515, 525, 590,
607, 655-656, 658-659,
661-662, 673, 689, 697

« Pendant trois heures
ils ont fusillé des
Français », 386

Pensée
allemande, 486
anarchiste, 489-491,
692-693, 695, 703
bourgeoise, 669
de gauche, 434
de midi, 144, 424, 435,
439, 474, 511-512
de minuit, 439, 474
existentielle, 108
française, 30
institutionnelle, 120
libertaire, 122, 300,
302, 305, 310
méditerranéenne, 216
occidentale, 455
politique, 158, 359,
364, 466
postchrétienne, 712
postcoloniale, 589
post-totalitaire, 369

religieuse, 466
révolutionnaire, 668
solaire, 474
tragique, 84
vs idées, 241

Pensée engagée (*La*), 496

*Pensée politique d'Albert
Camus* (*La*), 680, 717

Pensées (Pascal), 138,
268

Pensées pour moi-même,
645
existentiel, 109
pied-noir, 523
solaire, 411

Persécutés-Persécuteurs,
665

Pessimisme, 92, 108,
246, 326, 409, 419,
573, 706

Peste, 281, 310, 312,
316-317, 319-325, 328-
332, 335-338, 340-347,
360, 364

Peste (*La*), 39, 42, 146,
240, 286, 303, 312,
314-315, 317-319, 321-
324, 326-327, 329-333,
336, 338, 340, 343-
345, 364, 382, 462,
621-622, 713

Pétainisme, 214, 290,
299, 404

Phalanstère, 542, 697,
704

Phénoménologie, 47,
139

blanche des choses, 55-56

immanente, 55

littéraire, 124

non philosophique, 55, 116, 126, 323, 480, 653

Phénoménologie de l'esprit, 67, 85, 445, 460, 464

Phénoménologie de la perception, 135

Philippeville, massacres de, 568, 575

Philosophante

argumentation, 22

corporation, 36, 145, 269

manie, 126, 647

Philosophe, 575

antifasciste, 347

-artiste *vs* philosophe universitaire, 87, 118-123, 128, 320, 515

de Paris, 20-24

existantialiste, 17-18

existentiel, 13-14, 110, 120, 137, 152, 180

libertaire, 120, 300, 473

nietzschéen, 85, 88, 127

professionnel, 110, 268

Philosophie

allemande, 147, 474, 647

ancienne, 265

antique, 11-12, 113, 127, 163, 180

apollinienne, 134

apollinienne *vs* dionysienne, 137

conceptuelle, 265

de la culpabilité, 639

des professeurs, 112, 267

dominante, 134, 145, 241, 268

existentielle, 71, 78-79, 109, 179-180

existentielle *vs* existentialiste, 112, 119

littéraire, 240

philosophante, 240

professeurs de, 27-28, 120

sur la révolte *vs* philosophie de la révolte, 99

Philosophie dans le boudoir (La), 451

Philosophie de Jules Lequier (La), 158

Philosophie de la misère, 438

Philosophie politique de l'anarchisme poststructuraliste (La), 695

Philosophique

chance, 72, 107

vie, 11, 25, 27-29, 41, 73, 87-88, 91, 94, 114, 118-120, 142, 180, 254, 611, 690, 705, 714

Philosoviétisme, 360

Physique de la métaphysique, 36

Pierrot le Fou, 694

Plaisir
d'exister, 139, 259, 283, 410

Platonopolis, 181, 184

Pleins Pouvoirs, 295

Plotinisme, 183, 185

Politique
éthique, 305, 376
métaphore, 216, 218, 222
nominaliste, 713

Politique du post-anarchisme (La), 695

Polyphonie dans l'œuvre de Camus (La), 554

Portrait du colonisé, 519

Positivité
anarcho-syndicaliste, 588
libertaire, 435, 588
politique, 540

Post-anarchisme, 695, 699, 703-704, 711-713

Pour la vérité sur les camps concentrationnaires, 431

Pour Sartre, 722, 727

Pour un municipalisme libertaire, 542

Pourquoi je fais du théâtre ?, 221

Pouvoir
absolu, 306
analyse ontologique et anthropologique du, 310
et liberté, 306
immanent, 206
mécanique du, 310
transcendant, 206, 523

Pragmatisme, 327, 393, 416, 493, 506, 671, 696
libertaire, 704

Prague, 93, 115, 127-128, 231, 234, 428

Premier Homme (Le), 42, 44, 68, 71, 95, 128, 138, 146, 171, 175, 196, 599, 625, 654, 688, 716

Première Guerre mondiale, 43, 52, 79, 125, 530, 584, 675, 691

Première Internationale, 199, 435-436, 439, 499, 502

Première *lettre à un ami allemand*, 355

Prince (Le), 369, 549

Principe d'Énée, 49-50, 52

Principes de la philosophie du droit, 461, 463
Prix Goncourt, 224
Prix Nobel, 53, 56, 82, 96, 103, 118-119, 176, 205, 301, 390, 402, 502, 509, 516, 521, 579, 606, 611, 620, 623-624, 633, 650, 655, 668, 679, 721
Prix Renaudot, 427
Procès (Le), 288
Programme (politique), 328, 415, 493, 655
des sans-culottes, 477
Projet Blum-Viollette (ou Projet Viollette), 352, 529-530, 569
Projet d'un mandat spécial et impératif, 475
Promenade italienne, 163
Prométhée enchaîné, 227
Propagande par le fait, 301, 485, 491
Propos (Alain), 349
Protestantisme, 232
Proudhon philosophe, 492
Proudhonisme, 199, 484, 545
Provence, 160, 185-186, 631, 676, 681
Providence, 239, 320, 331, 334, 349, 458-459, 462
Psychanalyse, 37, 151, 631, 636

Existentielle, 709
Puissance
contenue par une éthique, 306, 309
Pupille de la nation, 55, 79, 108, 129, 237, 518
Pyrrhonisme, 154, 161, 169, 189, 250, 252, 254, 256-257, 261, 720

Qu'est-ce qu'un collaborateur ?, 294
Qu'est-ce que la propriété ?, 416, 437, 672, 702
Qu'est-ce que le syndicalisme révolutionnaire ?, 596
Question (La), 582
Questionnaire de Carl A. Viaggiani, 44
Quichottisme, 207, 234

Radicalité, 671, 684
immanente, 44, 85, 265
Radio-Alger, 237
Radio-Vichy, 299, 390, 401, 722, 724
Raison, 210, 459, 462, 481
allégorique, 315, 317
capitaliste, 437
homme de, 334
Idées de la, 98
mystique, 209, 231
réaliste, 413-414

religion de la, 455

Raison dans l'Histoire (La), 459

Rassemblement démocratique révolutionnaire (RDR), 356, 428-430

Réalisme, 121, 501, 507
économique, 369
politique, 360, 466
socialiste, 121-122

Realpolitik, 362, 506

Reconstruction, 316, 364, 384

Reconstruire, 502

Rectorat de Paris, 433

Récupération, 97, 471, 719

Rédemption, 169-170, 331
chrétienne, 698
dionysiaque, 129
païenne, 71, 73

Réel, 12, 82, 92, 203-204, 219, 418, 425, 458-459, 462
immanent, 363
penser le, 139, 517, 544
possible, 76

Réflexions sur la guillotine, 42, 387, 644, 655

Réformisme, éloge du, 504-505

Régicide, 480

Régime

colonial, 523, 537, 541, 572, 589, 656
concentrationnaire, 431-432
d'apartheid, 537
d'esclavage, 536, 538
de « libre association », 603
libertaire, 702
liberticide, 321-322
politique, 321, 354

Règles de l'art (Les), 709

Religion, 21, 256, 591, 703
catholique, 179, 653
de l'histoire, 147, 466, 520
du concept, 112
du vote, 507
marxiste, 466, 588, 620
rationnelle, 268
sensuelle, 232

Remarque sur l'idée de progrès, 166

Rémoras, 617, 621

Renoncement, 97, 110, 156, 192, 196, 207, 399, 466, 475

Réponse à Albert Camus, 434, 727

République, 285-286, 354, 408, 449, 451, 495, 531, 546, 669
immanente, 713

République (La), 181

République Française (La), 294

Résistance, 170, 208, 287, 312-313, 332, 335, 337, 339, 342, 347, 355-356, 364-366, 369, 420-421, 423
  de papier, 410
  française, 337, 498
  non violente, 596
  transcendantale, 297, 299, 338, 365

Responsabilité, 362
  éthique de, 515, 523, 544, 713
  involontaire, 98

Ressentiment, 40, 48, 86, 117, 131, 168, 173, 175-176, 191, 193-194, 197-198, 206, 247, 332, 384, 391, 397, 401, 404, 411, 521, 550, 566, 612, 643, 653, 672

Retour à Tipasa, 654

Retour du Tchad, 534

Rêveuse bourgeoisie, 291

Révolté (Le), 485

Révolte dans les Asturies, 41, 225-227, 302

Révolte et police, 379

Révolte, de papier de Rimbaud, 451, 453

Révolution
  à venir, 366
  anarchiste, 675-676
  bolchévique, 214, 361, 431, 466, 485
  concrète, 504
  culturelle chinoise, 707
  de gauche non marxiste, 422
  espagnole, 671, 676-677
  française, 42, 354, 422, 428, 449, 461, 468, 474-475, 478, 481, 493, 496-497, 520, 525, 536, 543, 591, 604-605, 692
  immanente, 436-437
  intellectuelle et spirituelle, 370
  libertaire, 368, 415, 499, 501, 543, 675-676, 678, 713
  nationale, 317, 327, 365, 417, 589, 610
  non marxiste, 404, 415, 498-499
  non violente, 482-483
  prolétarienne, 369, 698
  russe, 676
  spirituelle, 367, 383
  transcendantale, 544

Révolution prolétarienne (La), 509-510, 679

Revue des deux Mondes (La), 165

Revue libre (La), 355, 406

Revue prolétarienne (*La*), 585

Revue socialiste, 492

Rivarol, 401

Roman, 52-53, 55-56, 122, 242, 255-256, 267, 271, 316-318, 427-428
de l'absurde, 245
et discours philosophique, 323-324
philosophique, 241
théorie du, 241-242

Romantisme, 18, 90, 109, 126, 452

Rome, 104, 128, 180, 209-210, 232, 524, 527-528

Rosette de la Résistance, 390

Sade mon prochain, 448

Sagesse
antique, 248-251, 265
de l'Inde, 265
de Sisyphe, 274
figures de, 249
modeste, 209, 408, 413
pratique, 99, 249, 547

Sagesse de Lourmarin, 184-185, 622, 721

Saint Empire romain germanique, 232

Sainte Famille (*La*), 437

Saint-Genet comédien et martyr, 23

Saint-Germain-des-Prés, 15, 128, 197, 282, 445, 521, 576, 615, 618, 722

Salariat, 377
abolition du, 494, 502-503, 505

Salaud, 335, 339, 384, 392

Salut individuel et personnel, 27

Salzbourg, 128, 184

Sans-culottes, 477-478, 513, 684

Sarcasmatique, 636

Sartrisme, 22

Satanisme, de Baudelaire, 451-452

Savoir-vivre, 141

Scandale de la vérité, 496

Scepticisme, 154, 251-252, 255

Sceptiques grecs (*Les*), 251

Science de la logique, 119, 210, 268, 460, 486, 490

Science de vivre, 141-142

Science et la Question vitale de la révolution (*La*), 488

Sécessionnisme, 405

Sainte Famille (*La*), 437

Seconde Guerre mondiale, 214, 303, 329, 397, 557, 575, 603

Secours national pétainiste, 676
Sections spéciales, 385
Séducteur, 15, 273, 624, 627, 629, 638, 668, 701
Sensibilité contemporaine, 451, 711
Sept Couleurs (*Les*), 400
Septembre noir, 707
Servitude volontaire, 305, 346, 692
Sétif, massacres de, 561-565, 569, 575, 578, 651
SFIO, 380, 427, 530, 701
Shoah, 667
Si c'est un homme, 426
Sidi Bel Abbès, 237
Siècle de Sartre (*Le*), 689, 726
Signes, 433
Situations, 294, 577, 651, 727-728
Social-démocratie, 200, 300, 415, 428, 482, 500-503, 506, 508, 510, 669, 701
Socialisme
anti-autoritaire, 588
antimarxiste, 200
apollinien, 198
autoritaire, 457, 483, 492-493, 498, 512
césarien, 368, 512, 664, 669
césarien *vs* libertaire, 198, 659
concentrationnaire, 380
d'affirmation, 198
de Guesde, 490-491
de ressentiment, 194, 197-198
des camps, 364, 434
dionysien, 153, 195, 197-198, 206, 212
européen, 198, 200
industriel, 468-469
libertaire, 198, 200, 364, 368, 404, 423, 435, 483, 486, 490, 492-493, 498, 505-506, 512, 589, 659, 664, 669, 683, 693, 700
libertaire internationaliste, 404
marxiste, 100-101, 200
méditerranéen, 198, 200, 418
populaire, 482
scientifique, 199, 469
social-démocrate, 200
utopique, 199
Société
concrète, 512
libre, 377, 414
totalitaire, 378
Société des citoyennes républicaines révolutionnaires, 476

Société indigène de prévoyance (SIP), 554

Soir républicain (*Le*), 238, 302, 351, 406, 518, 532

Solidaridad obrera, 513

Solitude intellectuelle, 315

Solstice de juin, 296

Solution du problème social (*La*), 672

Sorbonne, 207, 348, 350, 427, 707

Souffrance, 19, 69, 100-101, 105-108, 113-115, 188, 205, 238-239, 270, 285, 333, 336, 452, 569, 574, 592, 617, 624, 628-629, 632, 635, 641, 649, 654

Sous l'Occupation, 162, 164-165, 170, 720

Souveraineté populaire, 194, 475, 477, 479

Spiritualisme, chrétien, 371

Spiritualité, 230, 404, 408
communiste, 235

Stalag, 290, 299, 611, 644

Stalinisme, 359, 428

Statue de sel (*La*), 518

Stockholm, 62, 69, 96, 119, 152, 176, 283, 579, 585, 606, 614, 679, 716

Stoïcisme, 113, 249, 452, 645

Structuralisme, 709

Sud, 89, 158

Suicide, supérieur, 311

Surhomme, 86, 97, 103, 114, 245-250, 257, 261, 333, 338, 409-410, 456, 470

Surhumain, 245, 248, 250

Surréalisme, 96, 445, 454, 456, 482, 694

Surveiller et punir, 708

Syndicalisme, 206, 424, 434-436, 457, 468, 491-492, 502, 504-505, 508-512, 520, 596, 695, 709-711

Syrie, 285, 561

Système concentrationnaire (*Le*), 432

Système ou La Création corrigée (*Le*), 424, 432, 719

Talion, 48, 60, 386-387

Taoïsme, 160-161, 249

Tautologie hégélienne, 459, 463

Technique de soi, 112

Témoins, 513-514, 668

Temps (*Le*), 528

Temps des meurtriers (*Le*), 122

Temps du mépris (Le), 223-224, 388

Temps Modernes (Les), 402, 429, 433-434, 445, 519, 578, 726

Tentation de l'Occident (La), 224

Terrasses de Lourmarin (Les), 158

Terreur, 317, 350, 474, 481, 483, 520, 571, 579, 582, 584, 586, 589, 608, 652, 655, 661

Terrorisme, 584-585
indépendantiste, 573
légal, 571

Testament de l'abbé Meslier, 541-542

Tétralogie, 86

Théâtre, 637, 706
éloge du, 216
populaire, 222, 229

Théâtre de l'équipe, 222, 229

Théâtre du travail, 189-190, 222-225, 227, 229, 302, 516, 625

Théodore cherche des allumettes, 441

Théorie de l'impôt, 492, 548

Théorie de la propriété, 548, 685, 693, 696, 699, 702

Tipasa, 19, 115, 128, 130, 136, 142-143, 145-149, 151, 177-178, 182-183, 186, 198, 212, 215, 231, 234, 239, 277, 281-283, 287, 322, 363, 409, 470, 512-513, 515-517, 546, 598, 617, 622, 627, 629, 674, 709

Torture, 45-47, 61, 113, 163, 224, 227, 329, 334, 346, 368, 388, 392, 395, 410, 412, 419, 427, 450, 550, 553, 556, 582-583, 597-598, 612, 632, 659, 664, 721

Totalitarisme, 42, 106, 155, 211, 214, 277, 315-316, 347, 353, 359, 365, 369, 378, 425, 429, 436, 451, 460, 470, 473, 506, 513, 516, 520, 549, 585, 588, 618, 656, 662, 727

Toussaint rouge (la), 566-567, 575, 578, 580, 599

Tout compte fait, 615, 723

Tradition
libertaire, 205, 405, 523, 658, 671

Tragédie
contemporaine, 451
dionysienne, 228

Tragique (le), 92, 136, 227, 326, 419

Traité des vertus, 395

Transcendance de l'ego (La), 528

Transcendantal univers, 219

Travaillisme, 504-505, 508-509

Tribunal révolutionnaire, 391, 479, 494

Troisième Guerre mondiale, 373, 429, 506

Tu peux tuer cet homme, 585

Tuberculose, 15, 38, 51, 73, 106, 108, 114-117, 136, 236, 239, 270, 276, 284, 287-288, 302, 314, 456, 551, 556, 632

Tyran, 42, 120, 208, 306, 310-311, 319

Tyrannicide, 305, 309-310

Un-Bien, 91, 182, 250

Une lettre chargée, 441

Une saison en Enfer, 453

Une si douce Occupation, 722

UNESCO, 679-680

Union démocratique du Manifeste algérien (UDMA), 566

Union franco-musulmane, 190, 229

Union soviétique (ou URSS), 49, 343, 353, 360-361, 377-378, 380, 406, 414, 423, 430-433, 435-436, 465-466, 468-469, 482, 511, 602, 660, 675-676, 692

Unique et sa propriété (L'), 302, 484, 486, 693

Univers concentrationnaire (L'), 427

Université d'Alger, 607
libre de Bruxelles, 673
populaire, 228, 516, 671, 694, 706, 710

Upanisads (Les), 240

Utopie immodeste, 419
modeste, 348, 417-418, 420, 423

Valeurs actuelles, 401

Vatican, 330, 336, 372-373

Vengeance, 43, 60, 208, 247, 384, 387, 398, 413, 576, 643, 653, 657
désir de, 40, 194, 387
vs justice, 46, 48, 387, 391, 404, 411

Vent à Djémila (Le), 144

Vérité, 22, 44, 70, 91-92, 98, 130-131, 139, 144, 152, 163, 172, 182, 206, 222, 231, 234,

240, 243, 254, 262, 265, 269, 271, 297, 356, 374, 408, 437-438, 444, 447, 463, 474, 479, 483, 528, 550, 555, 592, 610, 618, 630, 683, 703, 710
de l'histoire, 199, 357, 728
du monde, 44, 56, 141, 246, 275, 420
du réel, 67, 98, 320
et bonheur, 191-192
idiosyncrasique, 269
lieu de, 220, 222
passion de la, 176, 611
recherche de la, 191-192
Vérité-Liberté, 354, 578
Vers d'un poète, 116
Vertu, 23, 27, 33, 70, 104, 182, 202, 204, 207, 211, 282, 362, 367, 377-378, 396, 399, 481, 484, 576, 683, 726
des humbles, 70-71, 207
héroïque, 337
immanente, 257
Vichy, 165-167, 214, 286-287, 290, 298-299, 316, 329-330, 337, 365, 372-373, 376-377, 384-385, 417, 558
Vie

anarchiste, 705-706
concrète et réelle *vs* théorétique et de concept, 134-135
exercice de la, 142
hédoniste, 222, 705
immanente *vs* trans-cendantale, 135
méditerranéenne, 211, 234
philosophique, 11, 25, 27-29, 41, 73, 87-88, 91, 94, 114, 118-120, 142, 180, 254, 611, 690, 705, 714
positive *vs* négative, 266-267, 272, 276, 281, 332-333, 365, 409, 470, 473, 714
pulsion de, 231, 317, 322, 541, 674
unique certitude onto-logique, 144
valeur de la, 270
Vie de Nietzsche (La), 409
Vie de Plotin, 180
Vie du Marquis de Sade, 448
Violence
coloniale, 573
de la libération natio-nale, 573
diététique de la, 584
éloge de la, 487-488, 696
légitimée, 379

révolutionnaire anarchiste, 486

Viscéralité, 42, 70, 110, 412

Vivre
art de, 16, 112, 117, 120-121, 237, 617, 691
et mieux vivre, 28, 112

Voie royale (La), 224

« Voix des Arabes (La) », 567

Volonté
de jouissance, 85, 117, 136
de puissance, 87, 90, 92, 97-98, 101, 103, 114, 246, 248, 265, 306, 409, 456, 470-474
positive, 195

Volonté de puissance (La), 88, 97-98, 102, 118, 246, 408

Vouloir (le), 100, 114-115, 247-248, 250, 275

Vouloir-vivre (le), 90, 115, 249

« Vous serez jugés sur vos actes », 387

Voyage au Congo, 534

Voyage d'Athènes (Le), 163

Voyageur et son ombre, 95

Walden ou la Vie dans les bois, 268

Yogi et le commissaire (Le), 643

Table

INTRODUCTION

Une biographie des idées

Le Danemark et la Prusse, 11 — *Un philosophe existentiel*, 14 — *Un Zarathoustra venu d'Algérie*, 17 — *Comment on philosophe à Paris*, 19 — *Le jambon de Monsieur Néant*, 22 — *La vie philosophique*, 25 — *Le professeur et le philosophe*, 27 — *L'histoire contre la légende*, 29.

PREMIÈRE PARTIE

Le royaume méditerranéen

1. Généalogie d'un philosophe 35

L'idiosyncrasie libertaire, 35 — *Une psychobiographie sans Freud*, 37 — *Devenir un fils fidèle*, 39 — *La mort infligée*, 41 — *Le contraire d'une guillotine transcendantale*, 44 — *Mort à toute peine de mort*, 47 — *Le principe d'Énée*, 49 — *Le livre qui sauve*, 51 — *Une encre phénoménologique blanche*, 53 — « *Va, mon fils* », 55 — *Une avant-guerre d'Algérie*, 58 — « *Savoir s'empêcher* », 59 — *Sous le signe de la mère*, 61 — *L'exercice de la pauvreté*, 63 — *Domi-*

nations et servitudes, 66 — *La voix des gens sans parole*, 67 — *Généalogie d'une sensibilité*, 69 — *La rédemption païenne*, 71 — *La chance philosophique*, 72 — *La boucherie et la bibliothèque*, 73 — *Plaisir à La Douleur*, 78 — *Premières lectures, premières écritures*, 80 — *La conversion existentielle*, 82.

2. La volonté de jouissance 85

Un philosophe nietzschéen, 85 — *Penser à partir de Nietzsche*, 87 — *Une longue histoire d'amour*, 89 — *Le nietzschéisme, effets secondaires*, 92 — *Le compagnonnage avec Nietzsche*, 94 — *Nietzsche, un homme révolté*, 96 — *Une impasse ontologique*, 98 — *Les grands feux de Gênes*, 103 — *Souffrir, c'est mûrir*, 106 — *L'absurde endroit et l'envers hédoniste*, 108 — *Le renoncement et l'affirmation*, 110 — *Technique de soi stoïcienne*, 112 — *Mourir heureux*, 115 — *Le philosophe artiste*, 118 — *« L'art de vivre en temps de catastrophe »*, 120 — *Comment être fidèle à son enfance ?*, 123 — *La philosophie comme autobiographie*, 126 — *Prague ou Vicence*, 127 — *À mi-distance de la pauvreté et du soleil*, 129 — *Noces à Tipasa*, 132 — *Vivre selon Noces*, 138 — *La création contre la civilisation*, 143 — *Revenir à Tipasa*, 145.

3. L'expérience intérieure du communisme 150

L'histoire contre la légende, 150 — *La clairvoyance d'un aveugle*, 153 — *La théorie critique de Grenier*, 154 — *Un « anarchiste » désespéré*, 157 — *Les choix d'un indécis*, 159 — *Jean Grenier sans légende*, 161 — *Un portrait sans fard*, 162 — *Camus offre une rédemption à Grenier*, 169 — *L'ombre et la lumière*, 170 — *L'affection contre le cynisme*, 172 — *Écrire et effacer*, 174 — *Tipasa, 21 août 1935*, 177 — *Plotinien, donc communiste*, 179 — *La lettre de Salz-*

bourg, 184 — *Treize ans après*, 187 — *La version du maître*, 190.

4. Un gramscisme méditerranéen 193

Gauche de ressentiment et gauche dionysienne, 193 — *Un nietzschéisme de gauche*, 196 — *Socialisme apollinien, socialisme dionysien*, 198 — *La mission civilisatrice de l'Algérie*, 200 — *Une certaine castillanerie*, 205 — *Don Quichotte libertaire*, 190 — *Remonter les fleuves*, 208 — *Hédonisme et politique*, 212 — *Un gramscisme méditerranéen*, 214 — *Éloge du théâtre*, 216 — *Une métaphore politique*, 218 — *Un lieu de vérité existentiel*, 220 — *La scène concrète*, 222 — *L'Espagne libertaire*, 225 — *Une « université populaire »*, 228 — *La Maison de la culture*, 229 — *Le pouvoir de la Méditerranée*, 231.

5. Une métaphysique de l'absurde 236

Deux fois condamné à mort, 236 — *Écrire avant de mourir*, 238 — *Une théorie du roman*, 241 — *L'Étranger comme surhomme*, 245 — *Généalogies du surhumain*, 248 — *Un triangle généalogique*, 251 — *Une philosophie qui achève la philosophie*, 253 — *Meursault, un Pyrrhon algérien*, 255 — *Portrait d'un pyrrhonien*, 257 — *La colère d'un apathique*, 261 — *Une saturation blanche*, 265 — *Sisyphe et Meursault*, 267 — *Vivre en pourrissant chaque jour*, 270 — *Vouloir la vie absurde*, 271 — *La sagesse de Sisyphe*, 274 — *Fin du royaume*, 276.

DEUXIÈME PARTIE

L'exil européen

1. Une ontologie politique libertaire.................... 281

Dérouler le fil des Parques, 281 — Paris la Gâteuse, 283 — La mort de la République, 285 — L'affaire Kafka, 288 — Interlude sartrien 1 : Évadé pour bons et loyaux services, 290 — Interlude sartrien 2 : « Qu'est-ce qu'un collaborateur ? », 293 — Interlude sartrien 3 : Une résistance transcendantale, 297 — Avec et sans Rirette, 300 — Qu'est-ce qu'un libertaire ?, 303 — Caligula : portrait du pouvoir, 305 — Logique du crime logique, 307 — Cherea le libertaire, 309 — La peste contre La Peste, 312 — La raison allégorique, 315 — Qu'est-ce qu'un pamphlet ?, 318 — Régime liberticide et idéal libertaire, 321 — « Chacun la porte en soi, la peste », 323 — Un pamphlet politique, 326 — Le fascisme transcendantal, 329 — Quid de la mort d'un enfant ?, 332 — Qu'est-ce qu'un résistant ?, 336 — Libération, épuration, etc., 338 — Peste brune et peste rouge, 340 — La peste est nomade, 343 — Créer un mythe antifasciste, 344.

2. Principes d'utopie modeste.............................

Métaphysique du fait divers, 348 — Un Diogène moderne, 344 — Vertu de l'insurrection, 354 — Une éthique du journalisme, 356 — Une pensée en archipel, 358 — Hourra l'Oural !, 360 — Le livre en filigrane, 362 — Pour une anarchie positive, 364 — L'éthique pour politique, 368 — Le sabre et le goupillon, 371 — La collaboration industrielle, 375 — Camps de concentration et bombe atomique, 378 — La libération après la Libération, 381 — « Les forces de la vengeance », 384 — La justice est une patience, 389 — Justice ou charité ?, 393 — Pour une épuration éclairée, 397 — Rebatet, Brasillach et Céline,

400 — *La leçon politique de la guerre*, 403 — *Abolir les frontières*, 406 — *Allemagne, année zéro*, 410 — *Sous le signe de Proudhon*, 414 — *L'utopie modeste*, 417 — *« De la Résistance à la révolution »*, 420 — *Un internationalisme libertaire*, 422.

3. Célébration de l'anarcho-syndicalisme 424

Corriger la création, 424 — *Qui est David Rousset ?*, 426 — *Pour ou contre les camps soviétiques ?*, 430 — *Le présent concentrationnaire*, 432 — *Le retour de la Première Internationale*, 435 — *Prendre les livres au sérieux*, 439 — *Contre le « nihilisme de salon »*, 442 — *Le crime littéraire*, 447 — *Les poètes du crime*, 451 — *Les crimes philosophiques*, 455 — *Une Providence repeinte*, 458 — *Marx contre les marxistes*, 464 — *La religion marxiste*, 466 — *Droit d'inventaire*, 467 — *Et Nietzsche dans tout ça ?*, 470 — *Une esquisse libertaire de 1789*, 474 — *« Les éternels Girondins »*, 478 — *Une explication avec l'individualisme anarchiste*, 482 — *Sur la violence révolutionnaire anarchiste*, 482 — *Un anarchisme solaire*, 489 — *Éloge de la Commune*, 494 — *Le malentendu d'un Camus social-démocrate*, 500 — *Abstention, piège à cons*, 506 — *Pendant les élections, le combat continue*, 509 — *Célébration de l'anarchosyndicalisme*, 511.

4. La guerre civile d'un Africain 515

Berlin contamine Tipasa, 515 — *Salir pour ne pas lire*, 517 — *Des pépites politiques*, 522 — *Un maurrassisme de gauche*, 524 — *Contre le colonialisme italien*, 526 — *En faveur de Viollette*, 529 — *Avec les indigènes de la République*, 531 — *Voyage en Kabylie*, 533 — *La faute coloniale*, 537 — *Une forme politique kabyle*, 539 — *Le communalisme libertaire*, 541 — *Le « douarcommune »*, 544 — *Une micrologie* politique, 547 — *Un journaliste qui pense*, 549 — *« Dieu est trop vieux, il faut en changer »*, 552 — *Contre la justice des colons*, 554 — *La guerre des Algériens*, 556 — *Généalogie de la catastrophe*, 559 — *Sétif, « un massacre algérien »*, 562 — *La Toussaint rouge*, 566 — *Condamnés à vivre ensemble*, 567 — *Retour à Alger*, 571 — *Faire son métier de philosophe*, 575 — *La justice des assassins*, 578 — *La justice sélective*, 582 — *Penser le terrorisme*, 584 — *L'art de ne pas lire*, 587 — *Une pensée postcoloniale*, 589 — *Le contrat fédéraliste*, 592 — *Avec les anarchistes*, 594 — *Camus l'Africain*, 598 — *Changer d'impérialisme ?*, 601 — *Un testament politique*, 603 — *16 10 1957*, 606 — *La justice, donc sa mère*, 609 — *Trois post-scriptum*, 612.

5. Un art de vivre en temps de catastrophe 617

Requins et rémoras, 617 — *Lourmarin, antidote à la pègre de Paris*, 621 — *Autoportrait psychologique*, 623 — *La femme de Don Juan*, 624 — *Un séducteur amoureux*, 627 — *Tenir l'aiguille dans son poing*, 629 — *Le tribunal de la raison familiale*, 632 — *L'enfer, c'est soi*, 634 — *Un autoportrait infernal*, 636 — *Philosophie de la culpabilité*, 639 — *Portrait, suite*, 643 — *Pensées pour lui-même*, 644 — *Le principe du malconfort*, 646 — *La cellule des crachats*, 648 — *Les juges-pénitents germanopratins*, 651 — *Les fleuves d'un asséché*, 654 — *Contre la Veuve*, 655 — *Le sang sur les mains de Sartre*, 658 — *Avec les communistes*, 660 — *Aux côtés du FLN*, 662 — *En défense des minorités*, 664 — *Le génie libertaire espagnol*, 667 — *L'ordre des anarchistes*, 670 — *Intermède au drapeau noir*, 671 — *L'heure espagnole*, 674 — *Un long combat antifranquiste*, 678 — *Un manifeste libertaire*, 680 — *« Une évolution révolutionnaire »*, 683 — *04.01.1960*, 683.

Conclusion

La postérité du soleil

L'éparpillement anarchiste, 691 — *Naissance du post-anarchisme*, 695 — *Camus contre les dogmes*, 699 — *Les leçons libertaires*, 703 — *Camus, une vie anarchiste*, 705 — *Après Sartre*, 707 — *Une post-anarchie pour aujourd'hui*, 711.

Bibliographie.. 715
Index des noms propres................................... 731
Index thématique 747

10232

Composition
NORD COMPO

Achevé d'imprimer en Espagne
par CPI
le 10 novembre 2015.

Dépôt légal décembre 2012.
EAN 9782290059807
OTP L21EPLN000672B004

ÉDITIONS J'AI LU
87, quai Panhard-et-Levassor, 75013 Paris

Diffusion France et étranger : Flammarion